Édgar Torres Arias

Mercaderes de la muerte

Édgar Torres Arias

Mercaderes de la muerte

intermedio editores

CIRCULO
DE LECTORES

© 1995, ÉDGAR TORRES ARIAS

© 1995, INTERMEDIO EDITORES, una división de
CÍRCULO DE LECTORES S.A.

Diseño de cubierta: Dpto. Creativo Círculo de Lectores S.A.

Ilustración de cubierta: Édgar Caballero

Diseño y armada: Henry Sánchez Ramírez

Fotografía: Archivo Policía Nacional y *El Tiempo*

Mapa: *El Tiempo*

Licencia de Editorial Printer Latinoamericana Ltda.

para Círculo de Lectores S.A.

Calle 57 No. 6-35

Santafé de Bogotá, Colombia

Impresión y encuadernación: Editorial Presencia

ISBN: 958-28-0783-0

    E F G H I J

A Rafael Santos Calderón, por su apoyo constante;
a los periodistas Lucero Sánchez, Miller Rubio y Martha Donny Mosquera,
por su esfuerzo sincero en este proyecto,
y a esa escuela de prensa latinoamericana que hoy encarna El Tiempo
a instancias de Enrique Santos Castillo y Enrique y Francisco Santos Calderón.

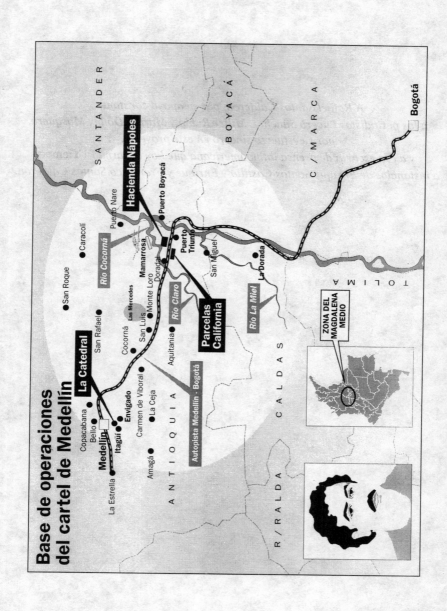

Base de operaciones del cartel de Medellín

CONTENIDO

CONTENIDO

DEL AUTOR

Durante casi dos décadas las entrañas del cartel de Medellín han sido un misterio. Un secreto tan resguardado como la magnitud real de sus operaciones de tráfico de drogas, la cuantía de sus fortunas y la estremecedora diversificación de sus acciones terroristas, sus enlaces en el poder y sus crímenes.

Esa compleja y siniestra estructura criminal sólo se rompió con la última "gran vuelta": el asesinato de los reyes ocultos de la cocaína: Fernando y Mario Galeano Berrío y Gerardo y William Moncada, en julio de 1992, antecedente inmediato de la fuga de Pablo Escobar Gaviria de prisión.

La cruenta *vendetta* no sólo propició una frenética desbandada y puso a aterrorizados agentes del cartel al alcance de la ley, sino que condujo a esclarecer un número indeterminado de crímenes, a señalar rutas de tráfico y a identificar agentes del cartel en Europa y Estados Unidos.

El relato vivo y directo de los hombres de la mafia ha puesto en evidencia, además, cómo las imputaciones lanzadas por las agencias oficiales en contra de Pablo Escobar y su organización han resultado ínfimas y etéreas. Quizá tanto como el fantasma de Los Extraditables.

La historia del cartel es la historia de un centenar de criminales que se abalanzaron en epopeyas demenciales. Delincuentes que marcaron las últimas dos décadas de la historia del país y que terminaron por influir y usufructuar las sociedades más poderosas de la Tierra. Desde Estados Unidos y Japón, hasta España, Francia, Italia e Inglaterra en la Comunidad Económica Europea.

Por primera vez en dos décadas es posible disponer de información inédita, sólida y veraz sobre Pablo Escobar, Los Extraditables, su organización y sus actuaciones criminales.

Uno tras otro, hechos concretos, que resultan del relato de sus protagonistas —terroristas, ex jefes de la mafia, testigos sin rostro, oficiales antidrogas y hasta ex amantes de los barones de la cocaína— están consignados en información a la que finalmente es posible acceder a través de fuentes diversas. Algunas identidades, sitios y fechas fueron cambiados con el fin de proteger la vida de quienes se acogieron a la ley como únicos testigos, y de hombres y mujeres que, sin pertenecer a la mafia, presenciaron hechos excepcionales o se les hicieron confidencias pavorosas. Se trata, en esencia, de información de un valor periodístico, histórico y documental inestimable. De hecho, sólo las sociedades que han aprendido de su pasado pueden evitar que el terrorismo, la muerte y la tragedia sean también un asunto de su futuro.

Mediante la unión de piezas dispersas y la consecución, cotejo y complementación de la información disponible ha sido posible obtener material suficiente para proyectar el *dossier* de la mafia en Colombia. Una magnífica industria del crimen organizado que, aprovechando múltiples factores del subdesarrollo y, paradójicamente, del progreso en las naciones industrializadas, ha puesto en jaque a sociedades, gobiernos y autoridades administrativas y policiales de un tercio del mundo.

Muchos de los protagonistas de los episodios que aquí se relatan han confesado sus crímenes, otros los han aceptado a medias y unos más han negado rotundamente su participación en ellos. La justicia tiene la última palabra pero, sin excepción, cuanto aquí está escrito corresponde a las acusaciones que entre sí se han hecho o se hicieron los hombres del cartel. Además de grabaciones, existen documentos que hoy están en poder del Estado.

NI EL PROCURADOR
DEBE SALIR CON VIDA*

Una colonia paisa

El hombre que acababa de pasar por un joven y pujante ejecutivo antioqueño ante la campaña del candidato a la Alcaldía de Bogotá, Andrés Pastrana Arango, era en realidad, hasta ese enero de 1988, uno de los agentes terroristas mejor cubiertos del cartel de Medellín. Había ascendido a pasos agigantados en virtud de una lealtad a toda costa con la organización. Esa misma lealtad que habría de llevarlo incluso, cuando así lo exigieran las circunstancias, a citar a su amada Wendy en el restaurante Palos de Moguer, en Medellín, y entregarla por instrucción de Pablo Escobar Gaviria, sin represalia alguna y sin reparar en sus súplicas, a los pistoleros pagados por la mafia para que le quitasen la vida acusándola de ser confidente de un agente secreto de la policía y de traicionar al cartel.

Su breve reunión de ese día en la sede de la campaña del joven candidato al gobierno central de la capital del país atendía a una instrucción expresa de Pablo Escobar. Seguía cada paso de Andrés Pastrana desde cuando el jefe del cartel de Medellín había decidido que la mafia podría presionar el fin de la extradición tendiendo una

---

* **Enero de 1988**. Los relatos que contiene este capítulo corresponden a hechos ocurridos entre enero y abril de 1988. Marcan el comienzo de las más dramáticas expresiones terroristas del cartel. En ese lapso la mafia secuestró al hijo del ex presidente Misael Pastrana y candidato a la Alcaldía Mayor de Bogotá, Andrés Pastrana, y asesinó al procurador General de la Nación, Carlos Mauro Hoyos. ¿Cómo se planearon y ejecutaron esos crímenes? Es lo que se relata en este capítulo.

amenaza sobre los ex presidentes más influyentes de la República y, a no dudar, el conservador Misael Pastrana era uno de ellos.

John Jairo Velásquez Vásquez, Popeye, conocía los hábitos, los horarios y las rutas de Andrés Pastrana Arango gracias a los seguimientos que inició en 1987 cuando este aún permanecía en su cargo de director de TV Hoy, el noticiero de televisión asignado por el Estado a un consorcio en el que los Pastrana eran virtualmente los únicos accionistas. Desde entonces se sentía listo para atender "la vuelta" pero Pablo Escobar le había dicho que debían esperar por algún tiempo.

En cuanto Andrés Pastrana inició sus actos proselitistas, Popeye recibió la orden de actuar. Retornó a Bogotá, se instaló en el Apartahotel de la 51, en el sector de Chapinero, y durante varios días gestionó, hasta obtener, una cita que le permitiera acercarse al candidato a través de una falsa oferta.

Perfectamente arreglado, con zapatos de cuero negro, vestido oscuro y corbata, se presentó en la sede de la campaña y explicó cómo él y otros antioqueños conformaban una colonia paisa en Bogotá.

La colonia —dijo— sólo requería apoyo del próximo alcalde de la ciudad para convertirse en uno de los más importantes puntos de encuentro de aquellos que como él, siendo oriundos de Antioquia, habían decidido fijar temporal o definitivamente su residencia en Bogotá. Los inspiradores de la colonia, aunque aún no tantos como sería deseable —era este el punto de mayor relevancia para la campaña— estaban dispuestos a apoyar la candidatura de Andrés Pastrana con la única garantía de que, si resultaba elegido, él les cooperase en la tarea de fortalecer aquel proyecto apenas en embrión.

Tras la explicación y después de sentir que había transmitido un mensaje convincente con destino a Andrés Pastrana, Popeye salió de la sede —que estaba junto al Concejo de Bogotá y que él había estudiado muchas veces— y tuvo buen cuidado de despedirse de cuanto dependiente se cruzó en su camino. El que lo reconociesen como un aliado y un servidor del movimiento —así lo había concebido— les facilitaría "la vuelta" a él y a los suyos en el día señalado.

Hijo de una familia acomodada de Yarumal (Antioquia) y educado por monjes salvatoreanos, el hombre que seguía desde hacía varios meses a Andrés Pastrana, era agente directo del cartel desde hacía cinco años. Pistolero curtido y con sólidos conocimientos en explosivos, a sus 26 años, Popeye sumaba varias carreras sin culminar.

En la adolescencia —apenas concluido el cuarto año de secundaria— se había enrolado con la Armada Nacional en la Escuela de Grumetes de Barranquilla pero, al cabo de seis meses, había solicitado la baja y regresado a las aulas a concluir quinto y sexto de bachillerato. Cumplido ese propósito y con el título aún caliente entre las manos, se había aventurado en un nuevo pero infructuoso intento. Esta vez por siete meses, en la Escuela de Cadetes de Policía General Francisco de Paula Santander en Bogotá.

Finalmente terminó en la trastienda de Cantarito, una oscura venta de chance y apuestas ilegales en el Magdalena Medio y entonces empezó su carrera al servicio directo de Pablo Escobar Gaviria. Conducía un vehículo de propiedad de una mujer llamada Elsa y con el tiempo descubrió que su patrona era, en realidad, una de tantas amantes del principal traficante internacional de narcóticos. Cierto día, después de llevarla muchas veces hacia los sitios elegidos para sus encuentros furtivos y cuando se percató de que la pasión del jefe del cartel por Elsa llegaba a su fin, Popeye había pedido permiso a su patrona para hablar directamente con él. Los refugios de los barones de la mafia sólo podían ser de conocimiento de una élite íntima de pistoleros y, en esas condiciones, lo que estaba de por medio —calculó Popeye— era ni más ni menos que su propia vida.

—Usted puede emplearme o matarme, señor, porque yo conozco todas "las caletas"... —le dijo.

Exageraba, pero después de algunas referencias Pablo Escobar había decidido enrolarlo a su servicio como pistolero y, en cinco años, Popeye había hecho una carrera vertiginosa. De hecho, el caso Andrés Pastrana no era un asunto de monta menor.

Las horas que Popeye había dedicado a vigilar a Andrés Pastrana, con diez días de antelación a la cita, en donde expuso la farsa de la colonia, lo llevaron a concluir muy temprano —no sin cierta complacencia— que los hábitos del candidato no distaban sustancialmente de los del director del noticiero TV Hoy.

El nuevo frente del que debía ocuparse: la seguridad, tampoco era en sí mismo un problema complejo. El gobierno había asignado una escolta a Andrés Pastrana, pero salvo por el hombre que permanecía anclado y alerta en el segundo piso de la sede, a diez pasos de la oficina, en un corredor que parecía un librero, los demás pasaban su tiempo abajo sin reparar excesivamente en detalles sospechosos.

Para empezar —Popeye vio en ello la coartada perfecta— los automóviles que se parqueaban cerca a la sede sólo tenían que exhibir propaganda de la campaña para pasar inadvertidos, y la misma falta de previsión se extendía a jeeps y a otros carros escolta.

Todo era cuestión de que él hiciese por lo menos un par de visitas más a la sede hasta que lo identificaran como un asiduo pastranista y de que el grupo utilizase vehículos con todos los papeles en regla. Lo demás —así lo explicaría efectivamente a "el comando" —era asunto de tomar la sede por asalto... Ojalá, aunque le parecía imposible, sin disparar un solo tiro.

"Véndenle los ojos"

Tras las verificaciones iniciales y con el plan diseñado en la cabeza, Popeye se dedicó de lleno a los detalles aún sin cristalizar. En la reunión con Pablo Escobar Gaviria y Gerardo Kiko Moncada, a su regreso a Medellín, hacia el quinto día de enero de 1988, había obtenido la aquiescencia y los instrumentos de apoyo que requería para culminar el caso Andrés Pastrana.

Gerardo Kiko Moncada había aceptado hablar de inmediato con un conocido suyo que era propietario de una finca en el municipio cundinamarqués de Sopó, a una hora de Bogotá. Le explicaría que la guerra con el gobierno pasaba por una etapa realmente difícil y que el cartel requería con urgencia un sitio en el cual ocultar por un par de semanas a los contadores. Entonces, con la certidumbre de disponer de un refugio transitorio —en sus palabras, "una caleta segura"— Popeye dio los pasos siguientes.

En Medellín hizo contacto con El Monito Jorgito, El Pitufo, Cejitas, El Ratón y un grupo independiente de cuatro hombres y, en Bogotá, con El Mico, en realidad, el único que conocía la capital de la República como la palma de su mano. Después instaló a El Monito Jorgito, El Pitufo y Cejitas en el Apartahotel de la 51 —un hotel de tercera en el sector de Chapinero en Bogotá en el que nadie hacía excesivas preguntas— y verificó que el grupo independiente se hubiese instalado en la vivienda que el cartel había adquirido desde hacía años junto a la Clínica Palermo, unas calles antes del Apartahotel. Luego se dio a la tarea de conseguir dos automóviles: un Toyota y un Mazda legítimos que adquirió directamente El Mico. Compró uno de ellos amparado en una cédula falsa expedida a nombre de Jorge Aristizábal Vélez, un simpático comerciante paisa.

Consciente de que su propia supervivencia dependía de ello, Popeye ordenó a El Mico estudiar cada calle alterna, por entre los barrios de la ciudad, en busca de dos rutas diferentes que les permitieran salir de la sede de Andrés Pastrana, cerca del Concejo de Bogotá y alcanzar la finca en la vía a Sopó, el municipio cundinamarqués a una hora de Bogotá. De hecho, ocho días antes del día señalado, Popeye, El Mico y un tercer hombre, empezaron a visitar esa finca cada noche, a bordo de un Renault 21 de color café, hasta convertir esa rutina en algo normal y familiar para los vigilantes del condominio.

El tercer hombre era uno de Los Magníficos. Pablo Escobar Gaviria y Gerardo Kiko Moncada lo contactaron en Medellín para que pilotara el helicóptero que se utilizaría en la fase final de la operación. Este no sólo había visitado la finca con asiduidad si no que junto con Popeye la había sobrevolado varias veces.

Popeye se comprometió inclusive a que el piloto podría visualizar una fogata encendida el día indicado. Ésta sería la señal de que todo transcurría según lo previsto y que no existían riesgos. "Una cosa son Los Magníficos hablando aquí con ustedes y otra cuando se les venga toda la presión de la policía por lo de Pastrana", había explicado Popeye a Pablo Escobar y a Gerardo Kiko Moncada, en presencia del piloto, durante la última reunión que antecedió la consumación del plan. "Ustedes saben que estos son unos miedosos... Y lo que yo tengo que pensar es que el hombre me puede fallar y ahí sí la seguridad de esta operación se va ir es a la mierda".

Popeye logró así que Gerardo Kiko Moncada trasladara un helicóptero a Bogotá y ordenara a Los Magníficos obtener planes de vuelo legales, con itinerario Bogotá-Medellín, por cada uno de los últimos cuatro días que precedieron a "la vuelta". Amparados en esas autorizaciones, Los Magníficos volaron varias veces Bogotá-Medellín-Bogotá sólo para que, en el día crucial, las autoridades aeronáuticas no tuviesen sospecha alguna respecto de ellos.

Como el helicóptero era un aparato legal, Gerardo Kiko Moncada sólo puso una condición: "Véndenle los ojos al doctor Pastrana para que no vaya a ver la matrícula y a salir después a contarlo todo".

"No hagan nada, somos del M-19"

Andrés Pastrana Arango no estuvo en la sede de su campaña en toda la mañana del 16 de enero de 1988. Popeye lo verificó personalmente. Desde muy temprano hacía guardia a la espera del candidato a la Alcaldía Mayor de Bogotá. No lo lamentó. El atardecer —casi la noche— con la ciudad atestada de secretarias y dependientes tomando autobús y de hombres de negocios y comerciantes retornando en sus automóviles a casa, era el otro aliado en su plan.

Desde la noche anterior había obtenido la propaganda de la campaña que El Monito Jorgito, El Pitufo, Cejitas y El Ratón y un grupo independiente de cuatro agentes del cartel debían instalar en los dos automóviles adquiridos por un falso caldense en Bogotá. Confiaba al extremo en los cuatro hombres del grupo independiente porque quien iba a dirigirlos era ni más ni menos que El Negro Pabón en persona.

Popeye admiraba la previsión que había llevado a aquel hombre a hacerse a una residencia en Bogotá. Todo para no dejar rastros de su presencia cuando tuviese que hacer "una vuelta" en la capital. Si en la organización existían dos personas que hubiesen aprendido de los errores cometidos por Los Priscos en ese abril de 1984, tras el asesinato del ministro de Justicia, Rodrigo Lara Bonilla, eran precisamente El Negro Pabón y Pablo Escobar Gaviria. Sabían exactamente los riesgos que entrañaban las pistas —hoteles, restaurantes y vehículos.

Por lo demás, El Negro Pabón había traído consigo a Bogotá, en un Volkswagen, desde Medellín, las armas que todos iban a utilizar. Las tomó de un cuarto secreto en una finca campestre ubicada en el sitio Cañada de las Flores, en la vereda La Fe, en el municipio antioqueño de El Retiro. En cuanto al Mazda y el Toyota adquiridos para realizar "la vuelta", aún aparecían a nombre de sus dueños originales, porque los traspasos dependían del giro del último cheque y éste no habría de llegar jamás.

Popeye volvió a examinarlo todo esa mañana de enero 16. El edificio que servía de sede a la campaña pastranista, los vehículos de diversos modelos y marcas aparcados en los alrededores de la sede y cubiertos hasta donde era posible con propaganda del candidato y los agentes de policía asignados en el portón principal de acceso. Se estremeció. Un duro trabajo esperaba a El Negro Pabón.

Si se producía un tiroteo, no había duda, éste iba a tener lugar exactamente en la planta baja.

Después volvió al Apartahotel de la 51, sostuvo la última reunión con El Monito Jorgito, El Pitufo, Cejitas y El Negro Pabón y sus hombres y advirtió que telefonearía desde la sede de Andrés Pastrana. Ellos debían recoger entonces los autos en los parqueaderos, instalar los afiches con la fotografía del candidato y detenerse justo en frente de la sede aparentando ser simplemente una escolta.

Perfectamente presentado, Popeye regresó a la sede y esperó hasta que vio llegar a Andrés Pastrana poco después de las 4 de la tarde. Tras unos minutos ingresó en ella y saludó. Estaba pendiente del reloj. A las 5:30 pidió el teléfono prestado a la secretaria y marcó el número del Apartahotel. El Monito Jorgito esperaba atento por la comunicación. Apenas colgó el teléfono, Popeye salió y aguardó hasta que vio aparecer el jeep con los hombres de El Negro Pabón a bordo y el Mazda con El Pitufo, Cejitas y El Monito Jorgito. Todos de vestido y corbata. A una señal, salvo los conductores, los demás descendieron de los vehículos. Popeye y El Monito Jorgito entraron entonces a la sede, ganaron las escaleras con un simple guiño de ojo a la recepcionista y pronto estuvieron en el corredor que daba al librero.

—¡Esto es una toma pacífica del M-19. Que nadie se mueva y no habrá problemas. Necesitamos al doctor Andrés Pastrana...! —alcanzó a escuchar Popeye antes de irrumpir en el despacho del candidato. El Negro Pabón y los demás habían tomado ya la planta baja. Ahora obligaban a los presentes a tirarse bocabajo contra el suelo y descolgaban los auriculares de los aparatos telefónicos.

Popeye encontró a Andrés Pastrana aún sentado tras el escritorio y hablando por teléfono y le apuntó con su Hekler. No lo vio palidecer.

—¿Qué es esto? ¿Una broma? —interrogó Andrés Pastrana mientras colgaba el auricular—. ¿Qué pasa? ¿Qué pasa? Ésa es un arma de juguete... —añadió.

Popeye se dio cuenta, en ese momento, de lo que ocurría. Su Hekler alemana 9 milímetros —de cacha plástica— no había terminado por persuadir al candidato a la Alcaldía de que aquello fuese, en realidad, un asunto serio. La verdad —aunque constituía la última muestra de ingenio de la industria bélica germana— aquélla parecía sólo ser un arma de juguete.

—No es una broma, doctor. Somos del M-19 y venimos por usted, que es el "delfín" de la oposición, para enviar un mensaje al gobierno —respondió Popeye en tanto desenfundaba una ametralladora Miniuzi.

—Quiero —prosiguió— que tranquilice a su escolta y le diga que en una hora usted estará aquí. Es el tiempo que necesitamos para entregarle el mensaje... Voy a esposarlo.

Popeye había concebido la mención al insurgente Movimiento 19 de Abril, M-19, desde hacía meses. Los del "eme" producían los primeros balbuceos de acercamiento hacia un proceso de paz y desmovilización con el gobierno y la espectacularidad de sus tomas era un asunto público. El M-19 no sólo había asaltado durante años camiones cargados con bolsas de leche para ir a repartirlos en los barrios pobres sino que era autor del robo de la espada de El Libertador en la Casa Quinta de Bolívar, en Bogotá, y de la sangrienta toma del Palacio de Justicia en noviembre de 1985, con saldo de un centenar de víctimas mortales, entre magistrados de la Corte Suprema y el Consejo de Estado, particulares, policías, miembros del ejército y guerrilleros. No obstante, para enero de 1988, sus líderes hablaban de entrar en negociación con el gobierno y ello convertía al "eme" en una coartada perfecta. Una mención a Los Extraditables, en cambio, sólo habría degenerado en un cruento tiroteo.

Enfrentado a la Miniuzi y sin otra alternativa, Andrés Pastrana permitió que lo esposaran y luego salió al pasillo. Popeye le cruzaba el brazo derecho por encima de los hombros y, con el cañón del arma, lo obligaba a pegar su cabeza contra la de él.

—No lo olvide doctor, aquí no hay nada de negociación sino que vamos es para afuera... —le repitió.

Entonces empezó el descenso de las escaleras. El Monito Jorgito avanzaba armado detrás de ambos. Andrés Pastrana pidió a los agentes secretos, dependientes y amigos de su campaña mantener la calma.

—Tranquilos. Es un comando del M-19. En una hora vuelvo... con un comunicado —explicó.

En medio de la tensión, nervioso, Popeye descubrió que Andrés Pastrana había comprendido el mensaje. Vio a los policías paralizados y a los escoltas imbuidos en una ambivalencia que podía resultar mortal y aceleró el paso.

El Negro Pabón y sus hombres y El Pitufo y Cejitas estaban cada uno en sus posiciones; apenas salió a la calle, Popeye vio el Mazda abandonar su sitio en la zona de parqueo y detenerse en frente de ellos.

Andrés Pastrana, El Monito Jorgito y Popeye, partieron raudos. El Mazda dio vuelta en la esquina, siguió de largo una cuadra, volvió a virar y se detuvo en la calle a espaldas de la oficina del candidato. Entonces, Popeye y El Monito Jorgito lo introdujeron dentro del baúl del Renault 21 de color café. El Mico verificó otra vez que su fusil estuviese al alcance de la mano e inició el recorrido. El Renault 21 tomó una calle tras otra de los barrios menores y pronto empezó a avanzar hacia el norte.

"Han secuestrado, hace unos instantes al candidato a la Alcaldía de Bogotá, el doctor Andrés Pastrana, aparentemente un comando del Movimiento 19 de Abril, M-19", escucharon todos cuando El Mico encendió la radio del vehículo.

Popeye aprovechó su posición en la esquina izquierda del asiento de atrás y corrió entonces un poco el espaldar. Lo había desasegurado previamente para garantizar una entrada de aire. Vio a Andrés Pastrana en posición fetal con el rostro contra el tapete del baúl. Luego volteó a mirar a El Monito Jorgito que viajaba sentado sobre el piso del vehículo, en el espacio entre los asientos delanteros y la banca de atrás y que mantenía el dedo índice puesto en el gatillo de una ametralladora M-P5.

Todos escucharon a Andrés Pastrana cuando pidió que sintonizaran Radio Cadena Nacional, RCN, y cuando les explicó que Juan Gossaín, el director de la estación, era un gran amigo suyo. El Mico atendió la solicitud y, por primera vez, Popeye vio al secuestrado profundamente conmovido.

—No se preocupe, doctor, que somos del M-19 —volvió a insistir Popeye, que aún llevaba la Miniuzi agarrada con fuerza en la mano derecha.

Viajaban como si se tratase simplemente del vehículo de un ejecutivo con su chofer —era todo lo que se veía desde afuera— y atravesaban la ciudad sin contratiempos. Después de 30 minutos de recorrido, sin saber qué ruta seguían, Andrés Pastrana sólo exigió que lo llevasen directamente ante Carlos Pizarro Leongómez, comandante máximo del M-19 porque, según les dijo, se conocían personalmente.

—Vea, doctor —replicó después de unos instantes Popeye—, lo que a nosotros nos interesa es tratarlo bien. Si a nosotros nos intercepta la policía, pase lo que pase, lo vamos a soltar...

Hacia las 8:30 de la noche, el Renault 21 entró finalmente en la autopista norte, rebasó los retenes del ejército en Hato Grande, la casa campestre de los presidentes en las afueras de Bogotá, y arribó hasta la vara de control del condominio en Sopó en donde se encontraba la finca del conocido de Gerardo Kiko Moncada, el hombre que creía haberla prestado para "encaletar" a varios contadores amenazados del cartel.

El vigilante levantó la vara y saludó con la mano. Sólo vio a El Mico y a Popeye. No a El Monito Jorgito, ni a la víctima del cartel, que también ingresaron a bordo del Renault 21 a la pequeña finca campestre. La fase inicial había terminado. Popeye despidió a El Mico, el hombre que se había hecho pasar por Jorge Aristizábal

Vélez para adquirir uno de los carros utilizados en el secuestro, y le dio la orden de telefonear a las emisoras. Era necesario un virtual acuartelamiento de policía y ejército si es que el Estado deseaba que Andrés Pastrana pudiese retornar a su sede con el mensaje del M-19. La verdad, tenía otra razón. Popeye no sabía qué había ocurrido con El Negro Pabón y su grupo, ni con El Pitufo, Cejitas y El Ratón y, de cualquier forma, acuartelar policía y ejército, les facilitaría mucho las cosas a todos. Era demasiado tarde para esa ayuda, pero Popeye no lo sabía.

"Usted está en poder de Los Extraditables"

El estado de angustia de Andrés Pastrana creció a pasos agigantados desde cuando vio a El Monito Jorgito salir de la casa, muy temprano en la mañana del 17 de enero de 1988, para empezar a encender una fogata. Durante la noche, en los momentos de tensión y cuando aún parecía tener la esperanza de estar en poder del M-19 en forma transitoria, Popeye y El Monito Jorgito escucharon varias veces al candidato a la Alcaldía de Bogotá advertir tajante:

—Ustedes tienen secuestrado al hijo del jefe del partido de la oposición... y en cualquier momento las autoridades estarán aquí.

Cada vez que ello ocurrió, en busca de tranquilizarlo, Popeye le repitió que estaba en poder del M-19 y que todo era cuestión de que llevase un comunicado. Sin embargo, en la mañana del primer día de cautiverio las advertencias de Andrés Pastrana desaparecieron y su semblante cambió de manera dramática. Popeye lo notó, pero tampoco su estado de ánimo era el mejor. El enviado de Pablo Escobar veía cada 15 segundos el reloj y contaba uno tras otro los minutos que pasaban sin que el helicóptero de Gerardo Kiko Moncada y el piloto de Los Magníficos aparecieran.

En la noche del secuestro, después de llevar a Andrés Pastrana a una de las habitaciones de la casa y quitarle las esposas, Popeye le había dicho al candidato a la Alcaldía de Bogotá que la zona estaba custodiada por 30 hombres armados y que su seguridad dependía de que no intentase escapar. Sin embargo, a estas alturas, nueve de la mañana ya, sin que ninguno hubiese pegado un ojo, el "delfín" se había dado cuenta de la verdad.

Desde cuando arribaron a la finca y comprobó que ni Carlos Pizarro Leongómez ni otros comandantes del M-19 se encontraban allí, Andrés Pastrana se había dedicado a consumir una taza de café tras otra y a preguntar incesantemente por la verdad de su secuestro, haciendo una serie de preguntas capciosas.

Deseaba saber a ciencia cierta en poder de quién se encontraba y hasta se había atrevido a insinuar la posibilidad de que sus secuestradores, Popeye y El Monito Jorgito fueran sólo dos agentes del narcotráfico. Sin embargo, ambos habían eludido el tema. La confirmación llegó cuando apareció el helicóptero. Popeye vio a El Monito Jorgito avivando la fogata y escuchó a Andrés Pastrana volver sobre el mismo interrogante que formuló en la tarde del 16 de enero, cuando aún creía que todo era una broma: "¿Qué pasa? ¿Qué pasa..?" Sólo en ese momento Popeye le reveló la verdad, como si se tratase de un disparo hecho a quemarropa:

—Doctor, usted ya oyó el helicóptero. Yo tengo que vendarlo. Usted está en poder de Los Extraditables y vamos a la ciudad de Medellín para que su papá ayude a tumbar la extradición.

Sin argumentos tras la sentencia de la Corte Suprema de Justicia que dejó sin efecto el tratado de extradición suscrito entre Colombia y Estados Unidos en 1979, y después de fallidos esfuerzos para que los tribunales de justicia pudieran aplicar la extradición, el entonces presidente Virgilio Barco había declarado el Estado de sitio y había restablecido a través de decretos gubernamentales la entrega de narcotraficantes a la justicia federal estadounidense. El secuestro de Andrés Pastrana era la primera avanzada del sangriento contra ataque de la mafia frente a la extradición.

Popeye vio palidecer a su víctima pero agradeció el que no opusiese resistencia cuando él, con una funda de almohada, le vendó los ojos.

El helicóptero de Gerardo Kiko Moncada —un Bell Ranger, blanco y con rayas azules— descendió sobre el amplio jardín de la casa campestre en el condominio de Sopó, recogió a sus pasajeros y volvió a elevarse. Popeye observó desde el aire los complejos de parcelas pequeñas, las montañas que bordeaban a Bogotá y los vehículos que debajo de ellos circulaban por las carreteras. Su misión casi había terminado.

"Es el procurador"

Tal como lo había indicado Pablo Escobar Gaviria, aquel "caletero" estaba realmente enterado de todo. En la mañana del domingo 24 de enero de 1988, John Jairo Arias Tascón, Pinina, y Popeye lo recogieron en la carretera, cerca del perímetro urbano de El Retiro (Antioquia) y lo atendieron en todas sus instrucciones.

Los tres recorrieron varios caminos durante 20 minutos hasta que finalmente llegaron a su objetivo. Pinina y Popeye identificaron al procurador General de la Nación, Carlos Mauro Hoyos, cuando recorría varias veces la casa que era objeto de ampliaciones; después observaron al conductor Jorge Enrique Loaiza Hurtado y al escolta Gonzalo Villegas Aristizábal, que permanecían fuera del Mercedes blanco oficial.

Abogado, ex juez, ex coordinador de inspectores de Policía y ex senador de la República, el procurador General de la Nación, Carlos Mauro Hoyos, el otro hombre a quien la mafia seguía en ese enero de 1988, era a sus 47 años una especie de cruzado anticorrupción, uno de cuantos propugnaban por la confiscación de los bienes de la mafia y otro soporte del gobierno en lo que tenía que ver con el restablecimiento de la extradición y con los autos de detención que el Ejecutivo había dictado contra la cúpula del cartel.

Carlos Mauro Hoyos terminó de inspeccionar las mejoras que había ordenado en la casa de la finca sólo al atardecer de ese domingo 24. Después abordó el Mercedes.

El conductor Jorge Enrique Loaiza Hurtado se acomodó la ametralladora MP5 entre las piernas y partió. Pinina y Popeye lo siguieron todo el camino hasta que el vehículo oficial se detuvo en frente de una residencia del barrio La Milagrosa en Medellín.

Era la casa en donde Hoyos se había criado. Ahora sólo habitada por su progenitora, doña Rosa Elisa. La visitaba, sin falta, cada fin de semana aunque nunca se había permitido tratar con ella asunto alguno relacionado con el despacho a su cargo. Ese domingo —el último de su vida— iba a permanecer a su lado hasta bien entrada la media noche.

Antes de partir, aprovechando que el conductor acababa de entrar en un tienda del sector, Pinina ordenó a Popeye que observara con cuidado el Mercedes y verificara que no fuese blindado.

Popeye descendió rápidamente del vehículo en el que ambos se encontraban, caminó hasta el Mercedes y golpeó una de las ventanas con los dedos. Luego volvió al lado de Pinina y ambos partieron. Les quedaban pocas horas para realizar "la vuelta" y aún tenían muchos detalles por resolver.

"Su hijo, ya es para la selva"

Aquél había constituido por algo más de ocho años uno de los refugios más secretos y seguros del cartel de Medellín. Estaba en el sitio Cañada de las Flores, en la vereda La Fe, municipio de El Retiro, Antioquia. Era una parcela bordeada de pinos, con una casa campestre de dos plantas que Pablo Escobar Gaviria había hecho adecuar en forma *sui generis*. En el segundo piso existía una alcoba sellada, sin ventanales, con muros pintados en tono claro y rejas al estilo de una celda. En el primero, un cuarto secreto de 2.5 metros por 2.5 al que se accedía por una pared falsa recubierta en baldosín.

El cartel había mantenido allí un arsenal impresionante de ametralladoras MP5, fusiles de diversas fábricas y especificaciones, granadas, proveedores y munición. Todo instalado con extraordinaria minuciosidad en estantes para fusilería. De allí El Negro Pabón había sacado las armas que el cartel utilizó en la operación de secuestro del candidato Andrés Pastrana.

Un año atrás, Pablo Escobar había encomendado la construcción de aquella "caleta" a Chepe Volqueta. Le decían así porque un día había dejado su oficio como maestro de obra, adquirido una volqueta y dedicado muchos años sólo al transporte de materiales para construcción. Más tarde, sin embargo, Pablo Escobar lo conoció, le tomó confianza y lo puso a su servicio.

Por años —en contra de su apariencia de volquetero desprotegido del barrio La Paz, en Medellín— Chepe Volqueta había construido para el cartel, en distintas casas y apartamentos, un número indeterminado de cuartos secretos.

La pieza falsa de la casa campestre en El Retiro estaba tras una pared de baldosín que sostenía un lavamanos. Por detrás del muro, Chepe Volqueta diseñó una instalación eléctrica que conectaba a una chapa invisible desde fuera y luego verificó que efectivamente el dispositivo operase.

Más tarde, con su metro, tomó algunas medidas y dejó un orificio del tamaño de un clavo pequeño —imperceptible para un neófito— en la parte alta de la pared. Era la cerradura del sésamo. Bastaba introducir un clavo, propiciar un leve corto en la conexión eléctrica y un cuarto de pared —como si se tratase de la puerta de una caja fuerte mediana— daba paso a "la caleta". Después era cuestión de cerrar y utilizar pasta dental para cubrir dos finas franjas de baldosín y todo volvía a la normalidad. Una vez seco, el dentífrico tenía la apariencia de cemento blanco. Durante más de ocho años tanto aquella "caleta" como el calabozo en la segunda planta habían sido un activo de seguridad en diversas operaciones del cartel.

De hecho, en la mañana del 17 de enero de 1988, después de hacerse presente en Llano Grande para esperar el descenso del helicóptero de Gerardo Kiko Moncada, Pablo Escobar ordenó a Pinina y a otros agentes del cartel que llevaran hasta la casa de El Retiro a Andrés Pastrana, aún con la funda de una almohada cubriéndole los ojos. Luego lo instalaron en el cuarto con rejas y asignaron su custodia a Valentín Taborda y Carlos Bustamante, Carro Chocao, este último, el pistolero que pronto habría de convertirse en el primer traficante de explosivos ecuatorianos para el cartel.

La alimentación y las provisiones —aunque Pablo Escobar les había advertido que ninguno de ellos podría involucrarse con el secuestrado— eran una tarea encomendada a Martha Veloza y a su esposo Jorge Restrepo, los dos cuidanderos de la finca. El jefe del cartel había hecho que Suzuki, su contador, girase 15 millones de pesos a una cuenta bancaria de Restrepo.

Valentín proveyó pronto con un par de sudaderas a Andrés Pastrana y, al igual que habría de hacerlo por el tiempo en que estuviese en cautiverio, le consiguió personalmente revistas y diarios.

—No hay que preocuparse —insistía una y otra vez durante los primeros días del secuestro. Ahora viene el jefe y largan a éste para que continúe con su campaña.

Las palabras de Valentín Taborda —un viejo al que Pablo Escobar había asignado más de una vez el cuidado de cautivos— se hicieron realidad en la noche del 20 de enero.

Pablo Escobar Gaviria, su cuñado Mario Henao, Popeye y Pinina irrumpieron poco antes de las 8:30 en la casa campestre. Estaban encapuchados, se colocaron detrás de Pastrana y fueron directamente al grano:

—Aquí el problema es la extradición. Lo que necesitamos es que el doctor Misael Pastrana intervenga y haga uso de sus influencias para poner fin a la extradición...

La conversación se prolongó por varios minutos alrededor del tema, pero Mario Henao incurrió entonces en un lapsus que por lo menos, según lo interpretaron ellos, puso al descubierto a Escobar.

—¿O no, Pablo? —le dijo dirigiéndose al jefe del cartel después de un breve diálogo en el que acababa de abogar por el fin de la extradición y calificaba de ilegales los autos de detención que contra la cúpula de la mafia había dictado el gobierno del presidente Virgilio Barco amparado por el Estado de sitio.

Sin poder contenerse, Pablo Escobar Gaviria soltó entonces una enorme carcajada y luego simplemente le dijo: "Ya metiste las patas, hijueputa... Frentiemos".

Aún situado a espaldas de Pastrana, se quitó la capucha y en ese instante otro diálogo se inició.

—Hombre, Andrés... Mirá, vos sabés la situación. A vos, primero que todo, Andrés, a vos no te va a pasar nada. Vos sabés que nosotros estamos es por el país, vos sabés que nuestra lucha es contra la extradición... Y lo que yo quiero es que el doctor Misael Pastrana use sus influencias e intervenga.

Más tarde Pablo Escobar le explicó que su propósito era enviarlo a una "caleta" en la selva. La misma que él y Gonzalo Rodríguez Gacha, El Mexicano, hicieron construir desde cuando a Pablo Escobar se le ocurrió la idea de hacerles una "vuelta" a los "gringos" como seguro antiextradición de los *pezzonovantes* de la mafia.

Andrés Pastrana sólo deseaba esa noche de enero que su secuestro terminara rápido para poder volver a tomar las riendas de la campaña por la Alcaldía de Bogotá. Sin embargo, se encontró con que los secuestradores intentaban comunicarse con su padre o con alguien que pudiera transmitirle un mensaje.

El para entonces ex presidente Misael Pastrana Borrero ascendió a la primera magistratura del Estado en 1970, como producto de un pacto de rotación del poder que la República conoció como el Frente Nacional. Dos eminentes presidentes liberales —Alberto Lleras Camargo y Carlos Lleras Restrepo— y dos conservadores se turnaron en virtud de ello el poder y la Nación puso así fin a la dictadura y a las sangrientas pugnas partidistas de casi dos décadas.

El gobierno de Misael Pastrana Borrero, había tenido que luchar con la creciente inflación, los subsidios a la gasolina originados en el dólar petrolero, la crisis en la producción de trigo que estaba en 50 mil toneladas cuando la demanda real era de casi 400 mil y con ambiciosos planes para incentivar el ahorro público y privado y el crecimiento de las operaciones bursátiles.

Para enero de 1988 era la cabeza más visible del conservatismo en el país. Y, en criterio de Pablo Escobar Gaviria, un as definitivo en la baraja que la mafia pretendía jugar contra la extradición.

La comunicación que la mafia logró se realizó a través del teléfono de un vehículo de las Empresas Distritales de Antioquia (EDA). Pablo Escobar había hecho que, en la tarde de ese día, en Medellín, sus hombres hurtasen dos de aquellos autos.

La conversación resultó tensa y amenazante. Después de insistir en que era necesario que el ex presidente presionara directamente ante el presidente Virgilio Barco en contra de la extradición, el cartel envió una advertencia temeraria:

—Díganle que su hijo ya es pa' la selva, doctor, y que por eso no me vaya a dilatar las cosas...

El cartel no lo sabía pero el destino iba a evitar que aquello ocurriese...

Confabulación en "El Bizcocho"

Esa noche del domingo 24 de enero de 1988, en "El Bizcocho", un condominio de casas campestres situado sobre la parte de alta de El Poblado, frente al edificio del Instituto de Interconexión Eléctrica (ISA) de Medellín, en la vía a Las Palmas, el propio Pablo Escobar Gaviria señalaba cada uno de los detalles del plan.

Lo escuchaban con atención Julio Mamey, Luisca, El Pitufo, Popeye, Pinina y El Negro Pabón.

"El procurador —dijo Escobar— viaja mañana a las 7 en el vuelo de los ejecutivos. Anda sólo con el conductor y una escolta. Eso ya lo saben Pinina y Popeye.

—Lo que hay que hacer mañana muy temprano —prosiguió— es montar tres carros: uno en (la vía a) Santa Helena, otro en Las Palmas y otro en la autopista (Bogotá-Medellín). Cada uno con un radio. Que ellos avisen por qué ruta va el procurador a ver si lo agarramos en la glorieta del aeropuerto o en la carretera por la que vaya...

Después, personalmente, Pablo Escobar Gaviria se dio a la tarea de distribuir responsabilidades.

—Si hay que interceptarlo en la glorieta (este era realmente el cruce de las tres avenidas), entonces lo agarran Pinina, El Pitufo, Luisca, Mamey y la gente de El Negro (Pabón), pero si tiene que hacerse en el aeropuerto entonces lo agarrás vos John Jairo (Velásquez Vásquez, Popeye) con El Monito (Jorgito) y El Negro (Pabón).

Además de los tres vehículos encargados de "cantonear" la ruta que siguiera el procurador, los pistoleros tendrían que utilizar tres automóviles más: el Renault 9 en el que debían estar Pinina, Luisca y Mamey; el Renault 21 con Popeye, El Negro Pabón y El Monito Jorgito y la Toyota robada que debían abordar un "trabajador" de El Monito Jorgito, tres de El Negro Pabón y El Pitufo.

"Lo agarran vivo, lo llevan a la otra 'caleta' en El Retiro y después vemos si lo mandamos para la selva" —puntualizó Pablo Escobar.

"Éste tiene una cocina"

Al volante de la Toyota amarilla, placas KB-3812 —que dos hombres del cartel robaron en la primera semana de enero de 1988 para movilizar a Andrés Pastrana Arango en caso de una emergencia— el cuidandero Jorge Restrepo volvió a partir raudo y ebrio de El

Retiro hacia la casa campestre que él y su mujer cuidaban en el sitio Cañada de las Flores, en la vereda La Fe, a escasos kilómetros de la cabecera municipal. Hacía lo mismo desde el 9 de enero: aparecía en el atardecer, bebía unos tragos y después arrancaba haciendo chillar las llantas de la Toyota.

Jorge Restrepo virtualmente había enloquecido después de saber que, por cuenta de la promesa de Pablo Escobar y las gestiones de Suzuki, tenía ahora 15 millones de pesos consignados en su cuenta corriente. Su primer paso fue obtener la expedición de una chequera de mil talones. Después retiró una gruesa suma en efectivo y luego empezó con sus andanzas. Un día bebía con conocidos, otro con el propietario de la tienda, uno más con oportunistas que encontraba en el lugar y hasta con miembros de la policía local.

Su actitud se había vuelto tan sospechosa que todos en El Retiro, desde el alcalde hacia abajo, creían que tanta efusividad sólo podía tener una explicación lógica: un laboratorio para el procesamiento de cocaína en la parcela.

Aunque después que Pablo Escobar Gaviria y Pinina trasladaron hasta la finca de Cañada de las Flores a Andrés Pastrana e instalaron allí a Valentín Taborda y a Carro Chocao, el "caletero" no pudo volver a utilizar la Toyota, sí continuó bajando al pueblo para después retornar en taxi hasta la finca. Las extravagancias de Jorge Restrepo llegaban a tal punto que las autoridades del municipio habían decidido preparar una operación policial para ir en busca del supuesto laboratorio de cocaína.

"El Pitufo se puso blanco"

El mensaje entró nítido en el "handy" que portaba Pinina. El agente del cartel apostado en la vía a Santa Helena acababa de ver el Mercedes Benz en el que viajaba el procurador General de la Nación,

Carlos Mauro Hoyos y ahora daba aviso conforme a lo acordado. Eran las 6:20 de la mañana del lunes 25 de enero de 1988.

Pinina ordenó a Popeye, El Monito Jorgito y El Negro Pabón entrar en acción. Si seguían el plan previamente definido por Pablo Escobar la noche anterior en "El Bizcocho", debían interceptar al procurador en la entrada al Aeropuerto Internacional de Rionegro, al oriente de Medellín. Tenían que hacerlo en el mismo instante en que Carlos Mauro Hoyos estuviese descendiendo del vehículo.

El Monito Jorgito atendió las instrucciones de Pinina y enrumbó en el Renault 21 hacia el Aeropuerto Internacional de Rionegro. Popeye y El Negro Pabón hablaban aún del caso Andrés Pastrana.

Aunque lo había visto la noche del domingo 24 de enero, durante la reunión con Pablo Escobar, en el condominio de "El Bizcocho", Popeye no sabía nada más de El Negro Pabón desde cuando, en la noche del 16 de enero de 1988, el día del secuestro de Andrés Pastrana, éste quedó al frente de sus propios "trabajadores", en la sede del candidato a la Alcaldía Mayor de Bogotá.

—Yo hice —indicó Popeye a El Negro Pabón, mientras el Renault 21 avanzaba hacia el aeropuerto— que llamaran a la radio para que guardaran la policía y el ejército. Pensamos que "el comando" podía estar enredado. Después de escucharlo, El Negro Pabón no tardó en explicar a Popeye lo que éste no sabía.

—La cosa no estuvo tan difícil. Metimos a unos escoltas y al policía que cuidaba la sede, los encerramos y arrancamos en el Toyota. Después lo dejamos tirado y todo el mundo para la casa.

En efecto, a las once de la noche del 18 de enero de 1988, la policía había hallado abandonado, en la calle 24 con carrera 41, entre el centro y el sector de Chapinero, en Bogotá, el campero Toyota. Estaba a sólo unas cuadras de la casa que El Negro Pabón había adquirido desde el asesinato de Guillermo Cano Isaza.

Eran las siete de la mañana del 25 de enero cuando el Renault 21 de color café, con El Monito Jorgito, Popeye y El Negro Pabón, se aparcaba frente al muelle de salidas nacionales del Aeropuerto

Internacional de Rionegro. No vieron a ningún agente de policía ni a ningún efectivo del ejército. Los tres descendieron del Renault ocultando las ametralladoras entre sus chaquetas.

Repentinamente, sin embargo, tres automóviles, con casi 15 hombres armados, se detuvieron frente a ellos. Escoltaban al ministro de Educación, Antonio Yepes Parra, y a su viceministro y consejero.

Popeye volvió unos segundos después al vehículo, tomó el "handy" y le avisó a Pinina cuanto ocurría.

—Pinina, llegó una escolta tesísima —dijo.

Éste lo escuchó y tomó de inmediato su decisión.

—Bueno, entonces lo interceptamos nosotros en la glorieta, pero ustedes se vienen para acá para que nos apoyen.

El Monito Jorgito dio vuelta al Renault 21 y el vehículo enrumbó hacia la glorieta. Desde su auto, a través del handy, Pinina se comunicó con el "trabajador" de El Monito Jorgito que por orden de Pablo Escobar conducía la Toyota robada y transportaba a El Pitufo y a los tres "trabajadores" de El Negro Pabón.

Pinina le ordenó dirigirse a la glorieta. En realidad, el agente de El Monito Jorgito estaba a menos de 200 metros de ese punto, pero tenía encima el Mercedes Benz oficial, con el procurador General de la Nación a bordo.

Vio, por el espejo retrovisor, el Mercedes que se acercaba velozmente. Hundió el acelerador, hizo el cambio a tercera y, a fin de evitar que el Mercedes lo rebasara, cerró aparatosamente al vehículo oficial que se salió de la carretera, pasó por encima del separador y fue a detenerse contra la cuneta del carril contrario de la vía.

El Pitufo bajó de inmediato de la Toyota y corrió hasta el vehículo oficial con el dedo índice puesto en el gatillo del fusil. Disparaba contra el agente del DAS Jorge Enrique Loaiza Hurtado, el detective que era conductor del procurador y que había convertido en un rito llevar siempre la ametralladora entre las piernas.

El Pitufo casi había alcanzado la puerta del Mercedes cuando una ráfaga de ametralladora MP5 le cruzó el pecho.

El escolta Gonzalo Villegas Aristizábal descendía, disparando, por la puerta de atrás del Mercedes. Intentaba infructuosamente hacer blanco entre los agresores que, a la vez, accionaban sus armas. Eran ráfagas cruzadas que Pinina, Luisca, Julio Mamey y los tres "trabajadores" de El Negro Pabón apuntaban hacia él.

Nueve tiros de fusil cortaron la vida del conductor Loaiza, en el mismo instante en que Villegas Aristizábal, su compañero, el agente Villegas Aristizábal, cayó a cinco metros del Mercedes.

Popeye, El Negro Pabón y El Monito Jorgito escucharon la balacera 200 metros antes de que el Renault 21 alcanzara la glorieta y se detuviera. Descendieron y cruzaron la calle. Pinina, Luisca y Julio Mamey estaban junto al Mercedes. El conductor Jorge Enrique Loaiza Hurtado yacía desgonzado contra la puerta y cerca se hallaba el cadáver de El Pitufo. El procurador General de la Nación, Carlos Mauro Hoyos, tenía una herida de bala en el tobillo izquierdo y fingía estar muerto en el asiento trasero del carro. Pinina se percató de ello y, mientras hacía señas a Popeye y a los "trabajadores" de El Negro Pabón para que sacaran al procurador, ordenó en voz alta:

—Pues si está muerto, remátenlo...

Al escucharlo, Carlos Mauro Hoyos no tuvo otra alternativa que reaccionar. Se incorporó y descendió del vehículo. Popeye y los tres "trabajadores" de El Negro Pabón lo tomaron por la fuerza y lo llevaron hasta la Toyota. Pinina ordenó a los demás recoger el cadáver de El Pitufo y sólo entonces los hombres del cartel enviaron a Pablo Escobar Gaviria el mensaje por el que esperaba.

—Tenemos al hombre, está bien, pero El Pitufo se nos está poniendo blanco.

"Aquí está Andrés Pastrana"

Desde su habitación de vigía en la segunda planta de la casa campestre de Cañada de las Flores, en El Retiro, Carro Chocao vio avanzar el piquete de policías. Eran cinco o seis hombres. Descendió a la planta baja, ordenó al "caletero" Jorge Restrepo y a su esposa Martha Veloza que huyeran e hizo lo propio con Valentín Taborda y con Luis Fernando Londoño Santamaría, Trompón. Después volvió a subir al segundo piso.

Inquieto por las continuas apariciones de Jorge Restrepo en el pueblo y extrañado por el origen de su repentina fortuna, el alcalde de El Retiro había conseguido un piquete de seis policías y avanzaba con ellos hacia la casa campestre. Estaba seguro de poder sorprender a Restrepo con las manos en la masa, en un laboratorio de procesamiento de narcóticos, pero no fue así.

—El que está aquí es el secuestrado Andrés Pastrana. Mi vida no vale nada pero la de él vale millones —gritó Carro Chocao, en cuanto se percató de que los policías empezaban a dispersarse para rodear la casa.

Después abrió la reja del cuarto en que había permanecido cautivo el candidato a la Alcaldía de Bogotá y descendió con él. Llevaba un fusil en la mano derecha, una Ingram terciada al hombro y una pistola al cinto.

Consideró seriamente la posibilidad de utilizar la Toyota amarilla hurtada, la misma en que Restrepo había empezado con sus escándalos en El Retiro y que el cartel tenía reservada para un caso de emergencia —y definitivamente éste lo era— pero al final nada funcionó.

—Si usted me da a un policía yo lo cambio por Andrés Pastrana —gritó Carro Chocao al alcalde y a los seis policías que estaban a sólo seis metros de él y que le apuntaban con el índice puesto en el gatillo de las armas.

Vio al agente de la policía Roberto de Jesús Zapata bajar su arma de dotación, entregarla al sargento y avanzar desarmado hacia él. Le quitó las esposas a Andrés Pastrana y colocó una de las argollas en la mano del agente. Luego lo hizo correr hacia la cerca occidental, a la orilla de la carretera. Se detuvo unos segundos allí. Aseguró la otra argolla de las esposas al alambrado y dejó allí a su rehén. Cruzó la avenida, obligó a un vehículo a detenerse amenazando al conductor con el cañón del fusil, se apoderó del auto y huyó.

Andrés Pastrana estaba libre y a salvo... pero para el procurador General de la Nación se había iniciado la cuenta regresiva.

"Se van y me matan al procurador"

Tras el secuestro, el procurador Carlos Mauro Hoyos había sido trasladado hasta una finca sobre la avenida de Las Palmas. Exactamente a 10 kilómetros de la casa campestre de Cañada de las Flores. Popeye dejó en el sitio a El Monito Jorgito y a los "trabajadores" de El Negro Pabón y después retornó a "El Bizcocho". Le sorprendió el despliegue de fuerza disponible, el sobrevuelo de helicópteros y el paso de camiones atiborrados de policías y de soldados, pero rápidamente concluyó que el secuestro del procurador era la causa del vasto despliegue.

El propio Pablo Escobar Gaviria lo hizo caer en la cuenta de su equivocación. Estaba acompañado de Pinina, Julio Mamey, El Negro Pabón y un adolescente al que apodaban El Limón. Hablaba enardecido.

—Liberaron a Andrés Pastrana y ahora lo que hay que ver es si podemos coronar al procurador o si vamos a quedar como unos maricas...

Después se dirigió a Julio Mamey y a El Limón y ordenó:

—Ustedes se van para la finca y le dicen a los muchachos que lo metan a la "caleta" de las armas para ver si podemos coronar al hombre... Se van sin radios y sin nada.

Julio Mamey y El Limón cumplieron con la orden, abordaron un Suzuki, franquearon el cordón militar y llegaron hasta la finca. Después de escucharlos, El Monito Jorgito abrió la "caleta" —otro de esos cuartos secretos construidos por Chepe Volqueta—, obligó a entrar en ella, gateando, al procurador y despidió a Julio Mamey y a El Limón.

Ambos llevaban las peores noticias a Pablo Escobar. El retén del ejército estaba a tres kilómetros de la "caleta" y comandos de policía y ejército avanzaban "peinando la zona finca por finca". Después de escucharlos, sin pensarlo un instante más, Pablo Escobar sentenció a muerte al procurador General de la Nación, Carlos Mauro Hoyos.

—Aquí lo único que hay que hacer es matar al procurador. El hombre está en el cerco militar, en la zona de Andrés Pastrana y ahora no le vamos a dar un doble triunfo al gobierno. ¡Rescatan a Andrés Pastrana y ahora al procurador! ¡No! ¡No vamos a quedar como unos maricas! Lo que vamos es a bajarle ese hijueputa triunfalismo al gobierno...

—Ustedes —volvió a dirigirse a sus pistoleros, incluido El Limón, que tenía apenas 17 años— se van para la "caleta", sacan armas de allí y lo matan.

Desde que lo trasladaron a su sitio de cautiverio, sin que les importara la herida que él tenía en el tobillo, el procurador General de la Nación había intentado infructuosamente persuadir a El Monito Jorgito de que desistiera de sus actividades en el crimen organizado y le ayudara a salir de allí. A cambio, le había ofrecido una exoneración de pena y protección oficial en una embajada en el exterior.

Ninguna de sus solicitudes, ni ofertas, ni reflexiones, sin embargo, terminó por mover un ápice en su posición de pistolero a El Monito Jorgito que, apenas vio retornar a Julio Mamey y a otro pistolero del cartel, tomó una ametralladora Atlanta, una pistola 38 y otra 9 milímetros y obligó al procurador a salir gateando de la "caleta" y ascender al Suzuki.

El jeep salió de la finca, tomó una carretera alterna y después de cinco minutos de recorrido se detuvo en la orilla derecha de la vía, frente a una piedra enorme. Hicieron descender en ese lugar a Carlos Mauro Hoyos y lo empujaron contra la cuneta.

Después, sin fórmula de juicio, apuntaron los cañones de la ametralladora Atlanta, la pistola 38 largo y la 9 milímetros a la cabeza del procurador y dispararon contra él con pavorosa sevicia. Eran las 2:45 de la tarde del lunes 25 de enero de 1988.

Volvieron a "El Bizcocho". Pablo Escobar esperaba ansioso:

—¿Qui hubo, lo coronaron? —les preguntó Pablo Escobar en ese momento.

El Monito Jorgito se apresuró a responderle. Realmente se sentía orgulloso ese día por haber rechazado las angustiosas ofertas de su víctima, el procurador Carlos Mauro Hoyos.

—Tranquilo señor, que le dimos mucha bala...

—Que Popeye vaya y llame a la prensa y dé el sitio de la muerte y así se le acabe al gobierno ese hijueputa triunfalismo por el rescate del doctor Pastrana...

La orden se cumplió pasadas las tres de la tarde. Popeye telefoneó a la dirección de la Cadena Todelar y lacónicamente transmitió el mensaje de Pablo Escobar Gaviria.

—Les hablan Los Extraditables para informar que hemos ejecutado al procurador Carlos Mauro Hoyos por vendepatria. Anote, su cadáver está en el siguiente lugar: sitúese en el estadero La tienda de El Mago, hacia Medellín; siga hasta que encuentre una cantera en una curva. Allí hay una piedra grande. Trescientos metros más adelante de esta piedra, a la derecha, hay un letrero que dice "Venta de estacones". Por esa entrada está el cadáver. Informe que la guerra continúa.

"OSO 1 REPORTANDO A MAMÁ"*

"Esto es Parcelas California"

El caldense Rodrigo Vanegas esperó con paciencia a que el propietario del camión terminase de desamarrar y levantar la carpa en la parte de atrás y después se acercó:

—Pueden bajar —dijo.

Había reclutado, uno tras otro, a estos 22 hombres en zonas diversas de Medellín y en los municipios anexos de Itagüí, La Estrella y Envigado y los había traído en un camión carpado Dodge 600, sin que a estas alturas, salvo por algunos veteranos, los demás pudiesen saber exactamente en dónde se encontraban.

Era una precaución *sine qua non* en la etapa inicial de capacitación. Ningún barón de la cocaína había permitido jamás que la ubicación de sus laboratorios fuese conocida. En gran parte toda la seguridad de sus actividades dependía de ello. Eran sus trabajadores, sí, y venían atraídos por salarios jugosos: 1.000 pesos por kilo procesado de base de cocaína y hasta 180.000 pesos en un solo día, pero nunca se sabía quién podría abrir la boca y hacerlo en forma inoportuna.

---

* **Febrero-marzo de 1988**. El cruento episodio que terminó en el asesinato del procurador General de la Nación, Carlos Mauro Hoyos, no detuvo a la mafia. Al enorme auge de los laboratorios tras Parcelas California y la pista de Mamarrosa se sumó el robo de un avión confiscado al narcotráfico y trasladado a la base aérea militar de Catam. En este capítulo encontrará cómo operaban los jeques de la cocaína: sus laboratorios, sus vuelos, sus pilotos y sus rutas.

Ahora, después de 3:30 horas de recorrido, los elegidos saltaban del camión como lagartijas, asfixiados por su propio sudor.

—Hay chinchorros y agua en la marranera... —dijo Vanegas mientras abordaba su Toyota y ponía en marcha el motor. Después, bajó el vidrio de la puerta del conductor y prosiguió— empezaremos mañana, temprano... No lo olviden, está prohibido fumar ahí dentro.

Luego aceleró y desapareció con rumbo al hotel La Colina, una edificación sobria de 34 habitaciones, situada frente al portal de la Hacienda Nápoles.

Alertado de que el vuelo proveniente de Uchiza, Perú, estaría poco antes de las 9:30 de la mañana del tercer miércoles de febrero de 1988 en Mamarrosa, el caldense Rodrigo Vanegas acababa de dejar esta noche, en "las cocinas", el segundo contingente de procesadores de cocaína de Fernando El Negro Galeano. Confiaba en que el químico sabría como orientarlos en las horas siguientes.

Los Galeano operaban en esta zona dos enormes "cocinas" de procesamiento de narcóticos. Sus laboratorios estaban situados, respectivamente, a 15 minutos y a una hora por trochas agrestes de la hermosa franja de Parcelas California. Los baquianos de la región llamaban así a aquel conglomerado de fincas de recreo y casas quintas que se erigía sobre la autopista Bogotá-Medellín en frente y de manera diagonal a la Hacienda Nápoles, en Puerto Triunfo, y que se extendía hasta el río Claro.

Los títulos de propiedad inscritos ante las Oficinas de Registro e Instrumentos Públicos de Doradal, Medellín y Puerto Triunfo, daban cuenta de una casta de propietarios integrada por rancios hombres de la sociedad y la industria antioqueña: inversionistas de enormes fábricas dedicadas a producir cerámicas decorativas, ejecutivos y accionistas de textiles y hacendados asfixiados por sus negocios en la ciudad, se encontraban entre ellos.

Tras el bautizo de la prodigiosa pista clandestina de Mamarrosa, los traficantes sólo requerían de un oasis como Parcelas California. Siempre podrían operar sus "cocinas" —a salvo de cualquier sospe-

cha— utilizando las tierras situadas por detrás de los predios legítimos de un sector de la élite notable de Antioquia. La iniciativa de
Evelio Barrientos, la autorización de Pablo Escobar Gaviria y los
meses de largas jornadas de maquinaria y "trabajadores" de la
Hacienda Nápoles en la creación de Mamarrosa, no hubiesen sido
nada sin aquella otra arista del negocio.

Fernando El Negro Galeano; Albeiro Areiza, El Campeón y Gerardo Kiko Moncada lo concibieron así y, antes que adquirir tierras
sobre la franja privilegiada y presionar el paulatino desplazamiento
de los ancestrales propietarios de predios en Parcelas California, los
jeques del tráfico de cocaína se dieron a la tarea de procurar que todo
conservase su excepcional apariencia de tranquilo condominio de
recreo. Las tierras hacia adentro de Parcelas California no sólo
resultaban menos costosas sino que constituían un refugio excepcional, a la par sencillo y discreto, para la empresa que ellos y otros
traficantes se propusieron emprender. Eran terrenos de entre dos y
seis fanegadas, dotados de casas típicas, pintadas de blanco o beige
o de blanco y rojo, con corredores en baldosa y tejas cortas de estilo
español, bordeadas por canales de donde colgaban decenas de ma-
teras con helechos y rosas. Los cuartos —siempre que así lo exigiera
una inminente operación oficial— estaban impecablemente amobla-
dos con mesas de noche, lámparas y una cama doble o un juego de
ellas. Existían además marraneras o corrales de ganado, ancianas
apegadas a sus mecedoras y a veces hasta niños correteando por ahí,
al rededor de plantíos pequeños. Rastrojos de arados y eventualmente perros alharaquientos. Ningún traficante podía exigir más.

A primera vista —así lo percibieron Fernando El Negro Galeano;
Albeiro Areiza, El Campeón y Gerardo Kiko Moncada, entre otros
jeques de las drogas y fue así durante años— un espía de las agencias
oficiales antinarcóticos no podría ver nada más allá tras Parcelas
California que casas de esforzados labriegos o finqueros menores.
¡Qué lejos se encontraban de la realidad! Base de cocaína por
toneladas se procesaba en marraneras cubiertas, en falsos gallineros,

en mitad de cultivos legítimos y hasta en los zaguanes de las viviendas. Los dormitorios amplios de las mayorías operaban como bodegas enormes de almacenamiento de alcaloides. Debían a la prodigiosa pista clandestina de Mamarrosa tal flujo de narcóticos.

En los tiempos de bonanza —estupefactos y con sus propios ojos—, los procesadores al servicio de diversos traficantes habían verificado que las exigencias de espacio eran tales que hasta las ancianas, convertidas en pararrayos de la industria ilícita de los narcóticos, terminaban inexorablemente confinadas a una estera bajo la zona de lavaplatos de la cocina. Estaban además las "caletas". Cuartos secretos protegidos por la pared falsa de un baño. Los traficantes los habían hecho construir en residencias de La Danta, entre Río Claro y Puerto Triunfo; en las casas de las fincas de Las Mercedes, situadas a 30 minutos en línea recta de la pista clandestina de Mamarrosa y en una que otra vivienda de los terrenos tras Parcelas California*. En unos casos, era sólo cuestión de retirar la tapa del interruptor que encendía la bombilla del baño y halar de un alambre. Entonces cedía la pared falsa y aparecía "la caleta", el cuarto de 2 metros por 2, con capacidad para almacenar 800 kilos de cocaína. Existían además tanques de cemento bajo tierra que ocultaban hasta 4.000 kilos de droga cada uno. Si se deseaba acceder a ellos era necesario palear el aserrín y después la tierra.

"Recuperen mi avión"

La avioneta por la que Gustavo de Jesús Gaviria Rivero no cesaba de chillar un instante, en este día de comienzos de 1988, era uno de los últimos ingenios del consorcio Lufstaream. Negociada en la Florida (Estados Unidos) por un agente del cartel radicado en Ciudad de Panamá y después introducida ilegalmente a Colombia, era un

---

* El lector puede consultar el mapa anexo.

modelo 695, serie 75071, avaluado comercialmente en tres millones de dólares. El aparato exhibía en el fuselaje la matrícula HK-3398-X y aparecía inscrita a la razón social de la firma Aerotur.

Sus extraordinarias ayudas de vuelo computarizadas, su infinita memoria electrónica capaz de recibir, almacenar y decodificar, a grandes velocidades, decenas de itinerarios y detalles técnicos sobre rutas y pistas utilizadas en el tráfico de drogas y su amplia autonomía de vuelo —seis horas en el peor de los casos— hacían de aquella una aeronave excepcional. Algún oficial de la Policía Antinarcóticos, sin embargo, se había dado a la tarea de hacer indagaciones diversas y diligentes y, una noche de comienzos de 1988, un comando del Cuerpo Especial Armado (CEA) había caído sobre el Aeropuerto Matecaña de Pereira.

Apoyados en sus averiguaciones, los oficiales antinarcóticos de la policía habían obtenido una orden judicial, suficiente para declarar confiscada la avioneta. La costosa aeronave 695 había terminado así a órdenes de la Dirección Nacional de Estupefacientes. En realidad no era la única que el cartel virtualmente había perdido. Contaba otro aparato decomisado y de propiedad de Pablo Escobar.

Este último era un Super King, Beechcraft modelo 300, serie Fazo, registrado en Colombia como propiedad de un desconocido que el cartel simplemente bautizó como Jorge Triviño Moren. Había entrado al país bajo matrícula HK-3397-X. El Turbo Comander 1000 había llegado al terminal aéreo de Pereira proveniente de Santagueda, un antiguo aeropuerto de la ciudad de Manizales, a treinta minutos de vuelo de la capital del país y la Super King a través de una pista de la ciudad de Cartago, en el Valle.

La verdad era que, para comienzos de 1988, comandos de ejército, policía, DAS, armada y fuerza aérea, habían puesto a disposición de la Dirección Nacional de Estupefacientes no menos de 300 aeronaves presumiblemente utilizadas en el tráfico ilegal de drogas aunque, a la postre, el Estado sólo había podido obtener evidencias sobre el origen ilícito de 80 aparatos.

En el caso del Turbo Comander 1000 y la Super King, sin embargo, las indagaciones que habían seguido a la operación de asalto del CEA, en el Aeropuerto Matecaña, en Pereira, sólo acentuaron los indicios iniciales sobre el oscuro origen de las dos aeronaves. La matrícula HK-3397-X estaba asignada, en realidad, a una aeronave que, para aquella época, apenas se ensamblaba en los talleres de la compañía Aicsa en Guaymaral, al noroccidente de Bogotá.

A su vez, la identificación aérea HK-3398-X había sido asignada a un Twin Otter de Helicol, una filial del Grupo Santodomingo, el más poderoso conglomerado económico de la Nación.

De hecho, el aparato de propiedad de Helicol, el HK-3398-X, que la mafia intentaba plagiar, ni siquiera se encontraba aún en Colombia.

Unas semanas después de la incautación y de que las autoridades en Pereira indagaron a los pilotos, sin obtener una orden judicial de arresto, el alto mando de las Fuerzas Militares, en Bogotá, ordenó trasladar los costosos aparatos. Informes policiales de inteligencia —era su argumento— preveían un asalto del narcotráfico por recuperar ambas aeronaves y, al final, en medio del más estricto sigilo, veteranos pilotos de la fuerza aérea habían trasladado los aparatos hasta la base del Comando de Transporte Aéreo Militar (Catam).

Los cuerpos policiales no se equivocaban. Enterado de lo ocurrido con el Turbo Comander 1000 y el Super King, Gustavo de Jesús Gaviria Rivero instruía a sus agentes para recobrarlas en el menor tiempo posible. "Quiero esas avionetas acá y ahora..."

No tenía interés alguno por conservar los aparatos, pero si las cosas salían como él pensaba, ni los gobiernos ni las policías de Colombia, México o Estados Unidos, tendrían cómo explicar semejante afrenta.

Marcos Tripa y el 20-40

El pueblo de Doradal parecía más propio del set de una película de ficción de Hollywood que de una infraesctructura delictiva semejante. Eran cuatro o cinco cuadras, sobre la autopista Bogotá-Medellín, recostadas en el primer lindero de la Hacienda Nápoles. Dos a cada lado de la carretera, quizás dos y media, en las que se levantaban viviendas pobres, las más sólidas en ladrillo y las demás construidas casi con desechos recubiertos de cemento.

Con todo, varias de las operaciones más trascendentales en la coordinación del tráfico internacional de cocaína tenían su epicentro allí. Sus pensiones de mala muerte albergaban a decenas de representantes de los barones de las drogas. Hombres encargados de coordinar cada vuelo de arribo de base de coca proveniente de Bolivia o Perú y de asegurar también el despacho de cada avión cargado con la cocaína pura que salía de los laboratorios tras Parcelas California.

Algunas de las casas miserables de Doradal, entre tanto, ocultaban los radios VH y 20-40 desde los que Hernán Henao, H.H, y Marcos Tripa hacían posible, a nombre de Pablo Escobar Gaviria, la operación de la pista clandestina de Mamarrosa.

H.H., contador aplicado y al extremo intransigente, se había hecho cargo de la administración de la pista, desde cuando Pablo Escobar ordenó a Popeye, a Mario Alberto Castaño Molina, Chopo y a Carlos Mario Alzate Urquijo, Arete, asesinar a Evelio y a Héctor Barrientos, los dos hombres que habían concebido Mamarrosa*.

En cuanto supo del doble homicidio y se notificó de su ascenso, H.H. instaló en la casa de Marcos Tripa un radio 20-40 que convirtió en su central de control de las operaciones de narcóticos que tenían lugar en Mamarrosa. Alto y moreno y con algunos semestres de electricidad en un instituto técnico, el paisa Marcos Tripa era un aliado perfecto. Supervigilaba milimétricamente cada conversación, cada embarque, cada hora de partida de un avión cargado de cocaína y cada estimativo de llegada.

---

* El lector encontrará la historia de Evelio, Héctor Barrientos y la pista clandestina de Mamarrosa en el capítulo quinto, a partir de la página 122.

Por si aquello no fuese suficiente, desde allí se controlaba la actividad misma de Jairo Adolfo Cano Tangarife —24 o Enrique— y de los paramilitares* que bajo su mando estaban asignados a la custodia de Mamarrosa y de las "caletas" de cocaína en Las Mercedes, a 30 minutos de la pista. Aunque la noche anterior del martes 16 de febrero de 1988, el caldense Rodrigo Vanegas había partido del segundo laboratorio de Fernando El Negro Galeano con toda la intención de ir directo al hotel La Colina, pronto, durante el viaje, decidió desviar hacia Doradal en busca de H.H. o de Marcos Tripa.

No deseaba contratiempos. Atrás habían quedado los años de los albures y la improvisación.

Por lo menos para hombres como él, la industria de los narcóticos había sufrido transformaciones radicales y pavorosas desde cuando, a mediados de los años setenta, los pioneros del tráfico de drogas se embarcaron en la aventura de portar maletas de doble fondo repletas de alcaloides y de transportarlas a Estados Unidos en vuelos comerciales que partían de Colombia y otras naciones latinoamericanas.

De aquellos embriones no quedaba vestigio distinto a las "mulas"; en su mayoría, hombres y mujeres tan ambiciosos como estúpidos, que habían aceptado tragarse hasta media libra de alcaloides, las más de las veces mal embalados entre dedos de guantes de cirugía, condones u otros cauchos que frecuentemente se deshacían como el azúcar, en forma mortal, al entrar en contacto con los ácidos gástricos del cuerpo humano.

Eran innumerables los colombianos que habían muerto, en todos los países de occidente, víctimas de aquellas prácticas funestas. Otros más estaban lisiados o presos después de llegar, inclusive, a hacerse desollar las nalgas para llevar droga. No sabían que la de la cocaína era una industria tan compleja como la de Good Year, Coca-Cola o Marlboro.

---

* Escuadrones sangrientos integrados por civiles que habían sido armados y entrenados por la mafia. El lector puede ver el capítulo quinto, a partir de la página 122.

Las exigencias del mercado habían dejado atrás aquello de los portadores de cocaína entre valijas y cinturones de doble faz, tacones vacíos y cerámicas, entre otros. Para el segundo quinquenio de los ochenta, el tráfico de cocaína dependía de ingenios más modernos: falsos postes de concreto, embarques de madera hueca, submarinos ensamblados después de la II Guerra Mundial y barcos camaroneros con capacidad de procesar los narcóticos en alta mar.

La primero incipiente y después feroz demanda gringa de cocaína había sido el comienzo de todo aquello:

—¿Usted no puede traer más...?

—No, es lo que cabe en una maleta...

—Creemos que usted puede conseguirse un avioncito y dejar la coca en los Everglades (zona pantanosa del sur de la Florida).

Cúmulo de manglares verde oliva de aquellos que habían hecho famosos los paisajes en Barranquilla y Santa Marta, entre el mar y la Ciénaga Grande, los Everglades habían constituido en los setenta un aliado silencioso e inigualable de los traficantes iniciales.

Era casi una leyenda en el cartel la historia del hombre que había volado un Centurión 210 desde puntos diversos de las costas colombianas hasta Miami, en busca de algún sitio estratégico en los Everglades para dejar allí la droga. Cumplida su misión, regresaba, lavaba el avión, tomaba su pasaporte y viajaba en un vuelo comercial a Miami. Lo demás se le había convertido en una rutina: alquilar un vehículo, ir en busca del embarque, recogerlo y entrar en contacto con los compradores. Nadie supo nunca cuántas "vueltas" de ese estilo alcanzó a llevar a cabo, pero lo cierto fue que le bastaron para retirarse pronto y para siempre del negocio.

Otros siguieron su ejemplo pero aquello terminó después que la primera agencia antidrogas del globo, la Drugs Enforcement Administration (DEA) y el Servicio de Aduanas de Estados Unidos descubrieron el secreto de la droga tras los Everglades. Siguieron entonces las enormes fábricas de procesamiento de cocaína de Tranquilandia y Villacoca, la prodigiosa pista clandestina de Mamarrosa y cientos de traficantes pugnando por introducir narcóticos por toneladas en el mercado norteamericano.

El caldense Rodrigo Vanegas era uno de los encargados de asegurar que la mafia pudiese atender tal demanda. Si en la noche del tercer martes de febrero de 1988 se había dirigido en busca de H.H. y Marcos Tripa era porque deseaba cerciorarse por sí mismo de que no habría contratiempo alguno con el vuelo. La experiencia le indicaba que, aún en el último instante, cualquier cosa podía pasar.

Una consignación por 15 millones de pesos en Medellín a la cuenta de una sucursal bancaria, una casa de cambio, un lavado de automóviles u otras "oficinas" —aquella era una regla que H.H. había convertido en inflexible— debía preceder a cualquier aterrizaje en Mamarrosa y al auxilio por parte de 24 y de los paramilitares.

En ocasiones —por pura dificultad— algunos contadores dejaban de hacer esas consignaciones en Medellín y entonces sobrevenía una tragedia. Horas enteras de negociación y solicitudes a H.H., que muchas veces sólo cedía despues de escuchar directamente la voz de los secretarios de Gerardo Kiko Moncada, Albeiro Areiza, El Campeón y Fernando El Negro Galeano o ante la presión de los enfrentamientos que ello le suscitaba con 24 y los paramilitares.

Para fortuna del caldense Rodrigo Vanegas, en la noche del tercer martes de febrero de 1988, H.H. le confirmó que tenía ya el aviso de la consignación por el vuelo, Marcos Tripa se comprometió personalmente a estar listo para apoyar por radio el arribo del piloto y le comunicó que 24 ya había sido avisado.

—¡Nosotros —le explicaron H.H. y Marcos Tripa— vamos a responder por ese vuelo...!

Santuario de la FAC

Anexa al Aeropuerto Internacional Eldorado, en Bogotá, la Base Aérea de Catam había constituido por décadas el santuario de las operaciones aéreas más secretas o por lo menos más celosamente vigiladas de la Casa de Nariño, los ministerios de Gobierno y Defensa y la privilegiada cúpula de las Fuerzas Armadas del país.

No sólo era el puerto de arribo de ministros plenipontenciarios y de jefes de Estado de los cinco continentes. Por aquel terminal de asfalto, en cuya ala occidental se levantaban cuatro salas de protocolo, integradas a una edificación de una planta y dotadas a la sazón con mullidos sofás y poltronas de cuero de diversos tonos, también habían desfilado hombres que, por sus circunstancias, podían resultar potencialmente más complicados y exigentes que un primer mandatario.

Jueces italianos antimafia de aquellos que hicieron de los *pezzonovantes* de la camorra siciliana una temeraria obsesión; israelíes de compañías privadas que un día convirtieron los sistemas de control de las prisiones del mundo judío en un asunto de seguridad nacional; funcionarios de la DEA autorizados para entrar al país en misión oficial; testigos protegidos del FBI y hasta ex mercenarios británicos, siempre habían tenido que ingresar a Colombia a través de esa base. Inclusive el primer y superpoderoso zar antidrogas estadounidense que, cierto día de finales de los ochenta, con un séquito de 30 vehículos de seguridad de la misión diplomática de su país, permaneció apenas seis horas en Bogotá, se había visto obligado a desembarcar en Catam.

Nadie sabía exactamente cuál era el número de patrullas, suboficiales y oficiales; ni cuál el número de ametralladoras punto 50 estratégicamente instaladas; ni cuál el número de "rambos" potenciales, asignados a la custodia de la Base Aérea de Catam pero, en cambio, era un secreto a voces que este era el hangar del avión presidencial y de los cazas "iluminados" de la poco competitiva y casi arcaica fuerza aérea de la nación.

El traslado del Turbo Comander 1000 y la Super King Beechcraft, modelo 300, de Pereira a Bogotá, complicó sustancialmente las cosas para el cartel porque ni un lego podía poner en duda que existía allí un batallón, pero ello no impidió que se acatara la orden de Gustavo de Jesús Gaviria Rivero. Una noche de finales de febrero de 1988, seguro de obtener una prima extraordinaria sobre su salario normal, un burócrata oficial avisó al cartel que el 2 de marzo las pistas del Aeropuerto Internacional Eldorado cerrarían poco antes de las doce de la noche, ante la urgencia de una reparación menor. "En otras palabras, bacán —le dijo a uno de Los Magníficos— el camino va a estar despejado".

Como solía ocurrir en estos casos, no obstante, la oportunidad entrañaba también sus propios riesgos. Las rutas que siguiesen las aeronaves robadas serían fácilmente detectables en el radar. Ante la ausencia absoluta de tráfico aéreo, los operadores de las torres de control podrían identificar en sus pantallas hasta una cometa en vuelo. Era la contraprestación que el destino ponía a aquella oportunidad. Tendrían libre la pista 1.2, una prolongación de los muelles de carreteo de Catam intercomunicada con las pistas principales del Aeropuerto Internacional Eldorado.

Más horas de vuelo

Con su radio amplificador de la base 20-40 instalada en el laboratorio número 1 de Fernando El Negro Galeano, el caldense Rodrigo Vanegas abandonó, el miércoles 17 de febrero de 1988, poco antes de las ocho de la mañana el hotel La Colina. Subió a su jeep, tomó la autopista Bogotá-Medellín y desapareció por unos instantes tras el primer desvío de Parcelas California.

Recogió a los dos procesadores que había citado para que ayudaran a descargar el vuelo, y ordenó a los veteranos que esperaban por cuenta del laboratorio número 2 que los siguieran en un "buque". Era una Toyota 4 puertas hurtada en Venezuela, de las cientos de ellas que abundaban en la zona y que entraban a Colombia a través de la frontera con Cúcuta y se adquirían a dos millones de pesos cuando su valor en el caso de las importaciones legítimas rebasaba los 35 millones. Luego impartió instrucciones a los "cocineros" para que entraran en el laboratorio y para que a las 12 empezaran a diluir, por separado, los alcoholes Mec y exano en agua hirviendo.

A pesar del mal tiempo, sus hombres podían trabajar sin problemas. Un cúmulo de resistencias semejantes a las de un calentador de agua permitían preparar los reactivos químicos en los bebederos de las marraneras cubiertas. Después volvió a la autopista. Esta vez en busca del portal de Nápoles. Llovía incesantemente y el día estaba tan gris que aquello parecía el anochecer.

Fornido como un guardaespaldas, de ojos claros y tez oscura, Rodrigo Vanegas era más que un profesional en cada una de las etapas del negocio de la cocaína. Había instruido a los indios en el Huallaga, en Ciop, en Tarapoto y en Uchiza, en la obtención de base de coca cuando los barones del narcotráfico concluyeron que importar pasta —un producto de la hoja de coca extraído a partir de carbonato y ácido sulfúrico— era una grandísima estupidez, pues de cada 400 kilos de pasta apenas si se obtenían 180 de base. ¿Qué negocio era importar dos kilos de pasta para extraer uno de base de cocaína en Colombia cuando los traficantes debían correr con los costos y ocupar con tanta basura el espacio de las aeronaves? Ninguno. Por lo demás, habían visto que más allá de la base —resultado de la acción del permanganato de potasio sobre la pasta de coca— los indios nunca podrían obtener clorhidrato de cocaína de buena calidad pues éste sufría un severo proceso de oxidación y deterioro en razón de la humedad de las selvas. Era algo equivalente a trabajar con la pésima hoja de coca colombiana.

En cambio, si los indios aprendían su trabajo y oxidaban adecuadamente la base, los químicos calculaban que de cada 500 kilos podrían obtenerse hasta 515 ó 520 del más puro clorhidrato. Si lo hacían mal, de 500 kilos de base se perderían hasta 80 kilos de cocaína.

En cualquier caso, ese déficit representaba un costo sustancialmente menor al de importar hacia Colombia 500 kilos de pasta de coca para extraer sólo 240 de base y esos mismos de clorhidrato.

A la vez, aunque él mismo tenía perdida la cuenta, Rodrigo Vanegas había estado en sinnúmero de ocasiones supervisando embarques de droga desde el Alto Huallaga y otros centros de abastecimiento y compartiendo los avatares de esos vuelos eternos de transporte de narcóticos en los que la perspectiva de ser descubierto, hacía entumecer hasta la última fibra del sistema nervioso.

Sabía que un vuelo desde el sur, Perú o Bolivia, hasta La Media en el Yarí, una pista clandestina de reabastecimiento de combustible en los Llanos Orientales colombianos, tardaba cinco horas y que desde allí hasta Nápoles eran cuatro horas más.

Conocía como ningún otro el riesgo mortal de una resistencia mal conectada en un laboratorio repleto de alcoholes en ebullición y los extremos cuidados que exigía el manejo de la electricidad pues hasta un bombillo podía hacer volar en mil pedazos un "trabajadero". Por si fuese poco, había vivido en carne propia lo que era convertir un avión de fábrica en un hechizo para casi doblar la capacidad de su autonomía de vuelo o de transporte de alcaloides.

Sabía que un monomotor podía durar un par de horas más en el aire con sólo instalar un tanque de combustible adentro o utilizar lo que los norteamericanos llamaban "Tin tambs" y los traficantes unas "puntas de plano", en la práctica, dos tanques adicionales de gasolina que iban conectados a las alas, con una capacidad de 18 galones cada uno.

Cada "punta de plano" podía dar a un monomotor una autonomía de vuelo de una hora adicional y así un aparato diseñado inicialmente para volar seis o siete horas podía operar durante ocho o nueve.

Eran aviones Cruceiro, Seneca, 206, 210 y Aztecas, aeronaves baratas y pequeñas, cuyos tanques integrales habían sido remplazados con ingeniería local para abolir toda lámina divisoria y aumentar la cantidad de gasolina por transportar. Ello elevaba la autonomía de vuelo pero, a la vez, hacía más insegura cada operación aérea pues se perdían los recubrimientos que permitían aislar un despósito de gasolina de otro.

Sólo a finales de los años noventa, los traficantes aceptarían que aviones de turbina, del tipo Turbo Comander, volasen hacia el sur: Perú o Bolivia. Utilizaban esos aparatos desde siempre, pero para los vuelos de transporte de narcóticos hacia el norte: Estados Unidos, México o las Bahamas.

Era una época en que podían fácilmente salir del Huallaga, retanquear o no en el Yarí, ir a Medellín y volver otra vez por la ruta. Un piloto podía así, en la práctica, hacer hasta dos viajes en dos días. Por último, Rodrigo Vanegas era un hombre perspicaz y un administrador diligente. Nunca se había permitido que faltase un barril de Mec o exano en mitad del procesamiento o una hoja de papel filtro antes del secado y, menos aún, que "los trabajadores" tuviesen que parar una tarde o un día entero por cuenta de su imprevisión.

"Los limoneros..."

Antes de entrar en Nápoles, Rodrigo Vanegas divisó a lo lejos la primera pareja de "cantoneros" de turno aquella mañana en la autopista. Reconoció el jeep y pitó a su paso. Obtuvo la misma respuesta. A no dudar, el caldense Rodrigo Vanegas y otros debían mucho de su tranquilidad cotidiana a aquellos hombres que por instrucción expresa de Pablo Escobar Gaviria tenían las 24 horas de cada día, divididos en cuatro parejas, la misión de ir y venir por la autopista Bogotá-Medellín, en un tramo que abarcaba desde Doradal hasta Río Claro, siempre bordeando el frente de Nápoles y atentos a cualquier movimiento extraño.

A bordo de motocicletas, jeeps y otros vehículos y proveídos con un radio, los "cantoneros" —en realidad centinelas de la vía central por la que se extendían Nápoles y Parcelas California— eran los primeros en advertir la presencia de un camión del ejército, de una patrulla de la aduana, de un convoy de la policía y, en ocasiones, hasta de un helicóptero en camino.

—Oís, va a pasar un camión del ejército pero no hay ningún problema... Tranquilos (...) Mirá que viene un carro de la aduana y es mejor que guarden "los buques".

Todos los escuchaban cada día y eran otra arista del inconmensurable imperio que Pablo Escobar Gaviria mantenía en el corazón de Antioquia y que conectaba con los de Gonzalo Rodríguez Gacha, El Mexicano, en el Magdalena Medio y Fidel Castaño, Rambo, en las tierras de Córdoba, Sucre y el Urabá antioqueño.

Rodrigo Vanegas franqueó el portal de Nápoles seguido por uno de sus "buques", atravesó los retenes instalados antes de "La Mayoría" o casa principal, vio algunos curiosos en sus vehículos recorriendo el zoológico —sin excepción los letreros prohibían descender de los automóviles—, rebasó la pista pavimentada de la hacienda, sus hangares y su enorme estación de abastecimiento de combustible y siguió por las trochas rumbo a la pista.

Por la ruta que había seguido se tardaban 15 ó 20 minutos en estar frente a Mamarrosa, pero ni él ni ningún otro podían utilizarla en el retorno cuando trajesen las Toyotas atiborradas con los bultos de base de cocaína. Era una regla inquebrantable. A Pablo Escobar Gaviria jamás le había importado que los representantes de los barones de la cocaína atravesaran Nápoles con radios y armados hasta los dientes, si así lo deseaban, pero en cambio tenía expresamente prohibido el tránsito de un solo gramo de cocaína de otros a través de la hacienda.

La única droga que podía movilizarse en Nápoles y los únicos vuelos que podían descender sobre la pista pavimentada eran los suyos propios. Aquellos que involucraban a sus pilotos: Popeyito, El Gordo, El Tigre, Capitán, Miro y Fabio y que comprendían cargamentos de cientos de "panelas" plastificadas y marcadas con las más insólitas claves: "Bush", "Reagan" o, en ocasiones, Z1 y Z2.

Conscientes de esa limitación, desde cuando concibieron Mamarrosa, Evelio y Héctor Barrientos diseñaron otra ruta de salida de la cocaína desde la pista. Éste era un camino de trochas, rodeado a lado y lado por potreros desolados, que atravesaba por detrás de Nápoles y que desembocaba en El Parador Gitano, una venta de refrescos y cervezas a la orilla del camino y en pleno monte. Desde ese sitio eran dos kilómetros hasta la autopista Bogotá-Medellín. Cruzando la vía se llegaba a Parcelas California y luego a los laboratorios. En lo que hacía a los paramilitares, desde El Parador Gitano, eran ocho o diez kilómetros antes de estar en su cuartel general de Las Mercedes.

Ese tercer miércoles de febrero de 1988, Rodrigo Vanegas arribaba al mismo tiempo que 24 y sus hombres. Vio sus Toyotas raudas atravesar el potrero por los lados de El Corral e ir a detenerse junto a los árboles. Portaban sus radios y lucían fusiles y cananas negras con granadas y munición terciada al pecho.

Constituían un enjambre *sui generis* pero disciplinado y también sangriento. Tenían su refugio en Las Mercedes, a 30 minutos de Mamarrosa, pero eran en realidad amos y señores en toda aquella región del Magdalena Medio, en donde se encontraba Nápoles.

Dependían directamente de Henry Pérez, una especie de comando del Estado Mayor de los paramilitares y uno de los copartícipes con Gonzalo Rodríguez Gacha, El Mexicano, en la introducción a Colombia de mercenarios ingleses e israelíes para el adiestramiento de los ejércitos privados de la mafia.

Desde cuando la pista empezó a operar, Pablo Escobar asignó a esos hombres armados, furibundos enemigos de la guerrilla, la custodia de Mamarrosa y el control y seguridad de los embarques de la cocaína. Ahora estaban pendientes de cada vuelo: auxiliaban las vertiginosas tareas de descarga y carga y eran ellos los responsables de ocultar la base de cocaína y el clorhidrato ya procesado.

Al llegar cada vuelo, 24 y sus hombres se hacían cargo de la base de cocaína y después la administraban. Ni Rodrigo Vanegas —a pesar de su experiencia— ni otros podían tomar los 1.000 kilos de base de un viaje de Fernando El Negro Galeano y simplemente llevarlos consigo a los laboratorios. Sólo podían cargar aquello que estaban en capacidad real de producir: hasta 300 kilos en un día. Luego, si deseaban más base, debían entregar primero el clorhidrato ya procesado. Los paramilitares eran a tal punto autónomos en su papel que ni hombres como Rodrigo Vanegas tenían derecho a conocer los sitios los que 24 y su ejército almacenaban la base o la cocaína ya procesada. Sólo volvían a ver las cajas en Mamarrosa el día del vuelo de despacho.

Escobar había hecho unificar desde hacía años el tamaño de las cajas en que debía embalarse el clorhidrato y hasta el tipo de costales en que debía llegar la base. Los traficantes aprendieron pronto que ningún costal podía tener más de 40 kilos de base de cocaína porque era lo que un hombre estaba en capacidad de movilizar con rapidez y durante un lapso razonable. Lo propio ocurría con las cajas de cartón. Cabían exactamente 40 kilos que siempre debían venir bien apilados y organizados.

Existía otra razón para que tanto los bultos como las cajas tuviesen un solo peso. Según lo veía Pablo Escobar Gaviria, ello facilitaba la contabilidad y permitía desenmascarar con prontitud a los avivatos. Muchas veces había advertido a su élite en Nápoles:

—Si la caja está deforme es porque nos están dando garrote.

Así, 24 y los paramilitares habían terminado por convertirse en un verdadero dique de control. Ellos medían el nivel de eficiencia de cada uno de los representantes de Fernando El Negro Galeano, Gerardo Kiko Moncada, Albeiro Areiza, El Campeón, y otros barones de las drogas y sabían quién exigía exceso de kilos de base de coca sin estar en capacidad de procesarla o quién se quedaba corto en sus mediciones o quién actuaba en forma deshonesta.

Al final cruzaban con H.H. cada registro de vuelos con base de coca o clorhidrato puro y definían cuánto se les adeudaba por semana. Percibían 10 mil pesos por cada kilo de base de cocaína descargado en Mamarrosa y vuelto a despachar de ella una vez convertido en "cristal". No era todo lo que hacían. También protegían a Mamarrosa y a los embarques de cocaína de cualquier intruso y dedicaban la ayor parte de su tiempo libre a cazar guerrilleros.

Muchas de esas faenas, sin embargo, terminaban en encuentros con simples "limoneros", campesinos sin tierra que aparecían por las trochas de la cocaína hurtando para llenar sus canastos y costales de limón que en esta región brotaba como el pasto. Pablo Escobar y Gonzalo Rodríguez Gacha habían sido terminantes en sus intrucciones respecto de aquellos miserables. Toda presencia de un "limonero" debía ser avisada en el instante a H.H. o a 24 y sus hombres.

Órdenes como estas sólo tenían una explicación en la lógica de los barones del tráfico de cocaína. Tal y como lo concebían, un "limonero" podía ser en realidad un simple campesino, pero también un agente encubierto de la DEA, la Policía Antinarcóticos, el Departamento Administrativo de Seguridad (DAS) u otras instituciones del Estado. O tal vez, tan sólo un informante.

El auge de Mamarrosa, la seguridad de los paramilitares y la operación de los laboratorios tras Parcelas California, pendían de la confidencialidad y, en esa perspectiva, los "limoneros" no eran asunto menor. Un boquiflojo podía arrojar miles de agentes antinarcóticos y comandos de ejército sobre la zona y poner fin al emporio.

Ante la perspectiva del trágico fin que esperaba al infortunado, muchos procesadores de cocaína se habían abstenido hasta por la primera o la segunda vez de dar el aviso sobre la presencia de algún "limonero". Sin embargo, con el tiempo, s percataban de su error. Nada escapaba al enorme servicio de inteligencia estructurado en toda la región por 24 y sus hombres. Ellos se hacían responsables del fin de los "limoneros" que —salvo casos al extremo excepcionales, gentes en verdad conocidas en la zona— terminaban con un tiro en el cráneo y con sus huesos en el fondo de un río.

Muchos paramilitares eran verdaderos especialistas en esta clase de purga cruel y dramática. Inclusive, habían aprendido a abrir a sus víctimas desde el ombligo hasta la tráquea y a cargar los cadáveres de piedras para que no aparecieran flotando en algún punto del río.

Asalto en Catam

"Hay un Turbo Comander en vuelo, robado de la Base Aérea de Catam. Quien lo ubique en el radar debe dar la orden de obligarlo a aterrizar" —alertó frenético el oficial de guardia de la Fuerza Aérea Colombiana (FAC) a la totalidad de las bases aéreas y torres de control del país. Corrían los últimos minutos de la noche del miércoles 2 de marzo de 1988. "Creemos que se dirige a Panamá, a través del Urabá", añadió. Era un coronel y estaba desesperado. Todos los aeropuertos del país fueron declarados en alerta y también las unidades de entrenamiento y plataformas de despegue de aviones de radar de la fuerza aérea de la nación.

En efecto —desde cuando el contacto en Eldorado reconfirmó la información original sobre interrupción del tráfico aéreo— Gustavo de Jesús Gaviria dio la orden de actuar. Tras esa instrucción, en la noche del 2 de marzo de 1988, embutidos en trajes azules de capitán y teniente efectivos de la FAC, con el pelo cortado al ras, dos de los pilotos del grupo que la mafia apodaba Los Magníficos, en clara alusión a la afamada serie de televisión estadounidense, irrumpieron en la Base Aérea de Catam y burlaron los controles que se les interpusieron en el camino. Ambos se abrieron paso a través de las rejas de acceso principal.

—Esta es una misión de emergencia. ¡Secreta! —explicó el que vestía de capitán imbuido en su papel de oficial de la FAC veterano de 5 mil horas de vuelo.

—Mi comandante —confirmó el que vestía como teniente— ordena que volemos de inmediato. Así que ¡largo de aquí!

Custodios del principal puerto aéreo del Estado, pero principiantes al fin y la cabo, los centinelas de las rejas de acceso principal se limitaron a llevar la mano a la altura de la cabeza, en señal inequívoca de respeto por sus oficiales.

—Señor —se atrevió a balbucear en voz baja uno de ellos—, no hay ninguna orden que permita ese decolaje...

—Estúpido. ¿Quién da las órdenes? ¡Yo! Todo esto ya está coordinado... soldado. ¡Vuelva a su posición! —replicó de inmediato el falso capitán y el asunto virtualmente terminó, aunque solo entre los reclutas.

Por la rampa de vuelos internos, los pilotos del cartel alcanzaron el puesto de parqueo del Turbo Comander y ocuparon la cabina de mando. Apenas puso en marcha el automático del encendido, el piloto que se hacía pasar por un capitán verificó complacido que el aparato, tal y como se lo había anunciado Gustavo de Jesús Gaviria, estaba hasta el tope de gasolina. Habían hecho un buen trabajo.

Eran casi las 12 de la noche, el albor de la madrugada, y nunca antes ningún oficial había aparecido con una misión tan insólita: alzar vuelo, a la media noche, sin orden evidente y previa, con una aeronave confiscada a la mafia. Los Magníficos esperaron el tiempo estrictamente necesario —tres minutos era lo mínimo que este tipo de aviones requerían para calentar motores— y después echaron a rodar el aparato a una velocidad de 40 kilómetros pasando frente a los tanques de gasolina, en la dirección occidente-oriente, pista 1.2, en la cabecera 12 de Eldorado.

Era demasiado tarde cuando —al percatarse de su error— los soldados intentaron atravesar un jeep en la vía y se dio la orden de abrir fuego. Oficiales, suboficiales y soldados disparaban sin cesar, pero el pajarraco se elevaba como por arte de magia, a pesar de que un disparo había dado en la punta de nariz y otro en el motor del lado derecho que echaba humo como salido del mismo infierno.

El piloto "embanderó" o puso fuera de servicio ese motor y colocó las aspas en dirección vertical al viento para que no opusieran resistencia. El combustible que escapaba del tanque roto era el origen del humo, pero en estos aparatos era cuestión de poner en servicio al otro tanque y dejar que el averiado se desocupara en vuelo. Sin embargo, la odisea apenas empezaba.

"Tráiganlo, que yo lo dejo aquí"

El caldense Rodrigo Vanegas escuchó el segundo reporte del piloto exactamente a las 11:40 de la mañana del miércoles 17 de febrero de 1988. Él y sus "trabajadores" y 24 y sus hombres identificaban el rugir del avión acercándose pero aún ninguno podía verlo. Realmente hacía mal tiempo aquel día en Mamarrosa.

—Oso 1 reportando a Mamá. Oso 1 reportando a Mamá.

—Aquí Mamá, siga Oso 1.

—Voy a iniciar el descenso, pero esto está cerrado y no se ve una mierda.

—Oso 1, baje un poco más porque no lo oigo.

—Voy a dar otra vuelta y a descender un poco más... ¿Me copió, Mamá?

—No le copio...

—Voy a dar otra vuelta y a descender un poco más. ¿Me copió Mamá?

—Le copié, Oso 1.

Ortiz era un piloto veterano y con más de un vuelo a Mamarrosa pero —como lo había previsto el caldense Rodrigo Vanegas— éste era uno de esos días en el que los transmisores no funcionaban y el piloto dependía totalmente de las orientaciones que él pudiese darle. Era —lo quisiera o no— su torre de control en ese momento.

—Mamá a Oso 1, ahora lo oigo... ¿Me copia?

—Lo copio...

—Usted está por el lado de "El corral". ¿Me escuchó? Está por el lado de "El corral".

—Le entiendo, voy a dar otra vuelta y a descender.

—Métase por la derécha. Usted está por "El corral".

Rodrigo Vanegas admiraba a aquellos pilotos. Volaban Cruceiro, Seneca, 206, 210 y Azteca, con capacidad para 400, 500 ó 600 kilos de base de cocaína, pero tenían que aprender más de una treta. Debían aterrizar sin atreverse a considerar siquiera la posibilidad de apagar los motores del avión que —en razón del calentamiento— habrían tardado horas en volver a encender. Por lo demás, eran en sí mismos un engranaje descomunal de la operación de narcóticos, y en más de una ocasión, se habían tenido que jugar el todo por el todo con los barones de la cocaína. Pablo Escobar, el primero.

Una mañana cualquiera de mediados de 1987, nadie lo recordaba exactamente, un avión había descendido fallando, con el tren y las luces de guías de emergencia a todo vapor. Eran casi las cuatro de la tarde y entonces el propio Pablo Escobar salió al radio.

—Les doy plazo —había advertido a 24 y a los responsables del embarque— hasta mañana a las seis de la mañana para que lo arreglen, pero si no lo arreglan, me hacen el favor y lo queman. Y tráiganme al piloto aquí...

Estaba irritado, como pocas veces. Aquel vuelo llevaba una semana de retraso y cuando finalmente apareció, lo hacía fallando. Era —a su modo de ver— "una vuelta mal organizada". Y lo peor, con un avión virtualmente nuevo.

El pobre diablo del piloto —recordaba Rodrigo Vanegas— debió sentir que un veneno caliente le corría por la garganta pero con la misma energía con que descargó casi solo el aparato —porque a las gentes de Las Mercedes y de detrás de Parcelas California les daba "bronca" las cosas mal hechas— el piloto se dio a la infructuosa tarea de descubrir el desperfecto. No tuvo mucho tiempo para ello porque después de escuchar por el radio a Pablo Escobar Gaviria, "los paras" lo hicieron prisionero, mientras carreteaban el avión hasta ponerlo debajo de unos árboles. Después lo obligaron a abordar una Toyota y lo llevaron hasta la presencia de Pablo Escobar.

—Mire, mijo —le explicó lacónico el jefe del cartel— si llega a haber algún problema, usted me las paga. La culpa es suya. ¿Por qué no les hacen mantenimiento a esos hijueputas aviones? A usted y a su patrón lo que les gusta es ganársela toda... Pues van a ver lo que pasa si esto les resulta mal...

El desgraciado tuvo que regresar por el mismo camino por el que había llegado hasta Escobar y debió pasar la noche casi a la intemperie custodiado por dos paramilitares armados. Afortunadamente para él, aunque tardó horas en descubrirlo, toda la avería era cuestión de un perno conectado a la manguera de flujo de aceite. Al estar suelto, éste permitía el escape de cantidades intermitentes de aceite y había puesto el motor a fallar.

Al final, hacia las 5 de la mañana, El Pipa, un mecánico de ocasión, llegó hasta Mamarrosa, improvisó un molde en pasta —que nunca estuvo seguro de que resistiría— y los paramilitares dieron la orden de decolaje inmediato del avión. La supervivencia o la muerte de ese miserable —le explicó desde la noche anterior Pablo Escobar a 24— no era un asunto de la gente de la pista.

En otra oportunidad, Pablo Escobar Gaviria había hecho que un episodio aún más escalofriante terminara por convertirse en lección en Nápoles y Mamarrosa, en los laboratorios tras Parcelas California y en el cuartel de los paramilitares en Las Mercedes.

También en esa ocasión, el avión había llegado fallando y el humo negro y la velocidad del descenso habían hecho pensar en una tragedia, pero el piloto lo había salvado todo: el embarque, el avión y, lo más importante, su vida. Con todo, no había logrado salvaguardar el secreto de Mamarrosa. Dos helicópteros artillados lo perseguían y 24 y los demás habían tenido escasamente tiempo de desembarcar la droga y sacar al piloto de allí. Entonces, cuando menos lo esperaban, otra vez, Pablo Escobar Gaviria se oyó en el radio. Acababa de captar las conversaciones de los antinarcóticos en el aire y estaba crispado como un león.

—¿Dónde está el piloto de ese hijueputa avión, dónde está? —interrogó.

Sin otra alternativa y seguro de estar haciendo lo correcto, 24 le respondió:

—Señor, aquí lo llevamos... El hombre está bien... 24 no tuvo tiempo de agregar ni una sola palabra...

—¿Cuál está bien? Lleven ese hijueputa al avión. Si él me trajo la ley, que se la lleve... Pero ya...

—Como lo diga el señor —contestó de inmediato 24, pero nada detuvo a Escobar.

—Si no, tráiganmelo aquí y aquí lo dejo. ¿Qué escoge?

Dictado el veredicto final, 24 y sus hombres se dispersaron por entre el monte y empezaron a disparar contra los helicópteros de la Policía Antinarcóticos, mientras otros instalaban al piloto al frente de su aeronave. El piloto había tenido que despegar de Mamarrosa sin que nadie nunca supiese que había pasado con él.

Apenas empezó el aterrizaje de "Oso 1", Rodrigo Vanegas y sus "trabajadores" subieron nuevamente a las Toyotas y lo propio hicieron 24 y sus hombres. Para fortuna de todos, éste no era uno de esos días en que hasta tres vuelos coincidían en Mamarrosa.

Siguieron el avión hasta que se detuvo y cuadraron las Toyotas en frente de la puerta que el copiloto había abierto ya. Ahora —después de desatar la carga— empujaba los bultos de 40 kilos de base de coca a tierra con toda la rapidez de que era capaz. Lo apoyaba un paramilitar.

Rodrigo Vanegas, los suyos y 24 recogieron cada bulto y lo echaron en las camionetas. Antes de cinco minutos todo terminó. Las Toyotas salieron por detrás de Nápoles y el avión carreteó para decolar. Rodrigo Vanegas llevó 240 kilos de base de coca (6 bultos) consigo y 24 se quedó con 360.

Este era el verdadero tesoro de Mamarrosa. La razón por la cual —sólo en apariencia— jamás había nadie allí y, en realidad, estaban todos: enjambres que aparecían y desaparecían en instantes. Ninguna operación en la pista —ya fuese de cargue o de descargue— tardaba más de cinco minutos.

De hecho, la tripulación del avión que había traído la droga tampoco se había quedado atrás. Tras decolar, el copiloto del Cessna retiraba los amarres hechos en los rieles y utilizados para atar la carga. Cortaba gruesos trozos de cinta pegante para recoger con ellos los desperdicios de base de coca; instalaba de nuevo todos los asientos y roceaba aerosol. En unos instantes habrían de aterrizar en el aeropuerto de Medellín cumpliendo un itinerario normal.

Treinta minutos después de haber decolado de La Media en el Yarí —una pista clandestina de abastecimiento de combustible en los Llanos Orientales, a cinco horas de vuelo del Huallaga— se habían reportado por primera vez a la torre de control de Bogotá y luego a la torre de control del Aeropuerto Olaya Herrera. En el Yarí, también en cuestión de minutos, un "trabajador" había remplazado con plantillas y aerosol las convenciones, la bandera y los números de matrícula peruanos por las convenciones, la bandera y los números de matrícula colombianos. Lo mismo se hacía en la Guajira, en Caucasia y en Córdoba, con los Turbo Comander que debían partir hacia México e inclusive hasta algunos puntos de Estados Unidos.

La bitácora de vuelo falsa —que en realidad comprendía un itinerario entre Bogotá-Medellín-Bogotá-Araracuara, en donde no existía control alguno— había sido expedida por un empleado venal de la Aeronáutica de cuantos servían a las rutas de fachada.

Esa noche del tercer miércoles de febrero de 1988 Ortiz y su copiloto podrían decolar otra vez del aeropuerto Internacional Olaya Herrera con destino a La Media en el Yarí, retornar por un embarque más al Perú y volver al día siguiente a Mamarrosa. Entonces tendrían un descanso de dos días.

"Largo de aquí"

Las luces plenas de seis vehículos iluminaban esa noche del 2 de marzo de 1988, 140 metros de pista. Aunque el Estado colombiano no había otorgado nunca su venia, durante la década de los ochenta, para la iluminación de aeropuerto privado alguno, los traficantes sabían que a un piloto experimentado le bastaban las luces plenas de dos carros, uno en cada cabecera, para hacer un aterrizaje perfecto.

En un tiempo Pablo Escobar Gaviria había intentado legitimar la pista de Nápoles y hasta había logrado conseguir un permiso provisional de operación. Las gestiones ante la Aeronáutica Civil culminaron en la expedición de la resolución registrada bajo el número 5558 del 14 de julio de 1983. El registro fue extendido a favor de Elkin Correa, identificado con la cédula 2.712.262 de La Estrella, Antioquia.

Sin embargo, la decisión original debió ser revocada por las mismas autoridades aeronáuticas dos meses después, el 26 de septiembre de 1983, entre otras razones porque el peticionario no tenía forma de acreditar su propiedad sobre la pista. Desde entonces se encontraba prohibida cualquier operación en Nápoles y en sus zonas aledañas.

Para comienzos de 1988, el Estado exigía un informe confidencial del Consejo Nacional de Estupefacientes sobre carencia de antecedentes por narcotráfico del respectivo propietario del predio, como prerrequisito para autorizar la operación diurna de pistas privadas de despegue de avionetas de fumigación. El control real sobre aquellas medidas consignadas en un cúmulo de decretos y resoluciones era inocuo y Mamarrosa y otras pistas clandestinas en inmediaciones de Nápoles constituían la evidencia más concreta de ello.

Conscientes de la escasa capacidad de supervisión que tenía el Estado, esa noche de marzo Carlos Mario Alzate Urquijo, Arete; Mario Giraldo Henao, Pernicia; Rodrigo Arturo Acosta, Rigo; Darío Usma, Memín; Metra, y otros "trabajadores", seguían a la letra las instrucciones de Gustavo de Jesús Gaviria y preparaban un avión gemelo al que Los Magníficos debían haber hurtado ya de la Base Aérea de Catam. Cubrían la matrícula original y pintaban una nueva e imprimían en el fuselaje del aparato la bandera de la República de México.

Gustavo de Jesús Gaviria se había dedicado a diseñar una operación clandestina que ridiculizara a diversos gobiernos y, sobre todo, claro está, a las autoridades colombianas, desde cuando fue notificado de la confiscación del Turbo Comander y la Super King Beechcraft. Su decisión era hurtar uno los aparatos, cargarlo con una tonelada de cocaína y enviarlo a México. Después, abandonarlo en cualquier sitio de la ruta de regreso y hacer pública la burla al gobierno.

El trabajo de Arete, Pernicia, Rigo, Memín, Metra y los demás, consistía en esperar por el Turbo Comander y cargarlo hasta el tope de cocaína. Sin embargo, algo había salido mal. Arete lo supo en el instante mismo en que vio descender el Turbo Comander echando humo negro e intentando un aterrizaje de emergencia.

Un avión fallando era un estupidez en aquella pista clandestina de La Lechería, tan cercana a Mamarrosa y a Nápoles, y una imbecilidad de Los Magníficos. Los muy "huevones" —se dijeron varios agentes del cartel al verlos aterrizar— no estarían creyendo en serio que su trabajo había terminado allí. Arete tomó su arma y con resolución se dirigió al avión. El capitán impostor apenas tuvo tiempo de abrir la portezuela cuando vio a Arete apuntándole directo a la frente:

—Largo de aquí malditos. Boten esa mierda en otro lugar...

"Hay que levantar los laboratorios"

Rodrigo Vanegas seguía cada uno de los pasos de esta última etapa del proceso con la mirada. El químico vertió exano en el agua que hervía en el bebedero metálico de la marranera y después puso dentro la base de coca. Luego tomó una medida de ácido clorhídrico, la revolvió con el Mec y la echó en la solución de agua.

Vanegas esperó pacientemente a que ambas sustancias reaccionaran y luego vio aparecer el cono, una pirámide nacarada de clorhidrato de cocaína, semejante a un cúmulo de escamas de pescado. Observó a dos procesadores tomar papel de filtro, empezar a escurrir, recoger "el cristal" con dos pocillos y voltearlos sobre la prensa hasta formar dos panelas de 30 centímetros por 22. El equivalente a 500 gramos.

El proceso casi había terminado. Aquéllos eran los dos últimos kilos de base de cocaína pendientes de secado en un horno microondas. Los "trabajadores" sabrían que el clorhidrato de cocaína estaba listo si percibían un sonido compacto al golpear la panela con los dedos. Aquello debía producir un sonido igual al que se hubiese registrado con una mesa de madera. Si escuchaban un ruido opaco —cuántas veces Rodrigo Vanegas había tenido que repetírselo a los aprendices— era señal de que "el cristal" seguía húmedo por dentro.

Salió del laboratorio y vio a los últimos "trabajadores" embalando panelas de cocaína pura en bolsas de polietileno, recubrían con cinta de enmascarar y almacenaban el alcaloide en las cajas con capacidad de 40 kilos cada una. Entonces salió al radio y buscó a 24: "Mirá, necesito que me traigas otra tandita que tengo algo que entregarte...".

Sabía que nada satisfacía más a Pablo Escobar Gaviria que aquel orden. Lo había oído muchas veces refunfuñando contra los que exigían más mercancía para procesar sin entregar nada listo. También, contra aquellos que se veían repentinamente obligados a parar por la falta de algún líquido.

—Hijueputas, están trabajando y les faltan las huevonadas... es que no saben lo que van a hacer...

24 escuchó con atención al caldense Rodrigo Vanegas, y después le dijo lacónicamente:

—En el sitio de siempre —respondió 24 a Rodrigo Vanegas.

—En el sitio de siempre a las dos —complementó Rodrigo Vanegas.

"El sitio de siempre" no era nada distinto de un recodo vacío tras Parcelas California. Él y 24 habían coincidido en las bondades de aquel lugar por la equidistancia que representaba para ambas partes. Rodrigo Vanegas llevaba, en realidad, una buena relación con aquel hombre que era un "para" curtido y un conocedor como pocos otros de toda aquella vasta región.

Vanegas lo conquistó con detalles que importaban a los paramilitares mucho más que el dinero: "Mirá, llevá este reloj", "Oís, mirá, este radio que conseguí que es mejor que el que ustedes tienen", "Mirá este proveedor de R-15 en acrílico".

En otras ocasiones Vanegas escuchaba las peticiones de 24:

—Mirá, por qué no me conseguís un juego de llantas anchas para mi carro... ¿Sí?

El caldense Rodrigo Vanegas se esforzaba por satisfacer requerimientos como esos porque, al igual que Pablo Escobar Gaviria, 24 y sus paramilitares permanecían atentos a cualquier movimiento de tropas de ejército y policía y siempre terminaban por avisar de las potenciales operaciones con tres o cuatro días de anticipación. De pronto, un viernes, lo intempestivo sorprendía a los "trabajadores":

—Bueno, hay que parar todo el mundo. Arreglen eso que viene un operativo el lunes...

¿Cómo se enteraban? Eso era asunto de Pablo Escobar y 24 y sus hombres pero —por lo menos en cuanto hacía a Rodrigo Vanegas— lo realmente importante era que lo sabían a tiempo.

En esas fechas, Rodrigo Vanegas ordenaba limpiar y poner a funcionar la marranera, meter las resistencias, los hornos microondas y la prensa en bolsas de plástico negro, todo bien empacado y llevarlo al monte y enterrarlo. Después se comunicaba a Medellín para que bajase el camión Dodge 600 y devolvía a sus hombres; él iba a La Colina o simplemente desaparecía por algunos días.

En las casas sólo quedaban la anciana y un cuidandero, las camas y las ollas. Rodrigo Vanegas no lo sabía, pero después de su encuentro con 24 tendría que poner en marcha una operación de esas. Aunque los paramilitares no habían estado muy de acuerdo, Pablo Escobar "planeaba" una operación descomunal del ejército.

Está en la pantalla del radar

El radar de la base Militar Aérea de Palanquero, en Puerto Salgar, a escasos 20 minutos de Bogotá, en el nororiente del país, ubicó la ruta del Turbo Comander 1000 sobre la población de Mariquita y, en el acto, dos aviones T-33 y un C-47 artillados alzaron vuelo e iniciaron la cacería. Las tripulaciones de turno aquella noche en la Base Militar Aérea de Palanquero ubicaron el avión robado y casi al filo de la media noche las bengalas y las ráfagas de las ametralladoras punto 50 y la ensordecedora marcha de las turbinas de los dos cazas T-33 y del C-47 de la Fuerza Aérea Colombiana (FAC) se cerraron sobre la pista en que había aterrizado de emergencia el Turbo Comander.

Una bala de punto 50 alcanzó a Arete en el instante mismo en el que, arma en mano, se proponía obligar a Los Magníficos a intentar de inmediato un nuevo despegue. El proyectil le entró por detrás de un hombro y le salió por el pecho. Memín y Rigo lo metieron en un Renault 9 y arrancaron en busca del consultorio de Nápoles.

Pablo Escobar había hecho instalar allí un consultorio médico atendido por un doctor viejo y condenado a una silla de ruedas, pero a esa hora, casi la una de la madrugada, no había un alma en aquel lugar. Al final Arete terminó en la Clínica Somma de Medellín; Los Magníficos a bordo de otro Renault 9 en febril huida y Gustavo de Jesús Gaviria apareció al radio:

'Ni pa' Dios ni para el diablo... ¡Quemen esos hijueputas aviones y desaparezcan...!

"Es un aporte para el negocio"

24 tiró el último bulto de base de cocaína en el "buque" —la Toyota cuatro puertas venezolana de Rodrigo Vanegas— y después hizo una señal al paramilitar que lo acompañaba a fin de que subiese a su propio "buque".

71

Luego explicó lacónicamente el mensaje que traía: "Hay que levantar todo el martes, porque Pablo le montó un jaleo a la guerrilla".

Rodrigo Vanegas frunció el ceño. Había visto muchas veces cómo se "cerraba" por aquí o por allá el tráfico de drogas en virtud de una operación real del ejército o la policía o en razón a que los indios echaban a todo el mundo a empellones en el Huallaga o en la Guajira, pero aquellas eran cosas que jamás se podían evitar.

Los indios en la Guajira nunca aceptaban vender sus tierras para la adecuación de pistas y, ante ello, los traficantes no tenían otro camino que alquilarlas. Cancelaban hasta 60 millones de pesos por un número determinado de decolajes y, si el indio lo permitía, hasta asumían la seguridad de la pista, pero tanta generosidad jamás era suficiente para evitar severos contratiempos.

Un día cualquiera el indio aparecía frente a la pista, buscaba al hombre con quien había hecho el negocio y le soltaba así no más lo que estaba pensando:

—Yo no querer trabajar más con usted. Yo muy perjudicado con usted aquí y usted me hace el favor y se va...

La negociación que seguía era supremamente compleja y, en muchos casos, los traficantes no habían tenido otro camino que marcharse.

Los indios eran proclives a beber y eran encendidos compradores de mujeres, chivos y tierras, pero cuando decidían imponer lo que los narcotraficantes veían como una arbitrariedad, no existía nada que los detuviese. Por lo demás, durante décadas habían hecho gala de una capacidad pavorosa de violencia. Familias enteras yacían sepultadas por cuenta de algún flirteo de una mujer o en virtud de lo que ellos percibían como la deshonra de alguna otra.

Por si aquello no fuese suficiente, durante la época de la bonanza de la marihuana, al principio de la década de los setenta, cuando los dólares entraban en la Guajira a borbotones, habían aprendido a usar armas automáticas y a hacerlo con destreza. Eran los tiempos en que, aún sin que supiesen conducir, adquirían un campero e irremediablemente lo estrellaban a cien metros del concesionario para volver, con botella de whisky en mano, a negociar otro más.

Precisamente en virtud de los continuos trastornos ocasionados en las disputas con los indios, los barones de la cocaína habían tenido que explorar la viabilidad de otras pistas en las hermosas planicies de Córdoba y Caucasia, en donde el desafío consistía en persuadir a hacendados, otrora poderosos, para que entraran en el negocio de los narcóticos.

"Estas fincas —agentes como Rodrigo Vanegas habían terminado por convencer de ello a algunos ganaderos— no valen mucho: 200 o 300 millones de pesos y, en cambio, usted se gana 30 ó 40 millones en cada salida".

Esos argumentos habían convertido a antiguos hacendados de Córdoba, como César Cure, en aliados incondicionales de la mafia. Al fin y al cabo, si como él podían despilfarrar en toros y conjuntos de música de acordeones, en la semana de las festividades locales, lo debían al dinero de los narcóticos. Muchos, incluido el propio Cure, terminarían pagando su ambición con una prolongada condena en Estados Unidos.

Con todo —por lo menos así lo concebía Rodrigo Vanegas— ni las operaciones intempestivas, ni las inevitables diferencias con los indios podían asimilarse a esto. Las acciones propiciadas desde dentro de la mafia, aun a nombre de los intereses comunes, le parecían una estupidez. No obstante, aunque a regañadientes, comprendió el mensaje y sólo interrogó:

—Mirá, ¿y cuánto ponemos nosotros? Tengo que avisar a Medellín.

—Ah, no sé... Ustedes vayan viendo a ver —le respondió 24. Luego cada uno montó en su "buque" y partió.

En efecto, Rodrigo Vanegas tendría que consultar con Medellín. Lo que Pablo Escobar Gaviria planeaba era, ni más ni menos, precipitar una operación del ejército. Claro está, no en los laboratorios tras Parcelas California sino en algún baldío entre Monte Loro y San Luis. Una columna de las Fuerzas Armadas Revolucionarias de Colombia (FARC) —todo el mundo en Mamarrosa, en "El Parador Gitano", en Nápoles y en Parcelas California se había enterado de ello— rondaba excesivamente cerca de Cocorná. Tanta proximidad entre paramilitares e insurgentes hizo temer una debacle a los amos de la cocaína y por ello Pablo Escobar puso en marcha su plan. Después de algunas comunicaciones telefónicas llenas de expectativa, un informante anónimo se presentó una mañana en una guarnición militar. Exigió hablar directamente con un teniente coronel del ejército y explicó que sólo a él se atrevería a suministrar la información que poseía. Después de mucha insistencia, aunque no fue autorizado para hablar con el teniente coronel en persona, el informante sí obtuvo la venia para entrevistarse con un oficial de alguna jerarquía. Entonces, empezó su relato.

Una filmación borrosa

Las ráfagas de los aviones de la FAC que perseguían al Turbo Comander robado de Catam también alcanzaron a la doméstica Teresa Sánchez y a una adolescente de 16 años que la policía identificó como Selene. Ambas, entre espantadas y expectantes, salieron a correr cuando escucharon el tiroteo, para ver personalmente qué ocurría. El infortunio quiso que un tiro de ametralladora pusiera fin a la vida de Teresa Sánchez, de 30 años.

La adolescente Selene corrió con mejor suerte, aunque resultó herida. De hecho, de no haber sido por la curiosidad que despertaron en ella las ráfagas y las bengalas, en unos minutos más, aquella madrugada del 2 marzo de 1988, habría alcanzado a terminar una carta con destino a su madre, la vieja Lucely Vargas: "Mami, espero esté aliviada, yo estoy bien. Le mando apenas mil pesos porque todavía no es quincena y con la plata que me quedó estoy pagando la dentistería. Doña Tere vuelve mañana, mándeme con ella el teléfono de la guardería. En la finca no me dejan salir porque no he cumplido los dos meses de prueba...". Ésa era la verdad aunque a sabiendas de ello, el día anterior, en el curso de una llamada telefónica, Selene se había aventurado a dar una luz de esperanza a su madre: "No se preocupe que yo le voy a escribir una carta. Yo voy a pedir permiso para el 26 porque yo no me voy a perder de los 15 años de Aracely...".

Estaba en Nápoles desde el 8 de febrero, contra la voluntad de su madre. Desde que doña Lucely se enteró de la noticia —que Selene se iba para Nápoles— no había hecho otra cosa que recriminarla: ¡Niña... esa es la hacienda de Pablo Escobar! Pero todo le había resultado inútil porque a Selene le iban a pagar casi el salario mínimo, 26.100 pesos al mes. Después de aquella madrugada del primero de marzo, sin embargo, enterada por las noticias de cuanto ocurrió en Nápoles, Lucely Vargas no tuvo otra alternativa que instalarse en el portal de la hacienda y repartir fotografías de su Selene entre todos cuantos ingresaban: piquetes de soldados, en su inmensa mayoría.

—Si alguien me la ve arriba —decía— díganle que me escriba algo por detrás que yo comparo esa letra con la de la última carta...

Así pasó tres días y tres noches hasta que finalmente supo que su hija se recuperaba en una clínica de Medellín, bajo custodia policial. Ella no lo sabía pero el episodio de su hija era una coyuntura perfecta para Pablo Escobar y Gustavo de Jesús Gaviria Rivero. El país lo supo a través de una amenaza de seis puntos enviada a cadenas de radio y televisión:

Pablo Escobar Gaviria informa a la opinión pública:

1. Que el día 2 de marzo de 1988, a las 3:00 a.m., en una pista cercana a la Hacienda Nápoles, aterrizaron dos aviones que presuntamente fueron robados de las instalaciones de la Base Aérea de Catam.

2. Que dicha pista no pertenece a la Hacienda de mi propiedad, como pude demostrarlo con escrituras públicas debidamente autenticadas y registradas.

3. Que según versiones, los mencionados aviones utilizaron la citada pista presionados por el seguimiento de aviones militares y por posibles fallas mecánicas ocasionadas durante el abaleo en la Base Militar.

4. Que los nombrados aviones militares de la FAC procedieron a abalear de manera salvaje y sanguinaria las instalaciones de la Hacienda Nápoles, dejando como saldo varios muertos, entre ellos una mujer en embarazo, y un número aproximado de 15 heridos.

5. Que las personas asesinadas, en forma sucia y cobarde, pertenecían al personal de empleadas domésticas y campesinos de la región al servicio de la Hacienda Nápoles.

6. Que nos constituiremos en parte civil de manera inmediata y que no descansaremos hasta que estos miserables sicarios oficiales, asesinos de personas inocentes, paguen con el rigor de la justicia tan execrable crimen.

El mensaje, escrito a doble espacio, en papel membreteado con el nombre de Pablo Escobar Gaviria, en letra gótica, tuvo una enorme difusión; eso no fue lo único. Las noticias y los editoriales de los diarios estaban dedicados al episodio. Las primeras daban cuenta del hallazgo de una volqueta cargada con 25 canecas de éter y revelaban que una videocámara, instalada en uno de los dos cazas T-32, mostraba dos incendios en sitios próximos pero diferentes de la pista. Era esta la evidencia de que los aviones de la fuerza aérea habían bombardeado un Turbo Comander gemelo de aquel que Los Magníficos robaron de Catam. El mismo que Arete, Memín, Rigo, Metra y los demás sometían a un cambio de matrícula cuando apareció sobre la pista de La Lechería el Turbo Comander hurtado, echando humo negro.

El editorial del periódico *El Espectador* consignaba: "El episodio del robo de un avión en las propias narices de la Fuerza Aérea Colombiana no es una simple anécdota de la guerra sucia desatada contra el país por la mafia del narcotráfico. Tiene implicaciones sociales, jurídicas y políticas de alarmantes repercusiones nacionales.

"...Se demuestra una vez más que el estado de inseguridad que aflige a los colombianos traspasa aún los límites de la propia seguridad del Estado...

"Nadie puede explicar, sin el precedente de una complicidad en los hechos, cómo era que ese vehículo se encontraba en disposición total de vuelo con el combustible indispensable para navegar".

En medio de aquella marejada de informaciones sobre cuanto había ocurrido, el lunes 7 de marzo de 1988, Arete fue dado de alta en la Clínica Somma y puesto bajo custodia policial. Sin embargo, y pese a ser uno de los principales sospechosos dentro de la investigación por el episodio Catam, Arete recobró la libertad unas semanas después amparado en la versión de su abogado. Este dijo a los jueces que la herida de su cliente era el producto de un frustrado intento de atraco y, en todo caso, una coincidencia infortunada con los hechos que divulgaba la prensa.

Por lo demás, para su fortuna, las "fuerzas vivas de la Nación" se ocupaban del procurador de apellidos Gutiérrez Márquez, sucesor de Carlos Mauro Hoyos. Hacía unos cuantos días que su hermano había comprado el terreno en el que se encontraba la pista en que aterrizó el avión robado.

"Me ha tomado diez minutos escribir mi renuncia, sin que necesitara consejo o asesoría de nadie. Aunque mi hermano no ha hecho nada ilegal, éste es un asunto moral... Muchos funcionarios debieran seguir mi ejemplo", fue todo cuanto Márquez dijo.

"Yo sé en dónde está un laboratorio"

Lo que el informante enviado por Pablo Escobar Gaviria a una guarnición militar dijo al oficial que lo recibió fue que un enorme laboratorio de procesamiento de narcóticos operaba desde hacía varias semanas en una zona boscosa entre Monte Loro y San Luis.

Según había podido verificar —espiando desde los matorrales— los traficantes eran hombres armados y habían traído consigo barriles enormes de ácidos y químicos que hervían durante todo el día y hornos microondas y metros de papel semejante al de las servilletas.

Al final, el cúmulo de detalles y la disposición de quien rendía el testimonio para ir hasta el sitio, acompañando a los comandos de asalto, terminó en una operación oficial en Monte Loro y San Luis.

Los oficiales y efectivos a cargo de la operación no sólo hallaron base de cocaína en cantidades importantes y barriles repletos de sustancias químicas y sicotrópicos, sino hornos microondas, baldes, bombillas de camión, radios y tarjetas de cuentas. Era el aporte de Rodrigo Vanegas y los otros que, como él, representaban a los amos del tráfico de cocaína en Mamarrosa y Parcelas California.

La presencia de patrullas oficiales en la zona y las operaciones de rastreo en el área se prolongaron por varias semanas y alejaron transitoriamente a la guerrilla de aquellas líneas límite en las que empezaban los territorios dominados por 24 y sus hombres.

La tensión en la zona cedió tan dramáticamente después de aquella operación que, según lo verificó con sus propios ojos el caldense Rodrigo Vanegas al retornar de Medellín, hasta Pablo Escobar había vuelto por los días de sus largos paseos en motocicleta y 24 y sus paramilitares a ensañarse a tiros contra los árboles en dominios de Mamarrosa.

Entonces, Rodrigo Vanegas trasladó en el Dodge 600 otro contingente de "trabajadores" hasta los laboratorios 1 y 2 de Fernando El Negro Galeano; ordenó desenterrar y traer los microondas, los barriles y la prensa desde el monte y volvió a La Colina. Otra vez hizo un desvío en busca de la casa de Marcos Tripa. Esta vez tuvo que batirse como un león contra la intransigencia de H.H:

—No han consignado el dinero en Medellín y esta pista es de Arete y Chopo y yo no puedo permitir así que aterrice tu muchacho. Esperemos a ver si mañana temprano ya han consignado la plata en Medellín.

78

COCAÍNA MADE IN COLOMBIA*

Satélites espías

La última lectura en los potentes microchips y las lentes del satélite estacionario de Estados Unidos en la zona andina no pudo ser más afortunada y exacta. Los agentes de la DEA estuvieron finalmente en capacidad de verificarlo cuando, por un número indeterminado de días, los aviones de rastreo de la primera agencia antidrogas del planeta decolaron en absoluto secreto de la base del comando sur en Panamá, entraron en el espacio aéreo colombiano y, en extenuantes jornadas de espionaje, sobrevolaron el Caquetá a 25 mil pies de altura.

Los registros hechos por sofisticados equipos de inteligencia electrónica daban cuenta de un gigantesco complejo y las intercepciones revelaban vuelos constantes de narcóticos que partían desde mil puntos en el Alto Huallaga, en Tarapoto, en Ciop y en Huchiza, Perú, con destino a los laboratorios que los traficantes colombianos habían mimetizado en el corazón de las selvas.

Ahora, directa y personalmente, con sus propios ojos, excitado y complacido, él, el coronel Jaime Ramírez, jefe de la división de Policía Antinarcóticos, era el primero en comprobarlo todo a nombre

---

* **Marzo de 1984**. Las operaciones contra las enormes factorías de procesamiento de cocaína en mitad de la selva, bautizadas por los narcotraficantes como "Villacoca" y "Tranquilandia", constituyeron la primera alerta para el mundo sobre la colosal amenaza de la mafia. Con todo, no eran siquiera un indicio del proceso que habría de constituirse en la génesis del cartel.

del gobierno de Colombia. Veterano de dos décadas en la policía, el coronel Ramírez era otro de esa élite de oficiales de policía y ejército que más encarnizadamente habría de librar una guerra a muerte contra los amos y señores de Ciudad Tranquilandia y Villacoca, las factorías del tráfico de cocaína que él y el coronel Luis Ernesto Gilibert Vargas estaban a punto de exponer ante los ojos del mundo.

Ese sábado 10 de marzo de 1984, el coronel Ramírez y otros oficiales descendían en plena selva del Yarí, con un escuadrón de helicópteros de la división de Policía Antinarcóticos, apoyados por 50 policías antidrogas y 50 comandos del Grupo Antiextorsión y Secuestro (Goes). Este último, para entonces, el cuerpo mejor entrenado de las fuerzas locales de policía.

Hasta ocho días de camino

El contacto de Jaime Duarte apareció sólo hasta las siete de la mañana. Era un hombre alto y fornido, de cabello negro y crespo y ojos saltones con un tic que lo obligaba a abrirlos y cerrarlos muchas veces cada segundo del día. Tal y como le habían indicado el jueves anterior —cuando él aceptó el trabajo en Bogotá— el contacto lo buscó en la estación central de servicio de Esso en Villavicencio.

Jaime Duarte estaba apostado allí desde las diez de la noche, asfixiado por el bochorno de la cabina de su Dodge 600 Diesel. Aunque intentó conciliar el sueño, el calor infernal terminó por hacerlo desistir de esa idea. Pasó hasta el fresco de la madrugada con el pantalón empapado de sudor y con la garganta reseca a pesar de que consumió —no sabía ya cuántas— gaseosas y cervezas, en ocasiones de un solo sorbo. Transportaba 20 toneladas de alimentos —en su inmensa mayoría granos— que hizo cargar en una bodega de abastos en el norte de Bogotá. Llevaba consigo cinco bultos de arroz, dos bultos de arveja, dos bultos de lenteja y otros granos y no sabía cuántos galones de aceite, cajas con salchichas, sardinas y enlatados. Era comida suficiente para un mes. Medio millón de pesos en "munición", como le llamaban allá, entre las selvas del Vichada.

El hombre que lo contrató le explicó que, sin conocer el camino, nadie se atrevería a asignarle la responsabilidad de transportar "la otra carga".

"La otra carga" eran en realidad toneladas de barriles con éter, acetona, ácido clorhídrico, ácido sulfúrico, permanganato de potasio y otros reactivos químicos, que la mafia adquiría sin mayores contratiempos en los mercados de Holanda, Alemania y Estados Unidos, con destino final a los laboratorios de procesamiento de cocaína en la selva.

Era un negocio tanto o más rentable que la misma coca. El procesamiento de narcóticos había disparado a tal punto la demanda de sustancias químicas que, en un breve lapso, una caneca de acetona ordinariamente tasada en 150 mil pesos había alcanzado un valor de 1.200.000 pesos. Un proceso idéntico había ocurrido con cuanto reactivo servía a la industria de las drogas.

Nada logró detener aquel otro aspecto de las actividades ilegales conectadas con el narcotráfico, aunque desde 1985 potreros enteros en las guarniciones del ejército, las bodegas del Fondo Rotatorio de la Aduana y los almacenes de depósito de la Aduana Nacional estaban atiborrados de cloroformo, permanganato de potasio, metil-etil-cetona, carbonato de sodio, alcohol metílico y "85", rótulo con el que los "cocineros" identificaban el amoníaco. Firmas colombianas sólo existentes en el papel importaban toneladas y adquirían otras tantas ilegalmente en el mercado negro o en las industrias legítimas de Ecuador y Venezuela, en donde una caneca estaba en promedio en 25.000 bolívares. La demanda de los reactivos alcanzaba tales niveles que las industrias legítimas —fábricas productoras de jabones, pinturas, baterías y medicamentos, entre otras— urgidas de productos químicos, tuvieron que entrar a competir con la mafia aún a sabiendas de que ésta podía convertir cualquier operación de compra de insumos en una subasta. Muchas empresas simplemente reventaron.

Aunque a regañadientes, la noche anterior a su viaje, Duarte asimiló el mensaje: sin conocer el camino, no podría transportar "la otra carga". Tomó las llaves del Dodge 600 y, a la mañana siguiente, muy temprano, se dirigió a la bodega de abastos para cargar alimentos y granos. Después pasó por su casa —un camión repleto de alimentos era un pararrayos perfecto respecto de su esposa y sus hijos— y poco después de las cuatro de la tarde partió hacia la estación central de Esso en Villavicencio. Se había prometido que éste iba a ser su primer y único "viaje sano" por el tiempo que estuviera vinculado con el transporte clandestino de sustancias químicas pero rápidamente verificó que tenía mucho por aprender de su nueva actividad.

Para empezar, su contacto en Villavicencio —el hombre del eterno tic en los ojos saltones— se desternilló de la risa cuando, ante una pregunta sobre si tendrían combustible suficiente, Jaime Duarte le enseñó la aguja del medidor de gasolina con la punta en el tope. El contacto tuvo que explicarle entonces que era necesario cargar por lo menos dos canecas de 25 galones cada una y después simplemente le dijo:

—Este viaje puede demorarse ocho días y para donde vamos no hay bombas de gasolina, amigo mío.

Decía la verdad. Los esperaban las selvas agrestes del Vichada.

"Vamos a usar las armas"

A medida que los aparatos se acercaban a las coordenadas que la DEA había aportado, el coronel Jaime Ramírez y otros oficiales divisaban desde el aire la flotilla de aeronaves de los narcotraficantes y podían ver con toda claridad los gigantescos laboratorios cubiertos estratégicamente por enramadas falsas. Sin duda, aquélla era una fábrica enorme de procesamiento de alcaloides.

No sabía cuántos pero decenas de hombres y mujeres —alertados por el ruido de las aspas de los helicópteros— corrían despavoridos en busca de trochas. Intentaban huir apoyados en disparos esporádicos hechos desde la maleza. Eran poco menos de las 2:30 de la tarde del sábado 10 de marzo de 1984.

"Están ustedes arrestados, este es un operativo de la Policía Antinarcóticos —los alertó un oficial mientras oprimía el gatillo del altavoz. Si continúan corriendo vamos a tener que abrir fuego... ¡Repito! Están ustedes arrestados y si tratan de huir nos veremos obligados a usar nuestras armas".

Ráfagas cruzadas y al aire disparadas desde los helicópteros artillados de la policía cerraron las advertencias y disuadieron a algunos de los que intentaban huir de continuar corriendo.

Los oficiales habían alcanzado a divisar al primer grupo en fuga y a varios hombres extraordinariamente armados y vestidos con camuflados militares —no albergaban dudas de que eran guerrilleros de las FARC— muy cerca de una especie de bahía de carreteo improvisada dentro de la selva, en donde permanecía la flotilla de aviones. Eran un Cessna de matrícula 206-G y modelo 83 con rayas de colores naranja y azul; un Cessna HK-3007 X, también modelo 83; un bimotor HK-3064 X, un Comander Porte de matrícula HK-2592-P, un Cessna Beiz con matrícula estadounidense N-3271-R y un helicóptero Huge blanco de matrícula HK-2004 X. Por último estaban los restos de un Titanic 404 accidentado.

La división de la Policía Antinarcóticos y la DEA habían captado durante meses conversaciones entre pilotos y personal en tierra que esperaban por vuelos de Bolivia y de Perú, pero sólo hasta ese día, 10 de marzo de 1984, finalmente, estaban en el alma misma de aquel complejo al que los barones del narcotráfico habían bautizado como "Ciudad Tranquilandia". La llamaban así porque, en un quinquenio de operaciones, incuantificables toneladas de coca habían sido recibidas, procesadas y despachadas, sin que se registrara un solo contratiempo.

A una orden de los oficiales los helicópteros empezaron a buscar sitio para aterrizar o planear para lanzar los 50 antinarcóticos y los 50 comandos GOES que transportaban, a la caza de los procesadores de cocaína que huían. De entre ellos, 44 habrían de ser efectivamente detenidos.

"Nunca baje del estribo"

Si bien el primer viaje no tardó ocho días como le anunció el contacto —no le dijo su nombre, ni en esa oportunidad ni nunca— Jaime Duarte sí pudo verificar que jamás acabaría de aprender todo respecto a la selva. En ese primer viaje —en el que vio la carretera central por última vez, cuatro días antes de alcanzar su destino final— el Dodge 600 no avanzó a más de 20 kilómetros por hora porque el invierno había convertido todas aquellas trochas en lodazales y pantanos enormes.

En más de una oportunidad —por el peso— el camión se hundió como un pedazo de fierro entre arena movediza y tardaron horas y quemaron llantas y motor antes de poder desenterrarlo. En el monte los hombres tenían que aprender a valerse de lo que había y no existían ni piedras ni gravilla ni nada que se le pareciera y, en esas circunstancias, sólo desenterrar un camión era una faena agotadora.

Tuvieron que cortar ramas y troncos de los árboles calculando siempre que fuesen lo suficientemente sólidos para resistir pero nunca tan gruesos que no cupiesen entre el troque o la división de los dos juegos de las llantas traseras. Después tomaron los palos y empezaron a hacerles estrías a punta de machete para garantizar que las llantas agarraran y, en medio de un mar de barro, debieron gatear, por ambos lados, el camión. Eso sí, después de evacuar casi toda la carga y ocultarla en el monte. Hubiesen podido —le explicó el contacto— amarrar cadenas a las cuatro llantas traseras pero el terraplén había cedido excesivamente como consecuencia del invierno.

Comprobó por sí mismo que de noche era imposible trabajar. No porque un hombre no fuese capaz de desvarar un vehículo en la oscuridad o porque no pudiese soportar al mismo tiempo el sofoco y la lluvia, sino porque siempre existía el riesgo de terminar sorprendido por una cascabel e inclusive por el venenoso orín de una araña pollera.

Hasta las necesidades físicas —le insistió su entrenador— "hay que aprender a hacerlas sin bajar un solo pie del estribo del camión ..."

La enorme factoría

El asombro del coronel Ramírez y el de su homólogo Gilibert no cesó ni siquiera cuando los 44 "lavaperros" —procesadores de base y "cocineros" de la cocaína— estuvieron esposados y puestos en fila india. Aquélla era en realidad una fábrica enorme: encontraron 17.5 toneladas de cocaína pura y casi cien mil barriles de éter y acetona. No era todo. "Ciudad Tranquilandia" ocupaba un área de 10 kilómetros e incluía tres pistas tapizadas en arena, siete laboratorios y tres campamentos.

Existía casino de pilotos, sala de capataces, área para dormitorio de los químicos y campamentos repletos de camarotes para los procesadores de la cocaína. Todo dentro de construcciones de madera cubiertas con medias latas pintadas de verde de las canecas ya utilizadas de reactivos químicos.

Tenía televisores, licuadoras, lavadoras, dispensadores, servicios de aire acondicionado y baños dotados con agua potable que hubiesen envidiado diversos conjuntos residenciales en Bogotá. Plantas eléctricas accionadas con gasolina habían hecho posible la existencia de "Ciudad Tranquilandia" en medio de la selva.

Los oficiales estimaron que no menos de 120 hombres debían haber permanecido alguna vez apostados allí.

Un taller de carpintería, otro de latonería y pintura, uno de mecánica automotriz, uno más de técnicos aéreos, una central de comunicación y un consultorio médico completamente dotado y con medicamentos en cantidades apreciables para combatir el paludismo complementaban una estructura que incluía tractores, camiones, canoas con motor fuera de borda y motocicletas. Toneladas de enlatados brasileños, estodounidenses y peruanos, y corrales con cerdos e infraestructura para conejeras y gallinas, hacían parte de la reserva de alimentos que terminaban en comedores dotados con enormes dispensadores y refrigeradores. Cajas repletas de cervezas enlatadas, cartones de Marlboro que habían sido tacados con bazuco —un producto menor de la cocaína — y frascos de jugo en polvo constituían raciones adicionales.

Ahora —a medida que empezaba el interrogatorio de los capturados— los oficiales de la policía sentían más desprecio por los barones de la cocaína y volvían a verificar las mil cabezas de ese monstruo al que se enfrentaba el mundo. Hallaron varias libretas con información que bien podría considerarse dinamita pura pero que tomaría años a las policías del mundo poderlas descifrar hasta convertirlas en una evidencia judicial.

"Aprenda a enterrar a las serpientes"

Desde las primeras 48 horas que pasó con su contacto, Jaime Duarte entendió el porqué de la recomendación del primer día:

—Es mejor que te acostumbres a dormir dentro de la cabina, no importa la calor.

Iba a pasar muchas noches en ese mismo sitio, con 25 y 30 grados de temperatura, sin poder abrir ni una ventana porque en mitad de la selva esa era su única posibilidad de sobrevivencia.

Un episodio poco alentador lo persuadió de ello una mañana. Una serpiente enorme se retorcía como adormilada sobre el capó del Dodge 600. Entonces, no sólo tuvo que aprender cómo era que se mataban esos bichos a golpes incesantes de machete sino que, personalmente, debió encargarse de enterrarla. Por cierto, a más de medio metro de profundidad. Por él la hubiese dejado ahí, pero el contacto —fue casi la única vez que lo vio enardecido— lo hizo caer en cuenta de su error con razones poderosas. El veneno de las serpientes quedaba allí y cualquier insecto podía terminar transmitiéndolo a los hombres. Entonces sobrevenían las fiebres y el vómito y otro infierno más entre la selva que, salvo por enero y otro mes largo de cada año, "tenía lluvia propia los 10 meses restantes".

Las últimas dos lecciones fueron una práctica y otra espiritual. Aunque no lo imaginó, Duarte terminó por convertirse en un cazador aceptable de armadillos y en un cocinero aplomado de aquellos animalillos de casco oscuro. Lo otro, lo espiritual, tenía que ver con la paciencia. "Uno puede ver una mata de monte desde que prende el camión, y puede andar dos días antes de poder llegar a ella", le explicó su entrenador y él comprobó muchas veces que así era.

En cierta ocasión ni siquiera llegó a la mata de monte, esa selva pequeña filtrada por cañadas naturales en las que muchas veces descargaba los 250 barriles de cinco galones cada uno. Aquel día, él y su ayudante, terminaron en un aserrío abandonado y duraron tres horas antes de volver a encontrar la carretera.

Contabilidad de cocaína made in Colombia

"A las 12 meridiano del 26 de enero —leyó un oficial de la policía—, Víctor Taúl Guru, trajo 520 kilos de pasta de Bolivia. Miguel Gómez, Bluía, trajo 920 kilos en un avión Comander; Ricardo León: 200 kilos". El 9 de febrero, según los registros, Jorge Cuéllar envió 2.106

kilos y Daniel Jiménez, 70 kilos. El 24 de febrero, Guru vendió 228 kilos.

La lista era larga y era una certificación contundente de la pujante multinacional del narcotráfico. También, según comprobaron después los coroneles Ramírez y Gilibert, existía una relación detallada de los envíos de éter, químicos y plásticos que enviaban José Rendón y Guillermo Bonilla. El 8 de diciembre, por ejemplo, de 33 canecas que llegaron a las 10 de la mañana, 19 fueron enviadas dos horas más tarde a otros laboratorios. Ese mismo día, según el registro, un camión trajo 150 canecas de ACPM.

Financiada por Gustavo de Jesús Gaviria y Pablo Escobar, el clan Ochoa, El Mexicano y otros pioneros en el negocio de los narcóticos, "Ciudad Tranquilandia", según la policía, había operado por seis años pero apenas era una copia de la espectacular Nápoles. Sólo existía una diferencia sustancial. La custodia, la seguridad y el orden en "Ciudad Tranquilandia" y en "Villacoca" estaban a cargo de las FARC, la guerrilla más antigua de la Nación. En Nápoles, Parcelas California y Mamarrosa, en cambio, el orden y la seguridad eran una misión de escuadrones paramilitares. Y por eso las reglas en uno y otro complejo eran sustancialmente diferentes.

En "Ciudad Tranquilandia" y en "Villacoca" la guerrilla impuso un código estricto. La alianza surgió en 1977 cuando la mafia llegó a la conclusión de que los territorios de influencia subversiva, por lo general situados en zonas selváticas y agrestes, constituirían un refugio sin par de los cultivos de hoja de coca y de enormes laboratorios de procesamiento.

Pasaron años desde cuando la iniciativa fue un asunto popular entre narcotraficantes pero, finalmente, los acuerdos cristalizaron en los llanos del Meta y en la vasta región selvática del Caquetá. Esa alianza habría de romperse en forma sangrienta en 1986, a instancias de El Mexicano y del asalto a la hacienda de los Plata, pero para 1984 el trabajo en actividades ilícitas era mancomunado y operaba según normas estrictas. Las FARC no sólo cuidaban los cultivos sino que velaban por la seguridad y el orden en los predios de la mafia. La Policía Antinarcóticos halló también los códigos de la alianza.

Los traficantes debían pagar veinte mil pesos por cada corte de coca y más tarde esa cuota ascendió a cuarenta mil y después rebasó la suma de cien mil pesos. A ello se sumaron las exigencias de armas y municiones y, por último, una porcentaje sobre cada kilogramo de cocaína. La relación con el narcotráfico, que inicialmente involucró sólo al XIV frente de las FARC en la región del Bajo Caguán se extendió en 1981 al III y el VII y para fin de esa década a casi 20 frentes de la insurgencia.

"Por cada gramo de coca —establecían los códigos hallados en "Ciudad Tranquilandia"— las FARC deben recibir 100 pesos por parte de los productores.

"El jornal es de 450 pesos para recolectores de coca.

"Por cada dos hectáreas de coca se debe sembrar una de maíz o yuca.

"Los niños en edad escolar que no estén estudiando se deben emplear a la recolección de coca.

"Cada productor debe responder por la identidad de los trabajadores y no debe emplear desconocidos".

Este era el código que regía el cuidado de los laboratorios y de "Ciudad Tranquilandia" y "Villacoca".

Se agotan las provisiones

Jaime Duarte terminó de aprender lo demás con el tiempo: tendría que pasar hasta seis o siete horas de cada día sin ver un solo ser humano más en todo el camino; debía aprovisionarse con generosidad en la ruta pues sólo habría unas cuantas casas-tienda en toda la vía y que, en el día, sólo podría parar en algún sitio por más de 15 minutos cuando bajara "sano". Con el camión cargado de barriles los transportadores como él tenían órdenes expresas de no detenerse jamás. Salvo en la noche y para dormir. Esta última prohibición —que él consideraba absurda y casi infrahumana— lo hizo pasar una de las más amargas experiencias de su vida, seis meses después de que empezaron los viajes de toneladas de barriles de éter y acetona.

No lograron alcanzar una caravana de otros siete camiones que, según le dijeron, había partido apenas unas cinco horas antes que él y el Dodge 600 se enterró hasta bien adentro de la mitad de las llantas traseras. Empezaron por descargar los 300 galones de éter que transportaban y por ocultarlos entre el monte, cubiertos por ramas y palos. Después, él y su ayudante trabajaron con tesón en tratar de sacar el Dodge 600 pero todo resultó inútil y en dos días las provisiones, los enlatados de sardinas y salchichas, las cervezas y la gaseosa se agotaron totalmente sin que pasara camión alguno que pudiese ayudar a desenterrarlos.

Sin más alternativa, cavaron un hoyo entre el barro y la arena, debajo de la carrocería y el chasis del camión. Después colocaron un tarro plástico para colectar algo de agua lluvia y esperaron hasta que esta dejó el color amarillo de la arena y el barro y aclaró. Así pasaron un día más, pero al cuarto se pusieron en camino. Tardaron cinco horas en llegar a una casa y una hora en atragantarse de cuanto hubo. Después, consiguieron ayuda y rescataron los barriles. Lo lograron pero Jaime Duarte tuvo que ser trasladado en avioneta a Villavicencio y después a Bogotá. "Tenía los intestinos infestados de amebas y toda su deposición era sangre..."

"Villacoca"

Las confesiones de los "lavaperros" finalmente terminaron por enterar a los coroneles sobre la existencia de "Villacoca", otro complejo equivalente a "Ciudad Tranquilandia" a cinco minutos por helicóptero. La flotilla de helicópteros oficiales volvió entonces a levantar vuelo y partir. Sin embargo, a estas alturas —domingo 11 de marzo de 1984— en "Villacoca" no había ni un alma. Sólo estaban los laboratorios con sus cientos de lámparas de camión encendidas y conectadas a travesaños sobre mesas de madera para el secado de la cocaína. La desbandada fue de tal magnitud que inclusive aún se encontraban prendidas máquinas de enjuague, lavaplatos automáticos, televisores y licuadoras.

Con todo, la operación había sido un éxito. Los oficiales de la policía y sus hombres tardaron dos días arrojando 17.5 toneladas de cocaína río arriba y deshaciéndose de tantos barriles de éter y acetona que era una monstruosidad intentar contarlos. 2.500 kilos más de cocaína ardieron toda una mañana. Esta vez lo de menos había sido la confiscación del sofisticado armamento que incluía desde mini Uzis hasta fusiles Galil, R-3 y pistolas automáticas. Un verdadero arsenal adquirido mayoritariamente en el mercado negro de Panamá.

¡Vaya tostadora de café...!

Jaime Duarte cumplía 20 días a salvo de la selva, de la lluvia, de los bochornos asfixiantes, del barro y de las serpientes y de los hoyos para enterrarlas, cuando recibió la orden de retornar. Debía recoger una tostadora de café enorme y llevar consigo al técnico que se había comprometido a instalarla. Aunque a regañadientes —ahora conocía bien los riesgos que debían afrontar quienes transportaban clandestinamente sustancias químicas para la mafia— se decidió de nuevo a marchar. De cualquier forma eran 150 mil pesos al mes en un tiempo en que el salario mínimo estaba en un poco más de 25.000 pesos.

En los primeros seis meses —en que virtualmente fue un rehén del Dodge 600 y de las trochas del Vichada— su esposa recibió cumplidamente en su casa, en Bogotá, la paga que a él le correspondía. Por fortuna esta vez no hubo mayores contratiempos. La selva aún se encontraba en verano, tiempo de tregua para los hombres. Después de que salió de la estación central de Esso en Villavicencio, Jaime Duarte estuvo en diez horas en la finca hacia donde se dirigía. Autoelogió aquel récord y se lo dijo al técnico que, a su vez, le tenía a él una verdadera sorpresa. No era ni técnico ni nada. Era un "caletero" veterano del tráfico de cocaína, insumos químicos, armas y explosivos. Lo demostró al día siguiente, en el instante mismo en que un piquete de trabajadores bajó del camión la tostadora de café. Tomó un destornillador, eligió cuatro tornillos de una tapa que aparentemente cubría el motor-cerebro de la máquina y retiró una especie de transformador. Después les dijo:

—Muchachos, es todo suyo...

Jaime Duarte lo entendió de inmediato apenas sintió el olor penetrante de la acetona en la nariz. La tostadora ocultaba 140 canecas de 17 galones de acetona.

Aquél día duraron más de 40 minutos sacando los barriles. "¡Una exageración!" porque a Jaime Duarte un trasbordo de mercancía jamás le había tomado más de 7 o a lo sumo 10 minutos. De la tostadora sólo existía el cascarón y el estabilizador. Este último era una fachada por si acaso a algún oficial en un retén se le ocurría pedir una prueba de que lo que transportaban era una tostadora.

Jaime Duarte vio regresar esa tostadora muchas otras veces en otros camiones pero al "técnico" sólo lo volvió a ver cuando trajo consigo otro invento. Era un carrotanque enorme al que le habían hecho una especie de termo interno en lámina, en todo el centro de la barriga. Así podía transportar combustibles como gasolina o ACPM por fuera y 150 barriles de éter o acetona de cinco galones en el termo. No tenía la capacidad de la tostadora pero estaba bastante bien. Se podía acceder hasta el termo retirando una tapa de tamaño semejante a la tapa de una alcantarilla. Estaba debajo de la carrocería, justo detrás del tanque de la gasolina y operaba a presión.

Entrar en el termo, sin embargo, era un infierno. Los gases acumulados quemaban la piel en segundos y siempre existía el riesgo de que algún ácido se derramara y le perforara los huesos a cualquiera. Ningún hombre podía entrar y sacar más de dos barriles porque dentro del termo nadie podía respirar y porque los gases —diría un día Jaime Duarte a su mujer, cuando le contase la verdad— "hacen que esa vaina se sienta como millones de agujas chuzándole la piel".

Eso lo persuadió de continuar guiando el Dodge. Podía llevar un cargamento y descargarlo en cuestión de minutos en una mata de monte con sólo pegar la cola de su camión a la del que esperaba los químicos. Otras veces simplemente tenía que poner en reversa el Dodge 600, con la cola apuntando a la orilla de una cañada y los indios lanzaban todas las canecas al agua. Admiraba la habilidad que tenían para conducirlas hasta el otro lado. Allá en donde se encontraban los enormes laboratorios. Fábricas de los narcóticos que no tenían nada que envidiar a "Tranquilandia" y "Villacoca".

LA GÉNESIS DEL CARTEL*

"La oficina"

Ex convicto de las prisiones estadounidenses a las que llegó en julio de 1980 después de una operación antinarcóticos de la Drugs Enforcement Administration (DEA) en Winsconsin, Guillermo de J. Blandón Cardona sostenía ese día, uno cualquiera de 1986, su primer encuentro con Pablo Escobar Gaviria y solicitaba que lo ayudase a llevar 140 kilos de cocaína en una ruta del cartel a Miami.

De su correría inicial en el tráfico de drogas, Cardona había dejado dos contactos cubanos: Sergio y Franklyn. Ambos, según explicó a Pablo Escobar, podrían ser útiles en la comercialización de narcóticos en Estados Unidos, aún en el caso de que el cartel tuviese suficientes agentes.

Cardona debía el estar frente a frente con Pablo Escobar a Jesús Agudelo, el primer "traquetero" que le relató la impresionante historia de Rodrigo y de "la oficina" y que le explicó las inexorables reglas de juego impuestas por los Escobar en Antioquia para controlar directamente la totalidad de flujo de drogas hacia Estados Unidos:

---

* **1975-1986**. La descomunal industria del tráfico de narcóticos empezó a crecer, en el caso del cartel de Medellín, durante la segunda mitad de la década de los años 70 y alcanzó un apogeo impresionante para 1986. En ese período, sin embargo, a la par con el descubrimiento de rutas y la configuración de alianzas entre narcotraficantes, se produjeron los primeros asesinatos de funcionarios estatales y la muerte de importantes barones de la cocaína exterminados por Escobar y sus agentes. "La oficina" fue el incipiente comienzo de la pavorosa estructura terrorista de la que llegó a proveerse el jefe del cartel.

"Todo embarque debe ser anunciado y algún porcentaje debe ser girado a la oficina".

Sólo aceptando aquello era posible sobrevivir en el negocio.

De hecho, al estilo de un jefe de remesas, aun cuando lo suyo no eran materias primas, ni electrodomésticos, ni víveres, sino cocaína, Rodrigo había recibido en "la oficina", directa y personalmente, durante el último tercio de los años setenta y el primero de los ochenta, a los traficantes en proceso de consolidación. Contador aplicado y cuidadoso, Rodrigo había gerenciado de este modo cada una de las rutas concebidas por Pablo Escobar Gaviria y Gustavo de Jesús Gaviria Rivero para expandir la industria de las drogas. Por años, casi a la par con la aparición de "Ciudad Tranquilandia" y "Villacoca", los dos enormes complejos de procesamiento de droga en mitad de la selva, "la oficina" constituyó la punta de lanza para introducir cocaína ya no por kilos sino por toneladas en el mercado de Estados Unidos.

Aunque Rodrigo no acabó nunca de acostumbrarse a los métodos violentos, sí entendía, exactamente y como pocos, por qué la sombra de la muerte alcanzaba en forma indefectible a todos aquellos que se permitían ligerezas indebidas en la industria del tráfico de drogas. Cada kilo entregado de cocaína, cada kilo registrado, cada kilo puesto a órdenes de "la oficina", significaba una fortuna: 30 mil dólares en los albores del tráfico de alucinógenos, a finales de los años setenta; hasta 45 mil en las épocas difíciles, durante el primer quinquenio de los ochenta; y poco menos de 25 mil o 16 mil, en la bonanza que se extendía hasta la última década del siglo.

Por si aquello fuese poco, una infraestructura increíble, todo un ejército demente y desafiante: indios cuya única fortuna era una chacra; desempleados que se habían convertido en procesadores de pasta de cocaína; inversionistas en costosos camiones y tractomulas ahogados por las cuentas de leasing e insatisfechos con sus ganancias en la industria legal de transportes; pilotos despedidos por dudosa conducta o sin un cupo en las cabinas de los aviones de las aerolíneas legítimas de los países de la región; comerciantes oscuros y clandestinos de estimulantes; sicarios ensamblados por una genética social cruel y sin escrúpulos; aduaneros corruptos y ambiciosos; jueces laxos y oficiales venales de policía y ejército, sin incluir a los amos de las drogas, dependían de cada una de esas bolsas cobrizas de alcaloide, 280 de las cuales Guillermo de J. Blandón Cardona ofreció entregar a Pablo Escobar con la esperanza de que éste las pusiera en las calles de la superpotencia de la Tierra.

Rodrigo hacía lo mismo que habían hecho muchos indios —casi "patriarcas" de las tribus olvidadas del Alto Huallaga en Perú— cuya única función era recopilar lo suficiente para un embarque y convertirse en garantes, ante cada quien, por lo suyo. Si era preciso —y muchas veces lo era— con la vida.

Varios traficantes habían sido fusilados en las selvas del Perú, apenas bajando de una avioneta, por incumplir a los indios los acuerdos previamente pactados y otros habían tenido algunas veces que arrojar maletas llenas de dólares desde el aire antes de atreverse a recoger un cargamento más de pasta o de base de coca.

Los gobiernos de ambos países sólo llegaron a tener alguna sospecha de ello cuando familiares de los traficantes fusilados se acercaron quejumbrosos hasta los consulados de Colombia en Tabatinga, Brasil, e Iquitos en Perú. No aceptaban nunca vinculación alguna con el narcotráfico pero, en cambio, aludían a extraños viajes de negocios de los que sus parientes no habían regresado jamás.

En síntesis, como esos indios "patriarcas", él, Rodrigo no cultivó jamás una hoja de coca ni estuvo nunca en un laboratorio o, como solían decirle los químicos, en un "trabajadero". Tampoco vio a los indios patear, en salticos, durante horas enteras, hasta quedar exhaustos y doblados por los calambres, la hoja de coca sometida a proceso químico para obtener la pasta, ni sintió en la nariz la herida del éter o la acetona mientras hervían la coca. "Nunca vio —según habría de afirmar en 1993 alguno de sus homólogos— volar un maldito laboratorio en mil pedazos".

No. No era lo suyo. Pero la otra tarea, esa de recopilar un kilo tras otro, la actividad que lo había involucrado en la más poderosa industria del tráfico de narcóticos del universo, tampoco era tarea simple. Era un testigo de excepción, el único que sabía quién era quién entre los narcotraficantes conectados con "la oficina". Servía a Pablo Escobar Gaviria y a Gustavo de Jesús Gaviria Rivero desde antes de 1980 y era la nana de aquel feto que vio transformarse primero en el "Bam Bam" del tráfico internacional de cocaína y después en el cónclave más poderoso de la mafia: el cartel de Medellín. No obstante, pasada la primera mitad de la década de los años ochenta, el destino situó en su remplazo, al frente de "la oficina", a José Fernando Posada Fierro, el hombre del cartel con quien Blandón Cardona habría de entenderse para despachar más de un embarque de drogas.

"La oficina" constituía el punto culminante en la carrera de Posada que empezó como "cocinero" en laboratorios de procesamiento de cocaína dominados en su mayoría por Gonzalo Rodríguez Gacha, El Mexicano, y que después se ganó el aprecio de Pablo Escobar Gaviria por su lealtad en el Magdalena Medio y su versatilidad para el tráfico de narcóticos.

En efecto, el hombre que cada fin de semana se metía entre sus botas tejanas y se preciaba de disponer de 50 pares de ellas, controlaba para el cartel las rutas a través de Venezuela, Ecuador, Santo Domingo, Puerto Rico y Monterrey, en México. Una verdadera orgía de embarques hacia Los Ángeles y Miami que Posada podía supervigilar gracias a otros contactos en la red: Nicolás Verzoli, Amigo Chichi; Roger y Guillermo, Colorete, entre otros.

Qué imperio criminal tan tenebroso, próspero y avezado se ocultaba tras aquella sigla acuñada por los agentes de la Drugs Enforcement Administration (DEA) y universalizada desde las conferencias de prensa en los jardines de la Casa Blanca. Sin excepción, Ronald Reagan, George Bush y Bill Clinton, todos, habían tenido que hablar no una sino muchas veces de los carteles colombianos de las drogas.

97

Muchos altos mandatarios en Washington alcanzaron a considerar y a visualizar el fenómeno de los narcóticos como un asunto de seguridad nacional, antes que como una cuestión de salubridad pública, pero pocos de ellos llegaron a saber en realidad cuán cerca estaban de la verdad... Por lo menos en cuanto se refería a Colombia. El cartel y sus industrias criminales alternas al tráfico de cocaína habrían de mostrar al mundo, por encima de las mafias americanas, sicilianas y calabresas, hasta dónde podía llegar a ser ilimitado el poder de los que, en un principio, apenas parecían un puñado de criminales callejeros.

Espionaje en la Avenida de los Pinos

A menos de cien metros, apenas divisó las verjas en ladrillo y en hierro pintado de blanco, el ex agente de policía Agustín Taborda retiró el pie del acelerador y enclochó para dejar rodar lentamente el vehículo. Una cadena de pinos enormes en el costado izquierdo de la vía y varias viviendas de dos plantas, sobre el costado derecho, quedaron atrás. Aquella era la última calle de la zona residencial de Paloquemao, epicentro del primer conglomerado judicial de toda la Nación. Agustín Taborda y William Infante cumplían allí su cuarto día de vigilancia.

Taborda no sabía exactamente lo que perseguían pero, puntual, cada día, desde que William Infante le hizo entrega de las llaves del vehículo, él iba a las 7:30 de la mañana a echar gasolina y salía después a recoger a Infante en San Rafael, en el sur de la ciudad. Luego, ambos se ponían en marcha hacia Paloquemao. Los Infante tenían un taxi Mazda amarillo y negro, modelo 86, con número de matrícula SD 8040, que estaba adscrito a taxis Satélite. Empresas como esa aparecieron en la ciudad desde que los atracadores callejeros vieron entre los conductores nocturnos de vehículos de servicio público un nuevo blanco para sus fechorías y se ensañaron a tal punto en ellos que cada quince días era asesinado por lo menos un taxista. La radio no servía para nada y el vehículo estaba estrellado en la parte de atrás, pero ambos detalles resultaban insignificantes en los planes de la familia.

El hombre al que seguían los Infante habría de convertirse en cuestión de horas en la víctima número 450 en el exterminio de líderes de izquierda que Gonzalo Rodríguez Gacha, El Mexicano, llevaba a cabo como parte de su venganza contra las Fuerzas Armadas Revolucionarias de Colombia (FARC), un ejército insurgente de ocho mil hombres, fragmentados en 60 frentes, que completaba tres décadas en armas. Las FARC habían robado cuatro mil kilos de cocaína a El Mexicano y habían expulsado a los Plata y a otros proveedores importantes de base y pasta de coca de las selvas del Caquetá. Ahora El Mexicano acusaba a la guerrilla de extorsionarlos hasta hacer de las vacunas una cuota insostenible y de apoderarse de sus tierras. Por sí solo, aquello era suficiente para Gonzalo Rodríguez Gacha, El Mexicano, pero a esos episodios vinieron a sumarse otros. El 31 de diciembre de 1986, una columna guerrillera descendió de las montañas de La Uribe, tomó a sangre y fuego una hacienda de los Plata en el Meta, incendió las casas y quemó un tractor. En la orgía, sin que los peones hubiesen tenido tiempo u oportunidad de evitarlo, un pequeño de quince meses, que se encontraba cerca de la piscina, había muerto. Con un balazo en la frente. La misma suerte habían corrido uno de los Plata, sus proveedores de base de coca y una mujer cuya identidad jamás trascendió.

Un plan para matarla...

Después de su entrevista con Pablo Escobar, Guillermo de J. Blandón Cardona entregó los 140 kilos de cocaína en "la oficina" y estuvo atento al envío. Este se hizo en un barco que partió del Atlántico colombiano, surcó el mar hasta Haití y siguió después a Miami. Las ganancias le parecieron a tal punto fabulosas que en los siguientes tres meses repitió la operación hasta llegar a incluir 400 kilos de su propiedad en un solo embarque. Ninguno de ellos, no obstante, volvió a realizarse por mar. Pablo y Roberto Escobar Gaviria contaban en realidad con una flotilla impresionante de aviones y un número importante de pilotos. Éstos llevaban la droga hasta Puerto Príncipe y, sin que Blandón estuviese al punto de saber cuáles eran los contactos en el terminal aéreo de la capital haitiana, la cocaína aparecía embalada en tulas de correo y puesta en Miami a través de vuelos de aerolíneas comerciales.

"La oficina" había sido el principio de todo ello. Al comienzo, sólo una alianza estratégica de microempresarios del tráfico de narcóticos que colocaban lo suyo a órdenes de Rodrigo. Él recibía directamente la cocaína en casaquintas de El Poblado, el sector más exclusivo de Medellín y, por instrucción expresa de Pablo Escobar Gaviria y Gustavo de Jesús Gaviria Rivero, rotaba cada tres o, a lo sumo, cuatro meses el centro de acopio, atendiendo una precaución que a más de uno le parecía apenas lógica. Otros —Memo Pérez y Alfonso Muñoz, a quienes los nacientes amos del tráfico multinacional de narcóticos conocían como Los Trinos— recibían la droga directamente en las calles, siguiendo indicaciones expresas.

Era una actividad febril y virtualmente ajena a los conflictos con las autoridades, salvo el caso de lo que el cartel veía como obstinados agentes del Departamento Administrativo de Seguridad (DAS) o la Policía Antinarcóticos que se negaban a aceptar un soborno a cambio de abandonar sus pesquisas.

Los detectives y los oficiales poco comprensivos —era la lección implícita que la mafia siempre había querido transmitir— nunca tendrían tiempo de vivir lo suficiente.

Pablo Escobar había enseñado muy temprano a otros cientos de narcotraficantes ese camino que habría de recorrer la organización para erigirse en un Estado por encima del Estado.

Uno por uno, antes de 1980, personalmente, Pablo Escobar ordenó el asesinato de dos detectives y del director del Departamento Administrativo de Seguridad (DAS), en Antioquia. Fue su venganza.

Ex ladrones de autos, ex asaltantes de bancos y ex contrabandistas de cigarrillos, Pablo Escobar Gaviria y Gustavo de Jesús Gaviria Rivero se iniciaban en el negocio de la cocaína con la adquisición de la droga en Ecuador y su introducción a Colombia en caletas de automóviles o camiones modestos.

En muchas ocasiones, cuando se hacía extrema o riesgosa la custodia policial en la frontera, alquilaban grúas y hacían trasladar el vehículo de un país a otro como si se tratase de turistas víctimas de un intempestivo desperfecto en su automóvil particular. Ese había sido el comienzo hasta el insuceso de la sorpresiva captura.

Aquello había ocurrido en el anochecer del 11 de junio de 1976. La droga —en total 19.5 kilos— había sido recogida en Ipiales, una población gélida en la frontera colombo-ecuatoriana. Camuflada en la concavidad de la llanta de repuesto de un viejo camión Ford, la cocaína había ingresado a Colombia y culminado en Itagüí, Antioquia.

Alertados por una comunicación anónima, agentes secretos del DAS habían seguido el rastro de la droga hasta dar con la captura de Escobar en "La Playa", rimbombante razón social adoptada por el propietario de una heladería común y silvestre de Itagüí para matricular su negocio ante las autoridades de industria y comercio. Los agentes detuvieron, además de Pablo Escobar, a su primo Gustavo de Jesús Gaviria Rivero y a Mario Henao Vallejo, cuñado del primero. También, a Hernando de Jesús García Bolívar, Marco Alonso Hurtado Jaramillo y James Maya Espinosa.

Ante lo rotundo de las evidencias, Escobar había intentado sobornar a los detectives y les había ofrecido una suma cercana a los cinco mil dólares. Los detectives no habían cedido a la presión y, en cambio, habían añadido un nuevo cargo al caso: intento de soborno.

Pablo Escobar Gaviria había decidido entonces enseñar a otros aquella veta de sangre extraordinariamente fría que le corría por las venas y que habría de convertirlo en uno de los criminales más despiadados del globo.

La juez Mariela Espinosa de Arango, asignada al caso, había dejado una constancia escalofriante de todo aquello:

"La suscrita juez segunda penal del circuito, bajo la gravedad del juramento, certifica: que en el día de hoy, viernes 23 de julio de 1976, a las 12:30 del día, por llamada telefónica recibida en mi residencia y proveniente de persona que ofrece serios motivos de credibilidad, tuve conocimiento de que por parte de los implicados en este proceso y que actualmente se hallan detenidos en la cárcel municipal central de esta ciudad, ha sido fraguado un plan que ha sido encomendado a personas que se encuentran en libertad, consistente en llevar a cabo un homicidio en la persona de la suscrita. Entre las posibles formas de perpetrarlo, aparece que tuvo respetable acogida, la simulación de un accidente de tránsito.

"Tuve conocimiento además que en la misma conversación se aludió a un posible plan similar con el mayor (r) Carlos Gustavo Monroy Arenas, jefe de la seccional del Departamento Administrativo de Seguridad (DAS) en este departamento.

"Se resaltó que las conversaciones entre los detenidos y las personas ajenas se han llevado a cabo con la tolerancia del personal directivo del centro carcelario. Certifico lo ocurrido frente a una posible eventualidad futura sobre el particular.

Mariela Espinosa Arango".

Con base en la abundante evidencia puesta a su disposición por el mayor Monroy Arenas y los dos detectives que tenían a cargo la investigación por el tráfico de drogas, la juez Espinosa Arango había dictado auto de detención contra los implicados y les había negado el beneficio de excarcelación bajo fianza. Quizá por lo valiente de aquella constancia que consignó el 23 de julio de 1976 en el proceso, el plan para asesinarla nunca había llegado a cumplirse pero, en cambio, cuatro semanas después del dramático registro, la tarde del 25 de agosto, el mayor Monroy había sido asesinado.

El asunto no quedó allí. Sin que nadie supiera cómo ni por qué, un juez en Ipiales aseguraba adelantar un proceso paralelo contra Pablo Escobar Gaviria, Gustavo de Jesús Gaviria Rivero, Mario Henao Vallejo y los otros tres implicados en delitos de tráfico de drogas. Argüía que era el juez competente porque la comisión del delito había empezado allí. Por cuenta de ese expediente, en fin, Pablo Escobar Gaviria y Gustavo de Jesús Gaviria Rivero habían recobrado su libertad bajo fianza en la tarde del 10 de septiembre de 1976. Y ambos habían urdido lo restante: el asesinato de los dos agentes secretos que les habían descubierto. Los primeros dos testigos de excepción del Estado contra el, por entonces, embrión de *capi di capi*, fueron abaleados dentro de un vehículo oficial.

Aquella escena, con expresiones realmente más pavorosas, habría de repetirse en los 17 años siguientes hasta alcanzar a jueces, magistrados y funcionarios judiciales; periodistas, agentes antidrogas, policías, un ministro de Estado, un procurador General de la Nación y tres candidatos a la Presidencia del país. Medio millar de activistas políticos, líderes cívicos y sindicalistas y un número indeterminable de obreros y campesinos en las tierras de dominio de la mafia correrían también esa suerte.

Con todo, para finales de los años 70, no había muchos seres humanos que hubiesen imaginado aquella amenaza colosal y, por el contrario, Pablo Escobar y Gustavo de Jesús Gaviria casi habían convertido en legítima y consolidaban la mayor industria criminal del siglo.

Si en 1976 Pablo Escobar Gaviria había aparecido en las páginas rojas de los diarios, en febrero de 1979 era una celebridad de las páginas deportivas y en los cocteles de un sector de la élite política del país.

El principal diario de Antioquia publicaba una fotografía suya y de Gustavo de Jesús Gaviria Rivero, al lado de un Porsche de varios miles de dólares. La fotografía había sido tomada antes que Gustavo de Jesús Gaviria Rivero tomara parte en una prueba en el autódromo de Medellín. Y aquello sólo era un testimonio del paulatino crecimiento de "la oficina". Inclusive un testimonio menor.

No era todo. Después de adquirir a través de la firma Londoño White un lote enorme, en una zona aledaña a un centro de estacionamiento y salida de vehículos públicos, en el que se propuso construir 400 viviendas para marginados, el jefe del cartel avanzó con pasos firmes hacia el Congreso.

Seguro de no haber dejado rastros judiciales de su actividad ilícita, Pablo Escobar creó un movimiento cívico denominado Medellín sin tugurios, iluminó algunas canchas de fútbol en barrios de las comunas e irrumpió en Renovación Liberal, una facción disidente en Antioquia de la corriente tradicional del primer partido político del país: el liberalismo. Llegó así en 1982 a la Cámara de Representantes. Como segundo en la lista del parlamentario Jairo Ortega, Pablo Escobar terminó en Madrid, al lado del senador Alberto Santofimio Botero y del afamado ex torero Pepe Dominguín, en calidad de enviado de la clase política colombiana a la celebración del triunfo de Felipe González y el Partido Social Obrero Español (PSOE) en octubre de 1982. A la postre, el jefe de la mafia vivía una época de auge en virtud de "la oficina" o por lo menos así lo entendía Rodrigo.

"En esa época (...) —terminaría por revelar en 1992 un traficante confeso a la Fiscalía General de la Nación— 'la oficina' era frecuentada por personalidades de la política, la banca y la industria, para hablar de propiedades, negocios y préstamos de dinero a la industria... Cuestiones comerciales y flujo de dinero". Así era en realidad. Pero esa actividad mercantil constituía sólo una cara de la moneda. El anverso operaba en forma extraordinariamente diferente.

"Todo Medellín iba a 'la oficina' para que lo 'llevaran' en los envíos de cocaína. 'La oficina' en esa época servía para que todo el que quisiera fuera y llevara plata para llevar coca. O se le recibía inclusive la misma coca..."

El otro dueño del Oeste

Era poco lo que Gonzalo Rodríguez Gacha, El Mexicano, tenía que envidiar a Pablo Escobar Gaviria o a Gustavo de Jesús Gaviria Rivero o al Clan Ochoa. Requerido en extradición por el Departamento de Estado del gobierno de Estados Unidos, a través de la Nota Verbal Número 604 del 210884, expedida bajo cargos de homicidio y conspiración para introducción de cocaína, El Patrón de los Infante era el segundo en la cúpula del cartel de Medellín.

El viejo Fabio Ochoa —padre de Juan David, Jorge Luis y Fabio Ochoa Vásquez— lo apreciaba a tal punto que un día le había enviado dos tomos de lujo de su colección de caballos de casta, con una dedicatoria en la que decía: "Para mi gran amigo Gonzalo, El Mexicano, el hombre más verraco que tiene este país. Debía ser Presidente de por vida. Gran aficionado y tiene el mejor caballo del mundo: Tupac Amaru. Gracias a Dios tengo dos yeguas preñadas de este fenómeno. Amigo, F. Ochoa".

El Mexicano había empezado en las calles de San Victorino en donde conoció a Gilberto Molina, un zar de las esmeraldas en las zonas más riesgosas del globo: Muzo, Otanche y San Pablo de Borbur. Había sido pistolero de tiempo completo y guaquero en sus ratos libres hasta decidirse —sin lograr persuadir jamás a su padrino— que el negocio final para hombres como ellos estaba en el tráfico internacional de cocaína.

Para 1987, Gonzalo Rodríguez Gacha, El Mexicano, tenía un centenar de propiedades en su haber: varias de ellas eran haciendas que en conjunto representaban más de 10 mil hectáreas y era dueño de 30 firmas de fachada en el país y en el exterior. Sus haciendas —Cuernavaca, Mazatlán, La Ramada, La Casa Antigua, La Sonora, Tipaná, La Chihuahua, Freddy I y Freddy II— y sus enormes mansiones en Bogotá eran un monumento al derroche. Además de canchas de tenis y fútbol tapizadas con pastos sintéticos, camas de agua de desplazamiento electrónico a control remoto, mármoles importados de Italia en los baños, grifos recubiertos de oro y cuartos secretos controlados desde las jaboneras de los baños, un increíble número de haciendas era una reproducción de las caballerizas y del oeste norteamericano. Eso sin contar sus millonarios entierros en dólares y lingotes de oro, prensados en las casas de mayor prestigio de Occidente, sus compañías ficticias en Panamá y otros paraísos fiscales movían fondos millonarios desde la bolsa de Tokio hasta las Islas Caimán, pasando por las vedettes de los bancos suizos, ingleses y americanos. Gonzalo Rodríguez Gacha, El Mexicano, en fin, era otro *capi di capi* y otro hombre de riqueza inconmensurable. Había erigido a la población cundinamarquesa de Pacho en centro de su imperio y extendido su poder desde allí hasta Boyacá, el Magdalena medio antioqueño y Córdoba y Sucre.

El Mexicano tenía sus propias rutas y administraba redes independientes de envío de cocaína pero, sobre todo, estaba dispuesto a concebir un aparato paramilitar con recursos de tal magnitud que —persuadido de que sólo expertos mercenarios podrían adiestrar a sus ejércitos privados— habría de introducir a Colombia y mimetizar en sus haciendas a varios de los más reconocidos mercenarios del planeta. Su víctima 450 era insignificante en cuanto estaba dispuesto a hacer...

Heredero de La Viuda Negra

Los envíos de drogas marchaban tan bien en su fase inicial que Guillermo de J. Blandón Cardona y José Fernando Posada Fierro se aventuraban en un cargamento enorme: 2.200 kilos de cocaína.

Exploraban una nueva ruta utilizando un velero que partía del Cabo de la Vela, en la Guajira colombiana, seguía hacia México y debía llegar hasta las playas estadounidenses. El destino final de la droga era Houston y el encargado de recibirla Juan Felipe Chaparro, Chozas.

Chozas se había iniciado como comisionista de cocaína y consiguió en lapsos récord hasta mil kilos de droga para Pablo Escobar en Medellín. Él recibía después de cada operación un porcentaje de parte del vendedor y otro de "la oficina". En 1987, no obstante, Chozas había puesto fin a sus actividades como comisionista en la capital de Antioquia, se había instalado en Houston y había expandido el mercado del cartel en Los Ángeles.

El cartel tenía tal confianza en la ruta desde la Guajira que Pablo Escobar y Gerardo Kiko Moncada no habían dudado un instante en la cantidad: 2.200 kilos de cocaína. Sin embargo, apenas dos días después que Blandón Cardona y Posada Fierro supervisaron el embarque de la droga y vieron partir el velero, los sorprendió a todos la noticia sobre la confiscación del barco y la carga en Jamaica.

Aunque Blandón Cardona hubiese deseado retirarse entonces del negocio o por lo menos dejar "la oficina" y actuar por su cuenta, los antecedentes que conocía Pablo Escobar resultaron suficientes para disuadirlo de esa idea. "La oficina" había sufrido una metamorfosis pavorosa desde cuando, en 1984, la Drugs Enforcement Administration (DEA) desenmascaró a varios de los más poderosos barones de la cocaína y el ministro de Justicia, Rodrigo Lara Bonilla, señaló el origen de la enorme fortuna del representante a la Cámara, Pablo Escobar Gaviria.

A partir del asesinato del ministro Rodrigo Lara Bonilla, en abril de 1984, "la oficina" no sólo se había convertido en uno de los epicentros de la declaración de guerra de la mafia contra el Estado sino que había terminado por aliarse con otros de los barones más despiadados del crimen organizado: Gonzalo Rodríguez Gacha, El Mexicano, y Fidel Castaño, Rambo, cabezas de 2.000 paramilitares en armas.

También había ocurrido que el propio Pablo Escobar había fijado hacia adentro reglas inexorables y sangrientas. Impuso el secuestro y la muerte de los traficantes que decidieron separarse de "la oficina" y trabajar por su cuenta, y previó los primeros plagios de acaudalados comerciantes, según sostenía, para financiar la guerra con el Estado. Convirtió en su primera víctima a Alonso Cárdenas, un pionero en la exploración de rutas del narcotráfico al que Escobar sentenció a muerte después de comprobar que el clan Ochoa —Fabio, Jorge Luis y Juan David Ochoa Vásquez— era renuente a cooperar con la guerra que se había desatado contra el gobierno tras el magnicidio de Rodrigo Lara.

—Si estos hijueputas no colaboran —explicó Pablo Escobar a sus agentes más próximos— hagámoslos colaborar a las malas. Cojámosle a Cárdenas y ya ellos verán qué hacen de aquí en adelante...

Existían otras razones. A juicio de Pablo Escobar, lo de Cárdenas era exactamente lo mismo que ocurría con narcotraficantes como Pablo Correa y otros. Esos que habían exigido a gritos "la vuelta de Lara" y que después no hacían otra cosa que reprocharla.

—El malparido de Cárdenas —dijo a sus hombres— debe ser otro de esos que no hace más que hablar mierda contra "la oficina" por el asunto de los allanamientos y la extradición y la persecución del gobierno y nadie sabe cuántas maricadas más.

Finalmente, como pocos, Cárdenas había hecho gala de un extraordinario olfato para el tráfico de narcóticos. Sus rutas y el nivel de cada uno de sus embarques estaban empezando a convertirse casi en un desafío para "la oficina".

Aunque al final ni siquiera la muerte de su cuñado, el rutero Alonso Cárdenas, movió un ápice al clan Ochoa en su decisión de permanecer totalmente al margen de los atentados terroristas contra el Estado, tampoco los volvió en contra de Pablo Escobar. De este modo, tal como lo entendieron Pablo Escobar y Gustavo de Jesús Gaviria y agentes como Blandón Cardona, lo de Cárdenas se convirtió en una señal respecto de decenas de otros *mafiosi*.

Por lo demás, contaban otras víctimas: el propietario de joyerías Felipe, Rodrigo Murillo Pardo y Pablo Correa. Este último, el verdadero zar antioqueño del tráfico de alcaloides en la década de los ochenta y el sucesor de Griselda Blanco, La Viuda Negra, como le decían, una costeña criada en Medellín que se había hecho a sí misma pionera del tráfico de drogas y que, en virtud de la crueldad de los que decían servirle, se había ganado el respeto entre sicarios de Medellín. Desde su arresto en Estados Unidos, sin embargo, La Viuda Negra* no era más que una leyenda. Para bien de muchos, "los gringos le habían metido toda la vida". Otro asunto era Pablo Correa, el hombre de los 600 millones de dólares.

Es sólo un rebelde

Juez por 10 años, magistrado durante siete y líder de Asonal Judicial, el sindicato de base del sector justicia, el hombre al que los Infante seguían desde hacía cuatro días, había nacido en 1940, en Ubaque, en sus palabras, "un pueblo chibcha". Jaime Pardo Leal había concebido en 1978 Asonal Judicial y lo había presidido hasta 1985.

Más tarde, otro frustrado intento de diálogo del gobierno del presidente Belisario Betancur con las FARC, le había granjeado su última oportunidad. Aunque era un grupo insignificante, un sector de la insurgencia había decidido abandonar la lucha armada y, entonces, decenas de líderes cívicos y jueces le solicitaron a Pardo crear una fuerza política nueva.

Así había nacido la Unión Patriótica, un movimiento que apenas en embrión había obtenido medio millón de votos en los comicios presidenciales de 1986, una cifra récord para un líder de izquierda. Para octubre de 1987 Jaime Pardo Leal era un contradictor iracundo y severo de las organizaciones de autodefensa y los escuadrones paramilitares de los que Gonzalo Rodríguez Gacha, El Mexicano,

---

* Sentenciada a 25 años de prisión por narcotráfico, Griselda Blanco fue acusada el 20 de octubre de 1994 de participar en los asesinatos del niño Johnny Castro y de los narcotraficantes cubanos Alfredo y Grizel Lorenzo, ocurridos en 1982. "La hemos vinculado, y esto es un cálculo moderado, por lo menos con 40 homicidios entre Miami y Queens", explicó el oficial estadounidense encargado del caso.

había sido un encendido inspirador desde su declaratoria de guerra a las FARC y a hombres como el ex presidente de Asonal Judicial.

El grupo de sicarios al que Gonzalo Rodríguez Gacha había encargado "la vuelta" de Pardo era pequeño: los tres Infante, dos sicarios de nombre Beller y José y otro conocido sólo como Orlando. Los Infante se hicieron en principio a una residencia en el barrio San Rafael en el sur de Bogotá. La casa, de dos plantas, estaba marcada con el número 8-17 de la carrera 48 C.

Alquilaron la vivienda a través de Oliveria Infante, su esposo y sus tres hijos, pero fueron Jaime y William Infante, quienes la usaron más directamente durante las semanas que duró la planificación del homicidio de Pardo. No era en realidad algo que los trasnochase.

Entre los pistoleros escogidos por El Mexicano se encontraba uno que había empezado su carrera con un contrabandista al que había asesinado a tiros, sin el menor rasgo de piedad. Otro se preciaba de conquistar prostitutas jóvenes y esbeltas del norte de la ciudad y de pagarles a cachazos de revólver tras los flirteos de unas horas.

Por lo demás, Gonzalo Rodríguez Gacha, El Mexicano, había estado tan pendiente, que hasta les había dicho: "No lo olviden, después del asunto, entierren las armas...".

La cuenta secreta de Los Extraditables

Pablo Correa, sucesor de La Viuda Negra y principal traficante antioqueño en el primer quinquenio de los años ochenta, se había hecho solo en el negocio de la cocaína y quizá por ello se había convertido en lo que, aún entre hombres de la mafia, se definía como "un grandísimo sobrador". "Soy el único narco en este país —solía decir— que tiene cien millones de dólares para el día de un secuestro..." Era una afirmación que se le había convertido en una muletilla recurrente cada vez que tomaba unos tragos de más y, en razón de la cual, había puesto sobre sí los ojos de Pablo Escobar.

El jefe del cartel de Medellín estaba seguro de que Pablo Correa tenía mucho más que cien millones de dólares para entregar por su liberación, en caso de un secuestro. Era, a su modo de ver, un hombre de 600 millones de dólares. Y en ello coincidían los narcotraficantes de Medellín que conocían a fondo las rentas de la impresionante industria ilícita del tráfico de cocaína.

Fue por cuenta de esa convicción de Escobar que un día de la última quincena de febrero de 1986, la locuacidad y la fortuna del hombre de los 600 millones de dólares llegaron accidental y trágicamente a su fin cuando paradójicamente él, Pablo Correa, creía haberse convertido en el zar de las drogas más invisible de toda la Tierra. Acababa de consumar un plan siniestro que había maquinado desde cuando descubrió que su nombre aparecía en los archivos de la Drugs Enforcement Administration (DEA) junto con los de Pablo Escobar, Gonzalo Rodríguez Gacha, El Mexicano, el clan Ochoa —Fabio, Jorge Luis y Juan David Ochoa Vásquez— Carlos Lehder, Gilberto y Miguel Rodríguez Orejuela, José Chepe Santacruz Londoño y Francisco Pacho Herrera.

La DEA tenía su nombre pero sólo una descripción vaga de su fisonomía. Y para su fortuna, cualquiera podía ser un colombiano de 1.70 o 1.73 de estatura, de cabellos negros, ojos cafés, piel blanca y complexión más bien gruesa. Por si ello fuese poco, no había tenido que hacer esfuerzo alguno para enterarse de que tenía un homónimo y un homónimo muy particular. Pablo Correa Ramos era desde 1984, gracias a un millonario aporte, presidente del Club Deportivo Independiente Medellín (DIM) y aparecía con regularidad en los diarios y a través de las estaciones de radio en Antioquia. Tal y como lo veía Pablo Correa, si de algo debían acordarse bien colombianos y gringos, tras el asesinato de Rodrigo Lara, era de las denuncias que el ministro de Justicia había hecho sobre infiltración de dineros "calientes" en el fútbol rentado.

A su modo de ver, la coyuntura no le podía ser más favorable. Pablo Correa Ramos, según decían los diarios y las cadenas de radio, era el artífice de la contratación por ese año de 1986 de cinco nuevas estrellas del fútbol, jugadores cuyos pases millonarios pertenecían ahora al DIM.

Sin más razonamientos —una vez se supo fichado por la DEA— Pablo Correa había premeditado el asesinato a tiros, por sicarios en motocicleta, del otro Pablo Correa, aquel cuyo segundo apellido era Ramos y que a la sazón se desempeñaba como presidente del Club Deportivo Independiente Medellín.

El plan que había fraguado llegó a su término el 18 de febrero. Pablo Correa Ramos entrenaba en las instalaciones del estadio de softball de la unidad deportiva Atanasio Girardot. Frecuentaba con regularidad esa unidad porque, pese a sus 43 años, seguía siendo un deportista activo. La cita que lo había llevado ese 18 de febrero tenía algo que ver con todo ello. Pablo Correa Ramos supervisaba desde las 11 de la mañana el entrenamiento de Inverco, equipo femenino de softbol que él patrocinaba.

Poco antes del mediodía, a bordo de una motocicleta, dos sicarios se detuvieron ante las instalaciones del estadio y esperaron por su oportunidad. Sin reparar en ellos, imbuido en el ajetreo del juego, Pablo Correa Ramos se convirtió en segundos en un blanco perfecto. Finalmente, estaba justo a espaldas de la valla que separaba la calle de la cancha, esperaba un pase y tenía ambas manos levantadas cuando la ráfaga lo tiró en forma fulminante contra la grama. Ocurrió en un instante, en un lapso tan corto que las jugadoras de Inverco apenas si vieron cuando la pelota siguió de largo, chocó con la malla de alambre y rebotó hasta un punto en el que empezaba a correr un fino hilo de sangre.

El asesinato de Pablo Correa Ramos —era al menos lo que creía Pablo Correa, tenía que ponerle a salvo de cualquier persecución de la DEA o de los cuerpos colombianos de policía antinarcóticos. No había razón para buscar a un muerto.

Aquella era una verdad, pero una verdad a medias. Pablo Correa no había dejado de existir para los hombres de la mafia y, respecto de él y de su enorme fortuna, otros eran los planes de los pistoleros de Pablo Escobar Gaviria y del cartel.

El aporte de Correa a la lucha contra el Estado, siempre que fuese el producto de un plagio prolongado, sería suficiente para financiar hasta cien años de guerra. De hecho, entre las cabezas de la mafia que habían puesto su cuota para la guerra contra el Estado, nunca se había colectado una suma similar.

El esfuerzo de todos equivalía apenas a 16.5 por ciento de esos cien millones de dólares que Pablo Correa se ufanaba de tener listos para el caso de un secuestro y una insignificancia en los 600 millones de dólares que, según Pablo Escobar, tenía su víctima.

Al margen de los aportes mensuales de hasta 200.000 dólares que encabezaba Fernando El Negro Galeano, el fondo económico de Los Extraditables se había iniciado con 16.500.000 dólares: cinco millones de Gonzalo Rodríguez Gacha, El Mexicano; tres de Gustavo de Jesús Gaviria Rivero; cinco de Pablo Escobar Gaviria; dos de Gerardo Kiko Moncada Pereiro; un millón de Albeiro Areiza, El Campeón y 500.000 de un narco al que todos conocían como Capeto.

Pablo Escobar y otros traficantes habían constituido el grupo de Los Extraditables tras las capturas y extradición, en noviembre de 1984, de cuatro detenidos: Hernán Botero Moreno, un prestigiado ejecutivo presidente del Club Atlético Nacional que terminó por convertirse en lavador de dólares; Marco Fidel Cadavid y Nayib Ricardo y Said Pabón Jatter, requeridos bajo cargos de narcotráfico por el Departamento de Justicia estadounidense.

Una madrugada del noveno mes de 1984, mientras la ciudad dormía, patrullas y camiones jaula de la policía habían aparecido intempestivamente en la Cárcel Nacional Modelo de Bogotá y sacado a los cuatro extraditables. Ese día, antes de las 5:40 de la mañana, Botero, Cadavid y los Pabón se habían encontrado a bordo de un avión de la DEA que los esperaba en Catam para transportarlos a Estados Unidos. Una vez allí, los habían puesto en frente de los canales de televisión y, por esa vía, de las cadenas de los cinco continentes, cuando oficiales federales los conducían, encadenados de pies y manos. Eran los cuatro primeros de diecisiete, entre los que estaría incluido Carlos Lehder Rivas.

La organización de Los Extraditables había aparecido entonces, a través de comunicados que, en cabeza de página, al lado izquierdo, llevaban impreso un cuadro con la silueta en negro de tres hombres esposados y una leyenda: "Preferimos una tumba en Colombia a un calabozo en Estados Unidos". Cientos de atentados criminales y cruentos homicidios estaban por venir. "Dinamita al piso —una figura que el cartel equiparó con el acelerador de un automóvil totalmente al fondo— iba a correr". Ello, sin embargo, exigía de millonarias inversiones y era ahí en donde encajaba el secuestro de Pablo Correa, aunque este, a la postre, habría de salir mal.

"Beller, dispara"

El dirigente —al que la Unión Patriótica había lanzado como candidato presidencial en 1986— fue cazado a 40 kilómetros al oeste de Bogotá, en un sitio conocido como Patio Bonito. Pardo regresaba de la finca en el jeep de la familia. Lo acompañaban su esposa, dos de sus hijos y un escolta. El atentado ocurrió el 11 de octubre de 1987. Domingo. Exactamente a las 4:30 de la tarde.

Aunque el viernes avisó que no requeriría de la escolta por cuanto no pensaba salir de casa, el domingo, muy temprano, se decidió a viajar a su finca, ubicada a dos horas de Bogotá, en cercanías de La Mesa. El aviso que sobre los propósitos de Pardo dio un agente venal del DAS, el mismo cuerpo a cargo encargado de protegerle la vida, dio a los Infante la oportunidad de actuar.

Un Renault 9 se atravesó en la vía. Los dos Infante y Beller fingían un accidente de tránsito. Beller esperó a que Pardo dejara el volante del jeep y descendiera. Entonces bajó del Renault, avanzó hacia él como un autómata y disparó, regresó al automóvil y emprendieron la huida. El resto del grupo, en un vehículo de apoyo, hizo lo propio.

Un escolta y ambos hijos de Pardo arrastraron el cuerpo agonizante del líder político hacia el jeep mientras su mujer gemía:

—Yo no voy a poder vivir sin él, viejo no se muera...

—El escolta puso el motor en marcha e intentó arrancar, pero, presa de los nervios y el terror, fue a parar contra una cuneta en el sitio Los Alpes, a 12 kilómetros de La Mesa.

Sin otra alternativa y sin reponerse aún de lo ocurrido: el Renault 9 falsamente accidentado, el autómata que era en realidad un pistolero y Pardo Leal agonizante, el escolta del DAS descendió del Toyota y saltó a la carretera, brazalete en mano, a reclamar auxilio.

Gloria Flórez de Pardo, esposa del presidente de la Unión Patriótica, tenía heridas en una pierna, y sus hijos Edison, de 13, y Alberto, de 18, registraban contusiones menores, pero nada de ello se opuso en su afán por poner a salvo a Jaime Pardo.

Sólo el conductor de un bus de servicio intermunicipal de la empresa San Vicente se detuvo para asistir a los que gritaban a la orilla de la vía. El dirigente expiró en el hospital Pedro León Álvarez del municipio cundinamarqués de La Mesa, unos minutos antes que el equipo médico desplazado desde Bogotá en el helicóptero presidencial aterrizara en un claro de la población.

"Maquillen ese cadáver"

"Un idiota" —en realidad los sicarios lo definían como "un nervioso"— echó por tierra los proyectos del cartel respecto de Pablo Correa y su inmensa fortuna. Temeroso, sin poder controlar el índice de su mano derecha, en el mismo instante en que Pablo Correa forcejeaba para evitar el secuestro del que había hablado por años en forma ociosa, uno de los que tomaban parte en el plagio le disparó un tiro mortal en la cabeza. Fue una pavorosa venganza del destino para el traficante que se preciaba de ser el único en poseer cien millones de dólares para el caso de un secuestro.

Todo ocurrió unos días después que Pablo Correa ordenó asesinar a su homónimo con la certidumbre de que había cubierto para siempre su identidad. Sin otra alternativa, porque el disparo entró exactamente por la sien derecha del secuestrado y el contacto del proyectil con el cráneo dejó una huella hueca en la frente y un enorme orificio de salida en la nuca, el cartel tomó la decisión de maquillar el cadáver.

No fue un asunto difícil con el rostro —algo de yeso y mucho de base hicieron el milagro— pero sí tuvieron que esperar un rato mientras se secaba el cabello del muerto. Debieron lavarlo entero para que desaparecieran las huellas de sangre y no se atrevieron a utilizar un secador para peinarlo. Después lo pusieron sentado sobre una silla con la misma expresión del Pensador de Rodin y le tomaron una fotografía. En realidad fueron varias y en muchas otras posiciones. Cuidando siempre, eso sí, de ocultar su sien derecha. Los secuestradores hicieron llegar después la primera fotografía a la familia, con un mensaje en el que se exigía el pago del rescate, pero esta vez fueron dos perros los que lo echaron todo a perder.

Los muertos en la refriega

La muerte de la víctima 450 de la Unión Patriótica produjo esa noche del domingo 11 de marzo de 1988 en asonadas contra la policía y saqueos diversos. Las ambulancias de la Fuerza Pública y de los hospitales de misericordia sacaban por igual a hombres mal heridos entre militantes de la Unión Patriótica y agentes de la policía que intentaban evitar disturbios mayores.

Desde la casa de dos plantas alquilada por Oliveria Infante, en el barrio San Rafael, ajeno a lo que ocurría, Jaime Infante se comunicó esa noche con Gonzalo Rodríguez Gacha, El Mexicano. Percibió un cierto acento de excitación en la voz de su Patrón:

—Lo han hecho bien y mañana los espero para que celebremos...

En realidad, los Infante eran sólo una pieza en el impresionante engranaje terrorista que Gonzalo Rodríguez Gacha, El Mexicano, había concebido.

Tras la declaratoria de guerra a las FARC y para lograr sus fines, Gonzalo Rodríguez Gacha había constituido los centros de adiestramiento en el Magdalena Medio y había traído al mercenario israelí Yair Klein, a los británicos Dave Tomkins y Peter McAlese, a seis ex integrantes de las SAS británicas y a dos australianos expertos paracaidistas y francotiradores, veteranos en toma de objetivos.

A instancias de dos colombianos, que se presentaron a sí mismos como capitán y coronel de los servicios locales de inteligencia, Gonzalo Rodríguez Gacha contactó en Londres a Dave Tomkins, un legendario ex mercenario que en prisión, en su juventud, se dedicó al estudio minucioso del uso de explosivos y que después estuvo a órdenes del coronel Callans en Angola y vinculado a un intento de derrocamiento del presidente de Togo.

Tomkins buscó a su vez a Peter McAlese, otro veterano de Angola en 1975 y más tarde de Rhodesia (Zimbabwe), en Sudáfrica. El contrato involucraba una paga de 5.000 dólares al mes y el compromiso era preparar la toma por asalto del fortín de las FARC en Casa Verde, en el Meta.

Cincuenta paramilitares elegidos directamente por Gonzalo Rodríguez Gacha, El Mexicano, estuvieron en el entrenamiento, que sólo duró 60 días porque, según Teddy, el traductor, el grupo de mercenarios debía seguir hacia Honduras y Nicaragua. Yair Klein, Tomkins, McAlese y otros adiestraron a los elegidos en técnicas que iban desde la planificación de atentados terroristas utilizando granadas sometidas a un proceso de congelación hasta el diseño de cartas-bomba en cuyo montaje debía emplearse explosivo plástico C4. Polígono, atentados contra blancos móviles, seguridad de personalidades, uso de infrarrojos y armas con mira telescópica, también estuvieron incluidos.

Las filmaciones que se realizaron durante las jornadas de entrenamiento en las que Gonzalo Rodríguez Gacha, El Mexicano, incluyó a su propio hijo, Freddy Gonzalo Rodríguez Celades, se convirtieron en una bomba en las cadenas de televisión en Colombia por algún tiempo, pero después las masacres indiscriminadas, perpetradas por los paramilitares, desplazaron a los mercenarios de los titulares de las noticias locales.

"A ellos los alzó el M-19"

El cartel estuvo a punto de cobrar por el fallido secuestro de Pablo Correa una millonaria suma en dólares pero dos perros se cruzaron en sus planes. Escarbando, los animales descubrieron el cadáver de Pablo Correa, que varios sicarios dejaron mal enterrado y sin rociarlo con cal suficiente, en una finca de Guaricogrande, vereda del municipio de Abejorral, en Antioquia. Un baquiano corrió hasta la inspección de policía, dio la noticia del muerto y todo se descubrió. De hecho, en cercanías de ese mismo sitio las autoridades habían hallado el cuerpo sin vida de Rodrigo Murillo.

Pujante como pocos en el negocio del oro y las piedras preciosas y propietario de Joyerías Felipe, Rodrigo Murillo Pardo, de 35 años, había sido secuestrado el 17 de febrero de 1986 en la discoteca Acuarios. Varios hombres armados entraron ese día por él, lo obligaron a subir a un campero y a acompañarlos; desde entonces no se había tenido noticia alguna sobre su paradero.

En la mañana del 27 de febrero, sin embargo, las incógnitas se despejaron en forma trágica. El cuerpo de Murillo tenía cinco impactos de bala y, conforme al dictamen forense, hacía 25 horas que el comerciante había muerto. Murillo se negó a aceptar que se pagara por su rescate.

118

Pablo Escobar atribuyó esos plagios y asesinatos a grupos guerrilleros como el insurgente M-19. Era una historia ficticia pero muchos la habían creído a causa del antecedente de Martha Nieves Ochoa. A las 8 de la mañana del 12 de noviembre de 1981, cuando Martha Nieves Ochoa salía de su primera clase en la Universidad de Antioquia, en donde cursaba administración y economía, tres hombres la abordaron y después de un forcejeo la obligaron a subirse en un Renault 12 color naranja. El secuestro de Martha Nieves Ochoa reunió al cónclave más poderoso de la mafia y —al igual que ocurriría años más tarde con Los Extraditables— les llevó a hacer millonarios aportes y a crear el movimiento Muerte a Secuestradores (MAS). El MAS esclareció el origen del secuestro de Martha Nieves Ochoa en menos de 15 días, capturó a varios de sus directos responsables y a sus familiares y los convirtió en rehenes esperando el momento de canjearlos por la hermana del clan Ochoa. El plagio se inició a instancias de una amiga de la casa de los Ochoa. La gestora del plan era Martha Correa, ex compañera de aula, vecina y casi una hermana de Martha Nieves Ochoa desde que ambas se habían conocido en El Poblado en 1970 y habían ingresado al colegio mixto Conrado González. La verdad, Martha Correa era apenas una pieza en el rompecabezas. Mucho había tenido que ver Luis Gabriel Bernal Villegas, su esposo, como ella, militante activo del movimiento M-19. El MAS los identificó, encontró a Martha Correa en Cali y la secuestró. Después siguió con familiares y amigos de la pareja de guerrilleros.

El 9 de diciembre de 1981 secuestraron a Julio César Durán Franco, administrador de una cantera de propiedad de la familia Correa Villegas; el 19 de diciembre a Olga Lucía Correa Vásquez, hermana de Martha Correa Vásquez y el 7 de enero de 1982 a Horacio Bernal Villegas, estudiante de la Universidad Nacional y hermano del guerrillero a quien el MAS consideraba como verdadero artífice del secuestro. Muerte a Secuestradores ubicó, además, a otros 25 guerrilleros y sólo entonces liberó a Martha Correa. Lo hizo frente a las instalaciones del periódico *El Colombiano*. Una noche, dos individuos armados descendieron de un automóvil Renault 4 rojo y bajaron a su víctima. Martha Correa llevaba las manos esposadas y tenía el pie derecho atado a una cadena que sus captores aseguraron, con un candado, a la reja de una ventana del edificio en que tenía su sede el diario. El MAS confiaba en que ese acto y la promesa de devolver a los otros secuestrados serían suficientes para obtener la liberación de Martha Nieves Ochoa, pero no fue así. Tanto la guerrilla como los narcotraficantes medían, por entonces, comienzos de los años ochenta, por primera vez sus fuerzas.

Al final, el miércoles 3 de febrero de 1983, el MAS pagó para que varios reclusos asesinaran dentro de la cárcel a Fernando Correa y a Marco Antonio Mira Mira, dos guerrilleros del M-19 que permanecían detenidos en la Guayana, el pabellón de seguridad de la cárcel del Distrito Judicial de Medellín. Setenta y dos horas después, el fin de semana del 6 y 7 de febrero de 1982, el MAS hizo pública su amenaza final:

—Tenemos ubicados a los máximos jefes del M-19 y a sus familiares más cercanos. Somos los únicos responsables de la ejecución de los sujetos Fernando Correa y Marco Antonio Mira Mira.

Más adelante el comunicado culpaba a los jefes de la guerrilla de "la demora en la libertad de la señora Martha Nieves Ochoa" e insistía en que "nuestra paciencia se agota y si se acaba sentirán entonces el poder del MAS". Sana y salva, el 16 de febrero de 1982, Martha Nieves Ochoa apareció en el atrio de la Catedral de Armenia, y 24 horas después el MAS liberó a los rehenes que tenía en su poder.

El M-19 no recibió ni un solo cuarto de dólar de los dos millones de dólares que había exigido por la liberación y Cuba fue la única alternativa que le quedó a Luis Gabriel Bernal Villegas, esposo de Martha Correa. Seguro de que tenía las horas contadas, Bernal Villegas tomó dos estuches de plomo, guardó unas armas, marchó hacia el aeropuerto de la ciudad de Cali, franqueó los controles de rayos X y secuestró un Boeing 727 de la aerolínea local Aerotal con varios pasajeros a bordo. Después de arduas negociaciones, obtuvo su salida del país hacia la isla.

Tantos antecedentes —Pablo Escobar y otros creyeron firmemente en ello— hacían más que creíble la versión que hicieron correr dentro del cartel sobre el origen de los secuestros y asesinatos de Pablo Correa y Rodrigo Murillo: "A ellos los alzó el M-19".

Con el tiempo, sin embargo, traficantes como Guillermo de J. Blandón Cardona se habían enterado de la verdad y ello les impedía intentar siquiera retirarse de "la oficina". De hecho, desde el descalabro del embarque de los 2.200 kilos de cocaína, confiscados en Jamaica junto con el velero que había partido del Cabo de la Vela, lo único en cuanto pensaba Blandón era en las nuevas rutas. Con José Fernando Posada Fierro acababan de descubrir una veta inexplorada a través de Guatemala.

HAY QUE SECUESTRAR 50 GRINGOS*

Una trampa antiextradición

Impulsado por la turbina de su *Jetski* norteamericano y por el propio peso del cuerpo —estaba cerca de los 85 kilos— Pablo Escobar descendía raudo por entre las corrientes y los pedregales del río Claro. Era un paraíso en el alma misma de Antioquia, en los límites con los municipios de Puerto Triunfo y Doradal, escenario en el que se levantaba la exuberante Nápoles.

Nadie sabía exactamente cuál era la velocidad hasta la cual podía llegar la corriente en aquel cauce natural del río Claro, pero Pablo Escobar asimilaba el caudal virgen, que sólo en apariencia terminaba en aguas mansas, a un corredor fluvial inigualable. Algunas veces terminaba la jornada con el *Jetski* roto y hecho pedazos por el golpe del aluminio o la fibra de vidrio contra las piedras, pero siempre ileso. A diferencia de lo que ocurría cuando decidía dar largos paseos en bicicletas acuáticas, en los lagos artificiales de la infinita Nápoles, cuando hacía *Jetski* en el río Claro, pocas veces conseguía que alguien lo secundase.

---

* **1987-1988**. Mientras Pablo Escobar diseñaba un plan para identificar a 50 ciudadanos estadounidenses que pudiesen ser eventualmente secuestrados y convertidos en "rehenes", en caso de que el gobierno intentase extraditarlo a él o a otros capos, los paramilitares extendían su imperio a instancias de Gonzalo Rodríguez Gacha, El Mexicano, y de Fidel Castaño, Rambo, y perpetraban las más pavorosas masacres de campesinos y simpatizantes y auxiliadores efectivos de la guerrilla. A la vez, por cuenta de la infidelidad de una mujer y en razón de la pugna por nuevos mercados, se inauguraba una cruenta guerra entre carteles de la cocaína.

La indiferencia de los demás, o más bien su temor (en el mejor de los casos, la velocidad era de 60 kilómetros por hora), nunca habían terminado por desestimularlo. Todo lo contrario. Como si se tratase de una experiencia de *motocross* —en realidad, el *Jetski* era eso: una motocicleta de agua en la que una quilla enana y semiredonda remplazaba a ambas ruedas— él se levantaba del asiento, se incorporaba sobre los pies, flexionaba las piernas y tomaba el acelerador en una mano y el freno en otra y avanzaba escudado en su destreza y en el chaleco pegado al cuerpo.

Con todo, su práctica de esa mañana de finales de 1987 tenía más bien poco que ver con el deporte. Buscaba una respuesta en la inmensa soledad del río Claro al batiburrillo de ideas que le pasaban por la cabeza. Desde cuando el gobierno declaró restablecida la entrega de traficantes a Estados Unidos, como consecuencia del asesinato del ministro de Justicia, Rodrigo Lara, la idea de obtener un seguro antiextradición se le había vuelto una obsesión. Después de muchas cábalas, finalmente creía contar con una estrategia tan siniestramente dramática que, ante la eventualidad de que algún *pezzonovante* fuera capturado, el presidente de turno en la Casa de Nariño y el propio gobierno de Washington no tendrían otra alternativa que congelar la extradición del narcotraficante detenido.

Pablo Escobar había escapado en dos oportunidades de los estadounidenses —una cuando se encontraba en el corazón de los rascacielos de Manhattan, en Nueva York, sitiado por agentes de la DEA, y otra más cuando, en Nicaragua, estuvo a punto de caer en una trampa y de ser trasladado en un avión de su propiedad hasta la Base del Comando Sur en Panamá. La primera era una historia que habría de relatar a su élite criminal más íntima durante noches eternas de clandestinidad dentro de las "caletas". La segunda, aunque nunca trascendió con plena claridad al mundo, sí había quedado virtualmente al descubierto tras el asesinato de Adler Berry Seal, un piloto estadounidense que había trabajado para la mafia y que había terminado por convertirse en testigo de excepción de la DEA en contra de la cúpula del cartel de Medellín.

Si continuaba libre, en Antioquia, Pablo Escobar lo debía en el primer caso a un ama de llaves y, en el segundo, a la alerta oportuna de un oficial panameño al servicio del coronel Manuel Antonio Noriega. Tal era el pánico que le producía verse un día esposado y con grillos en los pies, exhibido ante las cámaras de la televisión estadounidense y sometido a una cárcel como Marriot, que casi estaba seguro de que su fórmula tendría suficiente eco en la siguiente reunión con Gonzalo Rodríguez Gacha, El Mexicano; Gerardo Kiko Moncada y Albeiro Areiza, El Campeón. Estaba realmente persuadido de que todo era "cuestión de secuestrar 50 gringos".

"Vamos a boliar plomo de verdad pa' Dios"

El itinerario se cumplió sin tropiezos. Los 23 samarios que habían sido reclutados en diversas zonas del Magdalena llegaron a Montería, capital del departamento de Córdoba, en la ruta hacia la costa del Atlántico, a la hora prevista. De inmediato, divididos en pequeños grupos, fueron instalados en Willys y Toyotas y trasladados a Misiway, una hacienda enorme y fuertemente custodiada, en la vía hacia Tierra Alta.

En Misiway, el primer control que hizo el hombre que aparecía como capataz de Fidel Castaño, Rambo, no pudo ser más elocuente: "Lista completa". Ni un solo samario de cuantos él reclutó se había escurrido y Rambo estaba dispuesto a cumplir con lo suyo. "A todos nos habían enredado con la promesa de buenos trabajos: vaquero o jornalero. El sueldo 40 mil al mes y más si uno hacía trabajos especiales", revelaría más tarde uno de aquellos 23 enlistados a las autoridades.

Corría la primera semana de febrero de 1988 y el viaje continuó al día siguiente muy temprano. El destino era Jaraguay, en realidad, el primer y más grande cuartel de adiestramiento de los ejércitos privados de la mafia bajo la dirección de paramilitares conectados con Rambo. Un contingente similar, integrado por 22 antioqueños, había llegado unas semanas antes, a mediados de enero.

La verdad era que los paramilitares rasos tenían dentro de aquella estructura salarios entre 70 y cien mil pesos mensuales y que los mandos medios alcanzaban hasta 150 mil. Los 23 samarios y los 22 paisas podían llegar a ganar ese dinero siempre que estuviesen dispuestos a compartir el odio visceral de Rambo por la subversión.

De hecho, el mismo día en que los primíparos pisaron Jaraguay, el capataz Arnulfo Rúa les ordenó ponerse en formación y les advirtió de manera tajante:

—Bueno, aquí la cosa es en serio. Aquí viene uno para prepararse. Hay que boliar plomo de verdad pa' Dios a la guerrilla y a la Unión Patriótica.

Los reclutados no lo sabían entonces, pero Arnulfo Rúa hablaba en serio. Nadie podría salir de allí antes de tres meses y ello siempre y cuando hubiese avanzado en el entrenamiento.

—El que no sirva o al que no le guste —había sentenciado— pues lo que le va a tocar es que se va es a ir muriendo.

Paradójicamente, en otros tiempos, cuando administraba una compraventa de automóviles, Rambo había llegado a considerar, con la seriedad de quien busca una profesión segura tras abandonar la secundaria, hacer contacto con un comandante guerrillero e irse al monte a integrar los grupos subversivos que proclamaban la revolución armada. Para 1988, sin embargo, sentía un desprecio y un odio profundos por la insurgencia.

Guerrilleros del IV Frente de las FARC habían irrumpido en 1981 en una hacienda de Segovia, Antioquia, propiedad de la familia y se habían llevado consigo al progenitor de Fidel Castaño. Exigían cien millones de pesos por liberar al plagiado, pero Rambo sólo pudo colectar treinta millones. Pagó esa suma pero los subversivos lo presionaron para que entregara el resto y, cuando éste se negó, simplemente le devolvieron el cadáver de su padre.

Desde entonces, Rambo se había convertido en enemigo acérrimo de los grupos subversivos. Durante los dos años siguientes a la muerte de su padre, se dedicó a llevar cuantos reportes fue capaz a la Brigada de Institutos Militares y al Batallón Bomboná del ejército en Puerto Berrío y Segovia. El resultado final, sin embargo, jamás terminó por satisfacerlo. Los guerrilleros, según como él y otros lo veían, nunca enfrentarían a las tropas regulares y sólo escuadrones adiestrados y ajenos a la ley podrían utilizar los métodos de la insurgencia. Era esa concepción la que lo había llevado a convertir las haciendas Misiway, Jaraguay y Las Tangas, entre otras, en verdaderos cuarteles de concentración y adiestramiento, y en epicentro de algunos de los 139 grupos paramilitares que, según el Ministerio de Gobierno, operaban ya en Colombia para 1988.

Sus hombres estaban dotados con cañones antiaéreos M8 2A1.50, cohetes, fusiles para el combate náutico y centenares de armas que incluían fusiles AR-15 de fabricación estadounidense. También tenían R-15 italianos, carabinas M-1, subametralladoras y fusiles de mira telescópica con silenciador, decenas de lanzagranadas de fragmentación y lacrimógenas, pistolas, revólveres, portaproveedores, radios y vehículos. Finalmente contaban con equipos de campaña y uniformes de la policía y las Fuerzas Militares.

Su nombre había empezado a circular entre las autoridades de inteligencia tras una masacre perpetrada en la sede de las juventudes comunistas en Medellín, a finales de 1987, pero en realidad Rambo era acusado de episodios más cruentos que ese. Sólo en los tres primeros meses de 1988, las masacres de Urabá, realizadas por los paramilitares, dejaban más de medio centenar de víctimas, entre campesinos e invasores de tierras, en algunos casos vinculados efectivamente a la guerrilla.

126

En la madrugada del 4 de marzo, diez paramilitares habían irrumpido en la finca Honduras en el Urabá antioqueño y, lista en mano, habían hecho salir de sus ranchos a 17 labriegos y tenderse bocabajo en el suelo. Las mujeres y los niños, que habían sido obligados a entrar en las casas y apagar las luces, sólo escucharon después disparos de fusil y ráfagas de ametralladora. Al amanecer, las gentes de la región se encargaron de bajar los cuerpos desde la finca hasta el pueblo de Apartadó. Entonces se enteraron de que las víctimas eran más: otros campesinos habían sido asesinados en circunstancias similares, en La Negra, otro predio de la zona.

La tercera masacre, con ribetes aún más dramáticos, había tenido por escenario la vereda Los Coquitos, en el corregimiento antioqueño de Currulao. Las víctimas, invasores de un terreno al que los paramilitares denominaban La Recuperación y en el que la guerrilla había asentado a más de un auxiliador, habían sido conminados a abandonar las tierras y, tras la negativa, se había hecho efectiva una pavorosa sentencia de muerte. Atados unos a otros, como si se tratase de una cuadrilla enorme de esclavos de los tiempos de la postconquista, cerca de 25 invasores habían sido conducidos en la noche hasta el sitio de Punta Coquitos, a orillas del Atlántico. Nueve habían sido baleados en el lugar y los demás habían sido obligados a abordar una chalupa y después, fuertemente atados de pies y manos y embutidos entre costales, habían sido arrojados vivos al mar. Trece cadáveres aparecieron con los días a lo largo de la costa pero nadie supo jamás qué ocurrió con los demás. La autopsia de los infelices consignó como causa del deceso: "Muerte por ahogamiento".

Todo por una mujer

Sólo un enorme instinto de supervivencia logró ponerlo a salvo del atentado contra su vida, aquella noche de 1987. Salía del estadio y abría la portezuela del Mercedes deportivo cuando sintió tras de sí un vehículo detenerse y a un homicida que descorría el seguro de su arma. Reaccionó, giró sobre ambos pies, flexionó las piernas, extendió los brazos y abrió fuego sin reparar en el blanco. Escuchó varios disparos silbándole en ambas orejas y después el golpe seco de una puerta al cerrarse y el rechinar de las ruedas de un vehículo al partir. Sin duda los hombres que habían enviado para asesinarlo eran un par de inexpertos. Persuadido de ello, guardó su arma, subió al Mercedes y partió rumbo al apartamento de un viejo conocido. Lo único que deseaba era hacer una llamada a Nueva York. Tenía que advertir a Piña que sus sicarios acababan de fallar esa noche y que él, El Negro Pabón, estaba vivo.

Oriundo de Medellín y tercero de varios hermanos —en su mayoría, vinculados con el crimen organizado— El Negro Pabón se había iniciado en el hampa, en el barrio La Paz de Medellín, a la par con Pablo Escobar Gaviria y Gustavo de Jesús Gaviria Rivero. Asaltos a bancos, hurto de vehículos, atracos desde motocicletas en marcha, contrabando de cigarrillos y actividades conexas con el tráfico de narcóticos eran para ellos un patrimonio y una vivencia comunes.

Sin embargo, una vez en Estados Unidos, a diferencia de Pablo Escobar, El Negro Pabón no tuvo oportunidad alguna de eludir a los agentes de la Drugs Enforcement Administration (DEA) y así, antes de que finalizara la década de los años 70, se encontró sentenciado a purgar una condena por narcotráfico. El destino quiso que su compañero de reclusión fuese otro paisa. Éste del barrio Antioquia, en Medellín. Un hombre al que apodaban Piña.

Agente definitivo en la naciente estructura del narcotráfico prevista por algunos traficantes de cocaína en el Valle, Piña obtuvo antes que El Negro Pabón la libertad. Entonces, sin dudarlo un instante, el aún recluso decidió que podría enviar varios mensajes a su cónyuge a través de quien acababa de convertirse en ex convicto.

Por causa de esos mensajes, no obstante, la esposa de El Negro Pabón culminó muchas noches de varias semanas en los brazos de

Piña, poseídos ambos por un flirteo frenético; desde entonces, un odio visceral surgió entre ambos hombres.

Después de salir de prisión, El Negro Pabón se había dado a la caza de Piña en Estados Unidos pero varias semanas de búsqueda infructuosa y la certidumbre de ser seguido por agentes de la DEA terminaron por disuadirlo de lo poco estratégico de esa idea.

Sin resignarse a que todo quedase ahí, El Negro Pabón había retornado a Colombia y obtenido información exacta sobre el paradero de Piña en Estados Unidos. Consciente de que Piña siempre tendría tiempo de escabullirse antes que él pudiese llegar hasta allá, El Negro Pabón se decidió una madrugada a telefonearlo y a retarlo a muerte. Su desafío contemplaba un escenario neutral como Argentina o cualquier otro país en América del Sur.

El atentado del que acababa de escapar ileso esa noche de 1987 era la respuesta. El cronómetro que habría de inaugurar la más cruenta y prolongada guerra entre carteles de la cocaína había empezado su cuenta regresiva.

El imperio

Situada a 185 kilómetros de Bogotá y a 175 de Medellín, en la autopista entre ambas ciudades, Nápoles era un monumento exuberante al vasto poder económico derivado de la venta ilegal de narcóticos. Un hombre corriente requería 50 minutos para llegar a pie desde el portal hasta La Mayoría o casa principal y cuatro días más a caballo para conocer la hacienda o por lo menos cuanto se mostraba de ella. Nunca, claro está, la febril agitación de decenas de procesadores de cocaína en Mamarrosa y Parcelas California.

Como "la oficina", "Ciudad Tranquilandia" y "Villacoca", Nápoles había empezado a gestarse antes de comienzos de la década de los 80. Conforme a los registros notariales, Gustavo de Jesús Gaviria

Rivero y Pablo Escobar Gaviria, habían adquirido la hacienda el 28 de febrero de 1979.

El predio, estimó por entonces la Oficina de Catastro de Antioquia —aunque nadie sabía cuántos millones más se habían pagado por él— tenía un valor comercial de 29.6 millones de pesos. Pablo Escobar Gaviria y Gustavo de Jesús Gaviria Rivero habían comprado Nápoles al hacendado Jorge Julio Garcés. Desde entonces, el jefe del cartel había desarrollado un profundo aprecio por el viejo, a quien había reconocido una especie de propiedad vitalicia de la finca. La fortuna quiso, sin embargo, que una mañana, antes de llegar a San Luis, cuando apenas cumplía 10 minutos de vuelo desde su partida de Nápoles, la avioneta en que viajaba se accidentara y que Jorge Julio Garcés y el piloto se hicieran pedazos. Pablo Escobar decidió entonces levantar una escuela en Puerto Triunfo, en territorio de Nápoles. La bautizó con el nombre de Escuela Pública Jorge Julio Garcés. Era todo cuanto concebía podía hacerse en honor del viejo que le había permitido forjar aquel imperio.

Nápoles era, en realidad, un mar verde de 2.000 hectáreas. Contaba con aeropuerto y helipuerto y con enormes lagos artificiales. También con plaza de toros, capilla y zoológico. La Mayoría era la casa principal. Una mansión enorme, repleta de muebles amplios pero no ostentosos.

Existían en Nápoles tres retenes vigilados por hombres armados y dotados de radios desde donde se ejercía el control sobre el ingreso a La Mayoría.

Deliberadamente, Pablo Escobar y Gustavo de Jesús Gaviria Rivero habían hecho diseñar un comedor enorme, justo sobre el corredor más amplio de la casa y, más tarde, habían convertido en una tradición las cenas para múltiples invitados o aparecidos. Incontables representantes de los otros barones de la cocaína: Fernando El Negro Galeano; Albeiro Areiza, El Campeón, y Gerardo Kiko Moncada habían vivido allí extenuantes francachelas de comida y de licor y, en ocasiones, hasta de narcóticos.

Muchas "desordenadas" habían dejado en Nápoles su virginidad tras la oferta de una contraprestación económica adecuada. Otras, simplemente habían asistido a jornadas agotadoras desde que habían descendido de los helicópteros o las Toyotas que las habían traído desde Medellín. Una de ellas hasta había llegado a originar, indirectamente, un incidente cruento en Nápoles.

Una noche de festejo, un guardaespaldas de Escobar al que apodaban Piñuela bailó durante horas con una pelicastaña esbelta, que tenía medidas de reina, rostro de coqueta inocente y movimientos de prostituta. Para desgracia de Piñuela, sin embargo, era la misma mujer en que había reparado un narcotraficante que se encontraba hospedado en Nápoles y, sin otra opción, el escolta había tenido que irse a la cama. Lo hizo sin entrar en discusión alguna, pero su actitud no resultó ser suficiente para el huésped de Nápoles, un hombre que había servido durante años como puente del tráfico de cocaína a través de las Bahamas. En la mañana, ebrio y agitado por el efecto de las drogas, el narcotraficante irrumpió en una habitación de La Mayoría armado de un Galil. Piñuela acababa de ducharse y se iba a atar el segundo zapato cuando un tiro seco le volvió añicos media cabeza. El disparo sacó de la cama a los escoltas y a la élite de sicarios más cercana a Pablo Escobar y puso a las "desordenadas" en fuga. Consciente de la tensión que algo así podría crear entre los pistoleros rasos, Pablo Escobar avanzó hacia la habitación y sólo permitió que lo acompañaran dos hombres que conocían muy de cerca al narcotraficante.

El espectáculo era dantesco. Ríos de sangre salían hacia todas partes del cuarto ante la mirada extraviada del narcotraficante, que aún tenía el fusil entre las manos.

—Descansá que luego hablamos —terminó por persuadirlo Pablo Escobar, pero ese mismo día, en la noche, lo condenó al exilio. Vete y no volvás nunca. Y aquí no ha pasado nada...

Un kiosco para fiestas y una piscina bordeada de rocolas y más allá canchas de tenis y fútbol circundaban La Mayoría. Pablo Escobar aprovechaba éstas últimas como el que más.

—Bueno, díganle a la gente de la pista que hay un partido con los de La Mayoría... —era algo que le surgía en cualquier instante mientras permanecía en Nápoles. Lo hacía así también con los de Mamarrosa y con los empleados que su hermano Argemiro Escobar, Miro, administraba en la hacienda, aunque todos habían descubierto su proclividad, según el caso, a hacer parte siempre del equipo con mayor opción.

Muchos preferían enfrentarse a él allí. Era quizás en el juego, en donde el artífice de los magnicidios y atentados más pavorosos en la historia de Colombia resultaba un hombre menos amenazante:

—Éntrenme, éntrenme duro y sin miedo porque lo que estamos es jugando, ¿o no?

Al margen de esa proclividad personál por las refriegas en la cancha de Nápoles, la verdad era que el fútbol había dejado de ser un simple pasatiempo para el jefe del cartel y para los traficantes con los que mantenía nexos más fuertes: Gonzalo Rodríguez Gacha, El Mexicano, Fernando El Negro Galeano y Guillermo Zuluaga, Cuchilla o Pasarela. El Mexicano había invertido una fortuna en el Club de los Millonarios, el principal equipo de la capital del país; El Negro Galeano decía haber apoyado a terceros en el Deportivo Independiente Medellín y lo propio sostenía Cuchilla o Pasarela frente al Cúcuta Deportivo y más tarde al Envigado Fútbol Club.

La historia no se detenía ahí. Muchos de los jugadores y al menos dos de los entrenadores más populares de la Nación habían visitado Nápoles con asiduidad y recibido dádivas generosas. Y algunos —como el arquero de la Selección Colombia René Higuita y como el delantero Felipe El Pipe Pérez— habrían de pasar un tiempo en prisión por cuenta de actividades conectadas con el jefe del cartel. El primero por una confusa mediación en un caso de secuestro y el segundo después de aceptar que había ocultado fusiles y armas del cartel en una caleta de su propia casa.

Ninguna otra cosa como el alucinante zoológico, sin embargo, hizo más famosa la hacienda Nápoles, ni más orgulloso a Pablo Escobar. Eran casi 2.000 ejemplares y más de cien especies que, directamente, en casos excepcionales eso sí, él enseñaba a sus eventuales invitados entre la élite de la política, el comercio o la industria. Eran jornadas en las que exhibía elefantes africanos, toros escoceses, hipopótamos, canguros australianos, camellos marroquíes y alces canadienses. A la vez convivían allí chivos europeos montañeses, búfalos, caballos pony y super minipony, orix beiza (un tipo de alce), rinocerontes, grullas y avestruces. Hasta cisnes de cuello negro, minicacatúas, casuarios y emú.

Los Escobar importaron a Safari, el elefante negro y a Márgara de África y trajeron a los canguros de Australia y a los alces de Canadá. Pero también había antílopes y un ñu —especie de toro salvaje al que habrían de castrar en octubre de 1989 después que asesinara a un ciervo indefenso. El hábitat de los hipopótamos —un lago generoso, también asignado a la supervisión de Miro— estaba cuidadosamente recreado y habilitado, a la vez, para flamencos.

Los Escobar negociaron la importación de animales desde el desierto del Sahara, Congo y Etiopía. En realidad, desde donde se requiriera. Y lo que no pudieron obtener, porque no existía, lo ordenaron construir: un brontosaurio, un mamut, un dinosaurio y otros ejemplares de la fauna prehistórica.

Cargamentos de zanahoria y concentrados arribaban sin tropiezo para el sostenimiento de esos animales cuyos hábitat habían sido perfectamente reproducidos. Sólo la alimentación de aquella fauna privada valía en 1988 doce millones de pesos cada mes.

Pablo Escobar había hecho pública su propia percepción de aquello, a través del periódico Medellín Cívico, que era, en realidad, una publicación ideada por él. En su número de enero de 1984, Medellín Cívico consignaba una oda a Nápoles y una diatriba grandilocuente

133

contra los zoológicos oficiales y la isla del Rosario, un paraíso natural y afrodisíaco, cuya custodia había sido asignada a la Armada Nacional. La periodista, autora del artículo, arrancaba su texto con una exhortación a "dos colombianos maravillosos".

Consignaba el periódico: "Al preguntarle a Pablo Escobar Gaviria y a Gustavo Gaviria, propietarios y creadores del zoológico de la Hacienda Nápoles por qué razón allí no se cobraba la entrada, estos dos colombianos maravillosos nos respondieron al unísono: 'Es que el zoológico de Nápoles no es nuestro sino del pueblo colombiano. Lo hicimos para que lo disfruten niños, grandes, pobres o ricos. Y el dueño no puede pagar por visitar lo que es suyo".

La Aduana había hecho que la introducción de los animales fuese llevada a la justicia como ilegal. Y en efecto, por más de cinco años, había cursado una causa en contra de Escobar en la que se le acusaba de contrabando. Según el proceso, Gustavo de Jesús Gaviria, Pablo Escobar y Luz Nicholls de Escobar habían obviado tramitar las licencias de importación y cancelar los gravámenes para el ingreso de 85 animales. Tampoco contaban con el permiso que debía entregar el Instituto Nacional de Recursos Naturales Renovables y del Medio Ambiente, Inderena. Al final, aun cuando el caso había llegado inclusive hasta tocar las puertas del Congreso, porque el Tribunal de Aduanas solicitó a las cámaras levantar la inmunidad que amparaba al parlamentario Pablo Escobar Gaviria, todo terminó en una multa de 450.000 pesos y en una orden de remate de los animales que jamás terminaría por hacerse efectiva.

La verdad, existía tanto de extraordinario como de grotesco en Nápoles. Sobre el portal de la hacienda, Pablo Escobar hizo instalar una avioneta del tipo Piper, que llevaba inscrita la matrícula HK 617-P y que, según se sabría años más tarde, a decir de las autoridades, no era otra cosa que un homenaje a las aeronaves en que Gustavo de Jesús Gaviria y Pablo Escobar habían "coronado" —como la mafia denominaba el efectivo ingreso de alucinógenos a cualquier ciudad de Estados Unidos— los primeros embarques de cocaína.

Había dos símbolos más en la hacienda, uno cerca de la entrada al zoológico y el otro frente a una piscina. El primero era un carro Ford de los años 30 repleto de tiros que permanecía sobre una plataforma especial y que, según decían algunos, había sido de Al Capone, aunque, según otros, había pertenecido a Bonnye y Clyde, una pareja de asaltantes que se volvió leyenda. Unos más afirmaban que era el automóvil en donde había muerto John Dilinger. El otro símbolo, tercer fetiche revelador del destino que iba a marcar al cartel, era un mortero de guerra.

Lo cierto, en cualquier caso, era que para 1987, más allá de su zoológico, de sus canchas de tenis y fútbol, de su fabulosa Mayoría, de sus piscinas y de sus lagos artificiales, Nápoles era el escenario dorado de la mafia. Muy por encima de lo que alguna vez habían representado "Ciudad Tranquilandia" o "Villacoca".

Los Escobar no sólo eran amos y señores de Puerto Triunfo, desde el río Claro hasta el río de la Miel, en el nordeste antioqueño, sino que, más importante aún, habían creado un cordón espectacular de seguridad conectado con el de Gonzalo Rodríguez Gacha, El Mexicano, en Boyacá y el Magdalena Medio y con el de Fidel Castaño, Rambo, en la zona que se extendía a los departamentos de Córdoba y Sucre. Un tercio de las tierras más productivas del país estaban, pues, en manos de la mafia.

Sumado todo ello: el zoológico, La Mayoría, la pista, la plaza de toros, los lagos y las extravagancias, sin embargo, nada era equivalente en Nápoles a la increíble pista clandestina de Mamarrosa, uno de los secretos mejor guardados en la historia de la mafia.

El adoctrinamiento

La severidad de los adiestramientos en Jaraguay sorprendió e hizo maldecir cuando no a todos, sí a la mayoría de samarios y antioqueños reclutados por Arnulfo Rúa a comienzos de 1988. Incluían desde el manejo de motocicletas y simulación de atentados a vehículos o personas en movimiento hasta toma de objetivos; desde patrullajes sin alimento y en pleno monte hasta el adoctrinamiento como grupos de autodefensa, y desde atentados contra instalaciones hasta evacuación de haciendas a través del río. Para tal fin, a orillas del río Sinú siempre permanecían tres lanchas con armamento.

Los entrenamientos empezaban cada día a las 5 de la mañana. Era una primera jornada de resistencia física que incluía cuclillas, flexiones de pecho y envolver alambre; en su fase más avanzada, disparar sin cesar contra blancos diversos y en posiciones diferentes. Después venía el desayuno y a las 8 se reiniciaban los entrenamientos. La mayoría eran de resistencia y destreza física. A las 2 de la tarde todo volvía a empezar con prácticas de combate. A las 4 era hora de bañarse y de esperar la formación para la guardia.

Cada hombre tenía un radio y un arma corta y una larga. Los que se equivocaban eran enviados a los campamentos de Puerto Boyacá para que los disciplinaran o "los templaran", una expresión de muerte acuñada por los paramilitares más curtidos del Magdalena medio. Los torpes o los lerdos corrían una pésima suerte; quienes se quedaban dormidos durante una guardia, por ejemplo, eran obligados a permanecer despiertos hasta por 3 días continuos, atados a un palo y vigilados por otros.

El 25 de marzo llegó la primera orden de trabajo y la rutina se rompió transitoriamente para el grupo adiestrado desde enero. Rúa escogió a Eulises, Niño Grande, Walter y Giovanni Rojas.

—Es una vaina grande para armar jaleo —les explicó el capataz.

A las 2 de la tarde de ese viernes 25 de marzo, por primera vez desde cuando descendieron en Montería y viajaron en los camperos hasta la escuela de adiestramiento, los elegidos por Rúa volvieron a Misiway, en la vía a Tierra Alta. Los trasladaron en un Toyota de color crema que de inmediato retornó a Jaraguay porque la flotilla de seis vehículos jamás debía permanecer incompleta. A las 2 de la madrugada del sábado 26 de marzo la cuadrilla fue situada en

Caucasia, pero alguien dio la orden de devolverlos. Requería veteranos en el uso de las armas y no inexpertos.

—Necesitamos gente del grupo especial. Gente de Boyacá. Y no recién entrenados... —adujo colérico.

"Gente de Boyacá" no significaba nada distinto de la élite paramilitar reclutada y adiestrada por el cartel. Desde cuando se había decidido a declarar la guerra a las FARC, Gonzalo Rodríguez Gacha, El Mexicano, afinaba un tenebroso ejército paramilitar a instancias de Henry Pérez y Ariel Otero, dos hombres que parecían extraídos de la leyendas de crueles charros mexicanos.

Henry Pérez, y los paramilitares como Ariel Otero, asentados en el Magdalena Medio, saltaron a los folios de los expedientes judiciales tras la desaparición de una caravana de 17 contrabandistas que, en octubre de 1987, había partido desde Cúcuta con mercancías avaluadas en 70 millones de pesos.

Desde cuando los viajeros dejaron la población de Campo Seco, el 6 de ese mes y uno de ellos se comunicó con un conocido para avisar que debían esperar la caravana en Medellín, nadie había vuelto a saber nada de ellos. Dos familiares que salieron después en su búsqueda desaparecieron también a finales de octubre y, desde entonces, cinco comisiones habían ido y venido del Magdalena Medio sin éxito. Con todo, el Departamento Administrativo de Seguridad (DAS) y una comisión de jueces antimafia habían podido más tarde desenredar la madeja y llegar hasta el primero de tres testigos de cargo. Sus testimonio eran directo y revelador: "En noviembre último pasado tuve conocimiento que por la carretera que une Puerto Berrío-Puerto Boyacá se desplazaban unos comerciantes de electrodomésticos y enseres de contrabando. Viajaban en cuatro vehículos y eran 17 los hombres, siendo retenidos por el sujeto Henry Pérez, Finca El Diamante, jurisdicción de Puerto Boyacá. Dichos comerciantes fueron masacrados y arrojados al río Ermitaño con el objeto de apoderarse de los electrodomésticos que consistían en máquinas de escribir portátiles manuales, máquinas de coser 40 puntadas, televisores a color de 14 pulgadas marca Golden Star, tendidos para cama, rollos para cámaras fotográficas y unas registradoras. Posteriormente, quince días después, aproximadamente por la misma jurisdicción se hicieron presentes dos jóvenes en una motocicleta Yamaha color gris, Calimatic, modelo 80, siendo interceptados en sitio igual que los anteriores y corriendo la misma suerte de los comerciantes asesinados. Luego los electrodomésticos comenzaron a ser distribuidos y vendidos entre amigos y allegados del autor de la masacre. Entre los empleados de Pérez están Carlos Loaiza, Bimba, José Cuarenta, Tatos y los otros son muchos y no les sé el nombre".

Los paramilitares a órdenes de Henry Pérez, no obstante, eran sólo un pieza de una enorme infraestructura armada.

Desde "El Cincuenta", en Puerto Boyacá; "La Isla de la Fantasía", sobre la ciénaga conocida como Palagua y otra media docena de cuarteles de adiestramiento privado, partían las escuadras paramilitares que El Mexicano asentaba paulatinamente en diversas zonas del Magdalena Medio y la costa. Eran en su mayoría campesinos y baquianos que habían sido víctimas durante dos décadas de los asesinatos o el secuestro de sus parientes, el saqueo de sus predios, la extorsión y el chantaje de las FARC y que El Mexicano había convertido para 1988, en algunos casos, en exterminadores de subversivos y de quienes concebía como sus simpatizantes.

La organización que empezaba en la zona de Rionegro y se extendía a instancias de Henry Pérez y Ariel Otero hasta Boyacá y el Magdalena Medio, recibía un verdadero adoctrinamiento ideológico en contra de sus enemigos: las FARC. Documentos escritos a máquina consignaban, por ejemplo:

—¿Recuerda el acierto que tuvo la organización en el último caso táctico?

Conquistar las masas y organizar a los campesinos en la región de Rionegro y a nivel nacional.

—¿Por qué la población participó en esa forma en el caso táctico...?

Porque las masas se dieron cuenta de que la organización está trabajando con hechos verídicos y que está trabajando es para defender honras y bienes. O sea una imagen diferente a la de la subversión que no hace sino explotar al campesino con falsas promesas y, llegado el caso, los asesinan si es necesario (sic).

—¿Qué son redes rural y urbana de los grupos subversivos?

Son organizaciones clandestinas a base de habitantes de las mismas zonas organizadas y comprometidas a apoyar a los grupos subversivos.

—¿Por qué son importantes las redes para los grupos subversivos?

A. Porque sin el apoyo de ellos no tendrían el alimento, las drogas, el vestuario, etc.

B. La información sobre las tropas para poder subsistir y enfrentarse a las mismas.

—¿Qué actitud debe mantener un patrullero en la lucha subversiva?

Se requiere que el patrullero sea un elemento pensante que se da cuenta que el enemigo está en todas partes, y que su principal ventaja es la iniciativa.

—¿Por qué es importante que el patrullero reaccione ofensivamente en la lucha subversiva?

Porque "LA PELEA ES PELEANDO", y si el patrullero no tiene la iniciativa no sorprende y si no reacciona rápida y violentamente es hombre muerto.

—¿Qué beneficio recibe el patrullero siendo hombre de la organización?

A. Primero que todo fortalece el amor por su patria, su familia y la libertad.

B. A través de la organización puede experimentar su preparación profesional asistiendo a los cursos que se organizan en coordinación con entidades como las universidades, cursos en el extranjero y otros.

Nota: PRIMERO MUERTO ANTES QUE CAER EN MANOS DEL ENEMIGO.

EL CHANTAJISTA Y EL DELATOR DEBEN MORIR.

EL QUE TIENE LA RAZÓN GANA LA GUERRA.

LÉASE, COMUNÍQUESE Y CÚMPLASE.

(ORGANIZACIÓN ANTICOMUNISTA).

Otros documentos, suscritos por el "Comandante General de Inteligencia" y dirigidos a "Los Patrulleros y las Escuelas", no eran menos reveladores. En estos se exigían reportes periódicos sobre conformación de la población en diversas zonas e infiltrados de la subversión en haciendas y en el perímetro urbano; se advertía sobre los riesgos de desinformación por parte de los auxiliadores de la guerrilla y se instruía a los "paras" en técnicas rudimentarias de guerra:

"En muchas zonas tratan de desinformarnos: «Esa gente (los guerrilleros) pasó por aquí hace un mes, iban barbados y bien armados, tenían fusiles y tenis» (esta información no tiene valor, pero se hace creer a la patrulla que se le está colaborando para darle confianza y conocer sus planes).

"Las casas a lo largo del camino emplean señales para alertar sobre el paso de las patrullas. Ejemplo: sábanas o trapos en determinado punto de la casa es señal convenida; también con un número determinado de golpes de machete y varios hachazos en serie y otras señales...

"Dentro del mercado de los campesinos; en los genitales de las mujeres, niños y ancianos, dentro de los bultos de arroz, cargas de yuca, niños de brazos, cinchas de mulas o caballos, ropa interior, enjalmas, sombreros, pelucas, vendajes, doble forro de cuellos, ruedos, pretinas y bolsillos, dentro de esferos, frascos y relojes, se transportan mensajes, cartas, documentos, planos, croquis o papeles escritos con tinta invisible...

"La subversión adoctrina, infiltra o dirige organizaciones políticas, económicas y religiosas de cada área para ejercer presión sobre nuestra organización..."

"Comandante General de Inteligencia".

"Secuestremos a un caleño"

Envenenado hasta la última célula del cerebro por el atentado a la salida del estadio y seguro de que difícilmente podría recuperar los años perdidos en prisión en Estados Unidos, El Negro Pabón decidió acudir otra vez a sus aliados de la infancia: Pablo Escobar Gaviria y Gustavo de Jesús Gaviria Rivero. Conocía su temeridad y su sangre fría más que ningún otro y les servía casi desde el instante mismo en que había descendido del avión que lo trajo de regreso a Colombia.

El Negro Pabón era uno de los principales artífices del atentado criminal que, en la noche del 17 de diciembre de 1986, le había costado la vida al prominente accionista y director de *El Espectador*, el segundo diario más importante de toda la nación. Había vigilado a don Guillermo Cano Isaza durante varias semanas después que la mafia tomó la decisión de asesinarlo en razón de los editoriales en los que avizoraba la descomunal amenaza del paraestado de la cocaína y exigía una persecución sin cuartel a los carteles.

A comienzos de diciembre de 1986, 10 días antes de que efectivamente perpetrase el crimen y cuando cumplía ya varias semanas pisándole los talones, El Negro Pabón había alardeado en Medellín de lo fácil que iba a resultar esta "vuelta". Guillermo Cano entraba y salía cada día a la misma hora de las instalaciones de *El Espectador*, situadas sobre la Avenida 68 y, en sí mismas, una trampa mortal. Virtualmente sólo se podía enrumbar hacia el norte de la ciudad utilizando el cruce que estaba justo frente a la sede del periódico y que constituía una parada obligada. Por lo demás, el director del diario salía solo, al volante de una Subaru de su propiedad.

Todo ocurrió como El Negro Pabón y otros lo planearon. La noche del 17 de diciembre de 1986, cuando el director de *El Espectador* abandonaba las instalaciones del periódico y se disponía a tomar el cruce hacia el norte, a bordo de la Subaru, una ráfaga atravesó el oráculo en que había convertido a su cerebro. La camioneta salió de la vía, subió al sardinel y chocó contra un poste del alumbrado eléctrico.

El homicidio de Cano estremeció al país, acalló por 24 horas a los diarios y a las estaciones de radio y televisión y levantó a un ejército de periodistas en una dramática marcha de silencio hasta la Catedral Primada en Bogotá. Sin embargo, tras una serie de informes periodísticos sobre la mafia, que encadenó por igual a diarios, cadenas radiales, revistas y noticieros de televisión, lo ocurrido entró en el olvido.

Era una dialéctica que se repetía. El Negro Pabón lo había comprobado seis meses antes cuando, según lo interpretó él, las estaciones de radio y televisión y los diarios hicieron una alharaca con la primera víctima: el magistrado de la Sala de Casación Penal de la Corte Suprema de Justicia, Hernando Baquero Borda.

En zapatos tenis y sudadera, después de un breve calentamiento con piques de 100 y 200 metros —en realidad creía en aquello de estar en forma— El Negro Pabón había vigilado desde el 16 de julio de 1986 cada uno de los pasos del magistrado Baquero.

Finalmente, el 30 de julio de 1986, cuando el magistrado y su esposa salían en un vehículo oficial, El Negro Pabón había aparecido a bordo de una motocicleta y disparado una ráfaga cruzada que segó la vida de Hernando Baquero Borda y alcanzó a herir a su esposa. Hubiese podido salir mal de aquello pero Los Priscos —la misma red de sicarios callejeros al servicio del cartel de Medellín que había asesinado a Rodrigo Lara Bonilla— lo habían apoyado con destreza.

No necesitaba conocer las razones por las cuales Baquero Borda debía morir, pero Pablo Escobar se las explicó lacónicamente:

—Esta es una lección para esos magistrados que tienen los procesos de la extradición.

El Departamento de Estado de Estados Unidos acumulaba 130 notas verbales de solicitud de extradición que hacían turno en los despachos de cada uno de los seis magistrados de la Sala de Casación Penal de la Corte Suprema de Justicia. Era un asunto de su competencia avalar los cargos y en cada caso emitir un concepto favorable o no a la extradición, pero aquello habría de cambiar en forma dramática.

La nota verbal donde figuraba la solicitud de extradición de Pablo Escobar Gaviria era una de las 130 en poder de la Corte. A la sazón ésta rezaba:

DEPARTAMENTO DE ESTADO DE ESTADOS UNIDOS
ATN: GOBIERNO DE COLOMBIA
ASUNTO: NOTA VERBAL 527

El señor Escobar es el sujeto de la denuncia penal número 84-21 30 BSF presentada el 17 de julio de 1984 en la Corte Distrital de Estados Unidos para el Distrito Sur de Florida (Miami), por los siguientes cargos:

1. Posesión de cocaína con la intención de distribuirla, en violación del título 21, sección 841 del Código de Estados Unidos.

2. Asociación para poseer cocaína con la intención de distribuirla en violación del título 21, sección 846 del Código de Estados Unidos.

3. Importación de una sustancia controlada (cocaína), en violación del título 21, sección 952 del Código de Estados Unidos.

Una orden de detención contra el señor Escobar, fue expedida el 17 de julio de 1984, por auto de la misma corte.

El señor Escobar Gaviria está acusado, junto con otros co-acusados, de asociarse entre ellos y con otras personas el 28 de marzo de 1984, para importar e importaron con la intención de distribuirla, aproximadamente mil quinientos kilos de cocaína desde Colombia a Estados Unidos, pasándola por Nicaragua.

Desde cuando Escobar y otros narcotraficantes habían conocido la amenaza que se cernía sobre ellos en razón de oficios como el que subrayaba su propio caso, la mafia había desatado una verdadera batalla jurídica para obtener en los tribunales locales la nulidad del tratado de extradición suscrito entre Colombia y Estados Unidos.

A las demandas entabladas por abogados con algún nombre siguieron —ante el fracaso de los litigios iniciales— denuncias elevadas por oscuros ciudadanos tras los cuales se ocultaba un sólido *pool* de expertos juristas pagados por los traficantes de narcóticos. Al final —cinco días antes del asesinato de Guillermo Cano Isaza— la extradición había caído en la Corte Suprema de Justicia.

Los magistrados descubrieron que la ley ratificatoria del tratado —y vigente desde hacía más de un quinquenio— había sido suscrita por un ministro plenipotenciario sin facultades para ello, y en clara

143

usurpación de una función que formalmente, a juicio de la Corte, correspondía al presidente de la República. Cuando más de un sector de opinión pública decidió atribuir el fallo a episodios tan cruentos como las ráfagas con que El Negro Pabón había segado la vida del magistrado Hernando Baquero Borda, la Corte no tuvo otro camino que defender con vehemencia la legitimidad de su determinación.

Con todo, para octubre de 1987, tras el atentado del que había sido objeto, El Negro Pabón sólo deseaba un golpe certero. Relató a Pablo Escobar los pormenores de su tragedia, primero en prisión y después en lo doméstico —la aventura de su esposa con Piña— y a renglón seguido le soltó a bocajarro el asunto que traía en mente: "Secuestremos a un hijueputa caleño..."

Inclusive tenía elegida su víctima: J. Valencia, un poderoso narcotraficante del Valle del que —como solía ocurrir por entonces con respecto de muchos otros agentes del tráfico de cocaína— ni la policía ni otras agencias de seguridad del Estado sabían absolutamente nada.

—Se pueden exigir hasta cuatro millones de dólares por el hombre —justificó El Negro Pabón ante Pablo Escobar.

Mamarrosa

Aquél era el secreto más público pero a la vez mejor guardado detrás de Nápoles. La veta de la fortuna. Lo único en que el cartel creía con firmeza y casi había equiparado a la lucrativa industria de los secuestros tasados y cancelados en millones de dólares.

Mamarrosa estaba en el centro mismo de las tierras desoladas de Antioquia, bordeada por árboles, resguardada por montañas y rodeada por pueblos pequeños que quedaban a una hora o 30 minutos por trochas carreteables. Era una fuente próspera e inagotable, en la época dorada del cartel. De ella había dependido el procesamiento de cientos y cientos de toneladas de pasta y de la mejor base de cocaína que era posible obtener sobre la tierra y que se obtenía directamente en Perú y Bolivia después que los narcotraficantes se decidieron a capacitar a los indios en el proceso, y eligieron para ello a hombres como el caldense Rodrigo Vanegas.

No era una pista secreta, estratégicamente recubierta por malezas, ni una raya diminuta, casi un rasguño, de aquellos que los aviones de rastreo avizoraban desde el cielo en las selvas del Yarí y en La Uribe. No. Mamarrosa estaba claramente allí. A los ojos de los satélites estadounidenses y de los aviones de rastreo de la DEA, la Fuerza Aérea y la Policía Antinarcóticos colombiana. Quizá por ello se había hecho invisible a los espías. Era un potrero que en los períodos de cresta recibía y despachaba a diario hasta 12 vuelos de narcóticos. Todo era idea de un hombre raso del cartel, aunque Pablo Escobar y su élite terrorista cobraban por ello un fortuna.

Un día Evelio se presentó ante Pablo Escobar y expuso la idea que desde hacía meses le daba vueltas en la cabeza. Detrás de la pista de la Hacienda Nápoles, a 15 minutos por trochas que bien podrían utilizar los "buques" —las Toyotas cuatro puertas robadas en Venezuela que se obtenían por 2 millones de pesos en el mercado negro en Colombia— existía una zona de monte menor que, con algunos días de trabajo, bien podría constituir una pista clandestina fabulosa.

El caserío o la población más cercana —explicó Evelio a Pablo Escobar— estaba distante de allí a 30 minutos o una hora por carretera. No existía un punto más perfecto para la recepción de los vuelos con base de coca que ingresaban por el llano desde el sur: Perú y Bolivia, ni respecto de los que debían ser despachados hacia el norte: México, Estados Unidos, Bahamas y Guatemala.

Con una infraestructura adecuada de laboratorios de procesamiento en alguna zona estratégicamente seleccionada, la pista podría constituir una veta fabulosa. Evelio abundó en otros argumentos y después simplemente dejó en manos de Pablo Escobar la decisión final: "Pablo, pensalo a ver...", le dijo.

En cuestión de unas semanas el plan de Evelio empezó a cristalizarse. Con maquinaria y "trabajadores" de Nápoles, Evelio se dedicó a limpiar el monte, y niveló el terreno hasta estar seguro de que constituiría una tierra suficientemente firme.

Al final, con el rótulo de Mamarrosa, remoquete por el que todos conocían a Evelio, la pista inició operaciones. En apariencia era un terreno desolado, pero no había tal. Representantes de Kiko Moncada, El Campeón y El Negro Galeano operaban allí, y un centenar de paramilitares asignado por El Mexicano, cuidaban de ella.

Evelio y su sobrino Héctor Barrientos —uno de los responsables del cuidado de la Hacienda Nápoles después de Miro— identificaron como "El corral" la cabecera nororiente de Mamarrosa y "El potrero" el otro extremo. Ello había permitido a capataces como el caldense Rodrigo Vanegas indicar a un piloto si estaba entrando por "El potrero", la cabecera, o por "El corral", cuando los pilotos se comunicaban desesperados: Oso 1 reportando a Mamarrosa.

Aunque Evelio y Héctor Barrientos hacían desde 1987 una fortuna con Mamarrosa, pero ninguno de los dos había vivido el tiempo necesario para disfrutar de aquella veta.

Rambo en persona...

El 22 de marzo de 1988, un hombre que afirmaba ser enviado por Fidel Castaño llegó a Jaraguay y ordenó que se alistara "la otra gente". Una nueva operación entró entonces en la fase de la verdad.

Rúa seleccionó a los graduados de Puerto Boyacá. Los mismos que desde finales de febrero habían estado exclusivamente dedicados al entrenamiento de los 45 primíparos llevados hasta las fincas de Castaño.

Finalmente, el jueves 31, a las 2 de la tarde, Arnulfo, Thomas, Ramón, Henry y Julián, recogieron sus cosas y salieron de Jaraguay en los dos camperos que a la postre se utilizarían en la "operación": un Toyota carpado azul y el Toyota carpado verde en que el 9 de abril regresaría Rúa a su base. En el campamento, en Jaraguay, nadie supo nada de ellos hasta el domingo en la noche cuando la radio anunció la masacre.

Guerra de carteles

El traficante J. Valencia tuvo que pagar cuatro millones de dólares por su libertad a El Negro Pabón. El secuestro, sin embargo, sólo convirtió el odio visceral y el enfrentamiento de El Negro Pabón con Piña, por el flirteo con su esposa, a la que él había decidido abandonar, en un infierno en el interior de la mafia.

Un Toyota con una potente carga de dinamita estalló a las 5:18 de la madrugada del miércoles 13 de enero de 1988, en el edificio Mónaco, cuya construcción en el exclusivo barrio Santa María de Los Ángeles, en El Poblado, Pablo Escobar había contratado a comienzos de los años 80 con el arquitecto antioqueño Diego Londoño White.

La explosión develó las enormes riquezas de Mónaco pero, sobre todo, desató de una vez y para siempre la guerra entre narcotraficantes de cocaína de Cali y Medellín. Una niña estuvo a punto de quedar sorda y un adolescente casi pierde la vida cuando el cielo raso del quinto piso se descuajó de plano y se le vino encima.

Tras el atentado a Mónaco, cargas de dinamita explotaron cada día de 1988 y hasta finales de 1989 en las sucursales de Drogas La Rebaja o en apartamentos en lujosas zonas del Valle y hasta en filiales de entidades bancarias, en las que presumiblemente se encontraban invertidas algunas de las fortunas de aquellos a quienes la DEA señalaba como máximos capos del narcotráfico en el Valle: José

Chepe Santacruz Londoño, Francisco Pacho Herrera y Gilberto y Miguel Rodríguez Orejuela. Estos últimos, los dos hermanos a los que la prestigiosa revista *Time* habría de terminar definiendo como "Los nuevos reyes de la cocaína".

Narcotraficantes del Valle buscaron insistentemente durante ese período hasta localizar a Gonzalo Rodríguez Gacha, El Mexicano, y le preguntaron sobre su posición en el conflicto: "México, ¿usted de qué lado está?" Él respondió que era neutral pero, en todo caso, recordó su alianza con Pablo Escobar Gaviria en la lucha contra la extradición. La respuesta de Gonzalo Rodríguez Gacha, El Mexicano, el *mafiosi* más importante después de Pablo Escobar, dio cierta tranquilidad a sectores diversos de la *honorata societá* en Cali, pero no detuvo la guerra.

Los contactos del cartel de Medellín en Nueva York acusaban a la organización de Francisco Pacho Herrera, de desplazarlos del mercado de narcóticos en Queens y otras zonas, y Pablo Escobar exigía desde agosto de 1988 la cabeza de quien era hijo de Benjamín Herrera Zuleta, el Papa Negro de la cocaína, encarcelado en Estados Unidos. Ante la negativa de algunos miembros de la mafia del Valle de acceder a tal solicitud, Pablo Escobar había decidido impulsar una nueva avanzada en la guerra.

Brances Muñoz Mosquera, Tyson, contactó entonces todo un ejército entre pistoleros y bandidos de La Estrella, en Antioquia, y encargó de coordinarlos a El Negro y a Mamey, este último, heredero de la plaza vacía que el asesinato de su hermano había dejado en el cartel.

Mamey y El Negro instalaron al grupo una noche de domingo en una finca en la vereda San Rafael, en Santander de Quilichao (Cauca). Estaban dotados con 11 fusiles R-15, 2 Galil, 4 Ruger, 2 AUG con mira telescópica, 4 subametralladoras Miniuzi, proveedores, granadas IM2 y uniformes camuflados del ejército y la policía.

Dos días después, en la tarde del martes siguiente, los terroristas oriundos de Antioquia salieron de allí a bordo de un furgón y tres vehículos. Tenían por destino Los Cocos, una hacienda de recreo de casi 50 hectáreas, propiedad de Francisco Pacho Herrera, que estaba ubicada en el corregimiento de El Cabuyal, en la vía entre los municipios de Candelaria y Puerto Tejada, 30 kilómetros al suroriente de Cali (Valle).

Tyson se encontraba seguro de que Herrera estaría allí, presenciando un partido de fútbol y la misión de El Negro y Mamey era secuestrarlo. Francisco Pacho Herrera financiaba un equipo de fútbol que él bautizó Los Panchos y que dirigía El Pitillo Valencia, ex futbolista profesional del Club América de Cali.

Esa noche del martes, Los Panchos jugaban contra otro equipo de Jamundí en la cancha de la hacienda Los Cocos, un campo reglamentario, iluminado por cuatro torres, bordeado por una pista atlética de tartán de seis carriles y dotado con una pequeña tribuna de sombra.

Había 60 invitados al encuentro. Tyson presumía que Gilberto Rodríguez y José Chepe Santacruz Londoño se encontraban entre ellos. Servían el bufet en bandejas de plata cuando se inició el tiroteo.

El furgón y los tres vehículos con los agentes del cartel de Medellín ingresaron raudos a través del portal principal tras un Trooper cuyo conductor gritaba:

—¡Vienen a matarnos a todos! ¡Me vienen siguiendo para matarme...!

Quizás en razón de aquella alerta, antes que El Negro y Mamey pudiesen llegar a Francisco Pacho Herrera, la escolta respondió a bala y, al final, 19 cadáveres quedaron tirados por el césped.

Al día siguiente, Gilberto Rodríguez Orejuela remitió una carta a las autoridades locales responsabilizando a Pablo Escobar Gaviria y a su organización de lo ocurrido. A su vez, la policía detuvo a tres de los involucrados en la masacre y, con ello, "la oficina" que el cartel de Medellín intentaba abrir en el Valle —al estilo de cuantas operaban en Bogotá— cayó para siempre.

Lo que siguió después fue una cadena interminable de muertes. Agentes de ambos bandos eran cruelmente torturados y aparecían baleados en la orilla de carreteras del Valle y Antioquia con letreros en el pecho y leyendas que, respectivamente, les señalaban como "sapo del cartel de Cali" y viceversa. La guerra que El Negro Pabón y Piña habían casado por la infidelidad de una mujer, la otra que se derivó del secuestro de J. Valencia y la que tuvo origen en la lucha por los mercados de Queens no habría de acabar ni siquiera cuando la vida de Pablo Escobar Gaviria llegase a su fin en diciembre de 1993.

"Maten a Mamarrosa"

No lo sabía, pero él, Héctor Barrientos, acababa de firmar su propia sentencia de muerte aquella mañana. Apareció poco antes de las once en La Mayoría y solicitó infructuosamente una entrevista inmediata con Pablo Escobar Gaviria.

—Pablo te manda a decir que va a ducharse y a desayunar y que luego pueden hablar —le dijo uno de los guardaespaldas de Escobar. La respuesta irritó a tal punto a Héctor Barrientos que decidió hacer guardia hasta ver al máximo capo aparecer en el comedor. Estaba en bluyín y camiseta y tenía consigo el periódico del día. Héctor Barrientos lo abordó sin éxito.

Pablo Escobar volvió a repetir el mensaje original y añadió un nuevo ingrediente:

—Mirá, voy a desayunar y *a leer la prensa* y en eso hablamos...

La segunda respuesta irritó aún más a Barrientos, al punto de que decidió soltar a bocajarro lo único que deseaba decirle a Pablo Escobar Gaviria.

—Mirá, es que quería ver si podías aumentarme el sueldo y decirte que tal vez no voy a poder trabajar para la hacienda sino la mitad de la semana.

Pablo Escobar guardó silencio y luego lo vio desaparecer. Héctor Barrientos tenía una cita en Medellín.

Desde que Evelio había entrado a operar Mamarrosa, Héctor Barrientos virtualmente había abandonado Nápoles y Pablo Escobar hacía un minucioso seguimiento de ello. Barrientos había empezado por viajar a Medellín cada domingo y retornar el lunes. Después, sus viajes se habían vuelto asunto de cada tercer día y luego —a medida que crecían las ganancias derivadas del arriendo de la pista— casi ocupaba tres días de la semana en la capital de Antioquia.

No era todo, según lo había verificado Pablo Escobar Gaviria. Héctor Barrientos tomaba parte del dinero que correspondía a la nómina de cada uno de los "trabajadores" en Nápoles y hasta había cobrado a la hacienda los arreglos de un vehículo que había accidentado al término de un *affaire* con una noviecita de turno.

Cuando exigió un aumento en el salario y una reducción a la mitad de la jornada de trabajo y Pablo Escobar decidió comunicar su respuesta final a Mario Alberto Castaño Molina, Chopo, Carlos Mario Alzate Urquijo, Arete, y John Jairo Velásquez Vásquez, Popeye.

—Mañana se van, alzan a Héctor Barrientos y lo matan, pero fuera de la hacienda. Hagan lo mismo con Evelio... —les dijo.

La Mejor Esquina

El escenario de lo horrendo había sido el caserío de La Mejor Esquina, corregimiento de Buenavista, muy cerca a Planeta Rica, Córdoba. Era Sábado Santo y en el pueblo todos acordaron celebrarlo con un buen jolgorio. Un campesino recio de 60 años de nombre Ruperto Martínez se encargó uno por uno de todos los pormenores para el fandango. No lo sabía pero, antes que la fiesta terminase, iba a ver morir baleados a muchos de sus primos y sobrinos. Personalmente telefoneó a una Casa de la Cultura del departamento y obtuvo por 70 mil pesos que la papayera tocara durante dos noches. Luego lo dispuso todo en su casa porque había tomado la decisión de prestarla para la fiesta. Invitó a otros parientes y seleccionó las gallinas y el cerdo porque, según estimó, el jolgorio iba para largo y, finalmente, ideó una carrera de caballos e invitó a participar en ella a ganaderos de la región.

El Sábado Santo, en la mañana, llegaron los primeros familiares de Ruperto Martínez. Unos animaron a otros que eran comerciantes de Maicao y hasta el que adelantaba estudios de ingeniería electrónica en la universidad y era el orgullo de la familia, viajó para las fiestas.

Al final, era tanta la gente que el jolgorio se organizó en la calle, en frente del patio de la casa de la familia Martínez. Bailaron y comieron durante la noche del Sábado Santo y el domingo asistieron a la carrera de caballos; pero a las nueve de la noche, de súbito, la muerte apareció.

Rúa y sus hombres descendieron de los jeeps y ordenaron a todos tirarse al suelo. La Mejor Esquina, en Córdoba, era un pueblo miserable sin central de teléfonos, ni acueducto adecuado, ni puesto de policía.

"Al suelo, hijueputas..." Después empezaron los disparos y las ráfagas cruzadas y sobrevino la muerte.

Arnulfo, Thomas, Ramón, Henry y Julián, se situaron en sitios estratégicos y tras cada nueva ráfaga reían sin descanso, habría de relatar el labriego José Llorente, que se puso a salvo de la masacre cuando los cuerpos sin vida de los Martínez, sus patrones, le cayeron encima. Los que salieron a correr desde el patio, la cocina, las habitaciones y la alacena que servía de dispensario de las gaseosas, fueron al instante presa de las balas. Los que surtían la tienda salieron y se botaron encima de los que se encontraban tirados en el piso y, en verdad, estuvieron a punto de sobrevivir.

No obstante, una voz volvió a tronar:

—¡Levántense todos..! —y entonces, aterrorizados, los que aún estaban ilesos empezaron a incorporarse y sin saberlo, sencillamente, se convirtieron en otro blanco de la muerte. Los disparos callaron a los 12 integrantes de la papayera Sudor y Banda, que don Ruperto Martínez consiguió por 70 mil pesos con la ayuda de la Casa de la Cultura del departamento y sembraron el terror y la muerte, en el caserío de viviendas de cemento y techos de paja.

Los asesinos estaban encapuchados. Ocho de los asistentes murieron en uno de los bohíos descubiertos de la parte trasera de la casa. Un niño de diez años, hijo de Leonardo Sierra, otro ciudadano de La Mejor Esquina, fue asesinado cuando, entre sollozos, intentó incorporarse y huir. El genocidio tomó 20 minutos al escuadrón de asesinos que tardaron otros diez en inscribir consignas según las cuales aquel era un fandango infestado de subversión...

Arrodillado suplicó por su vida

Evelio Mamarrosa Barrientos salió aquella mañana más temprano que de costumbre. Iba acompañado de su esposa. Arete, Popeye y Chopo se dirigían en ese instante hacia el primero de los tres retenes que antecedían el acceso a la casa principal. Héctor Barrientos, que de seguro vendría listo a inquirir a Pablo Escobar sobre el aumento de salario, no había vuelto en toda la noche. Lo esperaron a bordo de un Toyota cara de vaca.

No transcurrió mucho tiempo. Moreno, delgado y de 35 años, Héctor Barrientos apenas si tuvo tiempo de frenar el automóvil que conducía para evitar estrellarse contra el Toyota. Luego sólo sintió el cañón de un arma en la frente y escuchó cómo se abría la portezuela del auto. Sin mayor resistencia subió al campero. Vio cómo el vehículo salió de la hacienda y tomó la autopista. Sintió que el terror le estrangulaba la garganta cuando el jeep salió de la vía e irrumpió en Parcelas California. Tenía aún la leve esperanza de que

153

no fuese otra cosa que una lección o hasta de pronto un plagio pero vio cómo esa última perspectiva se desvanecía en segundos.

El Toyota se detuvo en un bosque solitario y Chopo, Arete y Popeye obligaron a Héctor Barrientos a descender en ese sitio. La víctima vio entonces con toda claridad el arma 7.65 que portaba Popeye. Héctor Barrientos, el hombre que era el segundo heredero de Mamarrosa, se arrodilló e intentó suplicar por su vida pero en ese instante tres disparos simultáneos le cortaron el aliento.

Apenas lo vieron caer ahogado en su propia sangre, Arete, Popeye y Chopo abordaron otra vez el Toyota, salieron de Parcelas California y volvieron a tomar la autopista Medellín-Bogotá.

No tenían que hacer indagaciones exhaustivas para ubicar pronto el paradero de Evelio, Mamarrosa, Barrientos. Él tenía desde hacía algún tiempo una oficina en Doradal. En realidad, era sólo un segundo piso, en una casa ordinaria. Lo había dotado con una escritorio, un par de asientos y un teléfono. La oficina estaba ubicada encima de la precaria sede de una empresa de buses de transporte intermunicipal y justo al lado de una pensión de mala muerte que no por ello, desde la puesta en operación de Mamarrosa, había dejado de estar a la orden del día y hasta el tope de clientes.

Decenas de "traqueteros" y de traficantes menores en el negocio de la cocaína, con sus laboratorios de procesamiento o con una participación incipiente en los predios instalados tras Parcelas California, se habían apostado allí. Al fin y al cabo, aquella pensión de mala muerte era mejor que el monte y la intemperie.

Arete, Popeye y Chopo vieron tres escoltas de Evelio Mamarrosa Barrientos, instalados frente a la pensión y los abordaron al instante. Ninguno opuso resistencia y los tres les hicieron entrega, en silencio, de sus armas. No tenían duda de que la orden de secuestrar o ejecutar a Mamarrosa, sólo podía provenir de Pablo Escobar Gaviria. Lo supieron en el instante mismo en el que identificaron semejante élite.

El viejo y su esposa estaban solos arriba. Entre asombrados y aterrorizados, Evelio y su mujer descendieron de la oficina sin murmurar y luego ascendieron al Toyota. El campero enrumbó hacia La Danta, entre Doradal y los cauces del río Claro. Cinco kilómetros adelante, Chopo ordenó a la esposa de Evelio, Mamarrosa, Barrientos, descender del campero. La policía halló los cadáveres de los dos Mamarrosa —Evelio y Héctor Barrientos— tres días después. Uno tras Parcelas California y otro en jurisdicción de La Danta.

Los gringos

Pese a haber abundado en razones, Pablo Escobar no logró durante la reunión de esa noche de mayo de 1988 en el refugio de Rionegro persuadir a Gonzalo Rodríguez Gacha, El Mexicano, Gerardo Kiko Moncada y Albeiro Areiza, El Campeón, sobre la conveniencia de poner en marcha el plan que había urdido entre las madrugadas de insomnio y los paseos de *Jetski* en el río Claro y que ahora les transmitía. Sin excepción, sus interlocutores coincidieron en que podría ser al extremo grave intentar el secuestro de 50 gringos aunque no terminaron por desechar la idea. Ubicarlos entrañaba un peligro inferior a retenerlos.

Como lo veían El Campeón, Kiko y hasta El Mexicano, lo que cada quien debía hacer era identificar y seguir permanentemente a 10 ciudadanos estadounidenses, eso sí, asegurándose de tener la capacidad suficiente para secuestrar a algunos de ellos en un lapso récord de 24 horas, contadas a partir del mismo instante en que se produjese la captura de cualquiera de los máximos narcotraficantes. Con la detención y extradición de Carlos Lehder Rivas a Estados Unidos, el gobierno había enviado una señal inequívoca a la mafia: ningún capo permanecería en Colombia por más de 24 horas después que se hiciera efectiva su captura.

Pablo Escobar aceptó el consenso de la mayoría en la cúpula del cartel, pero insistió en que las potenciales víctimas de plagio debían ser efectivamente ciudadanos estadounidenses y no cubanos nacionalizados u otros inmigrantes con residencia en Norteamérica. La siguiente fase con mayor énfasis en las deliberaciones del cónclave fue el compromiso común de evitar a toda costa que cualquiera de los ciudadanos estadounidenses pudiese morir durante el plagio. "Eso sí —coincidieron— sería como darles a los gringos las llaves para una invasión".

Ya bien avanzada la madrugada, El Mexicano entró entonces en el aspecto final: el cartel debía disponer de una "caleta" tan segura que no se pudiese llegar a ella sino por helicóptero. Una cárcel para rehenes en plena selva a la que sólo fuese posible acceder a partir de coordenadas. Los Extraditables eligieron esa noche las selvas del Chocó y decidieron que el diseño y la construcción estaría a cargo de un "trabajador" nativo de las selvas del Magdalena Medio, un hombre al que llamarían El Negro.

FUGA DE "EL BIZCOCHO"*

"Retire ese fusil, soldado"

Los dos vigías de turno aquella madrugada del 29 de marzo de 1988 en el condominio "El Bizcocho", en la parte alta de El Poblado, avistaron desde sus garitas los primeros piquetes de soldados y policías poco antes de las 5 de la mañana y de inmediato emprendieron carrera en busca de las casaquintas.

Los soldados saltaban en silencio, con los fusiles montados, de los camiones que por segunda vez, en menos de ocho días, volvían a traerlos a aquél que Pablo Escobar Gaviria había convertido en realidad en su cuartel general. El mismo en el que reunía una y otra vez a sus agentes terroristas y desde donde había impartido las órdenes de secuestrar al candidato a la Alcaldía de Bogotá, Andrés Pastrana Arango, y asesinar al procurador General de la Nación, Carlos Mauro Hoyos.

De hecho, este día Albeiro Areiza, El Campeón, y una docena de hombres de la élite terrorista del cartel —John Jairo Velásquez Vásquez, Popeye, John Jairo Arias Tascón, Pinina, El Negro Pabón; Luis Fernando Londoño Santamaría, El Trompón; Mario Alberto Castaño Molina, Chopo, y otros— dormían allí.

---

* **Marzo de 1988-noviembre de 1990**. En el tercer mes de 1988, el ejército detuvo a Popeye y a otros importantes agentes del cartel sin que oportunamente pudiese saber de quiénes se trataba. Escobar huyó de esa operación y se sumió en la clandestinidad.

Pablo Escobar creía que "El Bizcocho" sería un refugio seguro por algunos meses después del fallido allanamiento que ocho días antes —el 22 de marzo, también en la madrugada— había hecho la IV Brigada de Institutos Militares y en el cual apenas arrestaron durante unas horas a María Victoria Henao, La Tata, esposa de Escobar, a Pastora Henao Ballén, su cuñada, y a 23 empleados menores del condominio. Aquella operación se había iniciado en virtud de un anónimo según el cual "gentes extrañas —aparentemente una columna guerrillera— se desplazaban por la zona".

Ante la información, el comando de la IV Brigada ordenó una vasta búsqueda en el sector pero Pablo Escobar Gaviria recibió la noticia del operativo en gestación apenas los camiones del ejército dejaron la guarnición militar. Lo supo por boca del Capitán Cifuentes —en realidad un teniente coronel que tenía contacto con el Servicio Secreto de Inteligencia Militar B-2 en Medellín.

Al final, salvo por 80 cintas magnetofónicas, que ponían al descubierto la conexión entre el cartel y el Capitán Cifuentes y los nexos que con la mafia mantenían algunos otros ciudadanos influyentes, la operación no había sido una gran cosa.

Las patrullas militares volvieron a sus cuarteles con 37 camisas de finas telas extranjeras, 16 pantalones, 4 pares de zapatos, 10 chaquetas de piel y algunas sudaderas. Todas confeccionadas fuera del país. La Brigada dijo que Pablo Escobar Gaviria se voló en calzoncillos, pero no eran muchos los que habían tragado entera aquella historia. En cambio, un alud de protestas ciudadanas daban cuenta de atropellos y arbitrariedades de las tropas que durante cinco horas no habían permitido a nadie abandonar sus residencias en todo el sector de El Poblado. Hasta el ministro de Educación, Antonio Yepes Parra, el gobernador Fernando Panesso Serna y el gerente de Interconexión Eléctrica (ISA), Pedro Javier Soto Sierra, habían sido afectados.

El ministro, que viajaba rumbo al aeropuerto, no logró franquear a tiempo un retén militar; el gerente de ISA se vio detenido en un puesto de control a pesar de sus protestas y su identificación; el gobernador quedó atrapado entre una nube de vehículos cuyos conductores no acababan de explicarse el porqué del bloqueo de la avenida de Las Palmas.

Por todo ello, hasta la operación de esa mañana del 29 de marzo de 1988, Pablo Escobar Gaviria veía en "El Bizcocho" un refugio aún seguro. Con movimientos de cabeza y del brazo, oficiales de la IV Brigada de Institutos Militares indicaban a cada piquete la posición que debía tomar y ahora cientos de hombres con uniformes camuflados descendían monte abajo desde diversos puntos de la avenida de Las Palmas o ascendían desde la avenida de El Poblado.

Ninguno de los dos vigías se atrevió a hacer uso de su radio por temor de que las frecuencias estuviesen siendo rastreadas y entonces, efectivamente, por esa vía, se descubriera la presencia de Pablo Escobar en la zona.

Conscientes de que la sirena en predios de "El Bizcocho" los había delatado, los soldados estuvieron en pocos minutos casi frente a las garitas, la casa con techo de paja que era en realidad una especie de puesto de control y después ante las casaquintas. Empleados y cuidanderos salían sorprendidos y lentamente se iban instalando contra las paredes con las manos arriba y las piernas abiertas.

En bluyín, camiseta y zapatos tenis, Pablo Escobar, Albeiro Areiza, El Campeón; John Jairo Velásquez Vásquez, Popeye; John Jairo Arias Tascón, Pinina; El Negro Pabón; Luis Fernando Londoño Santamaría, El Trompón; Mario Alberto Castaño Molina, Chopo y los demás huían por entre la maleza, detrás de las casaquintas, amparados en sus armas, cuando se encontraron con el primer soldado.

Era un adolescente de piel trigueña con el cabello recién cortado y apareció como un ánima detrás de un matorral. Sorprendido ante tantos hombres armados, corrió el seguro del arma, lo apuntó hacia Pablo Escobar y le puso la boca del fusil en la mitad del pecho. Entonces, el jefe del cartel reaccionó:

159

—¡Baje su fusil, soldado! Somos del F-2 y estamos en el operativo. ¡Retírese! —dijo en tono enérgico el jefe del cartel de Medellín mientras registraba complacido el efecto de la orden.

El soldado se daba vuelta y se apartaba en ese instante en busca de un oficial que avanzaba hacia el grupo. Tenía la intención de consultar lo que acababa de oír pero ya Pablo Escobar, Albeiro Areiza, El Campeón; Pinina, Chopo y El Negro Pabón proseguían en su fuga en tanto Popeye, El Trompón y otros más empezaban a disparar sin poder escapar del cerco que se cerraba sobre ellos.

—Me dieron hermano, me dieron —le insistió Popeye a El Trompón.

"Armas bajo el lavadero"

Los interrogatorios en "El Bizcocho" —tras la operación de la madrugada del 29 de marzo de 1988, cuando como consecuencia del atentado al edificio Mónaco empezaba a despuntar la guerra entre mafias del narcotráfico— se prolongaron por más de ocho días. Los 31 capturados, sin excepción, se declararon simples campesinos y empleados del condominio. Popeye y El Trompón coincidieron ambos en ser sólo una pareja más de celadores, recién contratada y sin conocimiento alguno de que aquella fuese una propiedad de Pablo Escobar, el jefe del cartel de Medellín.

Por lo demás, aunque días después del asesinato del procurador General de la Nación, Carlos Mauro Hoyos, el general Jaime Ruiz Barrera había recibido de manos de un radioaficionado, una comunicación captada el día del crimen, el oficial no tenía aún elementos de juicio suficientes para establecer una relación entre la cinta y los detenidos en "El Bizcocho".

Después de escuchar la grabación, el comandante de la IV Brigada de Institutos Militares había concluido que alias Popeye era por lo menos uno de los agentes del cartel involucrado en el homicidio.

Con todo, para la primera semana de abril de 1988, era poco lo que el ejército, la policía y los jueces habían podido investigar respecto de la cinta misma y de aquel remoquete.

Consciente de ello, Popeye había pedido a sus abogados conseguir testigos que corroborasen su versión y la de El Trompón.

Fue así como, a pesar de la presencia del ejército en "El Bizcocho", pudo pasar por celador y evitar, por algún tiempo, que se supiese quién era realmente. No tuvo, durante ese lapso, otra preocupación que recuperarse de la herida. A las 5:30 de la mañana del 29 de marzo, cuando cubría la fuga de Pablo Escobar, El Campeón, El Negro Pabón, Pinina y los demás, una bala le había atravesado un músculo de la pierna izquierda. En ese momento le dijo a El Trompón: "Me dieron hermano, me dieron..." Sin embargo, la laceración no ameritó siquiera un traslado al hospital.

Aunque tras dos hallazgos que resultaron definitivos, el ejército había terminado por descubrir la farsa creada por Popeye y El Trompón, una falta de coordinación entre las autoridades había dado al traste con todo. Un día, mientras restregaba un pantalón de campaña en el lavadero, un soldado había descubierto bajo sus pies espuma y fragmentos de pasta dental. Buscando el origen, había divisado una separación anormal entre dos líneas de baldosín y había dado aviso de ello a sus superiores.

Dos oficiales hurgaron durante un largo rato y finalmente dieron con la conexión eléctrica que abría otra de las "caletas" que Chepe Volqueta había diseñado para Pablo Escobar. Ésta se hallaba en un espacio hueco del lavadero debajo de la losa de refregar.

En el interior, los soldados descubrieron 6 fusiles R-15, 10 proveedores para fusil y uno para subametralladora Miniuzi, 952 cartuchos de 9 milímetros, 547 para armas del tipo 7.62 por 56, un juego de esposas, un portacartuchos de cuero y dos radios de marca Yaetsu.

Lo descubierto permitió al general Jaime Ruiz Barrera obtener una orden judicial para trasladar a la cárcel de Bellavista a varios de los

161

31 capturados de "El Bizcocho". Entre ellos a Popeye y a El Trompón.

Más tarde el ejército había hallado una libreta de Pablo Escobar con una relación extensa de números de teléfono y en una de las hojas el alias Popeye. A partir del número de teléfono escrito al frente, el mismo día en que los detenidos en la operación de "El Bizcocho" cumplían cuatro en la cárcel de Bellavista, en razón del hallazgo de las armas, los oficiales de la IV Brigada de Institutos Militares habían ordenado un allanamiento que culminó a las 2:30 de la tarde en la casa de la progenitora de Popeye.

El general Jaime Ruiz Barrera acababa de descubrir quién era en realidad el sicario del cartel conectado con el crimen del procurador General de la Nación, Carlos Mauro Hoyos.

Absolutamente seguro de que Popeye era uno de los hombres capturados en "El Bizcocho" y que permanecía recluido en el penal de Bellavista, el comandante de la IV Brigada había ordenado una operación inmediata de traslado del recluso a la guarnición militar. Él mismo se había puesto al frente del asunto y a las 4:00 de la tarde sus oficiales habían ingresado en el presidio.

No lo sabía, pero hacía dos horas que un juez había librado la orden de libertad en favor Popeye y El Trompón.

Gracias a las gestiones del abogado, los responsables de atender la orden judicial en Bellavista le dieron trámite con una celeridad desacostumbrada. Popeye estaba en libertad, otra vez en la clandestinidad, desde las 3 de la tarde.

DESAPARECERÁN DE LA FAZ
DE LA TIERRA*

Encomienda fúnebre

Apenas descendió del vehículo, el conductor de la carroza fúnebre franqueó las puertas de vidrio controladas por fotocélulas, atravesó el corredor en el que se erigían los mostradores de las aerolíneas locales, ganó las escalas eléctricas y, en segundos, estuvo frente a la Oficina de Carga en el Aeropuerto Internacional Olaya Herrera de la ciudad de Medellín. Después, sin protocolos, exhibió la proforma que lo autorizaba a retirar la encomienda y aguardó hasta que el oficinista cotejó las guías de carga, estampó la firma e imprimió los sellos de rigor. Había llegado justo a tiempo. Un avión de línea, con los restos de Zalberth Obando Posada a bordo, decolaba puntual a las 11:15 de la mañana de ese jueves 22 de junio de 1989.

Su "encomienda" era la víctima número dos de un sangriento episodio en un lujoso edificio de apartamentos en Bogotá. Los dolientes —que tenían más de una razón poderosa y dramática para

* **Febrero-agosto de 1989.** El enclave más sangriento que el cartel de Medellín instaló en Bogotá empezó a operar en 1989. Sergio Alfonso Ramírez Ortiz, Pájaro, Juan Carlos Ospina Álvarez, Enchufe, y sus agentes ejecutaron crímenes siniestros ordenados por la mafia. Se iniciaron tras una reunión en que Pablo Escobar y Gonzalo Rodríguez Gacha, El Mexicano, les ofrecieron 150 y 50 millones de pesos, respectivamente, si asesinaban al magistrado Carlos Ernesto Valencia antes que éste profiriera auto de detención en contra de El Mexicano. En Medellín, entre tanto, Albeiro Areiza, El Campeón, exterminaba inocentes en su cacería contra la red de narcotraficantes de Betto y Elkin Cano, El Cabezón. Ambos, adeptos a la magia negra y los ritos satánicos. Roberto Escobar, a su turno, registraba pérdidas millonarias en su propia red de traficantes.

explicar su ausencia en la capital— apenas si habían tenido lucidez para ocuparse del asunto del cadáver.

Encargaron de las diligencias para retirar el cuerpo de la morgue y contratar el transporte aéreo a una firma discreta y oscura, cuyos libros de registro eran un mar de identidades de hombres con ocupación incierta. Cumplía un decenio inscrita en la Cámara de Comercio de Bogotá bajo la razón social de Funeraria Pérez, pero su única sede era un recinto del tamaño de una sala, con cuatro hileras de cajas mortuorias que se sostenían sobre marcos de hierro empotrados en las paredes. Una alfombra raída color verde pino, un escritorio de madera café oscuro, tres sillas de badana negra, un teléfono, un paquete de facturas hechas con papel reciclado, algunas tarjetas a nombre del responsable principal y un escaparate con sufragios de color gris y café, que incluían imágenes con el rostro de la Virgen María, el Señor en la Cruz y el Sagrado Corazón, complementaban la decoración del lugar.

Una mujer, que telefoneó desde Medellín a la Funeraria Pérez y se identificó como prima hermana de la víctima, explicó que el muerto era oriundo de El Águila (Valle) e hijo de cultivadores de café. Después, coordinó las cosas entre ambas funerarias. Ella no lo sabía, pero acababa de concertar otra cita con la muerte.

Hasta 200 millones por un magistrado

El automóvil en el que viajaban Sergio Alfonso Ramírez Ortiz, Pájaro y Juan Carlos Ospina Álvarez, Enchufe, franqueó el portal de la Hacienda Nápoles apenas pasadas las 11 de la mañana. Atendían con puntualidad la cita que John Jairo Arias Tascón, Pinina, les había fijado a través de la central de beeper. Pablo Escobar Gaviria deseaba verlos a ambos con urgencia.

Empezaba la segunda semana de junio de 1989. Pájaro y Enchufe descendieron de su vehículo y abordaron el Toyota rojo que los esperaba. Desde que el cartel alimentaba a diario su sangrienta escalada terrorista contra el gobierno, Pablo Escobar Gaviria y otros capos permanecían ocultos en haciendas y viviendas que constituían refugios clandestinos y que, a la sazón, los barones del tráfico de narcóticos preferían llamar sencillamente "sus caletas". La "caleta" de ese mes de junio de 1989 se encontraba exactamente a dos kilómetros de Nápoles, en un desvío, 10 minutos adentro del sitio en que se perdía de vista al restaurante Nebraska, situado sobre la vía Puerto Triunfo-Medellín.

Pájaro y Enchufe estuvieron en la finca en cuestión de 20 minutos, en medio del enjambre de guardaespaldas de Pablo Escobar Gaviria y Gonzalo Rodríguez Gacha, El Mexicano. Parecía una escena de película, pero era real. Un número grueso de hombres armados y con radios, sin incluirlos a ellos, Pájaro y Enchufe, se encontraban allí a la espera de instrucciones.

Tuvieron que esperar casi 30 minutos más hasta cuando, notificado de su presencia, Pablo Escobar Gaviria los hizo pasar a una habitación privada. El Mexicano entró tras Pájaro y Enchufe en el cuarto y, sin preámbulos, los barones del cartel abordaron el asunto que los ocupaba. Pablo Escobar fue el primero en hablar:

—Hay 150 millones por una "vuelta" en Bogotá, pero tiene que ser rapidito...

—Cincuenta millones más si lo hacen antes que el hombre actúe y dicte auto de detención en mi contra —interrumpió El Mexicano.

—Hay que cargarse —complementó Escobar— a un magistrado en Bogotá.

Después les entregó un papel doblado con su firma y los despidió.

Cada muerto a cuatro millones

La enorme puerta del garaje se cerró tras el vehículo escolta de Albeiro Areiza, El Campeón. Salvo por el vigilante y dos estibadores más, la bodega estaba virtualmente sola aquel mediodía del 22 de junio de 1989. Se alegró. No aspiraba que hubiese demasiados testigos de "la vuelta", el rótulo con el que el cartel de Medellín había identificado desde las órdenes de embarque de cocaína hasta el asesinato de jueces, ministros, magistrados y oficiales de policía e inclusive el secuestro de sus propios socios. La bodega estaba en la vía al cementerio Campos de Paz y a escasos kilómetros de los Centros de Atención Inmediata (CAI) de la policía. Jorge González tendría que ocuparse personalmente de ellos para cubrir la huida.

El primer CAI se erigía en plena glorieta de la Avenida Guayabal y el segundo, sobre la Avenida 80 con la 76, en frente de Sorrento, por La Mota, en Medellín. Ambos CAI tenían una peculiaridad: estaban equidistantes de las instalaciones de la Sección de Policía Judicial e Investigación (Sijín), la división de agentes secretos de la institución en la capital de Antioquia. Tanta proximidad entre policías representaba en los planes de El Campeón un riesgo enorme y por ello había pensado en Jorge González. Una vez en la oficina de despacho, en el fondo de la bodega, El Campeón abrió el maletín ejecutivo que había recogido en el banco, en la mañana de ese 22 de junio de 1989, y apartó varios fajos de billetes de 5.000 pesos. Después hizo un cálculo mental del sobrante y lo dejó completo dentro del maletín. Estaba dispuesto a pagar hasta cuatro millones de pesos por cada hombre muerto, eso sí, mayor de 20 años.

Roberto Escobar

"La oficina" de Roberto Escobar Gaviria estaba en una edificación contigua al expendio Jugo de las Ostras, situado un par de kilómetros antes del punto en que la carretera ponía a los viajeros en el último lindero de Medellín y el primero de Envigado.

Agustín Barbosa salía de allí esa mañana de febrero de 1989 después de reportar el primer descalabro en los 19 meses que su familia cumplía sirviendo en operaciones de narcóticos. Estaba realmente afligido. Operaba en la organización de Roberto Escobar Gaviria, con rango de comercializador de la cocaína en Miami, en calidad de heredero de la curul de Toño Barbosa, su padre.

El viejo se había iniciado el 13 de agosto de 1987, con la introducción a Estados Unidos de 50 kilos de cocaína pero con el tiempo se hizo a un lado para permitir que su hijo asumiera la parte que a él le correspondía en el tráfico ilícito de drogas. En realidad, una empresa criminal pujante que a instancias del ex ciclista Gonzalo Marín, Chalito, lograba situar la coca en Puerto Príncipe (Haití) y despacharla embutida entre tulas de correo, en vuelos de Eastern y otras aerolíneas, hacia el mercado estadounidense. De hecho, para finales de 1988, habían realizado 16 viajes y contrabandeado nueve toneladas. Barbosa percibía 10 por ciento sobre las millonarias ventas, entregaba otro tanto al contacto cubano en el Servicio de Aduanas estadounidense y extendía el resto a su Patrón, que no era propiamente un pez menor en el comercio de alucinógenos.

En realidad, aun sin el carisma, la resolución y la sangre fría de su hermano Pablo Escobar Gaviria o de su primo hermano Gustavo de Jesús Gaviria Rivero, Roberto Escobar Gaviria se había hecho efectivamente a una posición en el tráfico de los narcóticos.

No contaba con un fabuloso emporio, ni con el respeto de otros barones del tráfico de cocaína, más beligerantes y sangrientos que él, pero después de estar en la trastienda de un almacén de venta de bicicletas para nivel aficionado y profesional, que él bautizó Osito, Roberto Escobar había diseñado su propia infraestructura para el envío de toneladas de alucinógenos a Los Ángeles, la Florida y Nueva York. Seguía así los pasos de su hermano y de su primo en el tráfico de la cocaína y, aunque nadie podía atribuirle en estricto derecho un homicidio o una *vendetta* por cuenta del narcotráfico, no permitía que se extraviara un solo gramo de cocaína ni aceptaba la pérdida de un dólar. Era capaz de hacer que las operaciones de cobro llegasen hasta los extremos —inclusive de ordenar el secuestro de algún acreedor— pero también de obtener el resarcimiento de una cuenta sin apretar del gatillo.

Nacido en Rionegro, en enero 13 de 1947, Roberto Escobar Gaviria había vivido durante años en Manizales (Caldas) y se había hecho llamar por el remoquete de Osito, que al tiempo identificaba su lánguido negocio de bicicletas y sus confusas cruzadas en favor del ciclismo. Media docena de equipos y un número incierto de jóvenes que cifraban sus más caros sueños en la camiseta de líder de la Vuelta a Colombia y después el *Tour* de Francia, la Vuelta a España o la *Dauphiné Liberé*, debían a él su patrocinio. Bicicletas Osito era, de alguna forma, un primer escalón en el camino hacia las metas de los adolescentes beneficiarios y esa generosidad le había granjeado a Roberto Escobar una imagen de hombre honesto y ajeno a las ilícitas actividades y a los crímenes que la Drugs Enforcement Administration (DEA) y la policía colombiana atribuían a Pablo Escobar y a Gustavo de Jesús Gaviria.

Sin embargo, las cosas habían empezado a cambiar radicalmente tanto para él como para muchos otros traficantes y satélites del cartel, a partir de 1984 después que el cónclave más poderoso y temerario de la mafia había ordenado asesinar al ministro de Justicia, Rodrigo Lara Bonilla y el gobierno del presidente Belisario Betancur había restablecido la extradición y apuntado con belicosidad los recursos estatales contra la organización. La Nación debía a Lara la primera denuncia pública contra Pablo Escobar y otros jeques del tráfico de drogas y los señalamientos sobre la existencia de dineros calientes en el fútbol rentado. A estas acusaciones, la mafia había respondido con la exhibición pública de un cheque de un millón de pesos, girado por Evaristo Porras, un colombiano fugitivo de la justicia peruana que lo había buscado bajo cargos de narcotráfico.

Porras aparecía como un aportante a la campaña presidencial del candidato Luis Carlos Galán, líder liberal que había hecho de la lucha contra la corrupción y las prácticas clientelistas de los partidos tradicionales la espina dorsal de su campaña. La mafia había acusado

168

a Lara de recibir el cheque y de usarlo en su propio beneficio. Más tarde, sin embargo, al verificar el fracaso de sus acusaciones y el creciente impacto que las denuncias de Lara empezaban a tener en influyentes círculos sociales, los barones del tráfico de cocaína habían decidido asesinarlo: "Mira, Pablo, dale a ese h.p.", "Mira Pablo, por qué no se cargan a ese escandaloso..."

A la postre, pistoleros enviados desde Medellín se habían instalado en posadas diversas de la capital y, después de algunas semanas de seguimientos, en una fonda paisa, sobre la avenida 19, a escasas 15 calles de la sede del Ministerio de Justicia, en el centro de Bogotá, un escuadrón de casi 10 sicarios se había reunido a intercambiar la información. El Ronco —coordinador de "la vuelta"— los escuchó con atención y luego, sin inmutarse, dio instrucciones de actuar.

El crimen se consumó en la noche del 30 de abril de 1984. Un vehículo aparentemente averiado obligó al conductor del Mercedes Benz de Lara a detenerse poco antes de un semáforo y desde una motocicleta un par de sicarios, sólo uno de ellos mayor de 18 años, disparó varias ráfagas. El ministro, que debía salir al día siguiente hacia una embajada en Europa en razón del inminente peligro que corría su vida, murió en la sala de cirugía de una fundación clínica mientras su escolta detenía a uno de los sicarios y asistía al levantamiento del cadáver del otro, abatido tras una frenética cacería.

El homicidio de Lara se había constituido en la señal del desafío de la mafia contra el Estado y había originado las primeras avanzadas oficiales en contra de los narcotraficantes. Diecisiete de los cuales habrían de ser extraditados a Estados Unidos en los años siguientes. Los primeros cuatro, antes que finalizara 1984.

Con todo, tal y como lo entendía la cúpula del cartel, no era cuestión de cesar las actividades o dejar el tráfico ilegal de drogas. No. Nadie había pensado en ello. Era cuestión de sumirse en la clandestinidad y hacer de cada operación de envío de narcóticos una empresa realmente discreta.

La verdad, para hombres como Roberto Escobar, los grandes negocios de cocaína apenas estaban por empezar. De hecho, entre agosto de 1987 y diciembre de 1988, había enviado casi 10 toneladas de narcóticos a Estados Unidos y por eso, para febrero de 1989, cuando Agustín Barbosa se apareció en su oficina, contigua al negocio Jugo de las Ostras, lo único que decidió fue que alguien debía responder por el error cometido. A su modo de ver, estaba ante una pérdida millonaria.

El Patriarca de El Águila

Aunque difícil de creer por las circunstancias y el escenario en que se había registrado el violento deceso de Zalberth Obando Posada, la información telefónica que la misteriosa prima hermana de la víctima transmitió desde Medellín a los dependientes de la Funeraria Pérez, en Bogotá, estaba lejos de constituir una patraña. Unas míseras cargas de café propias al año constituían todo el patrimonio de los Obando y, de no ser por la asistencia económica que recibieron de sus parientes en la capital de Antioquia, sus ahorros hubiesen resultado excesivamente precarios para hacerse cargo a la vez del traslado del cuerpo y de los costos del sepelio.

Notificado de la muerte de Zalberth, don Alberto Obando Serna, su padre, se echó al bolsillo los pesos que tenía y otros más que pudo recoger y partió hacia Medellín con Alberto Obando Posada junior, su otro hijo. Decidió que ni Rosalba, la madre de Zalberth, ni los dos menores, podrían viajar con ellos porque, según sus cuentas, ya eran bastante altos los costos del velorio y más aún los de la cristiana sepultura.

Los dos Albertos viajaron solos, por carretera, a bordo de un bus de servicio intermunicipal en un recorrido de nueve horas que a ellos les pareció eterno. Primero fue un viaje desde El Águila hasta Cartago. Después desde Cartago hasta Pereira. De allí a La Virginia y Anserma Vieja y luego desde Riosucio y La Pintada hasta Medellín. De haber sabido el trágico destino que los esperaba, nunca hubieran deseado salir de aquella tierra. Pero ninguno tuvo tiempo de pensar en nada distinto de la muerte de Zalberth. Quienes los vieron partir del pueblo no pudieron menos que sentirse compungidos por el luto que les había tragado la mirada y por la palidez casi cadavérica de las mejillas.

Don Alberto iba angustiado y meditabundo, y su hijo con el rostro desencajado por la incertidumbre. Hacía años que no sabían nada de Zalberth pero, al fin y al cabo, era el hijo y el hermano y uno de los Obando, otro de la casta del viejo Lupercio Obando, El Patriarca.

Le decían así porque, a pesar de ser analfabeto, el viejo era un ejemplo de rectitud moral privada y pública y un labriego esforzado. Había llegado a poseer tres modestos predios cafeteros que bautizó como Montecristo y que, a la sazón, repartió en partes iguales entre los siete hijos de su primer matrimonio y los siete del segundo. Su honestidad y la piedad que hacía periódica a través de generosas donaciones a la iglesia local, eran un asunto sin tacha; si algo lo había llevado a la quiebra había sido la necesidad de asignar a cada quien lo que correspondía. Hizo una partición cuidadosa de 30 ó 35 hectáreas cafeteras pero entre 14 hijos el resultado fue una herencia individual precaria y tres predios pequeños convertidos en diminutas parcelas.

Para ese junio de 1989, don Lupercio casi agonizaba y por eso, antes de partir, Alberto Obando Serna, el padre de Zalberth Obando, determinó que El Patriarca no fuese enterado de lo ocurrido. La noticia sobre la muerte del nieto —concluyeron Alberto Serna y sus hermanos— sólo iba a provocar un dolor innecesario en el alma de El Patriarca y a recortar aún más el escaso tiempo de vida que le quedaba. Zalberth tenía apenas 24 años y el viejo no habría aceptado con facilidad ese abrupto corte de un fruto joven. Era preferible que muriera convencido de que su nieto recibía educación y se abría paso en la gran ciudad. Eso fue lo que Zalberth Obando prometió a su abuelo antes de abandonar El Águila y el trabajo en los cafetales.

En aquellos años aún don Lupercio se valía por sí mismo y se sentía tranquilo. La ruta que iba a seguir Zalberth era la misma que 10 años antes había recorrido parte de la familia de su nuera, doña Rosalba Posada. Como resultado de ese éxodo, los Posada vivían unos en el municipio caldense de La Tablaza y otros en La Estrella, en Antioquia. Lo que sabía don Lupercio era lo mismo que sabía la familia. El resto de la historia, esa que le había costado la vida, era el secreto de Zalberth Obando y la razón de la orden de exterminio contra los suyos. En La Estrella había irrumpido en los predios de los hombres *non sanctos* y, en razón de ello, había tenido que huir a Bogotá en un intento infructuoso por escapar de la muerte. De hecho, hasta su cadáver era sólo un señuelo en los siniestros planes de la mafia. Antes que con un dolor, don Lupercio Obando, El Patriarca tendría que convivir en las horas siguientes del 22 de junio de 1989, con cuatro.

Un enclave en Bogotá

Ese sábado 16 de junio de 1989, una vez en Bogotá y después de haber vuelto desde la "caleta" en donde recibieron directamente las instrucciones de boca de Pablo Escobar y Gonzalo Rodríguez Gacha, El Mexicano, Pájaro y Enchufe esperaban por Carreño, en la entrada de Unicentro, un centro comercial de almacenes por departamentos que por años había constituido uno de los atractivos más grandes del norte de Bogotá.

Él debía indicarles quién era el magistrado Carlos Ernesto Valencia. El hombre por el que Pablo Escobar Gaviria ofrecía 150 millones de pesos y Gonzalo Rodríguez Gacha, El Mexicano, 50 más, si "la vuelta" se hacía a tiempo.

Hasta ahora sólo tenían los viáticos: cinco millones de pesos que habían obtenido después de cambiar, en un lavadero de automóviles, situado a tres cuadras del Parque de Envigado, por la vía que conducía a la Loma del Chocho, la boleta que el propio Pablo Escobar les había entregado con instrucciones de presentarla a uno de los administradores de las "oficinas" clandestinas del cartel.

No era, en efecto, ni la primera ni la última misión. Pájaro y Enchufe constituían el enclave de terroristas y sicarios más importante y eficaz de cuantos había introducido silenciosa y pacientemente en la capital del país el cartel de Medellín. Habían iniciado su carrera en Bogotá en 1988, poco después que un sicario había puesto fin, en Medellín, a la vida de Fabián Tamayo, Chiruza, un jefe de sicarios al servicio de John Jairo Arias Tascón, Pinina.

Enterado de la muerte de Chiruza, Pinina, había hecho secuestrar a Pájaro, y después había citado a Enchufe y a Mario Grillo a Nápoles. En verdad, aún después de escuchar la versión de Pájaro, tenía la intención de asesinar a los tres, pero Pablo Escobar lo obligó a cambiar sus planes:

—Que suban los que estaban con Chiruza el día en que lo mataron y que expliquen...

Con la certidumbre de que a pesar de sus 27 años, Pinina era el más despiadado de los jefes de sicarios del cartel, Enchufe y Mario Grillo estuvieron por varias horas en Nápoles tragándose la muerte entre pecho y espalda. Se enfrentaban a un juicio.

Fue un interrogatorio en el que los tres terminaron por agradecer el que estuviera presente Pablo Escobar, y en el que abundaron las preguntas sobre las circunstancias en que había ocurrido lo de Chiruza.

Pinina se resistía a creer en las versiones según las cuales Chiruza, partícipe en los asesinatos del propietario de Joyerías Felipe, Rodrigo Murillo, y del traficante de los 600 millones de dólares, Pablo Correa, había sido asesinado frente a la portería del edificio en que residía, sólo por la ingenuidad de aceptar una cita de un desconocido.

A su juicio, un hombre como Chiruza sólo habría salido de su apartamento para atender a una persona próxima y ésta debía encontrarse entre Pájaro, Enchufe y Mario Grillo.

Con todo, después de la extenuante jornada de interrogantes y suspicacias de Pinina, Pájaro, Enchufe y Mario Grillo pudieron respirar con alivio.

Pablo Escobar deseaba abrir una "oficina" en Bogotá con gente que dispusiera de armas y "caletas" y todo cuanto pudiera requerirse para cualquier "vuelta".

Les fijó un sueldo de 200.000 pesos a cada uno, hizo llamar a Guillermo Zuluaga, Cuchilla o Pasarela y le ordenó que les entregase un *chiffonier* con siete fusiles R-15, cinco Uzis con silenciador, diez pistolas nueve milímetros también con silenciador y munición. Además de dinero suficiente para adquirir uniformes de ejército, policía y tránsito y los brazaletes correspondientes a cada institución. Luego, directamente, Pablo Escobar los puso al tanto de algunas reglas de oro: cómo comportarse en Bogotá, cómo vestir, qué decir a los curiosos y otros consejos más.

Fue así como Pájaro, Enchufe y Mario Grillo terminaron instalados en la capital. Antes de finalizar 1988, sin que ninguna agencia oficial o ciudadano en Bogotá se percatara de ello, rentaron el apartamento 201 en el edificio Confagla, sobre la calle 116 con carrera 12, junto a la sede del banco Anglocolombiano, en una zona de viviendas de familias adineradas del norte de Bogotá.

Gracias a un anuncio que apareció en el periódico, Enchufe llegó hasta la propietaria del apartamento, en una galería de libros del centro comercial Centro 93. Él —que vestía de paño y corbata— se presentó como Isaac Usme Cataño y le explicó que, a pesar de los costos, estaba en capacidad de alquilar un apartamento en un sitio respetable de la ciudad. Podía hacerlo porque otros dos amigos suyos también se encontraban en Bogotá pendientes de estudios de especialización. De hecho, ese día, interesados en la consecución de la vivienda, ellos lo acompañaban: Pájaro y Mario Grillo. Luego suscribieron el contrato de alquiler del apartamento que habrían de mantener arrendado hasta finalizar 1991 y cancelaron varios meses por adelantado.

El siguiente paso fue la adquisición de una casa entre la calle 127 y el Centro Comercial Unicentro, en una avenida de ascenso desde la Autopista Norte de la ciudad.

Más tarde, a través de un contacto de Gonzalo Rodríguez Gacha, El Mexicano, un hombre alto, corpulento y de tez morena, que se presentaba a sí mismo como corresponsal de guerra y se hacía llamar Carreño, Enchufe había podido empezar a adquirir uniformes y brazaletes de las diversas instituciones del Estado.

Carreño decía ser colaborador de varias cadenas de radio y de un periódico. Amparado en esa fachada servía a los confusos intereses de los ejércitos paramilitares constituidos por El Mexicano en Puerto Boyacá y el Magdalena Medio.

La realidad era que afirmaba tener más de un contacto, eso sí, en razón de su profesión, y que había terminado llevando a Enchufe hasta los hombres que comerciaban en el mercado negro con uniformes, brazaletes y otros distintivos —inclusive carnés personales— de casi todas las instituciones del Estado. Aquello era lo ínfimo. Valido de un carné, Carreño habría de entregar al cartel inclusive a uno de los más conocidos periodistas del país.

Ritos satánicos

Una y otra vez, desde la bodega, Albeiro Areiza, El Campeón, intentó comunicarse con los pistoleros que había enviado a Bogotá, pero no obtuvo respuesta. Hurgó entonces entre sus papeles, identificó el número de beeper de Arete, telefoneó a la central y pidió al recepcionista que transmitiese un mensaje.

Tenía autorización directa de Pablo Escobar Gaviria, para borrar de la faz de la tierra cualquier rastro de la red de los Cano: sus ex socios, Betto Cano y Elkin Cano, El Cabezón. Cumplía ya un año en esta tarea para esa tarde del 22 de junio de 1989 y, sin embargo, antes que ceder, el odio de El Campeón por los traidores crecía día tras día.

Todo empezó un día de mayo de 1988 en que Elkin, El Cabezón, se apareció con una infausta noticia: quinientos kilos, media tonelada de cocaína, habían sido hurtados de la bodega. Explicó a El Campeón que los ladrones irrumpieron a sangre y fuego y asesinaron a los dos "caleteros", entre ellos el vigilante de apellido Echeverri, pariente de Monster. Este último, un hombre oriundo de Chinchiná, era el químico y el "cocinero" de El Campeón en los laboratorios de procesamiento de base de coca en Puerto Triunfo. Más por una petición de Monster que por la cocaína en sí —su negocio movía cada año más de 10 toneladas de alcaloides— El Campeón convino en realizar una investigación de lo ocurrido. Después de algunas semanas, sin que pudiese explicarse aquella inescrupulosa ambición, verificó que los resultados de sus indagaciones no podían ser peores: eran los Cano quienes se habían apoderado de la cocaína y asesinado al pariente de Monster, en un fallido intento por encubrir el robo.

Lo sorprendió la confabulación, pero con el tiempo se dijo que no hubiese podido esperar nada distinto de aquellos que mezclaban al "negocio" toda suerte de macabros ritos y fetiches satánicos. Supo desde siempre que los Cano celebraban cada embarque "coronado" en Estados Unidos sacrificando gatos y otros animales y, algunas veces hasta asesinando niñas, en una cueva de su finca, entre El Retiro y Rionegro, pero por varios años consideró que este no era asunto suyo.

De hecho, Betto y su hermano Elkin Cano, El Cabezón, no eran los únicos que lo hacían. El Campeón había oído hablar a Gonzalo Rodríguez Gacha, El Mexicano, sobre las extravagantes prácticas de Camilo Zapata y estaba seguro de que Pablo Escobar también las conocía.

Ex jefe de una organización de delincuentes que en sus comienzos, en los setenta, hurtó vehículos en Colombia, Camilo Zapata no sólo había hecho sacrificios de niños pequeños y recién nacidos sino que había desarrollado un culto siniestro por todo ello. Utilizaba una residencia en el norte de Bogotá, en el sector de San José de Bavaria. Era una mansión de 14 habitaciones y 3 garajes que se abrían uno después de otro, como si se tratase del pasillo de un presidio de alta seguridad estadounidense. Durante años, una vez cada tres meses, Camilo Zapata se había encerrado allí para efectuar los ritos que le imponían un grupo de haitianos y vudús importado por él. Convirtió un cuarto de la primera planta de la casa en un santuario de lo horrendo cuando se opuso a que lavasen la sangre seca de sus víctimas y, en cambio, cuidó de que fuese quedando capa sobre capa después de cada nuevo sacrificio e hizo cubrir los bordes con pólvora que ardía muchas horas de cada día en virtud de una mezcla de ACPM y gasolina.

Con el tiempo, se acostumbró a beber de la sangre de los inocentes degollados, cuya edad dependía del embarque y la fortuna que esperaba obtener. Luego hizo retirar todos los espejos de los baños y los tocadores de la vivienda y se limitó a explicar a los más próximos que ello era la consecuencia de su pacto con el demonio.

—Mira, yo hice pacto con el diablo porque él a mí me lo ha dado todo, todo lo que he querido. Y me lo va a dar todo, pero lo que no puedo hacer es mirarme al espejo porque ya no soy yo sino el demonio...

Zapata se había hecho famoso por la adquisición del Castillo Marroquín, una réplica de los castillos europeos, construido a la salida norte de Bogotá, que él compró a unas solteronas venezolanas. Con todo, lo cierto era que había convertido su vida en una orgía y no sólo en razón del consumo de narcóticos y de los millonarios contratos que hacía con cazadores de beldades universitarias acostumbradas a las disco *in* de la ciudad y eventualmente dispuestas a participar de prolongadas fiestas privadas, sino en virtud de la paulatina descomposición que traducían algunas de sus aficiones. Contrataba con regularidad espectáculos privados que involucraban a hombres y mujeres adolescentes y a negros fornidos en escenas sexuales de todo orden y un día igual era capaz de cubrir con kleenex los bordes de la cubierta de una taza de baño, en un restaurante de la carretera, antes de que una vieja amiga suya lo utilizara, que de asesinar a un socio, en frente de la cónyuge, después de escuchar de algún vudú:

—Esa persona no convenirle a usted y poder llegar a ser más o a traicionarlo...

Había más. Camilo Zapata mantenía en el Castillo Marroquín cristos sumergidos en pócimas extrañas. Contrastaban con cuartos dotados de camas de los siglos XVI, XVIII y XIX y con litografías francesas, gobelinos y lienzos como "Una insurrección flamenca", de Charles Hofbauer, primer premio en la exposición Salón de París de 1902.

Con todo, tal y como lo entendía El Campeón, un asunto eran las macabras prácticas haitianas de los Cano y Zapata, y otro bien distinto el robo de la cocaína y la traición. Fue eso lo que le explicó a Pablo Escobar antes de obtener su aquiescencia y dar comienzo a la sangría en la red de los Cano.

Encomendó la primera "vuelta" a Mario Alberto Castaño Molina, Chopo y a Rubén Londoño, La Yuca, este último, un veterano del escuadrón del cartel que tomó parte en el asesinato del ex ministro Rodrigo Lara Bonilla.

Una mañana de finales de 1987 un jeep se cerró sobre el Mercedes 280 blanco de Betto Cano. Los únicos testigos vieron descender del campero a un hombre bajo y moreno. Chopo descargó una ráfaga cerrada, se devolvió sobre sus pasos y desapareció.

El Mercedes blanco 280, con el cuerpo inerte de Betto Cano en su interior, quedó atravesado en el cruce de la transversal inferior con la avenida hacia el Club Campestre en la capital de Antioquia. Este crimen fue, sin embargo, apenas el comienzo. Más tarde, El Campeón hizo interceptar los teléfonos de cuantos él creía servían a los Cano hasta que su contacto en la telefónica de Medellín obtuvo lo que él esperaba: tenía en sus manos la vida del jefe de comunicaciones y el contador de los Cano.

Una discreta organización

La noticia que Agustín Barbosa tuvo que transmitir a Roberto Escobar Gaviria esa mañana de febrero de 1989, en la oficina contigua a Jugo de las Ostras, en el punto límite de la carretera entre Medellín y Envigado, no era para nada alentadora. Sin embargo, durante su viaje desde Miami, Barbosa había tenido la esperanza de poder explicar lo ocurrido y de obtener la comprensión de su Patrón. Un millón de dólares en efectivo, producto de la venta de un grueso cargamento despachado desde Cali hacia Puerto Príncipe y de allí hacia Miami, aprovechando la congestión de vuelos de cada domingo, había desaparecido como por arte de magia. Era el primer error en 19 meses y, en ningún caso su responsabilidad, pero la frialdad de la decisión que adoptó Roberto Escobar disuadió a Agustín Barbosa de acatarlo en todo y no sólo en razón de la amenaza velada que inspiraba la sombra de Pablo Escobar, sino porque también Roberto tenía una organización significativa.

Desde el asesinato del ministro de Justicia, Rodrigo Lara, y el inequívoco mensaje que dejó la alocución del presidente Belisario Betancur, en mayo de 1984, sobre el restablecimiento efectivo e inmediato de la extradición, Roberto Escobar Gaviria abandonó para siempre su puesto en la trastienda de bicicletas Osito. Transformó su alias en García y, sobre todo, empezó a cuidar, como nunca antes, de que su organización fuese al extremo discreta pero eso sí, definitivamente, rentable y operativa.

No le resultó un asunto difícil: John Jairo Calle, Toto Calle; Gonzalo Marín, Chalito; Mauricio Orozco, Chicho; los Barbosa y hasta El Tiburón, que habría de terminar alcoholizado y ebrio muchas horas de cada día, eran realmente traficantes más que discretos. La suya era una red precavida y casi imperceptible.

Toto Calle bordeaba los 36 años de edad y tenía la tez oscura y el cabello crespo y castaño. Medía 1.75 de estatura y su apariencia era la de un atleta descuidado de complexión media. Hacía tiempo era ajeno a la vanidad y enemigo acérrimo de la ostentación y los escándalos. Tenía un apartamento en Bocagrande, Cartagena, y una propiedad en la Urbanización Dulcino, en el municipio de Gaira, cerca de El Rodadero, uno de los mayores complejos turísticos del país, en Santa Marta, departamento del Magdalena.

Estaba casado con una rubia hermosa y tenía dos hijos. No utilizaba armas ni escoltas y siempre evitaba los sitios exclusivos en los que los barones de la droga solían hacerse notar. Limitaba sus apariciones a ferias de pueblo o muestras equinas de menor categoría y, aunque nunca pudo imponer esa regla a su esposa, se había prohibido a sí mismo hasta utilizar autos de lujo. Cubría sus verdaderas actividades haciéndose pasar por ingeniero y asumía ese papel cuidando minuciosamente cada detalle. Había instalado una calcomanía de la Escuela de Administración, Finanzas y Tecnologías, Eafit, en su automóvil, un vehículo de bajo cilindraje, y adquirido un casco de los que usan los interventores de obras. Después optó por proveerse de un buen juego de planos de edificios en construcción en Medellín, y decidió que siempre habría de llevarlos consigo. En lo posible, en algún lugar a la vista dentro de su automóvil.

Consciente de que aquélla era una fachada endeble decidió, además, vestir como ingeniero y, sobre todo, expresarse con la idoneidad y el conocimiento de causa que podía tener cualquier graduado de la universidad. Toto Calle, en fin, sabía exactamente lo que hacía y era difícil adivinar sus jornadas extenuantes de negociación de narcóticos y la agudeza que él y Jorge García ponían en la consecución de una línea directa de importación de pasta de coca desde el sur de Bolivia y el Alto Huallaga en Perú.

Por lo demás, lo suyo no era sólo un asunto de introducir la cocaína a Colombia. Él y García también debían prever el refinamiento del alcaloide y su oportuna entrega a El Negro, en Los Ángeles y a los Meneses, en Nueva York.

El negocio habría de marchar hasta que, aprovechando una fianza y después de ser descubiertos con un cargamento de dos mil kilos de cocaína, los Meneses terminasen huyendo a Colombia.

A su turno —al igual que Toto Calle— Jorge García administraba, con discreción, en Medellín, a Muñoz y a Sierra y a otros proveedores que operaban en Antioquia y que, a instancias de Toto Calle, sostenían largas reuniones en un negocio rotulado con la razón social de Juegos y Parques. No era todo. Aún existían otros contactos en la organización directamente ligada a Roberto Escobar desde Haití y Guatemala hasta Estados Unidos y las Bahamas.

"Laceración por bala"

Los Posada de La Tablaza y los Posada de La Estrella, sorprendidos, presas del dolor y con una amarga sensación de responsabilidad en la boca, notificaron a los Obando de El Águila la trágica muerte de Zalberth y se pusieron al frente de las honras fúnebres. En realidad, lo único que conocían del insuceso era lo poco que un dependiente de la Funeraria Pérez, desde Bogotá, le había explicado telefónicamente a la prima hermana de Zalberth. La licencia de inhumación y el acta de necropsia atribuían el deceso a una "laceración cerebral por bala".

La familia de Zalberth Obando pudo verificar ese registro cuando el cadáver estuvo finalmente en Medellín y la Funeraria San Agustín aceptó ponerse al frente de la velación, las exequias y el sepelio. Eso sí, previa cancelación del costo de los trámites que incluían más complicaciones y detalles de los que la familia estimó originalmente. Tuvieron que pagar 3.000 pesos por la mortaja; 300 pesos por concepto de Impuesto al Valor Agregado; 12.000 pesos por la preparación del cadáver y los compuestos químicos que evitaban un rápido proceso de descomposición del cuerpo; 15.000 pesos como valor de la carroza fúnebre; 1.500 pesos por la misa de exequias; 45.000 pesos por el lote en que sería sepultado Zalberth Obando y 4.500 por los carteles murales que daban noticia de la muerte e invitaban a la cristiana sepultura. Esta última suma, según les explicaron, también cubría el libro de firmas y las tarjetas de recordatorio. Además, debieron pagar 6.000 pesos por la comisión protocolaria encargada del cadáver; 4.000 por el transporte de ese cortejo; 20.000 por cinco ramos florales y 20.000 por la sala de velación.

En virtud de la coordinación entre agencias funerarias, los Obando contaron con una privilegiada reserva: la sala de velación número 1, en el cementerio Campos de Paz, en Medellín. Privilegiada porque, durante los primeros seis meses de 1989, la violencia en la capital de Antioquia había hecho de los servicios funerarios una empresa tristemente pujante y competitiva.

En junio 30 de ese año, la Secretaría de Gobierno y el Concejo Municipal registraban un total 2.308 homicidios. En promedio, una víctima cada dos horas; aun cuando 8 de cada 10 muertes tenían lugar entre las 12 de la noche y las 6 de la madrugada. Las víctimas, que en 1987 se encontraban en promedio entre los 35 y los 40 años y que en 1988 estaban entre los 20 y los 25 años, eran ahora, en 1989, en su mayoría, adolescentes entre los 14 y los 19 años.

La policía había capturado, en ese primer semestre, a 2.280 personas con antecedentes criminales y había confiscado 4.679 armas, durante batidas que arrojaban un promedio de decomisos de 26 armas cada 24 horas. La administración había intentado, por su parte, reforzar los recursos oficiales contra el crimen y así, en el presupuesto, 200 millones fueron asignados a la policía; 82 más a la IV Brigada de Institutos Militares; 33 a la Secretaría de Tránsito y Transporte y

13 al Departamento Administrativo de Seguridad (DAS). A su vez, desde Bogotá, el gobierno desplazó periódicamente patrullas del Cuerpo Élite de la policía, embrión de un equipo especializado en la lucha contra el crimen organizado. Con todo, la ciudad seguía siendo asolada por una violencia frenética, compleja y, en ocasiones —así lo pondría en evidencia la historia de los Obando— demencial. En más de un caso, producto de esas *vendettas* de la mafia de las que Zalberth Obando Posada había intentado escapar infructuosamente.

Por orden de sus "patrones", Zalberth huyó a Bogotá en marzo de 1989 y se instaló en Los Cipreses, un edificio de apartamentos, en la transversal 15 número 118-03, en un exclusivo sector de la capital. Vivió por unos meses en una tierra de cementos dorados que, a pesar de sus escasos 120 metros cuadrados, valía casi lo mismo que las 35 hectáreas cafetaleras que su abuelo repartió entre 14 hijos.

El martes 20 de junio de 1989, sin embargo, a cuenta del odio visceral y las órdenes de la mafia en Medellín, la tranquilidad de Zalberth Obando y la de los suyos se quebró en forma súbita y sangrienta. Seis hombres armados irrumpieron esa mañana en Los Cipreses, ganaron las escaleras y los ascensores y avanzaron directamente hasta el apartamento de Zalberth Obando.

Los pistoleros abrieron fuego, destrozaron la puerta y continuaron disparando hasta asegurarse del resultado. Al lado del cadáver de Obando quedó el cuerpo de otro hombre, un individuo al que la policía identificó como Julio Agudelo. Era, como Zalberth, un agente veterano de los Cano. La misma pareja de hermanos cuya red estaba sentenciada al exterminio por decisión de Pablo Escobar Gaviria y de Albeiro Areiza, El Campeón.

"No en la Corte Suprema"

Los tres: Pájaro, Enchufe y Meneo estuvieron en la mañana del lunes 18 de junio de 1989, a la hora indicada, en la esquina de la Catedral

Primada, a 150 metros del Palacio Presidencial, en la Plaza de Bolívar, en el centro de Bogotá.

Pájaro y Enchufe buscaron a Meneo el mismo día en que, con instrucciones de asesinar al magistrado Carlos Ernesto Valencia, ambos salieron del refugio de Pablo Escobar a dos kilómetros de Nápoles y a diez minutos por el desvío desde el restaurante Nebraska. Después de un viaje de ocho horas a bordo de un Renault 9 color azul, de placas AT 6560, Pájaro y Enchufe instalaron con ellos a Meneo en el apartamento 201 del edificio Confagla, sobre la calle 116 con carrera 12, en el norte de Bogotá. Estaban solos en el apartamento del edificio de Confagla desde que Mario Grillo había decidido huir a Estados Unidos, aturdido por la magnitud de las misiones que les encomendaba Pablo Escobar. Meneo era, de algún modo, el remplazo de Mario Grillo y un criminal más avezado.

Carreño apareció hacia las ocho de la mañana en la esquina de la Catedral Primada. Juntos llevaron los vehículos, el Renault 9 Azul y un Renault 4 vino tinto, hasta un parqueadero de automóviles del centro de la ciudad y luego, a pie, avanzaron hasta un edificio viejo de ladrillo, en la calle 13 con carrera séptima. Esta era la sede del Tribunal Superior de Bogotá y de medio centenar de despachos judiciales, cuyos titulares sólo aspiraban llegar algún día a las Salas de Casación de la Corte Suprema de Justicia.

Pájaro, Enchufe y Meneo vieron estacionado frente a las puertas principales un Toyota verde de cabina blanca y analizaron a los tres guardaespaldas apostados junto al jeep. Más allá observaron otros piquetes de escoltas y policías que se dedicaban a la custodia del lugar. Aquel era un pequeño enjambre de agentes de seguridad.

Enchufe asignó responsabilidades y distribuyó los turnos de vigilancia después de las 12:30, cuando el magistrado Carlos Ernesto Valencia abandonó la sede y Carreño lo señaló.

La vigilancia —que habría de prolongarse casi por tres semanas— empezó desde una tienda de comestibles, en la esquina opuesta al edificio que servía de sede al Tribunal Superior de Bogotá.

Durante varios días, cada vez que el magistrado salió de sus oficinas, Pájaro o Enchufe o Meneo, según el turno, descendió veloz media cuadra, subió al Renault 9 azul o al R-4 vino tinto y se puso en marcha tras el campero.

Pronto terminaron por concluir, sin embrago, que "la vuelta" iba a llevarles más tiempo del que inicialmente habían estimado. Un día el vehículo oficial, con su escolta a bordo, tomaba la carrera séptima hacia el norte. Otro, la Avenida Jiménez hacia abajo o hacia arriba. Y otros, calles alternas con rumbo hacia la Avenida Eldorado.

Sin excepción, cada uno lo había perdido muchas veces mientras le seguía el rastro y, al cabo de unos días, lo único en que todos coincidían era en que éste pasaba largas jornadas en un edificio enorme y moderno, en la calle 27, sobre la carrera séptima.

Decidieron entonces hacer otra cita con Carreño, como siempre en Unicentro, y le explicaron cuanto ocurría. Estaban seguros de que el magistrado tenía una oficina en ese sitio, pero el hombre al que conocían como corresponsal de guerra despejó sus interrogantes. Aquella era, en realidad, la sede de la Corte Suprema de Justicia y, en consecuencia, según les dijo, un verdadero cuartel general de agentes secretos y de seguridad.

Si deseaban tener éxito sin correr mayores riesgos, en fin, les explicó Carreño, tendrían que continuar con los seguimientos desde el despacho del magistrado Valencia, en la sede del Tribunal Superior de Bogotá, en la calle 13 con carrera séptima.

Tras escucharlo, sin dudar un instante, Enchufe y Pájaro llegaron a una sola conclusión: era hora de conseguir una motocicleta...

Más de un crimen

En cuanto recibió en su beeper el mensaje de Albeiro Areiza, El Campeón, Arete respondió la llamada, encargó a Darío Usma, Memín, de conseguir a los demás y, poco antes de las seis de la tarde de ese 22 de junio de 1989, se puso en marcha hacia la bodega en la vía al cementerio Campos de Paz. Desde el inicio de la guerra entre Albeiro Areiza y los Cano, Arete prestaba servicio incondicional a El Campeón y atendía así, con eficacia excepcional, las instrucciones de Pablo Escobar Gaviria. Su triste récord era tal que en un solo día, una mañana y una tarde de julio de 1988, por aquellas cosas del destino, Arete había consumado dos crímenes.

Era un sábado antes del Día del Padre y Arete acababa de dar muerte a Enrique, una especie de jefe de comunicaciones de los Cano. De pronto, a bocajarro, cuando regresaba del escenario del homicidio, Arete vio al contador de Elkin Cano. Entonces, sin parar en mientes, ordenó al conductor del vehículo en que viajaba ir directamente hacia el automóvil del contador y cerrarse frente a él. Después insertó el proveedor en su Miniuzi y descorrió el seguro del arma. Lo demás ocurrió en forma similar a lo de Betto Cano. Una ráfaga mortal.

Satisfecho con los resultados, El Campeón se aseguró de que a esa cruenta jornada siguieran otras "vueltas". Asignó a Arete y a los suyos el asesinato de otro contador de los Cano identificado como Rodrigo Osorio y más tarde la muerte de otro hombre, al que sorprendieron a unos metros de la IV Brigada de Institutos Militares. Un desconocido, porque ni El Campeón ni Arete se preocuparon nunca por identificarlo y porque a ambos les bastaba con saber que era un agente de Elkin Cano, El Cabezón.

La siguiente víctima fue Mario Veloz. El Campeón estaba seguro de que éste no hacía otra cosa que pasar información valiosa a El Cabezón y así lo explicó a Arete. Le comunicó la dirección de la casa y los sitios que frecuentaba Mario Veloz y luego dejó que "Arete" se encargara. Éste citó, en la carrera 70, cerca al Pícolo de Medellín, a William Cárdenas Calle, Lenguas, y a Harby, dos de sus pistoleros, y luego les explicó lo que esperaba de ellos.

Una tarde, a bordo de una motocicleta, Lenguas y Harby interceptaron a Mario Veloz, quien murió como consecuencia de más de media docena de tiros en el cráneo. Por último, contaban tres infelices por cuya muerte El Campeón había pagado a Arete y a sus bandidos. Tres hombres respecto de los cuales sólo supo por las noticias que habían aparecido ahorcados. Sin embargo, nada de todo aquello podía equipararse a lo que El Campeón maquinaba para esa noche del jueves 22 de junio de 1989. Era el culmen de lo que su servicio de inteligencia había descubierto en un año de tediosas jornadas de seguimientos y de intercepción de teléfonos de los Cano y sus secuaces. Lo de esa noche iba a ser una verdadera masacre...

Las otras piezas de Roberto Escobar

La otras piezas claves en la organización de Roberto Escobar eran el ex entrenador de ciclismo Gonzalo Marín Marín, Chalito; el comerciante de autos Mauricio Orozco, Chicho, que operaba desde una oficina sobre la Avenida de San Diego y los Barbosa. Se cerraba así el círculo en la red de operadores directos de Roberto Escobar en el tráfico de la cocaína.

Roberto Escobar conocía a Chalito desde la aventura de bicicletas "Osito" y no tenía dudas sobre su discreción. Lo admiraba al punto de asignarle las diligencias más cruciales del negocio.

Chalito irrumpió en 1972 en el mundo del ciclismo y en diez oportunidades corrió la Vuelta a Colombia. Con los años, sus descensos suicidas se hicieron famosos porque muchas veces estuvieron a punto de costarle la vida. Con todo, ni siquiera eso lo devolvió por las vías de aquella gloria de 1973 cuando él se convirtió en el subcampeón del *Piccolo Giro d'Italia*. Más tarde empezó a trabajar con Roberto Escobar Gaviria y dio un viraje radical a sus actividades. De hecho, para 1987, el ex ciclista supervisaba los embarques que se hacían utilizando las aerolíneas privadas y, en más de una ocasión, viajaba directamente a Nueva York para asegurarse de los resultados.

Chicho también se caracterizaba por ser un hombre prudente. Tenía estudios universitarios y amparaba sus actividades en un comercio que, a la vez, era un taller de autos. Medía 1.82 de estatura, tenía ojos claros, cabellos rubios y casi la apariencia de un marino. El contrabando de drogas ya le había sacado algunas canas a pesar de que sus precauciones llegaban al punto de que jamás se permitía ni una joya ni un reloj costoso. Él administraba la ruta de El Palo. Ésta nunca había terminado por ser un lujo en la introducción de cocaína a Estados Unidos —en cualquier caso, los embarques siempre debían ser pequeños— pero sí era para el cartel una ruta segura.

Desde las costas de Guatemala, utilizando canoas y partiendo en grupos de tres para asegurar el reabastecimiento de combustible, Chicho hacía llegar cientos de kilos de cocaína hasta embarcaciones de turismo que, desde las costas de la Florida, previo contacto, salían al encuentro de los viajes de droga. Algunos oficiales corruptos en Guatemala consolidaron una fortuna a expensas de la ruta de El Palo, pero no era mucho lo que Chicho podía hacer a ese respecto. El soborno de autoridades en el tráfico de narcóticos era un costo fijo.

Finalmente, estaba Fáber o El Tiburón, un hombre delgado, de 1.65 de estatura, que coordinaba millonarias transacciones de lavado de dólares desde un lujoso apartamento en la urbanización Malusa, en El Poblado.

Roberto Escobar había utilizado esa infraestructura de consecución y envío de narcóticos hasta 1987, pero en julio de ese año, sin abandonar la veta original de su fortuna, había decidido ensanchar sus actividades, utilizando nuevas rutas y dos redes independientes. Entonces aparecieron los Barbosa. Empezó a gestar la primera ruta, junto con su hermano, Pablo Escobar Gaviria, y con Guillermo de J. Blandón Cardona. La segunda, con los Barbosa y, en todo caso, utilizando al ex ciclista Chalito como supervisor.

Los envíos se duplicaron, pero también empezaron los reveses en la infraestructura prevista por Roberto Escobar. Tras la pérdida del millón de dólares, que Agustín Barbosa tuvo que cancelar dólar tras dólar, el contacto cubano en el Servicio de Aduanas de Estados Unidos decidió desaparecer y ocultarse en Europa; el control sobre las rutas de Haití se vino al suelo y el cartel fue notificado del extravío de embarques y de pérdidas millonarias... Roberto Escobar habría de hacer que los Barbosa, inexorablemente, pagasen por ello.

"Frente a frente"

Aquél era el hotel más confortable y lujoso del Llano. Una obra de arquitectura moderna con restaurantes y piscinas diversas y salones de encuentros y convenciones.

Pájaro, Enchufe y Meneo, terminaban de llenar sus respectivos registros un poco antes de las once de la mañana del miércoles 5 de julio de 1989.

Habían partido a las siete, desde su apartamento en Confagla, en el norte de Bogotá, a bordo del Renault 9 azul y habían adquirido el diario local en la recepción misma del hotel.

Enchufe ubicó en segundos el aviso que buscaban. La dirección era de un taller y el propietario exigía 500 mil pesos por una motocicleta 175, Yamaha, gris y negra, Calimatic.

Entonces —en tanto se instalaban Meneo y Pájaro— Enchufe se dirigió a pie hasta el taller y negoció la motocicleta. Entregó 400 mil pesos en efectivo y aceptó con gusto una exigencia menor del propietario: el traspaso sólo se haría efectivo tras la cancelación del saldo. Al día siguiente, jueves 6 de julio, Meneo viajó en la motocicleta y Enchufe y Pájaro en el Renault 9, de regreso a Bogotá.

Con la motocicleta en su poder y persuadidos de que el asunto era cuestión de horas, por turnos, los tres reiniciaron en la segunda semana de julio los seguimientos sobre el magistrado Carlos Ernesto Valencia. Al margen de las prolongadas jornadas de vigilancia desde la tienda, en la esquina opuesta a la sede del Tribunal, lo único nuevo eran un pistolero que Meneo había hecho bajar desde Medellín y la motocicleta Yamaha Calimatic. El "trabajador" de Meneo era un hombre de 1.75 de estatura, flaco, moreno, de ojos negros y estaba cerca de los 25 años de edad. Según les había explicado, era del barrio Boston, en Medellín.

En cuanto a la Yamaha, Enchufe decidió que los vendedores ambulantes de la carrera séptima debían verla con frecuencia en el lugar, hasta acostumbrarse a ella. Se evitaba así —explicó— un aviso a la policía o al Departamento Administrativo de Seguridad (DAS). Les preocupaban las instrucciones de Pablo Escobar Gaviria: "Hay una 'vuelta' en Bogotá, pero hay que hacerla rapidito..."

Contra las previsiones de Enchufe, Pájaro, Meneo y su "trabajador", el magistrado Valencia y su escolta habían resultado ser un equipo impredecible, sigiloso y sagaz. Desde cuando adquirieron la motocicleta en Villavicencio —según Enchufe, a esas alturas el vendedor debía haber entablado una denuncia penal por estafa— siguieron infructuosamente al juez Valencia 14 días y por cinco rutas diferentes. Desistieron entonces del uso de la motocicleta y volvieron a los vehículos. Se encontraron con lo insospechado una tarde de primeros de agosto de 1989. Viajaban en el Renault 9 y seguían el jeep del magistrado Valencia, que tomó la Avenida Jiménez, después la Avenida Eldorado y entró en una calle cerrada. Enchufe y Pájaro creyeron que estaban finalmente frente a la residencia de su víctima y prosiguieron la marcha tras el Toyota. Sin embargo, el campero viró frente a un garaje y se devolvió. Sin duda, el chofer y la escolta se habían percatado de que los seguían. Enchufe y Pájaro no tuvieron oportunidad de regresarse y quedaron frente a frente con los escoltas y su víctima.

La conspiración

El caletero abrió el enorme portón café apenas escuchó el pito del Renault 21 blanco en el que viajaba Arete. Llegaba puntual después de contactar a Darío Usma, Memín*; ya éste le había confirmado que podrían contar con Mario Giraldo Henao, Pernicia; William Cárdenas Calle, Lenguas; Rodrigo Arturo Acosta, Rigo; Darío Urrego, El Pana y Harby.

La reunión entre Arete y El Campeón, en la bodega, sobre la vía al cementerio Campos de Paz, empezó poco antes de las seis de la tarde del 22 de junio de 1989.

El Campeón estaba apenas acompañado por Alexander, El Negro. Aunque no había mencionado el asunto en la conversación que sostuvo inicialmente con Arete, deseaba que El Negro los acompañara en "la vuelta".

Sobre el escritorio, Arete divisó tres subametralladoras Miniuzi y el maletín ejecutivo que El Campeón había recogido en la mañana de ese 22 de junio de 1989 en el banco. Calculando la hora de su reunión con Arete, El Campeón había hecho traer el pequeño arsenal desde una casa ubicada sobre la carrera 80 de Medellín.

—Voy a pagar hasta cuatro millones por cada hombre muerto, mayor de 20 años —dijo El Campeón, sin sobresaltos. Después calló, escudriñó en busca de una reacción de Arete y se decidió a proseguir cuando comprobó que no la habría. Empezó por explicar todo desde el comienzo. En la tercera semana de junio de 1989, el contacto de El Campeón en la telefónica había interceptado una llamada de extrema importancia.

Elkin Cano, El Cabezón, había telefoneado a una prendería en el sector de Belén, en Medellín. Era un establecimiento que llevaba por nombre El Diamante. Desde ese sitio, según lo explicó el empleado de la telefónica a El Campeón, se había hecho una segunda llamada, a Bogotá. Elkin Cano tenía dos hombres en la capital. "Encaletados".

---

* Compañero de pupitre y de aula de Carlos Mario Alzate Urquijo, Memín tenía casi el carácter de un secretario en la red de pistoleros de Arete. Habría de preservar esa posición hasta que, en el primer tercio de los noventa, Pablo Escobar lo acusara de traición y ordenara a Arete que dos pistoleros fueran hasta el lecho de Darío Usma y se hicieran cargo de ese escombro humano que había quedado paralítico tras un primer atentado.

Después de algunos días, un dependiente de la telefónica en Bogotá había suministrado la dirección a la cual aparecía asignado ese número de teléfono. Era una línea que pertenecía a Los Cipreses, un conjunto de apartamentos en la transversal 15 número 118-03, en un exclusivo sector de la capital del país.

—Mandé a Bogotá a algunos "muchachos" para que se ocuparan de los "encaletados" de El Cabezón, y el martes* ellos hicieron la vuelta, pero yo perdí luego contacto —dijo El Campeón a Arete y, a renglón seguido, le explicó lo que esperaba de él.

Por lo menos uno de los cadáveres de aquellos "pobres diablos", empleados de Elkin Cano, El Cabezón, había sido traído en la mañana, en un vuelo comercial, a Medellín. La Funeraria San Agustín estaba a cargo del asunto y tenía la reserva de la sala de velación número 1, en el cementerio Campos de Paz. Muchos otros agentes de Elkin Cano —explicó El Campeón, convencido de cuanto afirmaba— debían estar esta noche del jueves 22 de junio de 1989 en el velorio.

Después de aquella introducción, El Campeón tomó una hoja de papel y empezó a explicar su plan. La policía tenía uno de sus CAI en plena glorieta en la Avenida Guayabal y otro más sobre la Avenida 80 con la 76, frente a Sorrento, por La Mota, en Medellín.

Ambos CAI equidistaban de las instalaciones de la Sección de Investigación y Policía Judicial (Sijín), la división de agentes secretos de la institución en la capital de Antioquia. El Campeón era consciente de que tanta proximidad entre policías representaba un riesgo enorme. Sin embargo, el asunto estaba arreglado gracias a Jorge González.

Ni Arete ni sus hombres tendrían que preocuparse por ello. Inclusive podían utilizar "carros sanos"**.

---

* 20 de junio de 1989.
** No robados, pero adquiridos a nombres falsos.

Jorge González había transado por cinco millones de pesos a algunos policías de los CAI, argumentando: "Este es un asunto entre bandidos".

El Campeón confiaba a tal punto en esa transacción que estaba dispuesto a que Alexander, El Negro, acompañara en calidad de garantía a Arete y a los demás en "la vuelta". Por último, El Campeón explicó a Arete el detalle culminante: el señuelo era el cadáver de Zalberth Obando Posada, el agente de Elkin Cano que El Campeón había ordenado asesinar dos días antes en Bogotá.

"Ahí va a tener que llegar"

Apenas se vio frente a frente con el jeep en que viajaban el magistrado Carlos Ernesto Valencia y su escolta, Enchufe comprendió que los habían conducido a una trampa para verificar si ellos los seguían. Enchufe giró levemente el timón del Renault 9 hacia el lado izquierdo de la vía, pasó por el lado del campero, avanzó unos metros más y detuvo el vehículo frente a una de las casas de aquella calle cerrada.

Pájaro descendió del automóvil, fingió despedirse, se acercó a la puerta y oprimió el timbre. Enchufe volvió a poner el Renault 9 en marcha, siguió hasta el fondo de la calle, viró y avanzó como quien se propone abandonar la vía cerrada. Los escoltas del magistrado Valencia —que habían dado al conductor del jeep la orden de detenerse en la esquina de la bocacalle de salida, hasta verificar qué ocurría con el Renault 9 azul— le dieron la orden de continuar.

Enchufe vio desaparecer el jeep en la esquina, recogió nuevamente a Pájaro y ambos volvieron al apartamento de Confagla. Meneo y su "trabajador" los esperaban ahí. Enchufe hizo otra cita con Carreño en el Telecom de Unicentro y, junto con Pájaro, le explicó al periodista que era necesario obtener la dirección de la casa del magistrado Valencia. Estaban dispuestos inclusive a pagar por la

información a quien la suministrase en el Departamento Administrativo de Seguridad (DAS), agencia a la que pertenecían los escoltas.

Carreño replicó que aquella información no la poseía ni siquiera
el DAS y Enchufe adoptó entonces la decisión final. Esperarían al
magistrado en el cruce de la calle 13 con carrera 17, a una cuadra de
la Estación de la Sabana. Como resultado de varias semanas de
vigilancia, estaban al tanto de que el jeep, con el magistrado Valencia
y su escolta a bordo, franqueaba sin tropiezos los dos semáforos de
la Avenida Jiménez, entre las carreras séptima y décima, pero
indefectiblemente terminaba siempre represado en el que estaba
situado en la Estación de la Sabana. Él tendría que tomar esa ruta
cualquier día de la semana y lo demás era cuestión de señalar tareas
y esperar.

Pájaro se instaló en la esquina opuesta al edificio que servía de
sede al Tribunal Superior de Bogotá, en la carrera séptima y parqueó
su auto una cuadra abajo, casi sobre la octava. Desde un handy debía
dar el aviso sobre la salida del magistrado.

Enchufe se ubicó a unas cuadras de allí con la motocicleta adquirida en Villavicencio y con otro handy. Por último Meneo y su
"trabajador" se apostaron en el paradero de buses, en una tienda de
confites, junto a la Estación de la Sabana. Tenían dos subametralladoras Uzi calibre 9 milímetros, con silenciador.

Adoptaron esa rutina infructuosamente por varios días en que
Pájaro vio salir al magistrado, buscó el carro para ir tras el jeep y
tuvo que anunciar por el radio la cancelación del siniestro plan,
porque el campero tomaba la carrera séptima hacia el norte o seguía
hacia la avenida circunvalar.

Sin embargo, ello cambió el 16 de agosto de 1989. La escolta tomó
la Avenida Jiménez. Pájaro iba tras ella en el Renault 9 azul. Se dio
cuenta de que había llegado el momento cuando el Toyota franqueó
el primer semáforo, en la carrera séptima y siguió en busca de la
carrera décima. Tomó el handy y avisó a Enchufe, a Meneo y a su
"trabajador".

Enchufe encendió la motocicleta y se puso en marcha. Y Meneo y su "trabajador" cancelaron la cuenta y salieron de la venta de confites, frente a la Estación de la Sabana. Eran las 6:15 de la tarde del miércoles 16 de agosto de 1989. El magistrado Carlos Ernesto Valencia vivía los últimos 10 minutos de su existencia.

Nacido en un hogar de 13 hermanos, abogado de la Universidad Libre de Pereira y padre de tres hijos, el magistrado Carlos Ernesto Valencia —el hombre cuya suerte habían decidido Pablo Escobar y Gonzalo Rodríguez Gacha, El Mexicano— era en realidad un penalista aplicado y un estudioso de la compleja crisis del sistema judicial. Había iniciado su carrera en 1968, en un modesto juzgado de Santa Rosa de Cabal y con el tiempo había sido trasladado a Bogotá como fiscal Séptimo Superior.

Desde ese cargo se había hecho investigador del Instituto de Estudios Criminológicos que, por entonces, orientaba directamente el presidente de la Corte Suprema de Justicia, Alfonso Reyes Echandía, un jurista curtido cuyas providencias y textos de análisis habían inspirado a generaciones enteras de hombres y mujeres en las facultades de derecho de la Nación. Aunque para 1989 habían transcurrido cuatro años, desde cuando Reyes Echandía y otros 12 magistrados murieron calcinados en el holocausto del Palacio de Justicia, que propició el M-19 en noviembre de 1985, las menciones a los libros de texto del extinto presidente de la Corte seguían siendo un asunto obligado en los foros judiciales.

Una beca había terminado por dar al magistrado Valencia una oportunidad sin igual: cursar una especialización en derecho penal en Alemania. Más tarde, a su regreso a Colombia, había ocupado la dirección del Departamento de Ciencias Penales y encabezado el Consultorio Jurídico de la Universidad de Los Andes, que por entonces era la única cuyos títulos podían homologarse en Harvard u otros de los centros de educación superior más famosos de los

195

cinco continentes. Por último, desde 1986, se había hecho magistrado de la Sala Penal del Tribunal Superior de Bogotá y un día, en virtud de un reparto fortuito, los expedientes contra la mafia habían terminado en su despacho.

Debía estudiar densos cuadernos foliados —con toda suerte de declaraciones, peritazgos y fotografías— que constituían todo cuanto el Estado sabía hasta entonces sobre el origen y la responsabilidad en los crímenes de Guillermo Cano Isaza y Jaime Pardo Leal.

Sus antecesores, los tres jueces responsables de esos procesos, estaban amenazados en razón de sus decisiones y dos de ellos, Eduardo Triana y Consuelo Sánchez Durán, habían tenido que salir del país bajo protección gubernamental después de dictar auto de detención en contra de Pablo Escobar Gaviria en el caso Cano y contra Gonzalo Rodríguez Gacha, El Mexicano, en el de Pardo Leal.

Sin embargo, ni la "extradición" de esos y otros jueces había detenido a la mafia. Una mañana, Cuchi y Asdrúbal, el primero del barrio La Toma y el segundo del barrio Buenos Aires de Medellín, habían aparecido frente a la residencia del padre de una jueza, esperado a que saliera y disparado varias ráfagas mortales.

La misma estela se había extendido a los abogados de los familiares de las víctimas. Héctor Giraldo Gálvez, apoderado de los Cano, había sido baleado y Ciro Antonio Quiroz, designado por la viuda de Pardo Leal, había tenido que renunciar a llevar el caso por las graves amenazas contra su vida.

Todos estos antecedentes habían llevado al Estado a notificar al magistrado Valencia la decisión del gobierno de sacarlo del país y brindarle protección en el exterior, una vez produjese las medidas que el proceso de Guillermo Cano Isaza ameritara.

Cinco meses antes, el 14 de marzo, el magistrado Valencia había ratificado el llamamiento a juicio de Pablo Escobar Gaviria por el crimen del director de *El Espectador*. Valencia decidía, ahora, en agosto de 1989, la vinculación de El Mexicano y si algo explicaba sus asiduas visitas a la sede de la Corte Suprema de Justicia era la necesidad de hacer consultas sobre el caso.

Campos de Paz

Lo que sobrevino después de la reunión entre El Campeón y Arete fue el trágico final. Aquella noche del 22 de junio de 1989, el Renault 21 blanco franqueó las rejas de acceso a la zona de parqueo de los 240 metros cuadrados del camposanto y Arete y tres agentes del cartel bajaron del automóvil. Lo propio hicieron los demás, los que viajaban en el Mazda 626 azul oscuro. Pernicia descendió del Mazda y apuntó directo a la cabeza del vigilante de turno. Le quitó una escopeta y esperó. Lenguas detuvo el Mazda unos metros adelante y esperó en el automóvil con el motor encendido. Rigo, El Pana; Alexander, El Negro, y Harby irrumpieron en las salas de velación. Arete supervisaba.

Deudos diversos velaban a cuatro difuntos. El de la sala número 1 era Zalberth Obando Posada.

—¡Al suelo, hijueputas! ¡Al suelo malparidos! — gritó Rigo.

El reloj marcaba las 9:18 cuando las ráfagas lo cubrieron todo. Los gritos de terror, la angustia y el desconcierto se apoderaron del camposanto.

Nadie supo exactamente cuánto duró aquello pero cuando chillaron las llantas de los automóviles en fuga, seis cadáveres más y un número indeterminado de heridos quedaron en la sala de velación número 1, en la que permanecía el féretro con los restos de Zalberth Obando Posada, el muchacho de 24 años, nieto de El Patriarca de El Águila, que años antes había dibujado castillos de oro en la mente de su abuelo. Las ráfagas pusieron fin a la vida de don Alberto Obando Serna, de 54 años, y de Jaime Alberto Obando Posada, de 26 años. Los dos hombres campesinos que acababan de ingresar en la sala de velación y que durante los siguientes cinco minutos

197

—después de encontrarse con los ojos cerrados de Zalberth— no habían hecho otra cosa que llevarse las manos a la cabeza y ahogarse en un ¡Dios mío! ¡Dios mío! Respectivamente, padre y hermano de Zalberth. Los mismos que un día antes habían partido de El Águila, Valle, transidos por el dolor y llenos de incertidumbre.

Otra víctima fue un primo de los Obando, estudiante del Idem de La Tablaza (Caldas), identificado como Hebert Humberto Posada Carmona, de 17 años de edad. Un muerto más fue el conductor de taxi de nombre Hugo Burgos. Su cadáver quedó atravesado junto a la puerta de acceso a un patio interior de la sala de velación. Juan Cuberos y José Pérez Lopera, el primero, de 30 años, un estudiante de literatura de la Universidad de Antioquia y el segundo, un cajero bancario de 27 años, terminaron en centros asistenciales de Medellín.

El tiroteo fue de tal magnitud que las balas alcanzaron inclusive otros recintos de velación y en la sala número 3, donde algunos deudos rendían el último homenaje al cadáver de una mujer, resultó herida la estudiante Gloria Saldarriaga, de 20 años.

Por cuenta de la muerte del primo de Monster y de los 500 kilos de cocaína que en 1988 sus patrones, los Cano, hurtaron a Albeiro Areiza, El Campeón, Zalberth Obando, hijo de una familia pobre pero respetable de El Águila y nieto aventajado de El Patriarca, había condenado a los suyos al exterminio.

Embutidos entre dos cajones de madera sencillos, los cadáveres de don Alberto Obando Serna y su hijo Jaime Alberto Obando Posada, llegaron a El Águila en una sola carroza fúnebre cubierta de polvo y barro.

Muerte en el semáforo

El Toyota oficial de color verde y cabina blanca se detuvo frente al semáforo de la calle 13 con carrera 17. El magistrado Carlos Ernesto

Valencia viajaba en el puesto de adelante, al lado del conductor y sólo había un escolta en el asiento de atrás.

Pájaro vio cuando Enchufe rebasó el Renault 9 azul a bordo de la motocicleta y se acercó desenfundando una subametralladora.

Después, en el mismo instante en que el semáforo, frente a la Estación de la Sabana cambió a rojo, observó a Meneo y a su "trabajador" acercarse a pie y situarse, en plena vía, frente al costado derecho del Toyota. Llevaban las dos subametralladoras Uzi con silenciador.

El "trabajador" de Meneo apuntó directo al escolta que estaba en el asiento de atrás y abrió fuego; el magistrado Valencia se tiró al piso del vehículo. Meneo vio al conductor sacar su arma y empezar a disparar. Intentaba salir del Toyota pero tenía el pie izquierdo enredado en el pedal del acelerador.

Meneo abrió fuego también. La primera ráfaga hizo añicos el vidrio de la puerta derecha. Meneo introdujo después la ametralladora a través de los residuos de la ventana y apuntó al magistrado. Descargó una ráfaga y en segundos subió a la motocicleta que conducía Enchufe. Lo propio hizo su "trabajador".

El semáforo volvió a verde y la vía quedó despejada. A bordo del Renault 9 azul, Pájaro arrancó entre los primeros vehículos y pasó por el lado del campero oficial sin levantar sospechas. El conductor del Toyota —que había logrado botarse del jeep para luego incorporarse— disparaba en dirección a la motocicleta, pero era demasiado tarde.

Carlos Ernesto Valencia tenía 6 disparos en el cuerpo, dos de ellos le habían destrozado los pulmones y el hígado y las tres intervenciones quirúrgicas a que debió ser sometido en la Clínica San Pedro Claver del Instituto de los Seguros Sociales, ISS, no lograron salvarle la vida.

El magistrado Valencia falleció a las 7:45 de la noche, exactamente cuando la policía halló a 15 cuadras del sitio del atentado la motocicleta Yamaha OAV 16. La misma que Enchufe, Pájaro y Meneo habían negociado hacía varias semanas, por 400 mil pesos, en un taller de Villavicencio, seguros de que el estafado propietario jamás habría de hacer traspaso alguno y que la Yamaha seguiría así apareciendo a su nombre.

De hecho, desde las diez de la noche del miércoles 16 de agosto, patrullas de la policía secreta buscaban en la capital del Meta al propietario de aquella Yamaha 175, de color gris y negro.

BOMBA EN UN AVIÓN EN VUELO*

"Hay que borrar el edificio"

Ubicada en la confluencia de los ríos El Oro y Cocorná Sur, en el corregimiento de El Prodigio, en el Magdalena Medio, la "caleta" de El Oro reunía ahora al cónclave más poderoso de la mafia: Pablo Escobar Gaviria, Albeiro Areiza, El Campeón; Gonzalo Rodríguez Gacha, El Mexicano, y Gerardo Kiko Moncada. Era la tercera semana de julio de 1989.

En medio del más absoluto sigilo, Pablo Escobar Gaviria había hecho guiar hasta ese refugio a los barones más temerarios y sangrientos del tráfico internacional de cocaína. Los citaron en sitios diversos y después Carlos Mario Alzate Urquijo, Arete, y otros de sus agentes terroristas más cercanos los condujeron hasta El Cedro, una finca rodeada de árboles, incrustada entre el monte, con dos casas con techo de paja.

Desde cuando un año antes, en marzo de 1988, había tenido que huir de "El Bizcocho" atravesando El Poblado y después caminando por entre el monte, durante cinco horas, hasta Sabaneta (Antioquia),

---

* Después sobrevinieron el atentado, por equivocación, contra el gobernador de Antioquia, Antonio Roldán Betancur, y los asesinatos del coronel Valdemar Franklin Quintero y del periodista Jorge Enrique Pulido, y las reuniones en que la mafia diseñó su plan para atentar contra la sede del Departamento Administrativo de Seguridad (DAS) y su director, el general Miguel Alfredo Maza Márquez. En ese lapso se creó la Unidad de Inteligencia que interceptó las primeras comunicaciones de la mafia y que empezó a seguir el paso a los barones de la cocaína, que a la sazón ordenaban dinamitar la sede del diario *El Espectador* y el Hotel Hilton de Cartagena y destruir un avión en pleno vuelo.

Pablo Escobar Gaviria permanecía oculto en casas campestres en mitad de montes espesos.

La razón del concilio de la mafia esa noche era el fallido atentado dinamitero contra el Director del Departamento Administrativo de Seguridad (DAS), el general Miguel Alfredo Maza Márquez. Veterano jefe del servicio de inteligencia del F-2 de la Policía Nacional y conocido por su lucha contra el secuestro —su hoja de vida sumaba más de una medalla en ese frente— el general Miguel Alfredo Maza Márquez se había convertido desde su silla en la jefatura del DAS, en una de las piedras oficiales en el zapato de la infraestructura del cartel de Medellín.

No sólo había develado los nexos de Gonzalo Rodríguez Gacha, El Mexicano, y Pablo Escobar Gaviria con los crímenes de Jaime Pardo Leal y Guillermo Cano Isaza sino que, en razón de su cargo, era el responsable de las investigaciones contra los ejércitos privados de la mafia. Las organizaciones paramilitares inspiradas por Gonzalo Rodríguez Gacha y Fidel Castaño, Rambo, que se habían lanzado desde 1988 en pavorosos exterminios en veredas campesinas situadas en zonas de influencia guerrillera y que a la sazón sumaban un millar de asesinatos.

El atentado había tenido lugar en la mañana del 30 de mayo. Maza Márquez viajaba a su despacho acompañado por su escolta cuando un vehículo con 140 kilos de dinamita hizo explosión y lanzó a varios metros el Ford Lincoln blindado azul. La onda explosiva estalló las ruedas derechas del vehículo oficial y causó daños en el baúl y en los vidrios de cuatro centímetros de grosor.

El general y sus agentes de seguridad, sin embargo, resultaron ilesos pero siete peatones fallecieron víctimas del estallido y la bomba dejó un cráter de tres metros de profundidad en el andén del carril occidental, en la esquina de la carrera séptima con calle 56.

El general Miguel Alfredo Maza Márquez y otros altos mandos de la policía tenían la certidumbre de que la mafia había ordenado asesinarlo desde cuando se produjo la captura del capitán (r) del ejército Luis Javier Wanumen, una semana antes del atentado. En esa ocasión, el general Carlos Arturo Casadiego Torrado, subdirector general de la policía, había citado en su residencia a Maza Márquez y le había enseñado los documentos confiscados al misterioso capitán (r) del ejército.

Wanumen portaba, en el momento de la captura, papeles que hacían mención a presuntos enlaces de los traficantes del Valle en el gobierno y un documento que llevaba por título: "Informe al señor de las flores". Éste último era en realidad un análisis de diversas alternativas para la comisión de un atentado contra el director del DAS. Durante la rueda de prensa que dio el mismo día del atentado, Maza Márquez se refirió a aquellos documentos y simplemente dijo: "todo ha sucedido como si se tratara de un libreto".

Lo que hacía esa noche Gonzalo Rodríguez Gacha, El Mexicano, gestor del atentado, era explicar lo ocurrido a los narcotraficantes más poderosos del cartel de Medellín, al cónclave de la cocaína, sin dejar de insistir una y otra vez en que el asunto no debía quedar allí. El error —Pablo Escobar Gaviria, Albeiro Areiza, El Campeón y Gerardo Kiko Moncada seguían con atención las explicaciones de El Mexicano— estuvo en la carga de dinamita. A su modo de ver, los terroristas pagados para asesinar al general habían utilizado muy poca dinamita. Los 140 kilos de explosivos no eran suficientes para destruir el auto blindado. Por lo demás —en palabras de Gonzalo Rodríguez Gacha, El Mexicano— "el hombre tuvo mucha suerte".

Según le habían dicho a él, los terroristas que instalaron el carrobomba y que esperaron el paso del general Maza Márquez, el automóvil blindado había alcanzado a pasar frente a la carga unas milésimas de segundo antes de la explosión. Con todo, a su juicio, lo importante era planear una "vaina bien verraca".

Aquella noche, reunidos en la "caleta" de El Oro y después de varias horas de intercambiar ideas, los jeques de la cúpula de la mafia llegaron finalmente a una decisión: "Lo que hay que hacer es darle en la oficina porque es fácil saber cuándo está ahí y así le damos dos golpes de una vez al gobierno: al general y a la sede del DAS... Un atentado de verdad, con 10 toneladas de dinamita porque hay que borrar ese edificio". Arete debía encargarse de esa "vuelta".

El hombre al que la cúpula del cartel había elegido para consumar el atentado con 10 toneladas de dinamita contra la sede del Departamento Administrativo de Seguridad (DAS) y para asesinar al general Miguel Alfredo Maza Márquez, había irrumpido en el mundo de la mafia por cuenta de una gestión inocente de su progenitora.

Valida de sus nexos familiares —era prima hermana de Pablo Escobar Gaviria y de Gustavo de Jesús Gaviria Rivero— doña Catalina Urquijo Gaviria se había reunido con ellos un día de 1983 con el único fin de solicitarles un empleo para su hijo. Carlos Mario Alzate terminaba de prestar servicio en el Batallón de Policía Militar y, con ello, había cesado en su cargo como escolta del brigadier general Hernán Hurtado Vallejo, por entonces comandante de la IV Brigada de Institutos Militares.

Él hubiese deseado seguir estudios de biología marina —en realidad había indagado por ello y establecido que era un asunto de dos años en Bogotá y tres en Cartagena— pero ante la falta de recursos doña Catalina Urquijo Gaviria había creído más conveniente que su hijo empezara por conseguir un empleo y vio que existía una oportunidad en la fulgurante carrera del suplente a la Cámara Pablo Escobar, el promotor de Medellín sin Tugurios y Civismo en Marcha.

Arete era el tercero en una familia de cinco hijos —tres hombres y dos mujeres— que la viuda había levantado casi sola gracias a un modesto depósito de materiales para construcción, herencia de su marido.

Arete conocía a Pablo Escobar desde cuando él era apenas un niño y desde cuando el que habría de ser el jefe del cartel entraba en la adolescencia. Los suyos visitaban con alguna frecuencia a los Escobar en el barrio La Paz de Envigado o los Escobar los visitaban a ellos en su casa-bodega del barrio Boston.

El depósito era el único patrimonio de los Urquijo. Lo habían heredado de don Francisco Alzate, un hombre de Aranjuez que había llegado a ser miembro de OSDA, una obra social de apoyo comunitario. Él había empezado llevando materiales de construcción de aquí para allá en una zorra. Después había adquirido un lote y, con el tiempo, había establecido allí el depósito de materiales y construido tres plantas de la vivienda. Un día, sin embargo, la muerte lo sorprendió en un estadero. Dos pistoleros enviados por no se sabía quién, según le explicaron a los Alzate, se habían confundido de víctima.

Sin otra alternativa, doña Catalina Urquijo terminó por hacerse cargo del depósito y se dedicó con esmero a darles una educación tan académica como piadosa a sus hijos. De hecho, hasta cuando él le suplicó que lo retirase de allí, Arete había permanecido por más de un año internado con los seminaristas salesianos en La Ceja.

En aquel tiempo, ella viajaba cada ocho días, en el fin de semana, para visitar a su hijo o él regresaba a casa y ayudaba con las tareas del depósito.

Por muchas razones constituían una familia esforzada del barrio Boston y fue así hasta cuando Arete, se enroló en el Batallón de Policía Militar en Medellín y ella decidió después acudir a su primo, el político.

Quizás habría hecho lo mismo por su hijo mayor, Francisco, Pepe, su brazo derecho en el depósito, pero el destino había querido que en 1984 él muriera asfixiado dentro de un vehículo, víctima del monóxido de carbono de un sistema de desfogue dañado.

La verdad era que se había topado con un derrumbe enorme en la carretera y que sin otro remedio había decidido esperar y había encendido el motor del jeep para poner a operar el sistema de calefacción. Francisco, Pepe, Alzate Urquijo cerró las ventanas para garantizar que se conservara el calor y se quedó dormido. El monóxido producto de la combustión de la gasolina impidió que despertara.

Después de escuchar a su prima, en fin, Pablo Escobar no había tenido reparo alguno en emplear a Arete y pronto había terminado por convertirlo en uno de sus más próximos agentes. No sólo en el negocio de la cocaína, sino en la estrategia terrorista contra el gobierno. Por eso, desde cuando el cónclave lo eligió para atentar contra la sede del DAS, Arete se duplicó en media docena de citas y contactos en Medellín y Bogotá con Darío Usma, Memín; Germán Darío Posada, Carro Chocao; Eugenio León García, Lucho; Gonzalo Marín, Chalito, y Guillermo Alonso Gómez Hincapié. Inclusive había estado atento a las gestiones para la consecución de un suicida.

"El coronel ha muerto..."

Valdemar Franklin Quintero se había convertido en Colombia, hacia el interior de la policía —sin que hubiese podido evitarlo ningún jefe de Estado, ministro o alto rango de las Fuerzas Armadas— en una especie de caso Kiko Camarena, el agente estadounidense que había infiltrado la mafia y había terminado asesinado por narcotraficantes mexicanos.

Oficial con 34 años al servicio de la policía, Valdemar Franklin Quintero había sumado 17 condecoraciones y 54 felicitaciones en su hoja de vida; desde su cargo como comandante de la policía en Antioquia se había puesto al frente de acciones diversas contra los traficantes de cocaína.

Era el artífice de la "Operación San Luis", en cercanías de Las Mercedes y Nápoles. Cinco laboratorios de procesamiento habían caído después de un intenso enfrentamiento entre las patrullas de la policía y escuadrones paramilitares de los hombres que estaban bajo el mando de 24.

La acción policial había tenido lugar el 4 de abril de 1989 y había dejado nueve paramilitares muertos y ocho agentes de la policía heridos. Era la primera arremetida estatal contra la seguridad de los complejos coqueros tras Parcelas California y Las Mercedes. Más tarde, atento a algunos indicios menores, el coronel Valdemar Franklin Quintero había terminado por descubrir las salidas irregulares de vuelos desde las pistas del Aeropuerto Internacional de Rionegro. Uno de ellos —verificó complacido después que los aeronáuticos le negaron todo— involucraba una avioneta HK-3281, WTG 1000, que la policía guatemalteca finalmente había confiscado con 54 kilos de cocaína.

Otro episodio lo llevó hasta una avioneta de fabricación norteamericana con matrícula HK-3320W. El aparato había aterrizado de emergencia en un aeropuerto abandonado del municipio cafetero de Andes, en Antioquia, después que la tripulación de un helicóptero —que desapareció misteriosamente— falló en el intento de auxiliar el aparato.

Pretendían garantizar el reabastecimiento de combustible en el aire y, sin éxito, lanzaron varios potes de gasolina hacia adentro de la avioneta tratando de aprovechar el vacío de la portezuela en el costado del piloto.

Ante lo infructuoso de la maniobra, el piloto no había tenido otra alternativa que improvisar el aterrizaje. Después, una vez descubiertos, el capitán había intentado sobornar con 36 millones de pesos a la respectiva patrulla policial.

Tras la requisa de la aeronave, los agentes descubrieron arrumadas en la cola de la avioneta las sillas para pasajeros y, luego de una verificación con las centrales de inteligencia de la policía secreta, el coronel Valdemar Franklin se encontró con que el aparato era un gemelo de otro inmovilizado en Bogotá de matrícula HK 3320P.

Además de los decomisos de vehículos con 60 y 75 kilos de dinamita en Bogotá y de vastas redadas en Medellín, el oficial había sumado a su hoja de vida la retención de varios familiares de los traficantes.

El primero de mayo de 1989, Valdemar Franklin Quintero había culminado una investigación policial con el arresto de Freddy Gonzalo Rodríguez Celades, hijo mayor de Gonzalo Rodríguez Gacha, El Mexicano. También había detenido a otras seis personas que lo acompañaban. Entre ellos, Juan Camilo Gregory Correa, un pariente de la ex procuradora auxiliar de la Nación, Clara Inés Gregory de Martínez. Los había detenido en el Aeropuerto Internacional de Rionegro cuando descendían de una avioneta de matrícula HK-3376 adscrita a la firma Aerocartagena.

Después había ordenado detener al caballista Fabio Ochoa Restrepo, padre del clan Ochoa —Jorge Luis, Fabio y Juan David Ochoa Vásquez— bajo acusación de soborno a un sargento y tras una operación, en un retén en Cocorná, terminó reteniendo por unas horas a María Victoria Henao, La Tata, esposa de Pablo Escobar Gaviria.

Ella y su hija tuvieron que pasar varias horas en una estación policial y Pablo Escobar sencillamente acusó al coronel de malos tratos contra su cónyuge y su hija. Inclusive había llegado a sostener, y así lo había transmitido a su élite terrorista más cercana, que éste había amenazado a María Victoria con abusos físicos.

Pablo Escobar había ordenado entonces asesinar al comandante de la policía de Antioquia pero el primer intento terminó, por equivocación de un par de sicarios, en el homicidio del gobernador de Antioquia, Antonio Roldán Betancur.

A comienzos del mes de mayo de 1989, los contratados para llevar a cabo el asesinato del oficial, Julio Mamey y José Luis Ospina Álvarez, Pasquín, compraron una casa cerca a la residencia en donde vivía el coronel Valdemar Franklin Quintero y dedicaron varias semanas a vigilarlo.

Tras definir el sitio para instalar allí el carro-bomba —la calle 47 D con carrera 72, en el sector del velódromo Martín E. Rodríguez, al occidente de Medellín— Mamey y Pasquín fueron en busca de José Zabala, Cuco. Pariente de Pinina y con varios semestres de ingeniería electrónica de la Universidad de Antioquia, Cuco servía al cartel de Medellín gracias a sus nexos familiares y en virtud de una coyuntura muy particular.

A finales de 1988, Pablo Escobar y José Gonzalo Rodríguez Gacha, El Mexicano, habían tenido finalmente contacto con un ex agente de la extrema derecha española que había combatido a la ETA por años y que para entonces permanecía refugiado en Colombia. Experto en explosivos, el español accedió ante los jefes de la mafia a capacitar en técnicas terroristas a algunos agentes del cartel de Medellín seleccionados por Escobar y Rodríguez Gacha.

Después de barajar el asunto en su cabeza, Pinina le había dicho un día a Pablo Escobar:

—Mirá, yo tengo al hombre preciso para eso. Es un familiar mío que está terminando ingeniería electrónica. A él le decimos Cuco.

Lo demás había sido asunto de unas semanas. En razón de sus conocimientos, Cuco había sido un alumno aventajado durante las jornadas de adiestramiento a cargo del español.

Cuando el período de instrucción finalizó, justo en la cabecera de la pista pavimentada de la Hacienda Nápoles, Cuco hizo una demostración de sus nuevos conocimientos a Escobar Gaviria y a Rodríguez Gacha.

Con todo, el carro-bomba dirigido contra el coronel Valdemar Franklin Quintero —el mismo que realmente habría de explotar contra el vehículo oficial del gobernador de Antioquia, Antonio Roldán Betancur— se convirtió en la primera prueba de fuego real para Cuco. Utilizó un Mazda 1.600 y primero instaló en él los dispositivos de ignición. Después, sin cargar aún un solo taco de dinamita, pidió a Julio Mamey y a Pasquín realizar algunas pruebas durante dos tardes.

Utilizando un bombillo pequeño —conectado al sistema de ignición— y accionando el control remoto desde el sitio en el cual debían apostarse Mamey y Pasquín, los tres verificaron que nada interfiriese la señal electrónica a través de la cual se accionaría la carga de dinamita.

Como si se tratase de un inofensivo ejercicio en un salón de física, el español había advertido, e incluso lo había demostrado a Cuco y a los otros, que desde una confluencia severa de ondas de radio hasta un marco de hierro podían ser suficientes para obstaculizar el paso de la señal electrónica y hacer fracasar el atentado más minuciosamente planeado.

Luego de que se realizaron las pruebas y de verificar que el sistema operararía sin interferencias, Cuco instaló la carga de dinamita en el Mazda y se lo entregó a Julio Mamey y a Pasquín.

En la mañana del 4 de julio de 1989, desde poco antes de las 7, Julio Mamey y Pasquín se apostaron a 300 metros del Mazda con un control remoto del tamaño de un radio diminuto. El cartel habría de remplazar un día aquel sistema por equipos semejantes a los utilizados en aeromodelismo y más tarde por "suizos", seres humanos que sin saberlo se convertían en el suiche detonante de una bomba. Sin embargo, para esa mañana de comienzos de julio apenas se ponían en práctica las primeras lecciones del español. Mamey y Pasquín sacaron lentamente la antena del control y esperaron.

A las 7:45 de la mañana, exactamente, vieron aparecer dos motocicletas de la Policía y tras ellas un Mercedes Benz blanco oficial y el Nissan Patrol escolta KF-1026. Apenas el vehículo estuvo en frente del Mazda 1.600, parqueado sobre el costado derecho de la calle 47D con carrera 72, Julio Mamey accionó el dispositivo. La explosión disparó a los motociclistas de la policía Luis Fernando Rivera Arango y Luis Eduardo Rivas Tobón contra los portones de las residencias vecinas, y levantó el Mercedes Benz blanco, que dio media vuelta en el aire, chocó contra un poste, cayó en la acera contraria y empezó a arder.

El conductor Rodrigo Evelio Pérez Chavarría y el escolta Guillermo Gil alcanzaron a salir del vehículo pero en el asiento de atrás las llamas consumieron al gobernador de Antioquia, Antonio Roldán Betancur.

Liberal de la corriente de Bernardo Guerra Serna —durante varios años el cacique político de Antioquia— y en dos ocasiones diputado, Antonio Roldán Betancur había asumido el cargo hacía ya un año largo. En su juventud había cursado estudios de medicina pero, con el tiempo, había terminado por enredarse en la política. Para mediados de 1989, desde su cargo de gobernador, valido de su carisma, se había granjeado un enorme poder de convocatoria entre sus conciudadanos y el respeto de los altos funcionarios en el gobierno central.

El repudio que generó en la opinión pública la escena de su viuda y sus dos hijas, una pequeña de 4 años y una bebé, había llevado a Pablo Escobar a considerar inclusive la ejecución de Julio Mamey y de Pasquín. Con todo —después de escuchar a ambos terroristas en una prolongada sesión de explicaciones— Pablo Escobar simplemente les había advertido:

—Ustedes me montaron en la hijueputa y ustedes me tienen que ayudar.

Mamey y Pasquín se encargaron de conseguir a dos hombres que, en virtud de una llamada anónima a la policía, fueron arrestados en un prostíbulo de mala muerte en Medellín.

Con todo, el asunto no quedó ahí. Pablo Escobar ordenó a Pinina diseñar un nuevo plan para asesinar al coronel Franklin. Eso sí, sin utilizar explosivos ni carros-bomba.

—Ahora, el coronel ya está advertido —adujo el jefe del cartel.

La orden de Pablo Escobar se cumplió en Medellín en la mañana del 18 de agosto de 1989, 36 horas después de que, en Bogotá, Juan Carlos Ospina Álvarez, Enchufe; Sergio Alfonso Ramírez Ortiz,

Pájaro, Meneo y su "trabajador", asesinaran al magistrado Carlos Ernesto Valencia.

El oficial fue asesinado en el cruce de Calazans y La Floresta, al occidente de Medellín, en frente de la sucursal de una corporación de ahorro. Poco antes que el semáforo se pusiera en rojo, un taxi con dos pistoleros se adelantó a la camioneta Nissan oficial en que viajaba el coronel Valdemar Franklin Quintero; un Mazda gris 626, con otros cuatro sicarios, se parqueó a su derecha.

John Jairo Posada Valencia, Tití, y otros pistoleros conseguidos por él, esperaron hasta que la señal del semáforo obligó a los automóviles a detenerse. Entonces descendieron y con fusiles R-15 y armas automáticas abrieron fuego contra el coronel Valdemar Franklin Quintero. El experto forense reveló que el comandante de la policía de Antioquia había muerto víctima de 31 impactos de bala.

Atentado contra El Espectador

Desde cuando logró evadir al general Jaime Ruiz Barrera tras la operación de El Bizcocho II y se sumió en la clandestinidad, en abril de 1988, Popeye se hizo a una residencia en frente de la IV Brigada de Institutos Militares.

Apoyado por otros agentes del cartel interceptó las comunicaciones del comando de la guarnición militar y así obtuvo virtualmente una derivación directa. Dos "trabajadores" espiaban la línea a partir de una conexión a los pares aislados que alimentaban la red de teléfonos de la brigada.

Ello le había permitido durante varios meses obtener información respecto de los avances que hacían las autoridades en su búsqueda y en la de otros miembros del cartel. A la vez había podido seguir muchas veces cada uno de los movimientos de las patrullas del ejército y los desplazamientos del general Jaime Ruiz Barrera.

Por lo demás, desde la residencia había incluso divisado, oculto tras la cortina de un ventanal de la casa, el salón de conferencias en el que se citaban las ruedas de prensa para comunicar a los periodistas los avances en las investigaciones por el asesinato del procurador Carlos Mauro Hoyos. Sin embargo, un día en el que regresaba a la vivienda, por la avenida Colombia, a bordo de un Renault 4, se había encontrado sorpresivamente con el vehículo oficial del general y con su escolta y desde entonces había decidido dejar esa "caleta".

Esa tarde de finales de julio de 1989 acompañaba a Pinina. Cumplían una cita en una residencia del barrio Patio Bonito, a una cuadra de los Almacenes Éxito en El Poblado. La vivienda era propiedad de un agente terrorista del cartel que apodaban Maradona y que hacía muchos años estaba directamente a órdenes de Pinina. Don Germán, el papá de Maradona, debía viajar a Bogotá y analizar la viabilidad de realizar un atentado dinamitero contra la sede del diario *El Espectador*. Pinina le dio una semana para conseguir la información. Don Germán era en realidad un camionero veterano que durante dos décadas —aún después de convertirse en administrador de las propiedades de Pinina— había transportado toda suerte de cargas, legales e ilegales, por carreteras de una decena de departamentos de Colombia.

Como pocos, había aprendido a diferenciar entre aquellas mercancías que creaban suspicacias entre las autoridades y las que pasaban absolutamente inadvertidas.

Don Germán retornó puntual de Bogotá a Medellín una semana después de su primera entrevista con Pinina y Popeye.

Después de merodear varias veces cerca de las instalaciones de *El Espectador*, el segundo diario más influyente de la nación, el terrorista había concluido que sería imposible hacer explotar allí un carro-bomba.

Situada sobre la avenida 68, a un kilómetro de la avenida Eldorado, la sede de *El Espectador* permanecía fuertemente custodiada por soldados del ejército que, inclusive, habían dispuesto un cordón de seguridad con canecas de 55 galones y lazos gruesos de fuerte color amarillo.

La franja de seguridad estaba en todo el frente de la fachada principal, sobre la avenida 68 y sólo quedaban dos calles laterales. La del sur colindaba con la cancha de fútbol del periódico y la otra era una vía virtualmente cerrada, con un potrero por toda vecindad. Ésta última —por donde los camiones que recogían el diario entraban en las instalaciones y se parqueaban justo en frente de la rotativa— estaba también custodiada por el ejército.

Existía una alternativa: una bomba de gasolina situada a 50 metros del diario. Fue lo que don Germán explicó, en su segunda entrevista a Pinina y a Popeye y después añadió:

—Así aprovechamos también los tanques de gasolina.

"Cocinero" de Pablo

Después que le fue encomendado el atentado contra la sede del DAS, Arete contactó a Carro Chocao. Éste último había ascendido a pasos agigantados en el cartel desde el episodio de aquella mañana de enero de 1988, en la vereda La Fe, en El Retiro, cuando canjeó al candidato a la Alcaldía de Bogotá, Andrés Pastrana Arango, por el agente de policía de apellido Zapata y emprendió la fuga. Para comienzos del segundo semestre de 1989 era a la sazón el primer proveedor de dinamita y explosivos de la organización.

Carro Chocao debía conseguir las 10 toneladas de dinamita plástica amoniacal que el cartel había decidido utilizar.

Arete le explicó que no tendrían dificultad alguna respecto de las gruesas sumas que exigiría tal compra de explosivos y también que cada camión se recibiría en Medellín en una avenida cualquiera y de ahí ellos lo trasladarían a su destino.

Por expresa instrucción de Pablo Escobar y a pesar del ascenso de Carro Chocao dentro de la mafia, se abstuvo de mencionarle cualquier otro detalle relacionado con el destino de la dinamita. El segundo contacto que hizo Arete tuvo que ver con las bodegas de García y su hijo Eugenio León García Jaramillo, Lucho.

El viejo García había sido uno de los "cocineros" de vanguardia de Pablo Escobar y de Gustavo de Jesús Gaviria Rivero y de "la oficina" en los tiempos en que ésta estuvo al cuidado de Rodrigo. Aunque después él se había retirado, su actual posición económica no era para nada modesta. Había adquirido dos bodegas enormes. Una estaba situada en dirección de San Diego hacia El Poblado, sobre la calzada derecha de la avenida, a 400 metros de Sonolux y enseguida de un almacén de la Pioneer.

Era un depósito de dos niveles y 100 metros que contaba además con una entrada en la parte de atrás, sobre la última calle de la zona industrial del barrio Colombia, cerca de Helados Mimo's. La otra bodega estaba en la Autopista Sur, en la carrera 50B con 65 y constaba de dos amplios salones.

Con el tiempo, el viejo entregó la administración de la primera bodega a su hijo Lucho y le vendió la segunda, para dedicarse a un enorme *penthouse* y a un costoso flirteo con la hermana de uno sus "ex trabajadores". Un día de 1988, no obstante, Lucho se declaró harto de la confabulación que la amante de su padre y el hermano de ella mantenían para sacar dinero a manotadas del viejo y pidió a Arete conseguir dos pistoleros y hacerse cargo del "ex trabajador".

Después de que el propio Lucho les "mostró" al individuo, Pope-yón y El Chonto lo asesinaron. Lo sorprendieron en una avenida hacia El Campestre cuando viajaba a bordo de un Trooper y, aunque Arete no le exigió dinero por ello, Lucho pagó dos millones de pesos a cada uno de los sicarios que, a su vez, habrían de morir baleados por la policía unos años después, durante el fallido intento de rescate del industrial Julián Echavarría.

En razón de ese y otros antecedentes, después que Arete le explicó la urgencia que tenía de conseguir una bodega y le dijo que estaba listo a pagar mensualmente 1.500.000 pesos por el alquiler, Lucho no sólo aceptó la oferta sino que le confió uno de sus secretos mejor guardados: la existencia de un cuarto falso, en el primer piso de la bodega, cuya entrada trasera colindaba con la última calle de la zona industrial del barrio Colombia, cerca de Helados Mimo's.

El constructor del cuarto secreto había diseñado una pared falsa recubierta en baldosín y cuidando de que en ella quedase un bloque móvil del tamaño de la tapa de una caja fuerte, había instalado una chapa por detrás del muro y, por último, había atado un alambre al cerrojo. Éste descendía por entre un tubo y conectaba por debajo del muro con una poceta externa a la pared. Desde allí era posible correr el cerrojo y abrir el bloque de acceso a "la caleta". La única exigencia después de utilizarla era retocar las uniones del baldosín, alrededor de la tapa, con cemento blanco.

Una bodega en Medellín, sin embargo, era sólo una fase del plan. Una más dependía de los contactos que empezó a realizar en Bogotá. La primera cita tuvo lugar en la sucursal número cuatro del restaurante Las Acacias, situada exactamente en la esquina de la calle 53 con carrera 29, en el sector de Galerías, en Bogotá. Una casa amplia de dos pisos decorada a la sazón con carrieles, pedazos de costal, divisiones en fique, sillas largas para cuatro personas en frente de cada mesa y trozos de cartulina adheridos a las paredes con leyendas deliberadamente plagadas de errores de ortografía, que hacían eco de los más populares dichos paisas: "Los errores de los médicos se tapan con tierra", "El hombre cuando es celoso, se acuesta pero no duerme", "La lotería es el impuesto de los pobres", "Mi mujer es tan fértil que con sólo verme en calzoncillos queda preñada".

Arete presidía la reunión que había concertado con el ex ciclista Gonzalo Marín, Chalito; Guillermo Alfonso Gómez Hincapié y Darío Usma, Memín.

216

Buscó a Marín después que Pablo Escobar le explicó que sólo con el ex ciclista podría disponer de los contactos necesarios para alquilar una bodega en Bogotá.

Además de sus nexos con Roberto Escobar en el tráfico de cocaína, Chalito mantenía contactos con comerciantes y con hombres que, por más de una década, habían introducido ilegalmente a Colombia toneladas de electrodomésticos provenientes de Panamá.

En la bodega que el ex ciclista debía ayudarles a conseguir, Arete y Memín tendrían que almacenar los explosivos adquiridos por Carro Chocao. Las 10 toneladas de dinamita —a medida que fuesen llegando a Colombia— iban a ser trasladadas en la primera etapa hasta el depósito de Lucho, en la avenida El Poblado en Medellín, y desde allí a Bogotá.

Marín —en ello Pablo Escobar fue especialmente enfático— no debía saber el uso real que se iba a dar a la bodega y mucho menos debía conocer detalle alguno sobre el crimen en gestación. Por eso, cuando ambos sostuvieron una primera reunión en Medellín, Arete se limitó a explicar que estaba por llegar un enorme contrabando de electrodomésticos y que, en consecuencia, era necesario alquilar una bodega en la capital, pero hacerlo bajo identidades ficticias.

Después de algunas gestiones, Marín había entrado en contacto con Juan Manuel Trujillo Bautista y éste se había comunicado a su vez con Guillermo Alonso Gómez Hincapié y Eduardo Tribín.

Esta noche, durante la reunión en Las Acacias, Arete explicaba a Guillermo Gómez Hincapié que él y Memín cancelarían los cánones correspondientes al arrendamiento de la bodega —tasados en cerca de 1.500.000 pesos— y que además les reconocerían a Guillermo Alfonso Gómez Hincapié y a su socio, Eduardo Tribín, una suma equivalente a 20 por ciento de las rentas que habría de dejar el supuesto contrabando de electrodomésticos. Lo importante —Arete insistió en ello en más de una oportunidad— era que la bodega estuviese alquilada a "chapas" o nombres supuestos.

Después de escucharlo con atención, a nombre suyo y el de su socio Eduardo Tribín, Guillermo Alonso Gómez Hincapié estuvo en todo de acuerdo con la oferta. Por sus actividades *non sanctas* hacía mucho tiempo que ambos habían dejado de lado sus verdaderos nombres para operar bajo identidades falsas. Guillermo Alfonso Gómez Hincapié portaba una cédula a nombre de Alfredo Ramírez y Eduardo Tribín Cárdenas una expedida a favor del ciudadano Carlos González Rodríguez.

Tribín Cárdenas se había hecho a su nueva identidad un día en que Chalito y Trujillo le pidieron tomar en arrendamiento una bodega para "caletear cocaína". La droga —le habían dicho— tenía por destino el aeropuerto de Santiago de Chile y después Miami.

Consciente del menudo lío en que estaría si las autoridades hallaban alcaloides en una bodega alquilada por él, Eduardo Tribín Cárdenas se había encargado de proveerse una nueva identidad.

Lo consiguió con un tahúr, experto en el tráfico de documentos, que solía pasar muchas horas del día imbuido en prolongadas partidas de ajedrez, en un local de juegos situado cerca del Teatro Jorge Eliécer Gaitán, en el centro de Bogotá.

Amparados en sus falsas identidades —Alfredo Ramírez y Carlos González Rodríguez— Guillermo Alonso Gómez Hincapié y Eduardo Tribín, respectivamente, alquilaron una bodega enorme en la calle 2a. sur, No. 19-63, en el sector de San Antonio, en Bogotá.

Tenían prevista "una vuelta" de tráfico de cocaína Bogotá-Chile-Miami. Sin embargo, ésta fracasó porque los contactos del narcotraficante Diego Mapas no pudieron hacer los arreglos necesarios en el aeropuerto de Santiago.

Con todo, más tarde Eduardo Tribín o Carlos González Rodríguez había recibido en su residencia de la calle 134, en el norte de Bogotá, la llamada de Juan Manuel Trujillo Bautista, el socio de Chalito, explicando que el cartel requería una bodega.

Ese era el origen de la cita en Las Acacias que Arete dio por concluida después de presentar a Memín y explicarle a Guillermo

Alonso Gómez Hincapié que, en adelante, Memín se entendería con ellos en Bogotá. Él traería los electrodomésticos y él haría los pagos.

Un equipo intrascendente

El teniente coronel Hugo Martínez Poveda había sido subcomandante del F-2 de la Policía Nacional en Bogotá y oficial en jefe en Valle y Risaralda, pero para agosto de 1989 sus actividades tenían más bien poco que ver con el servicio secreto. Era subdirector de la Escuela de Policía General Santander.

Una mañana, después de terminar su sesión habitual de cátedra con un grupo de 40 cadetes primíparos, lo había sorprendido una llamada de la Dirección Nacional de la Policía, con sede en el Centro Administrativo Nacional (CAN), en Bogotá.

Cuarenta minutos después, luego de atravesar la ciudad a bordo de una camioneta Ford oficial, estaba reportándose a sus superiores. Los generales Miguel Antonio Gómez Padilla y Octavio Vargas Silva fueron directo al grano. Un grupo de 30 miembros de la policía integrado por 15 oficiales con rangos de capitán y mayor, algunos tenientes y 15 agentes suboficiales —sin excepción, rigurosamente seleccionados— iba a ser enviado a Medellín. La misión —que no era otra que ubicar y capturar a los *pezzonovantes* del cartel de Medellín— era secreta.

Él y su unidad debían instalarse en la sede de la Escuela Carlos Holguín, sin contacto alguno con la policía ni con los oficiales locales. A éstos últimos se les diría que el grupo era un equipo interdisciplinario asignado a un programa de incorporación de personal para la policía. Para ello, los generales Gómez Padilla y Vargas Silva harían llegar circulares no sólo a Medellín sino a la totalidad de comandos en el país y crearían algunos cuerpos de este estilo como fachada.

Habían decidido que el teniente coronel Hugo Martínez Poveda fuese el comandante de la unidad y el oficial de enlace. Él tendría línea directa con el comando de la policía en Bogotá y, junto con otros dos oficiales de rango operativo, sería responsable por los progresos cotidianos del equipo y mantendría a sus superiores al tanto de ellos.

Un grupo reducido —coincidían sus superiores— tendría mayor posibilidad de éxito en el rastreo de comunicaciones y en la ubicación de los traficantes. Habría armas de todo orden: desde Berettas 9 milímetros y subametralladoras hasta fusiles con mira infrarroja y chalecos antibalas y operarían en esencia con boliómetros y equipos de escáner. A la vez, podrían contar con recursos suficientes para alquilar medios de transporte y conseguir todo cuanto necesitaran.

La unidad que debía dirigir constituiría un bloque de inteligencia cuyo apoyo operativo estaría a cargo del Cuerpo Élite de la policía, en realidad, una fuerza de un millar de efectivos policiales que representaban el último esfuerzo del Estado por estructurar un verdadero ejército de oficiales antidrogas.

Para finales de agosto de 1989, después de esa reunión, efectivamente el coronel Hugo Martínez se encontró en Medellín, en los alojamientos de la Escuela Carlos Holguín, al frente del grupo de 30 hombres. Con todo, pronto se dio cuenta de que habría más de una dificultad.

Salvo por un puñado de suboficiales y oficiales del ejército que infructuosamente —en el apogeo del Movimiento 19 de Abril (M-19), a finales de los años setenta y comienzos de los ochenta— había intentado ubicar los sitios desde donde los guerrilleros interrumpían la señal nacional de televisión y transmitían sus arengas a toda la Nación, las agencias colombianas de seguridad eran para 1989 poco menos que neófitas en el tema de las intercepciones y la inteligencia electrónica.

Por más de una década, el ejército había rastreado cientos de conversaciones y mensajes entre comandantes del M-19, las Fuerzas

Armadas Revolucionarias de Colombia (FARC) y el Ejército de Liberación Nacional (ELN), pero más allá de haber tenido acceso a ellas, siempre había estado en imposibilidad práctica de identificar el sitio exacto de las emisiones y, claro está, de ubicar a partir de allí a los cabecillas de la insurrección armada. En ese aspecto, obviamente, el equipo de suboficiales y oficiales al mando del coronel Hugo Martínez no constituía una excepción. Inclusive con mayores desventajas.

Sin saberlo, desde cuando se produjo su arribo a Medellín y ellos empezaron a salir cada noche, vestidos de civil y armados hasta los dientes, a bordo de autobuses, automóviles, busetas y camiones particulares, a rastrear comunicaciones con sus boliómetros, pegados a antenas repetidoras, el equipo había captado conversaciones extensas de los amos de la cocaína: Gonzalo Rodríguez Gacha, El Mexicano, reclamando amor y fidelidad a una novia de turno en Medellín; Pablo Escobar haciendo verdaderos discursos de 20 minutos contra las políticas estatales antimafia y Pinina lanzando insultos soeces y monumentales en contra de agentes subalternos del cartel.

A ello se habían sumado durante varias semanas la impericia y la falta de conocimiento de todas las ventajas de los equipos que tenían en su poder. Así, por más tiempo del que hubiese sido deseable, el coronel Martínez y el cuerpo secreto bajo su mando apenas si habían obtenido de los boliómetros un cúmulo de líneas rectas.

Equipos de escáner de rastreo de frecuencias que operan bajo los mismos principios de un radio convencional, los boliómetros indicaban con cada línea recta la dirección en la cual tenía origen la comunicación: este-sur o norte-oeste pero —tal y como terminaron comprobándolo los 30 integrantes de la unidad— los interlocutores podían hallarse a una cuadra del sitio de la intercepción o en el Magdalena Medio o en la frontera misma con Venezuela.

Sólo con el tiempo, partiendo de la intensidad de frecuencia, el Bloque de Inteligencia aprendió a medir y a calcular la zona desde donde posiblemente se hacía una comunicación cualquiera de los *capi di capi* a los que perseguían. Eran por lo general perímetros más amplios de los que habrían deseado, pero ya habían iniciado las primeras operaciones.

Todo comenzó con la intercepción de una comunicación de Jorge Luis Ochoa Vásquez. Uno de los tres radios de la unidad había captado la frecuencia y después, en conjunto, virtualmente lograron ubicar la zona. Era un terreno situado entre Medellín y Rionegro, por la avenida de Las Palmas.

Seguros de haber encontrado un refugio del extraditable, el coronel Martínez y sus 30 hombres se lanzaron en una operación de registro al día siguiente de que se produjera la intercepción. No encontraron un refugio sino una urbanización campestre en construcción pero, en la noche de ese mismo día, vieron aparecer una luz de esperanza.

Otro escáner captó una comunicación entre Pablo Escobar y Jorge Luis Ochoa Vásquez. Enterado de los registros hechos por la policía, Jorge Luis Ochoa inquiría a Pablo Escobar:

—Oiga, pero ¿quién fue el sapo?

—Yo ya sé quién es el sapo —respondió Pablo Escobar.

—¿Quién? —insistió Ochoa.

—¿Se acuerda del viejo ese que estaba ahí al pie de la casa, haciéndose el pendejo? Ése fue, pero tranquilo hermano que a ese ya le hicieron el viaje —puntualizó Escobar.

El coronel Martínez sintió un profundo pesar por el pobre viejo —la operación había sido el resultado de las mediciones del boliómetro— pero él y su unidad verificaron aquella noche que los rastreos y la inteligencia técnica empezaban efectivamente a operar.

"Colóquele tres mechas lentas"

Después de escuchar con atención al camionero don Germán, Pinina se concentró en dar sus propias instrucciones.

222

Pinina, Popeye y el conductor estaban reunidos por segunda vez en la casa de Maradona, en el barrio Patio Bonito de Medellín. Una vez lista la carga de dinamita, según le explicó Pinina, don Germán debía trasladar el camión a Bogotá y parquearlo, temprano en la mañana, con cualquier pretexto, en la estación de gasolina a 50 metros de la sede del periódico. Debía asegurarse de que los vidrios estuvieran opacos y, desde la cabina, encender tres mechas de cinco minutos cada una de tal forma que si alguna llegaba a apagarse las otras dos hicieran explotar la dinamita.

Pese a los conocimientos en explosivos que poseía Cuco y que había transmitido a otros agentes del cartel como Popeye, Arete y el propio Julio Mamey, Pablo Escobar y Pinina habían desechado la idea de utilizar un carro-bomba a control remoto porque la extrema potencia de la carga —300 kilos de dinamita— iba a poner en un riesgo severo al encargado de accionar el dispositivo. Aunque en el futuro ello sería lo de menos, este no era ese caso.

Pinina entregó los "viáticos" que don Germán y su hijo Maradona requerirían para la consecución del camión y la dinamita, y tasó en 30 millones de pesos el pago que el cartel haría por "el trabajo".

"El día D"

La algarabía era general y el aire cálido. Y aquello simbolizaba y tenía todo cuanto era inherente al mundo del hampa: el mercado clandestino de armas y narcóticos, las cadenas de sobornos para el traslado de reos de un patio a otro y las venganzas mortales. Eso y más era Bellavista.

Construido después de la mitad del siglo, a pesar de su capacidad real de 800 reclusos, el primer penal de Antioquia recluía cada año a unos veinte mil convictos, en una población flotante que comprendía desde ladronzuelos de tiendas, carteristas, saqueadores de apartamentos y jaladores de vehículos, hasta asaltantes de bancos, ebrios trágicamente convertidos en asesinos y agentes del cartel.

Arete cumplía una promesa y aquel sábado, el primero de septiembre de 1989, puntual, se había colado entre los visitantes y ubicado en el patio en el que se encontraban Rodrigo Arturo Acosta, Rigo y Carlos Mario Giraldo Henao, Pernicia.

Eran dos de los pistoleros que junto con él y otros habían perpetrado la masacre de Campos de Paz y aniquilado a los Obando para vengar el robo de la cocaína de Albeiro Areiza, El Campeón, por parte de Elkin y Beto Cano. No estaban en prisión por ese delito, sino porque la policía de Antioquia había descubierto el carro-bomba que Rigo y Pernicia se proponían detonar contra el general Jaime Barrera.

El general Barrera había sido traslado a Medellín para remplazar en el cargo de comandante de la guarnición militar al brigadier Jaime Ruiz Barrera. El carro-bomba, armado también por Cuco, era una camioneta Luv que gracias a un informante pudo ser descubierta y confiscada.

La Luv había sido parqueada en contravía y agentes secretos del cuerpo de antiexplosivos detectaron con rapidez la carga: 120 kilos de dinamita camuflados en el platón del vehículo entre materiales de construcción. La dinamita había sido conectada a cinco baterías y una red de cables que confluían en el interruptor de encendido de la camioneta y en un sistema de ignición a control remoto.

Después de una breve charla y un corto paseo por el patio, Arete, Rigo, y Pernicia se instalaron en frente de un televisor y a prudente distancia de otros convictos.

Los noticieros abrían con imágenes del atentado a *El Espectador* y mostraban las instalaciones del diario parcialmente derruido. También los rostros con expresiones de nostalgia e impotencia de sus periodistas. Los locutores hablaban de la destrucción de la estación de gasolina cercana, afortunadamente aún con los tanques vacíos a la hora del atentado, 7:30 de la mañana, y los camarógrafos hacían tomas del cadáver de la única víctima mortal: un celador adscrito a una empresa privada de seguridad.

—¿Sí vio la vuelta tan buena que mandó a hacer "la oficina"? ¿Vio esa vuelta que mandamos a hacer? —dijo a manera de explicación Arete a Rigo.

—Un portero de la edificación —explicaba el locutor— resultó muerto. Los daños se estiman en más de 1.500 millones de pesos. Testigos indicaron que dos hombres rondaron desde primera hora de la mañana las instalaciones de *El Espectador* y la policía atribuyó el atentado al cartel de Medellín.

El locutor no había alcanzado a terminar la frase pero para Arete era suficiente.

—Todo eso es verídico, Rigo ¡Verídico! ¿Entiende?

El camionero don Germán —administrador de las propiedades de Pinina— y su hijo Maradona habían seguido las instrucciones al pie de la letra.

Llegaron a Bogotá, en la madrugada, con el camión cargado de dinamita, lo dejaron en la estación de gasolina y desaparecieron. Tres mechas encendidas de cinco minutos cada una se consumieron lentamente hasta el estruendo a las 7:30 de la mañana.

Fondo de 1.000 millones

Según lo acordado en el refugio de El Oro, en la confluencia de los ríos El Oro y Cocorná Sur, en el corregimiento de El Prodigio, en el Magdalena Medio, una vez terminó de rentar las bodegas y alertar a Carro Chocao, sobre la cantidad de explosivos que debía conseguir, Arete se presentó en "la oficina" de Gerardo Kiko Moncada.

Por decisión unánime de Pablo Escobar, Gonzalo Rodríguez Gacha, El Mexicano, y Albeiro Areiza, El Campeón, la administración de los 1.000 millones de pesos que los jefes de la mafia habían aportado para financiar el atentado contra el Departamento Administrativo de Seguridad (DAS) y el asesinato del general Miguel Alfredo Maza Márquez, en su propio despacho, había sido confiada a Gerardo Kiko Moncada.

El cónclave tomó esa determinación porque Gerardo Kiko Moncada no sólo era un traficante organizado sino uno de los pocos —con Fernando El Negro Galeano— que mantenía siempre, a su disposición, millonarias sumas en efectivo.

Una vez giraba —como lo había hecho esta mañana después que Arete se presentó en su "oficina"— Gerardo Kiko Moncada descontaba aquellas sumas por partes iguales de los "apuntados", el número de kilos de cocaína que correspondían a Pablo Escobar y a Albeiro Areiza, El Campeón, en cada embarque de cocaína hacia Estados Unidos.

Conocía a Albeiro Areiza, El Campeón, desde hacía años y ahora constituían un binomio sólido para la exportación de cocaína. Mientras Gerardo Kiko Moncada se hacía cargo de la gerencia del negocio desde "la oficina", Areiza se ocupaba del despacho mismo de los vuelos y de la colosal infraestructura que comprendía desde proveedores propios en Perú y Bolivia hasta "cocinas" tras Parcelas California, Córdoba y Caucasia y una flotilla propia de aeronaves y pilotos.

Sin que éste pusiera en realidad un solo peso o un gramo de cocaína, Gerardo Kiko Moncada y Albeiro Areiza, El Campeón, "apuntaban" en sus embarques a Pablo Escobar Gaviria no sólo porque era una obligación de cuanto traficante operaba en Antioquia sino porque el jefe del cartel decía ser quien estaba al frente de la guerra contra el gobierno, a nombre del fin de la extradición.

Las sumas correspondientes a Gonzalo Rodríguez Gacha —quien había enterrado por años decenas de canecas plásticas, repletas de dólares, debajo de las marraneras y las caballerizas de sus haciendas— llegaban directamente a "la oficina" de Gerardo Kiko Moncada, traídas por mensajeros que El Mexicano enviaba desde Pacho, Cundinamarca, o algún punto del Magdalena Medio.

En el caso del atentado a la sede del DAS, sin embargo, las gestiones de Gerardo Kiko Moncada no se limitaban exclusivamente a la administración de los fondos de sus homólogos en la cúpula del tráfico internacional de narcóticos. También él había previsto la forma de transportar las 10 toneladas de explosivos a Bogotá sin que el cartel fuese descubierto.

Puso a disposición de Arete cientos de escaparates de neveras, lavadoras y cargadores de baterías, en los que él había introducido clandestinamente a Colombia millones de dólares producto del contrabando de drogas.

Sus agentes en Estados Unidos se habían encargado por años de adquirir aquellos electrodomésticos de fábrica, extraerles el motor y llenarlos con fajos de billetes de cien y cincuenta dólares. Utilizando esos "cocos" vacíos, pero relucientes como nuevos, el cartel podría introducir los 10 mil kilos de dinamita amoniacal ecuatoriana a Bogotá y hacerlo contratando si así lo deseaban los servicios de Trasteos Rojas y otras de las firmas de transportes de mercancías más sólidas de toda la nación.

De hecho, desde cuando Carro Chocao empezó a entregar los primeros camiones, en una avenida cualquiera de Medellín, con las cajas de dinamita, Arete había tenido buen cuidado de que los "trabajadores", una vez camuflada la dinamita, forrasen los electrodomésticos con plástico y les colocasen un guacal nuevo. Todo con el fin de que cada viaje semejara un traslado de electrodomésticos recién importados.

Era así como la dinamita había terminado en la bodega de la calle 2a. sur, No. 19-63, en el sector de San Antonio, en Bogotá, después de franquear desde Medellín todos los puestos de control y los retenes hechos por patrullas de aduana, policía y ejército.

Salvo por la pérdida de tiempo, derivada de las dificultades que Carro Chocao enfrentaba para obtener de los traficantes ecuatorianos de explosivos la enorme cantidad de dinamita que de súbito

227

había tenido que exigirles, el plan de la mafia para atentar contra la sede del DAS marchaba sin contratiempos.

Entre mediados de julio y comienzos de noviembre de 1989, el cartel había transportado 9.000 kilos de dinamita a Bogotá, en viajes de 2.000 y 3.000 kilos cada uno.

Arete se proponía explicar aquello en detalle en la reunión clandestina de la cúpula de la mafia, pero ésta lo sorprendió con la orden de dar prioridad a otro asunto: el asesinato del candidato a la Presidencia de la República, César Gaviria Trujillo.

"Gire a Cartagena"

El capitán Cortés terminó el barrido de frecuencias y volvió a ubicar el botón del boliómetro en un punto neutro. Después reinició lentamente la captación de comunicaciones y apenas escuchó "¿aló...?", se detuvo.

Estaba en la frecuencia RX 60.065. Ahora identificaba nítidamente las voces de Gustavo de Jesús Gaviria Rivero y Pablo Escobar Gaviria. Tomó el radio y avisó a la unidad. En segundos, el escáner del grupo de oficiales y suboficiales que supervisaba el coronel Hugo Martínez estuvo sintonizado.

Después de varias semanas aprendían a identificar las voces de los jeques de la mafia a los que buscaban. Habían oído en más de una docena de ocasiones a Gustavo de Jesús Gaviria Rivero cuando ordenaba despachos de cocaína y repartición de dineros y a Gonzalo Rodríguez Gacha, El Mexicano, cuando se comunicaba con agentes del cartel situados en algún punto de Medellín.

Su última intercepción —antes de la de esta noche, en la que escuchaban a Gustavo de Jesús Gaviria y a Pablo Escobar Gaviria— involucraba a Pinina y a un sicario conocido como Giovanny. Pinina ordenaba a Giovanny asesinar a cuatro agentes del F-2 que, a bordo de un Montero negro y un Mazda blanco, hacían guardia en los alrededores de la casa de la madre de Arias Tascón.

Apenas captada la comunicación, el coronel Martínez había mandado hacer una copia y a transcribir el diálogo. El comando de la Dirección de la policía en Bogotá recibió a primera hora del día siguiente a la intercepción un sobre con ambas evidencias.

Giovanny: ¿Sabes qué? Yo te comenté del dorado, ¿no?

Pinina: Sí... sí.

Giovanny: Porque yo los vi, hermano, a media cuadrita andan.

Pinina: Sí... sí.

Giovanny: Y el blanquito de anoche también.

Pinina: Sí.

Giovanny: Estaban parqueados haciéndose los varados y habían (sic) cuatro [...] ahí en el policía acostado.

Pinina: ¿Y cuál es el policía acostado?

Giovanny: El grandecito llegando a donde su mamá... Ahí se están parqueando. Carro que vea ahí, son ellos...

Pinina: ¿Viste el blanco también ayer...? Ahí se están parqueando, se hacen los huevones. Ahí ta, ta, ta. Están es para detenerlo a uno.

Giovanny: Sí. Ya aquí lo tenemos y un Montero negro también. Estos manes ya los tenemos, pues, organizados, ya les di a todos los cuatro que yo sé.

Pinina: Ve, llama a Celo o le voy a decir que te llame, que él tiene cuatro ingritas más.

Giovanny: Eso ya está bien organizado. Tenemos de los grandes y de las otras, de las buenas, de las buenas.

Pinina: ¿De las buenas tienen?

Giovanny: Tenemos 12 por todo.

Pinina: Bueno, queda pendiente de eso usted. ¡Hágale pues!

Giovanny: Estamos voltiándole a la lata.

La interceptación del diálogo entre Pinina y Giovanny había permitido a la unidad salvar la vida de cuatro detectives del F-2 pero nada podrían hacer respecto de las instrucciones que Pablo Escobar

Gaviria impartía en clave a su primo Gustavo de Jesús Gaviria y que ellos escuchaban sin alcanzar a entender.

De hecho, sólo cuando estallasen las cargas de dinamita en el hotel Cartagena Hilton y en otros tres puntos del principal centro turístico del país, el 25 de septiembre de 1989, la unidad sabría exactamente a qué se refería Pablo Escobar con "giros a Cartagena".

Gustavo Gaviria: ¿Aló?

Pablo Escobar: ¿Qué más ha habido? ¿Bien o qué?

Gustavo Gaviria: Ahí más o menos bien, cuénteme.

Pablo Escobar: ¿Usted se acuerda que una vez Peto hizo un daño por allá en la oficina suya? ¿Se acuerda?

Gustavo Gaviria: Una vez, ¿quién, quién?

Pablo Escobar: Una vez Peto. Peto hizo un daño en una oficina suya. Contra un muchacho suyo, ¿se acuerda?

Gustavo Gaviria: Correcto, correcto.

Pablo Escobar: Necesitamos hacer unos giros de esos para allá, para el Banco de Cartagena. ¿Me copió?

Gustavo Gaviria: Correcto, correcto. ¿Cuándo quiere que empiece?

Pablo Escobar: Pues inmediatamente porque la gente me está acosando por el dinero... Inmediatamente.

Gustavo Gaviria: Correcto, correcto... Mañana mismo le pongo una cita y le digo que gire del Banco Ganadero al Banco de Occidente.

Pablo Escobar: Afirmativo, afirmativo... Entonces así quedamos.

Gustavo Gaviria: Entonces viene a ser lo que estuvimos hablando anoche, cambio.

Pablo Escobar: Afirmativo, afirmativo. Acuérdese que ese muchacho, el que se murió, fue el que le hizo los giros a usted.

Gustavo Gaviria: Sí... pero yo tengo el otro y al otro lo mando para allá a hacer la vueltecita. Cambio.

Pablo Escobar: A cualquiera. O hable con el gerente del banco a ver si le hace la vuelta directamente, pero de todas maneras a cualquiera y hágalo.

Gustavo Gaviria: Listo... voy para adelante. Entonces cambio y fuera.

Pablo Escobar: Suerte y pulso.

Al atardecer del 25 de septiembre de 1989 el coronel Hugo Martínez Poveda y su unidad entendieron a cabalidad el mensaje cifrado de Pablo Escobar Gaviria: una carga dinamitera estalló en el sexto piso del Hotel Cartagena Hilton y otra en una sucursal de la Caja Agraria, en la afamada avenida Pedro de Heredia, cerca del mercado de Bazurto. La primera explosión puso fin a la vida de dos médicos que asistían a un congreso de gastroenterología y la segunda dejó pérdidas millonarias.

Todo el asunto —lo descubrirían tras la investigación— parecía cosa de locos. En la mañana del 25, un terrorista se presentó en la recepción del hotel acompañado de una mujer y un niño de 5 años y pidió una habitación a nombre de Daniel Scorcenny. Después, una vez en el lujoso cuarto marcado con el número 640, sin que nadie percibiese nada extraño, el terrorista se había dado a la tarea de armar la bomba. Hacia las cuatro de la tarde —después de dejar encendidas varias mechas lentas— el enlace del cartel enviado por Gustavo de Jesús Gaviria Rivero había abandonado el hotel con la serenidad del turista que sale simplemente a dar un paseo por la ciudad.

¿Cómo había desconectado los circuitos de alerta de incendio y evitado que el humo de las mechas disparara las alarmas? Era un misterio. Seis cuartos arrasados y dos cadáveres eran el único testimonio de lo ocurrido.

Eso no era todo. Los "giros" que había ordenado Pablo Escobar —en realidad varios atentados dinamiteros en las ciudades costeras con un saldo de media docena de víctimas— habrían de arrojar pérdidas por 7 mil millones de pesos a la industria turística del país y, en particular, claro está, a la de Cartagena de Indias.

Tras las explosiones del 25 de septiembre de 1989, 40 cruceros y 62 eventos en el Centro de Convenciones y Exposiciones de Colombia fueron cancelados. Las monstruos del turismo canadiense cancelaron las reservas hechas por 7 meses y que representaban unos 22.000 millones de pesos; 32 mil turistas se abstuvieron de pasar sus vacaciones en la principal ciudad costera de Colombia.

El presidente en la sombra

La recepcionista en el cuarto piso del Centro Comercial Oviedo —en el que funcionaba la oficina 449 de propiedad del ex gerente del metro de Medellín, el administrador de empresas Diego Londoño White desapareció unos instantes en el fondo del pasillo y después regresó hasta su puesto.

—Mirá, el doctor dice que por favor lo esperen en el Café Le Gris que está al frente —dijo cordialmente a Juan Carlos Ospina Álvarez, Enchufe, y Sergio Alfonso Ramírez Ortiz, Pájaro.

Ambos tomaron entonces el corredor, llamaron el ascensor y volvieron al primer piso del complejo. Después atravesaron y esperaron en el café. La realidad era que un accidente los había llevado hasta allí. Una semana antes se encontraron con que estaban en el sitio indicado, en el momento indicado. En el mismo instante en que Pablo Escobar tomaba la decisión de atacar a los Montoya, Enchufe y Pájaro aparecieron para cobrar lo que el máximo capo les adeudaba aún por "la última vuelta". Acababan de enterarse del deceso del periodista Jorge Enrique Pulido, por entonces principal accionista de una productora de televisión que llevaba su propio nombre y que emitía el noticiero Mundo Visión en fines de semana y festivos.

Aunque era mitad de noviembre de 1989, ese crimen había empezado a gestarse en la primera semana de octubre cuando Escobar los citó y ordenó a Víctor Giovanny Granada que les hiciera entrega de cinco millones de pesos para viáticos y una motocicleta DT 175 de color rojo y negro. El jefe del cartel jamás les explicó por qué. Ni ellos se ocuparon nunca de averiguar nada más. Todo lo contrario. Una vez en Bogotá se limitaron a seguir el mismo procedimiento que había terminado por llevar al magistrado Carlos Ernesto Valencia a la tumba.

A una reunión en Telecom, sucursal de Unicentro, con el hombre que decía ser periodista y que se hacía llamar Carreño, siguió una visita de inspección a las instalaciones de la productora de televisión.

Era un edificio gris de cuatro plantas y estaba ubicado en una calle cerrada justo detrás de la Universidad Nacional, en Bogotá. Dos policías custodiaban la sede.

Enchufe y Pájaro dedicaron el primer día a merodear para darse una idea exacta del número y la distancia de los Centros de Atención Inmediata (CAI); el nivel de las aglomeraciones de transporte en las horas pico y las eventuales salidas hacia el Instituto Nacional de Radio y Televisión, Inravisión, cuyos estudios eran sitio obligado de emisión del informativo.

Madrugaron varias mañanas y estuvieron otros días dando vueltas hasta poco antes de las seis de la tarde sin mayores resultados. Jorge Enrique Pulido salía tarde de su oficina y, sin excepción, una pareja de policías estaba apostada al frente de la puerta de acceso principal.

Lo vigilaban desde un parque cercano, a bordo del Renault 4 Master, color vinotinto. Enchufe se había opuesto rotundamente a una aproximación mayor ante el temor de que "la vuelta" terminara por descubrirse. En las últimas dos oportunidades lo siguieron cuando salió de la sede de la programadora, franqueó un laberinto de calles hasta salir a la avenida Eldorado y se dirigió hacia el centro de la ciudad.

Después de ello, Meneo volvió a Bogotá. Notificado de que "la vuelta" consistía en "matar una persona" y enterado de que ni Enchufe ni Pájaro lo apoyarían en forma directa, sólo había puesto una condición: traer consigo desde Medellín a un pistolero de toda su confianza.

Enchufe accedió a ello después de advertirle que aún en caso de un revés el sicario seleccionado por Meneo no podría hablar jamás de la organización y, claro está, menos aún de ellos o de Pablo Escobar. Hubo una advertencia más: ni Meneo ni su socio podrían hospedarse esta vez en el apartamento del edificio Confagla, en el norte de la ciudad.

Aquello resultó ser un requisito insignificante para Meneo. Para el último tercio de 1989 tenía acceso a una residencia que Brances

Muñoz Mosquera, Tyson, el artífice de la masacre de Candelaria, en el Valle, erigía como su "oficina" en Bogotá a instancias de sus propios hermanos, La Quica y Tilton, y de una decena de pistoleros de la mafia que encabezaban Cuchi, Asdrúbal, El Chino y hasta el mismo Meneo. Enchufe y Pájaro sólo le hicieron entrega a Meneo y a su "trabajador" de la motocicleta y la pistola Pietro Beretta, calibre 3.80, con silenciador, durante una reunión privada en una vivienda del tercer puente. No tenían un punto determinado para consumar el crimen y ni siquiera estaban ciertos de una hora fija pero Carreño había prometido avisarles en forma oportuna, por beeper, el domingo 29 de octubre de 1989, porque el noticiero que dirigía Pulido se transmitía cada mediodía de los fines de semana.

Durante las 72 horas que antecedieron a aquel domingo recorrieron las zonas anexas a Inravisión y el día señalado se reunieron sólo para esperar la comunicación. La llamada de Carreño entró exactamente a las 10 de la mañana.

—El hombre está en la programadora. Vénganse y aquí nos encontramos todos —les dijo.

Enchufe, Meneo y Pájaro llegaron a bordo del Renault azul de matrícula AT 6560. Sobre el parque, a prudente distancia, se estacionó el "trabajador" de Meneo con la motocicleta. Era tarde. Jorge Enrique Pulido acababa de partir hacia las instalaciones de Inravisión, situadas al lado de la Biblioteca Nacional, en el centro de la ciudad. Todos partieron hacia allá. El vehículo Renault 9 azul se detuvo en frente de una cafetería diagonal a Inravisión, en toda la esquina de la carrera séptima con calle 24 y unos metros adelante el "trabajador" de Meneo parqueó la motocicleta.

Carreño los dejó ahí y volvió poco después de las 11. Les explicó que Jorge Enrique Pulido utilizaba aquel día un BMW color café y les dijo que sólo a la 1:30 p.m. culminaría la emisión del noticiero. Si estaban allí para entonces, él en persona les daría el aviso sobre la salida de Pulido.

En efecto, al volver, Enchufe y Pájaro lo vieron caminar apresuradamente desde una cabina de teléfonos y hacia ellos. Pulido salía del parquadero en ese instante.

—Todo corre de aquí en adelante por cuenta de ustedes— les dijo Carreño.

Meneo y su "trabajador" siguieron el Renault azul en el que viajaban Enchufe y Pájaro. Iban tras el BMW que dejó el parqueadero, subió a la carrera sexta y giró a la derecha.

Enchufe y Pájaro lo vieron detenerse finalmente ante un semáforo y observaron a los motociclistas cuando se situaron al lado del automóvil, cuando Meneo y su "trabajador" dejaron apagar la DT 175, simulando un desperfecto y luego volvieron a encenderla.

La cacería prosiguió sólo unas cuadras más. Hasta el siguiente semáforo, aún en el centro de la ciudad. Cuando Meneo descargó seis tiros cerrados de la Pietro Beretta calibre 3.80, era la 1:45 de la tarde. Dos balas interesaron el hombro izquierdo y una más se alojó en el pulmón derecho de Pulido. Otro proyectil alcanzó en la pierna a la periodista que le acompañaba.

Enchufe y Pájaro se pusieron de inmediato en camino hacia Medellín y sólo el martes siguiente, 31 de octubre, después que Víctor Giovanni Granada los guió hasta la presencia de Pablo Escobar Gaviria, se enteraron de lo ocurrido: Jorge Enrique Pulido estaba vivo, aunque en estado de coma.

Escobar creía que por "la vuelta" de Pulido debían cancelarse 20 millones a Meneo, 20 a su "trabajador" y 20 a Carreño, pero luego decidió que sólo se les diera de a diez a cada uno porque Pulido aún seguía con vida.

—Recen 10 mil padrenuestros a ver si se muere y les damos la otra plata —les dijo entonces Víctor Giovanny Granada.

En realidad, durante diez días Pulido se debatió entre la vida y la muerte pero ésta última se impuso dramáticamente a las 2:45 de la tarde del segundo martes de noviembre de 1989 a causa de una insuficiencia cardíaca tras la extirpación del pulmón.

235

Mensajero de una cadena radial en la adolescencia y licenciado en radio y televisión en la República Federal Alemana, Pulido, de 42 años, apenas había tenido tiempo de escribir un último mensaje, diez minutos antes de morir. Éste tenía por destinatarios a los miembros del equipo médico que luchaba por preservarle la vida: "Yo les agradezco lo que hacen, yo no sé cómo agradecerles".

Aunque la muerte de Pulido generó una honda consternación pública, Enchufe, Pájaro, Meneo y su "trabajador" sólo esperaron a que se confirmara la noticia de la muerte para ir a cobrar las sumas restantes. Estaban imbuidos en aquella truculenta gestión cuando Pablo Escobar decidió asignarles "otra vuelta".

Por eso se habían presentado juntos en las oficinas de Diego Londoño White. No lo conocían, pero Pablo Escobar les había entregado un papel con una especie de recomendación. Tenían la misión de buscar al primogénito del hombre que era el presidente en la sombra durante el gobierno del ingeniero Virgilio Barco.

El administrador de empresas y ex gerente de Metromed —el consorcio responsable de la construcción del metro de Medellín— apareció en el Café Le Gris apenas unos minutos después de que Enchufe y Pájaro entraron en el establecimiento y tomaron asiento para esperarlo. Obtuvieron luego la dirección de la firma de asociados de la que Álvaro Diego Montoya Escobar, el hijo del secretario general de la Presidencia de la República, Germán Montoya Vélez, era presidente.

Probolsa estaba situada en la calle 79 con carrera 11, en el sector de El Lago, en el norte de Bogotá y era en realidad una firma de corredores de seguros de propiedad de la familia Montoya. Lo demás era asunto de averiguar el horario de trabajo del joven ejecutivo y datos sobre el automóvil y la dirección de su apartamento. Londoño les entregó el número telefónico de una central de beeper y el código de Juan y una clave con la cual identificarse.

Con esa información y la certidumbre de un contacto esperándolos en Bogotá, Enchufe y Pájaro buscaron a Gustavo Meza Meneses, El

Zarco, y entonces los cuatro —El Zarco había decidido traer consigo a Orejitas— se dirigieron hacia la capital.

Enchufe y Pájaro se instalaron como siempre en el apartamento 605 del edificio residencial Confagla y Gustavo Meza Meneses, El Zarco y Orejitas en otro apartamento rentado a nombre de dos falsos estudiantes. El segundo apartamento estaba a sólo una cuadra del primero en un edificio con el altisonante nombre de Era 3000 A, en el sector de Unicentro.

Una vez en Bogotá, Enchufe y Pájaro telefonearon a la central de beepers, enviaron el mensaje al código indicado, suministraron la clave —"venimos de parte de El Señor"— y luego dejaron el número de teléfono de su apartamento de Confagla. Juan les respondió pronto la llamada y los citó en el norte. La dirección había resultado ser la de una cafetería a media cuadra de un parque y a tres de la sede de Probolsa.

Enchufe y Pájaro llegaron cada uno a bordo de un vehículo. Uno en el Renault 9 azul, placas AT 6560, y otro a bordo de un Renault 4 Master, color vino tinto. Dejaron los vehículos frente a la cafetería y con Juan se dirigieron a pie hasta la sede de Probolsa. Entonces, él se los mostró. "Ése es el hombre" —les dijo cuando lo vio salir.

Accionista privilegiado de Colmotores S.A., una de las principales ensambladoras de vehículos de toda la nación y cercano a Probolsa —la sociedad de corredores de seguros que impulsaba su hijo, Álvaro Diego Montoya Escobar— el ejecutivo al que la mafia buscaba presionar era sólo en apariencia el segundo a bordo en la administración del ingeniero Virgilio Barco Vargas.

Germán Montoya Vélez había entrado en el Palacio de Nariño el mismo día de la posesión del jefe de Estado, el 7 de agosto de 1986, en calidad de secretario general, pero, con el correr de los meses, había terminado por convertirse para muchos en el presidente en la sombra.

La confianza incondicional que en él depositaba el primer mandatario —y el enorme poder que Germán Montoya derivaba de su cargo— habían terminado por convertirlo en una pieza clave de la administración. Los ministros de Estado habían tenido que aceptar. Algunos hasta se habían enterado de su relevo del cargo por emisoras radiales, un domingo, al retornar de una finca de recreo o volver de un corto período de vacaciones.

La verdad era que salvo por el director de la policía secreta, el general Miguel Alfredo Maza Márquez, extraído de la central de inteligencia de la Policía Nacional y erigido director del Departamento Administrativo de Seguridad (DAS), los afectos de Germán Montoya daban la apariencia de ser más bien escasos. En cambio, aseguraban algunos de los que lo conocían de cerca, mantenía reservas diversas frente al desempeño de ministros, jefes de departamento y otros funcionarios de alto nivel. Ni qué decir de senadores, representantes, tecnócratas y hasta hombres de empresa.

Conscientes de ese inmenso poder, los barones de la cocaína habían hecho llegar varios mensajes a Germán Montoya Vélez, hasta cuando el secretario general de la Presidencia aceptó reunirse en dos ocasiones en absoluto secreto con sus interlocutores. Pablo Escobar y sus enviados habían creído que todo aquello era un principio de acuerdo con el gobierno para una salida negociada con la mafia, pero al cabo del tiempo habían caído en la cuenta de su equivocación y entonces había sobrevenido la decisión del jefe del cartel de lanzar a Enchufe y a Pájaro tras Diego Montoya. Había decidido hacer sentir el poder de la mafia al hombre más poderoso del gobierno.

Así me le salí a la DEA

Las bocanadas de humo del cigarrillo de marihuana que consumía Pablo Escobar se diluían tras el foco de luz que alumbraba el corredor del refugio situado en el Alto de Minas.

Aquélla era otra casona rural —eso sí, con un gran número de habitaciones y acondicionada con suficientes camarotes hechos en tubo y pintados de un fuerte color rojo. Estaba ubicada en mitad de la montaña y colindaba apenas con otra vivienda dos kilómetros más arriba. La población más cercana era Santa Bárbara (Antioquia).

Después de sus idas y venidas por Medellín y de acompañar a Pinina en la organización del atentado contra *El Espectador* y en "otras vueltas", Popeye se había unido al grupo que protegía a Pablo Escobar: Chopo, Carro Chocao, Ricardo Prisco Lopera y otros 16 ó 17 agentes de la élite terrorista del cartel, de turno aquella noche de últimos de octubre de 1989, consumían cerveza o aguardiente.

—¡Nos van a matar un día, hijueputa! ¡Nos van a matar un día, Popeye! ¡Hijueputa! —dijo excitado Pablo Escobar a Popeye. Bromeaba irónica y pragmáticamente después de botar el "pucho" y levantarse de su silla con la intención de ir a dormir.

Dos cigarrillos de marihuana acompañados de generosas dosis de soda helada era cuanto se permitía Pablo Escobar en las noches en que se sentía sereno y a salvo de la cacería oficial.

Después de escucharlo, Popeye se desternilló en carcajadas nerviosas. Salvo por Arete y Pinina, era quizás quien mejor conocía al jefe del cartel de Medellín.

En noches como estas en el Alto de Minas, Pablo Escobar Gaviria le había relatado sus inicios en el asalto a bancos, el atraco de vehículos y el contrabando de cigarrillos, su aventura y la de Gustavo de Jesús Gaviria Rivero en la introducción de los primeros kilos de cocaína desde Ecuador; la providencial aparición de la mucama en Manhattan, Nueva York, cuando la DEA lo esperaba y hasta la traición que había urdido el piloto gringo Barry Seal. Este último —Pablo Escobar Gaviria siempre insistía en ello— "era un gran sapo hijueputa... Iba a traerme en mi propio avión de Nicaragua a Panamá, pero el pensado que tenía era aterrizar en la base de los gringos".

En realidad, tras el asesinato del ministro de Justicia, Rodrigo Lara Bonilla, los *pezzonovantes* de la mafia —Pablo Escobar Gaviria,

Gonzalo Rodríguez Gacha, El Mexicano, y Carlos Lehder Rivas— habían huido a Ciudad de Panamá y después a Nicaragua.

En Nicaragua, sin saber aún que Adler Barry Seal había sido arrestado en Estados Unidos y convertido en un testigo encubierto de la Drugs Enforcement Administration (DEA), Pablo Escobar alcanzó a notar algo extraño en el comportamiento del piloto estadounidense.

Sospechó de él en el mismo instante en que Barry Seal propuso a los barones de la cocaína regresarlos a Ciudad de Panamá a bordo de un avión que juntos acababan de ayudar a cargar con un embarque de cocaína. Posteriormente, un oficial del ejército formado por el propio general Manuel Antonio Noriega le confirmó el presentimiento y le reveló las intenciones de Barry Seal.

Más tarde, con fundamento en un expediente enviado por el Departamento de Estado al Ministerio de Justicia en Colombia, el asunto de Adler Barry Seal —el primer y más importante testigo con que contaba la justicia federal estadounidense contra el cartel de Medellín— estalló en *El Tiempo*, el principal diario colombiano, con despliegue excepcional:

LA CAÍDA DEL CARTEL DE LA COCA*

Revelaciones de la DEA

En 97 minutos un piloto norteamericano, identificado como Adler Barriman Seal, reveló a la DEA —la agencia antidroga de Estados Unidos— la identidad de los ocho colombianos que durante seis años habían financiado, estructurado y dirigido el más poderoso "emporio" del narcotráfico de las últimas dos décadas.

---

* La caída del cartel de la coca. *El Tiempo*, febrero 3 y 4 de 1985. Édgar Torres A.

El 30 de noviembre de 1984, Barriman Seal compareció ante un juez de Distrito del estado de Florida y en una declaración de diez hojas consignó el nombre, la edad y descripción física de los ocho colombianos que hoy buscan afanosamente, bajo 22 alias distintos, en los cinco continentes, la Interpol y otros organismos internacionales.

Ese día, mientras fumaba un cigarrillo tras otro y se pellizcaba las manos insistentemente, el piloto Barriman Seal reveló a los agentes de la DEA la estructura de las operaciones que surten a unos 20 millones de norteamericanos consumidores de cocaína.

Enfrentando siempre al juez James Lawrence King, Barriman habló de su vida, de sus últimos años y, sobre todo, de sus contactos con Pablo Escobar Gaviria, Jorge Luis Ochoa Vásquez, Carlos Lehder, Gonzalo Rodríguez Gacha, Carlos Bustamante y Pedro Copell.

Su testimonio, sus afirmaciones fragmentarias y entrecortadas ponían fin, en buena parte, a una década de continua y tenaz labor de inteligencia de los hombres de la DEA. Barriman Seal parecía incapaz de entender la magnitud de sus revelaciones. Acababa de completar la lista de los ocho colombianos a los que el tiempo ascendió a "padrinos" del tráfico mundial de cocaína.

Suministró seis nombres y la descripción de varias decenas de eslabones. Los otros dos colombianos, según constaba en los anales de la DEA, eran Gilberto Rodríguez Orejuela y José Santacruz Londoño, un colombiano que ha recorrido el mundo sin temores y dirigido grandes operaciones oculto bajo nueve identidades distintas y seis nacionalidades.

La declaración

La declaración de Barriman Seal era, en realidad, una minuciosa recopilación de las informaciones que seis meses atrás había empezado a suministrar fragmentariamente al agente especial, Ernest Jacobson, funcionario de la DEA, asignado a la Sección de Antinarcóticos y jefe de una cuadrilla de 16 hombres, rigurosamente entrenados para cumplir con su misión.

Desde la primera semana de abril de 1984, Barriman Seal se había convertido en informante de la DEA, en el principal contacto de las autoridades norteamericanas dentro de las organizaciones suramericanas del narcotráfico.

Una tarde cualquiera, Barriman Seal abordó al jefe Jacobson en uno de los corredores del edificio central de la DEA en Florida y, mientras caminaban, le reveló que era piloto de profesión, "que había permanecido sin trabajo, vagabundeando por ahí un par de meses" y, finalmente, que había sido contactado por un representante de los colombianos Jorge Luis Ochoa Vásquez y Pablo Escobar Gaviria.

El contacto le había informado que la "industria colombiana del narcotráfico poseía ya una fuente inagotable para el abastecimiento de la coca y que estaban dispuestos a enviar en los próximos meses un embarque de 1.500 kilos del alcaloide. Su trabajo era transportar la droga desde la selva colombiana hasta los Estados Unidos.

Jacobson poseía en ese entonces diversas informaciones sobre Escobar Gaviria. Obtuvo la copia de un informe oficial sobre los resultados de una investigación realizada por expertos en algunos países europeos perplejos ante la denominada "tempestad blanca de cocaína en el Viejo Continente".

El informe contenía algunos datos específicos sobre las presuntas actividades de Escobar Gaviria y otros colombianos en Europa. En la página 13, Jacobson leyó: "Gaviria pagó la iluminación del estadio de fútbol de Medellín y con su inmensa fortuna obsequió 122 viviendas a los pobres de esa ciudad de Colombia que vivían en el basurero.

"Pescaditos inservibles"

Más adelante, encontró que Escobar Gaviria había sido procesado por el robo de un vehículo Renault y que también aparecía vinculado al asesinato de un comerciante de Medellín.

El último párrafo del documento parecía una advertencia: "Nunca se podrá probar nada contra Escobar Gaviria. Nunca se podrá detener el ascenso de un hombre que a costa de imponer la fuerza, de asesinatos, de discursos retóricos y de donativos, logró hacerse elegir en el Congreso colombiano en 1982".

Ese era, en realidad, el verdadero temor de Jacobson y de sus hombres. El que después de un riguroso seguimiento, de la infiltración en la organización y de sus testimonios, nunca se pudiera probar nada, absolutamente nada y que, como había ocurrido meses antes, se quedaran simplemente con un cúmulo de desperdicios, de "pescaditos inservibles".

Jacobson y un grupo de hombres de la Policía Federal de Florida mantuvieron desde principios de abril un contacto estrecho y constante con el piloto. Cada desplazamiento de Barriman Seal, cualquier movimiento sería conocido y, de ser posible, vigilado por la DEA.

Durante los seis meses siguientes, Jacobson obtuvo de Barriman Seal una cuidadosa relación de informaciones sobre Escobar Gaviria, Rodríguez Gacha, Rodríguez Orejuela, Ochoa Vásquez, Lehder Rivas y los demás colombianos vinculados a la más poderosa industria del narcotráfico. Estos datos permitirían, un año después, procesarlos y solicitar formalmente al presidente Belisario Betancur la extradición de éstos y otros 60 nacionales.

Jacobson y sus hombres obtuvieron, además, una lista de las conexiones eventuales y permanentes de las mafias colombianas en Bolivia, México, Florida, Los Ángeles, Nueva York y Nicaragua, entre otros.

La fecha prevista para realización de cada embarque; los restaurantes, residencias y demás sitios que sirvieron de escenario a las reuniones clandestinas de la organización, así como las cantidades de dinero que giró la red delictiva durante ese período para financiar sus operaciones, fueron datos que quedaron registrados en los archivos secretos de la DEA.

La aparición de Ochoa

El 17 de abril de 1984, Barriman Seal y su copiloto, Félix Bates, volaron en un avión Lockeed Loadster desde Florida hasta una pista clandestina, ubicada en una zona selvática al norte de Medellín.

Allí, los dos norteamericanos fueron abordados "por varios latinos, miembros de la organización" y trasladados hasta una residencia donde los esperaban Escobar Gaviria, otro colombiano de nombre Pedro Correa y Jorge Luis, Juan David y Fabio Ochoa Vásquez, hijo.

A su regreso de Miami Barriman Seal reveló al jefe Jacobson que él y Bates se habían comprometido a trasladar 1.500 kilos de cocaína pura desde Colombia hasta una finca privada en Mississipi, que había sido adquirida y adaptada para facilitar la operación.

No sabía la ubicación exacta, porque todas las informaciones serían suministradas a su debido tiempo.

Explicó, además, que Ochoa Vásquez se había fijado un plazo de 12 días para recolectar el cargamento y que había sido enfático en el momento de impartirle las instrucciones sobre el destino de la droga, que él debía recoger en la misma pista clandestina oculta entre la selva.

De acuerdo con las informaciones entregadas por Barriman Seal a la DEA, los 1.500 kilos de cocaína, una vez puestos en Mississipi, debían ser divididos en cantidades iguales y nuevamente camuflados en talegos de lona. Los primeros 750 kilos de la droga serían transportados hasta Los Ángeles por cuadrillas terrestres que él, personalmente, se había comprometido a contratar.

Los 750 kilos restantes debían entregarse a Carlos Lito Bustamante, radicado en Miami, jefe de distribución de la droga en Estados Unidos y principal contacto de los "padrinos" suramericanos de la coca en ese país.

A partir de ese momento, Carlos Bustamante, conocido como Jorge Negrete en el ámbito de las drogas, sería el principal enlace entre Barriman Seal, Ochoa Vásquez y los demás miembros de la organización (Carlos Lehder, Rodríguez Gacha, Luce Bustamante y Juan A. Puentes) de la que apenas empezaba a formar parte.

Negrete sería detenido en diciembre de 1984 por la DEA, tras comprobarse su labor como "puente" entre las mafias colombianas del narcotráfico y los "reducidores" de la droga en Estados Unidos.

Los intentos

Barriman Seal suministró al jefe Jacobson un dato más. Ochoa Vásquez le había presentado, el 8 de abril en Ciudad de Panamá, a un hombre identificado como Pedro Copell. Éste estaba alojado en uno de los mejores hoteles con vista sobre el Atlántico y, según las palabras de Ochoa Vásquez, era el jefe de contaduría de la organización. "Cargo bien importante", expresó el agente secreto de la Sección de Antinarcóticos de la DEA.

Copell era el encargado de recaudar los dineros de la "sociedad" a nombre de Ochoa. Su labor era recoger y distribuir el dinero entre los miembros de la operación, tanto para la obtención de equipos y la movilización de personal, como para la cancelación de las deudas contraídas con quienes habían participado en una u otra fase del programa.

Entre el 9 y el 17 de abril, cinco colombianos enviados directamente por Ochoa Vásquez arribaron sorpresivamente a Estados Unidos. Su identidad nunca fue revelada por la DEA, pese a que se intentó ubicar el número de los vuelos en que llegaron a Miami y los hoteles en que se alojaron.

El 17 de abril, una llamada de Negrete a Barriman Seal y a su copiloto Félix Bates, les advirtió sobre el arribo de los cinco miembros. "Todos debían reunirse a las 11 de la mañana en el restaurante McDonald".

Ese día, sin embargo, toda la investigación estuvo a punto de venirse al suelo. Un agente de la DEA, alertado por el jefe Jacobson, irrumpió en el establecimiento y capturó a José Jiménez.

Jiménez, según se conocería días más tarde, era colombiano y había llegado a Estados Unidos unos 18 meses atrás, a finales de 1982. Era una "baratija"; recorría una y otra vez los estados de Estados Unidos distribuyendo y contactando nuevos mercaderes del alcaloide.

La captura de Jiménez obligó a postergar la cita durante varias horas y a fijar un nuevo lugar para el encuentro. Negrete se decidió por una amplia oficina ubicada en las instalaciones de la agencia de Auto World.

La citada agencia, según revelaría posteriormente Barriman Seal al juez Lawrence King y a la DEA, era propiedad de Pablo Escobar y servía como centro de operaciones de los envíos de droga desde Colombia planeados y dirigidos por Escobar Gaviria, quien "para esa época distribuía semanalmente 500 kilos de cocaína pura en Estados Unidos".

Los cinco colombianos enviados por Ochoa debían revelar a Barriman Seal y a Bates la localización exacta de la pista clandestina de Mississipi que sería utilizada para trasladar la droga y asegurarse del perfecto estado del avión en que debía transportarse ésta.

La reorganización

Cinco días después, Barriman Seal fue abordado sorpresivamente en Miami por el venezolano Lázaro Márquez Pérez, fugitivo de las autoridades de su país y conocido, además, como Carlos Madrid Palacios.

Márquez Pérez había sido enviado por Jorge Ochoa y desde el día en que partieron cinco hombres de la organización que enseñaron a Barriman Seal la ubicación de la pista, él había llegado a Estados Unidos. Al parecer, había fiscalizado paso a paso los movimientos del piloto hasta asegurarse de que "era como de la familia".

La misión de Márquez Pérez era la de reorganizar completamente la red delictiva ubicada en Estados Unidos, manteniendo como centro de operaciones a Miami. "Le habían advertido que la gente destacada en las Bahamas iba a ser despedida en su totalidad".

"Las incautaciones de droga se han incrementado y todos estamos perdiendo demasiado", le dijo el venezolano a Barriman Seal. Márquez Pérez debía reestructurar el "sistema de seguridad" de la organización, aun cuando ello incluyera la pérdida de algunos elementos.

"Por ese entonces —diría Barriman Seal cuatro meses más tarde al juez Lawrence King— se me había informado que Ochoa Vásquez estaba enviando 300 kilos diarios de coca a diferentes puntos ubicados sobre las Bahamas, pero que las incautaciones de la policía habían reducido el negocio a una nada".

El 22 de abril, Negrete abordó a Barriman Seal frente a un cine de Miami. Le habló poco, le dio a entender que el embarque se haría ahora utilizando como centro para repostar a Nicaragua y le ordenó trasladarse al otro día con Bates a Ciudad de Panamá. "Ochoa Vásquez, Escobar Gaviria y Rodríguez tenían que darle muchas instrucciones".

Decomiso y capturas

La mañana del 23 de abril era clara y el cielo estaba despejado y brillante. Adler Barriman Seal, el piloto norteamericano contactado por Pablo Escobar Gaviria y Jorge Luis Ochoa Vásquez para transportar a Estados Unidos 1.500 kilos de cocaína, llegó hasta el restaurante McDonald y pidió un café.

Eran las 10 de la mañana y Félix Bates aún no aparecía. Tenía 20 minutos de retraso. Desde el 7 de abril la DEA mantenía un estricto control sobre los movimientos de cada uno de los hombres que Barriman Seal indicaba como miembros de las organizaciones colombianas del narcotráfico. Diariamente un hombre de la Sección de Antinarcóticos era asignado para vigilar cuidadosa e individualmente las conexiones de la industria de la "coca" en Estados Unidos.

Bates apareció unos minutos después, y ambos norteamericanos se dirigieron hacia donde se encontraba el avión Lockheed Loadcaster. Era una pista privada en cercanías de Miami. Barriman revelaría después a la

DEA que ese día volaron hasta Ciudad de Panamá tal y como les había indicado Carlos Bustamante unas horas antes.

"Fueron dos días de intensas conversaciones. Escobar Gaviria y Ochoa Vásquez planeaban y revisaban minuciosamente cada detalle. Querían que trasladaran los 1.500 kilos de inmediato, porque las pérdidas de las Bahamas los habían puesto nerviosos", dijo Barriman seis meses más tarde al juez del Distrito del estado de Florida, James Lawrence King.

Barriman indicó, además, que la organización le había advertido sobre un cambio en los planes. El transporte de la droga utilizaría, en adelante, como "repostadero", una pista clandestina de 915 metros de longitud, ubicada en el extremo sur de Managua, en Nicaragua.

La compra de un vehículo

Cuando regresaron a Estados Unidos, Carlos Bustamante, el principal contacto de Escobar Gaviria y Ochoa Vásquez en Norteamérica, citó a Barriman Seal a las instalaciones de la agencia Auto World.

Era 26 de abril y hacía mucho calor. Barriman Seal llegó al establecimiento hacia las tres de la tarde en compañía del jefe del Servicio de Inteligencia de la Sección de Antinarcóticos de la DEA, Ernest Jacobson.

En el momento de entrar a la agencia, Bustamante agarró del brazo a Barriman y lo instó a que le diera algunas referencias sobre su compañero. El piloto le explicó que se trataba de uno de sus hombres de confianza, práctico en trabajos de este tipo, frío y calculador. Y sobre todo, una lápida cuando se trataba de suministrar información a la policía.

Era la primera vez que un agente secreto de la DEA lograba infiltrarse en la organización. Bustamante advirtió a Barriman que había poco tiempo, le dijo que era urgente preparar el embarque y, finalmente, le entregó un vehículo Winnebago, modelo 1984 de seis metros de longitud, a Jacobson y a otro agente secreto, de nombre Robert Jorua.

Los dos detectives se trasladaron en el automotor hasta Gulfport, Mississipi, donde Ochoa Vásquez, Escobar Gaviria y Rodríguez Gacha habían construido la pista clandestina en la que Barriman Seal dejaría el cargamento. Posteriormente la coca sería transportada hasta Los Ángeles por los dos detectives, que él había presentado como hombres de la mafia a Carlos Bustamante.

Las instrucciones de Barriman eran trasladarse al día siguiente, 27 de abril, desde Miami hasta la pista clandestina, ubicada en la selva colombiana. Ese día, sin embargo, el avión Lockheed Loadster se averió durante un vuelo de prueba. La operación fue cancelada y todos se sumieron en la clandestinidad, en el más profundo hermetismo.

El segundo plan

La tarde del 18 de mayo de 1984, Félix Bates y el piloto Adler Barriman Seal se entrevistaron en Ciudad de Panamá con Escobar Gaviria, Rodríguez Gacha, El Mexicano, y Ochoa Vásquez.

Habían arribado a Ciudad de Panamá en uno de los dos helicópteros que Carlos Bustamante les ordenó comprar en Miami. Se trataba de dos modernos aparatos Huey, adquiridos por la organización después que el avión Lockheed Loadcaster se averió, horas antes del primer envío.

Los tres colombianos parecían profundamente molestos; Barriman Seal explicaría después que le habían hablado de los graves trastornos que estaba ocasionando el asesinato del ministro de Justicia, Rodrigo Lara Bonilla, ocurrido la noche del 30 de abril en el norte de Bogotá.

La situación era desesperada: el presidente Belisario Betancur había ordenado encontrar, capturar y poner en prisión a todas las personas implicadas en operaciones de droga. La policía, el ejército y otros organismos de seguridad, irrumpían sin la menor "misericordia" en las propiedades de los colombianos que habían sido acusados de traficar con droga.

Había pérdidas millonarias. Centenares de hectáreas eran descubiertas y destruidas. Los laboratorios fueron quemados y costosos elementos eran incautados.

Siete meses después, se tendría una lista satisfactoria de los resultados obtenidos por las autoridades colombianas, en los anales de la historia del país; se procesaría a todos los colombianos acusados de narcotráfico y se accedería a entregar a cuatro de ellos al gobierno de Estados Unidos.

Nicaragua

Esa misma tarde del 18 de mayo, Escobar Gaviria, Ochoa Vásquez y Rodríguez Gacha, explicaron a Barriman Seal frente a Federico Vaughan

248

(de quien se afirmó era ayudante inmediato del ministro del Interior de Nicaragua, Tomás Borge), que la mayor parte de los laboratorios destinados a refinamiento de la cocaína habían sido trasladados a Managua y otras zonas aledañas a las principales ciudades de ese país.

Barriman Seal revelaría días después al jefe de Jacobson, que él y Bates habían supervisado personalmente la pista clandestina de 915 metros de longitud, ubicada en el extremo sur de Managua. Que lo habían hecho en compañía de Vaughan por orden de Escobar Gaviria.

La DEA descubriría que las mafias colombianas tuvieron acceso a la pista mediante la enunciación de palabras clave y el suministro de códigos específicos que previamente habían sido informados por los contactos de Vaughan al controlador aéreo.

Consultados por *El Tiempo*, funcionarios de la Embajada de Nicaragua en Colombia advirtieron que ésta y otra clase de informaciones eran parte de una campaña internacional del Departamento de Estado norteamericano destinada a desprestigiar a su país. El consejero de Asuntos Políticos de la misión, Orlando González, explicó que su país nunca sirvió de sede a esta clase de actividades y que las pruebas presuntamente obtenidas por la DEA fueron inventadas.

El funcionario admitió que Federico Vaughan es un ciudadano de origen nicaragüense, pero explicó que sus actividades se limitan a algunas negociaciones completamente legales con el gobierno de su país y que jamás ha estado involucrado en actividades ilícitas, mucho menos relacionadas con el narcotráfico.

El procurador

El 24 de mayo de 1984 Barriman Seal y Félix Bates, los dos hombres que a la postre dejarían al descubierto toda la operación en las oficinas de la DEA, regresaron a Miami, al McDonald, a la agencia de Auto World.

Ninguno tenía el más mínimo indicio sobre lo que ocurriría dos días después en la mañana del 26 de mayo. Ochoa Vásquez, Escobar Gaviria y Rodríguez Gacha, los hombres a quienes aparentaban obedecer con esmero, se reunirían en el Hotel Soloy de Ciudad de Panamá con el procurador General de la Nación, Carlos Jiménez Gómez.

249

Ni Barriman Seal ni Félix Bates tuvieron nunca ninguna información a este respecto. A principios de julio, cuando una publicación de *El Tiempo* desatara el más grande escándalo del Ministerio Público en la historia de Colombia, el jefe Jacobson reclamaría al piloto por la omisión de una información que "para Estados Unidos era algo más importante".

En realidad, ello comprobaba sus hipótesis. Lo que siempre había pensado acerca del tráfico de estupefacientes, del crimen organizado, del contrabando, de las grandes operaciones delictivas: "A partir del poder económico y la intimidación se intentará una y otra vez comprar desde la dignidad de un hombre hasta la soberanía de un pueblo".

El cargamento y Lehder

Finalmente, el 3 de julio de 1984 en la pista oculta entre la selva, Carlos Lehder y una cuadrilla de latinos habían ayudado a cargar un avión bimotor Titán con 700 kilos de coca. Barriman Seal debía transportar la droga hasta la pista en Nicaragua, en donde sería descargada y posteriormente exportada a Estados Unidos.

Eran ya las cuatro de la tarde, habían durado seis horas intentando cargar el aparato que había sido comprado días antes por Ochoa Vásquez para garantizar el éxito de la operación. La pista clandestina oculta al norte de Medellín estaba muy mojada y tuvieron que aguardar demasiado para decolar definitivamente.

Barriman estaba dispuesto a cumplir con su misión. Todo estaba adecuadamente planificado, no podía haber errores. Sin embargo, un desperfecto mecánico los obligó a aterrizar de emergencia en un aeropuerto militar, situado a varios minutos de vuelo del punto elegido por la organización. Las autoridades militares de Nicaragua retuvieron el avión e incautaron la cocaína.

Barriman Seal revelaría posteriormente al jefe Jacobson que había permanecido en prisión, desde ese día, 3 de junio, hasta el 4 del mes siguiente cuando los contactos de Vaughan habían obtenido su libertad. Diría, además, que tras su excarcelación se reunió con Escobar Gaviria y Ochoa Vásquez en la sede de uno de los laboratorios clandestinos ubicados en proximidades de Managua.

Durante todo ese tiempo, según explicaría al juez James Lawrence, Barriman había transportado importantes sumas de dinero desde Miami hasta Colombia y Nicaragua.

Al expediente que ampara las denuncias contra los colombianos, la DEA adjuntó la grabación de una comunicación telefónica entre Barriman Seal y el nicaragüense Vaughan, registrada el 24 de junio de 1984. Así mismo, adjuntaría fotografías de Escobar Gaviria y Rodríguez Gacha ayudando a cargar el avión Titán en el centro de operaciones de Nicaragua.

El 26 de junio, Barriman Seal transportó finalmente un cargamento de 680 kilos de cocaína a Miami y los puso a disposición del jefe Jacobson y los demás agentes secretos que él había ayudado a infiltrar en la organización. Los detectives actuarían como miembros de la red delictiva y llevarían la droga hasta Los Ángeles en el vehículo Winnebago, adquirido especialmente para el transporte del alcaloide.

Ese día, las autoridades de la Florida y cuadrillas de hombres de la DEA capturaron a varios de los contactos de la organización colombiana en Estados Unidos. Los agentes secretos, con excepción del jefe Jacobson, fueron "detenidos" también y puestos en las celdas comunes con los verdaderos hombres que operaban a órdenes de Jiménez.

Jacobson pensaba que cualquier dato que sus hombres conocieran en la cárcel podría asegurar una nueva pista, una nueva identidad, un nuevo eslabón. Además, era factible que Escobar Gaviria y Ochoa Vásquez intentaran saber si todo no era más que un simple engaño.

Barriman se comunicó telefónicamente con Escobar Gaviria y le confirmó lo sucedido. "La Policía ha metido las narices. Todos mis hombres han sido capturados y el cargamento está ahora en las oficinas de la DEA". El piloto, sin embargo, evitó informar cualquier dato sobre la detención de los hombres contactados por la red colombiana en Estados Unidos.

Un mes después, Barriman Seal revelaría a la DEA un dato que hasta ese entonces era omitido. Escobar Gaviria y Ochoa Vásquez le habían dicho que tras el envío de esa primera carga, él debía viajar a una zona especial de Bolivia.

Ellos ya habían ordenado la recolección de 600 libras de droga, y aproximadamente 2.700 kilos de cocaína pura. El cargamento sería trasladado por él hasta Nicaragua y después a una pista privada ubicada en una hacienda particular de la península de Yucatán, en México.

La etapa restante de la operación estaría a cargo de un grupo de pilotos que, para ese entonces, gozaban de la confianza total de Escobar Gaviria, Ochoa, Rodríguez Gacha y Carlos Lehder. Ellos transportarían la droga en pequeñas cantidades hasta diferentes puntos de Estados Unidos.

Prácticamente la investigación había terminado. Los resultados eran inmejorables. Ernest Jacobson, el jefe de la cuadrilla de 16 hombres de la Sección de Antinarcóticos de la DEA en Miami, tenía después de diez años de investigaciones la lista completa de los ocho colombianos a los que el tiempo había convertido en "padrinos" del narcotráfico en el mundo entero.

Recordó la repentina aparición de Barriman Seal a principios de abril, sonrió y volvió sobre el informe de las autoridades europeas. Pasó las hojas, una tras otra y leyó: "Es inexplicable que dos hombres con temperamentos tan disímiles, de comportamientos tan diferentes, hayan estructurado una organización de este tipo, más peligrosa que el crimen organizado en su sentido estricto".

"Escobar Gaviria es un hombre serio, estricto, intuitivo y dispuesto a organizar y supervisar personalmente las operaciones que involucran sus negocios. Ochoa es tímido, ajeno a atraer la atención; entre más creció su negocio, más se retrajo del mundo".

Se dictó orden de arresto contra Escobar Gaviria, Ochoa Vásquez y los demás colombianos que, según esta revelación de Adler Barriman Seal ante la DEA, participaron en la fabulosa operación. Con base en estos hechos, el gobierno de Estados Unidos gestionó las solicitudes de extradición de Ochoa Vásquez y Rodríguez Gacha ante la Audiencia Nacional de España.

"Jorge Ochoa es un individuo latino de 1.77 a 1.78 de estatura, piel blanca clara, pelo negro ondulado, un peso aproximado de 90 a 100 kilos y de unos 30 a 35 años de edad". Fue el último dato que suministró a la DEA y a las autoridades norteamericanas Barriman Seal.

Todos los colombianos que fueron acusados por el gobierno de Estados Unidos de participar y dirigir operaciones de narcotráfico negaron absolutamente todos los cargos que se les imputaron*.

---

* **Nota de la redacción**: Los datos suministrados por *El Tiempo* en estas dos entregas fueron obtenidos a partir de una cuidadosa relación de fuentes diversas y se basan en los resultados de las investigaciones adelantadas por la DEA en Nicaragua, Colombia, México y Ciudad de Panamá, entre otras.

Tras el episodio de Nicaragua, en fin, Pablo Escobar Gaviria, Gonzalo Rodríguez Gacha, El Mexicano, Carlos Lehder y otros narcotraficantes habían regresado a Colombia y empezado a construir sus imperios del terror a nombre de la lucha contra la extradición.

Carlos Lehder había constituido el Movimiento Latino, Gonzalo Rodríguez Gacha, El Mexicano, había concebido sus escuadrones de sicarios y progresivamente sus ejércitos paramilitares y Pablo Escobar produjo el viraje radical de "la oficina" y el secuestro de otros poderosos traficantes y de prominentes personalidades de la industria y el gobierno.

"Háganle a lo de Gaviria"

La reunión de esa noche en Puerto Triunfo —en la primera semana de noviembre de 1989— agrupó otra vez a la cúpula de la mafia: Pablo Escobar; Gerardo Kiko Moncada; Albeiro Areiza, El Campeón, y Gonzalo Rodríguez Gacha, El Mexicano.

Por instrucción de Escobar, Arete les explicó el punto en el que estaba "la vuelta" del DAS. Según dijo, Carro Chocao se había encontrado con limitaciones de los proveedores ecuatorianos para entregar de súbito diez toneladas de dinamita y él y Memín habían tenido que trasladar con extrema lentitud los explosivos de la bodega de Medellín a Bogotá, ocultos entre los electrodomésticos huecos suministrados por Gerardo Kiko Moncada. Por último, les explicó que a estas alturas un total de 9 toneladas de dinamita estaban finalmente almacenadas en la bodega de la calle 2a. sur con carrera 19, en el sector de San Antonio, y que Memín y un hombre al que apodaban Alberto Sandoval gestionaban ahora la compra del autobús que iban a utilizar en el atentado.

Sin embargo, virtualmente imbuidos en otro asunto, el candidato a la Presidencia César Gaviria Trujillo, los capos de la mafia apenas si prestaron atención a Arete.

Gaviria había heredado la candidatura presidencial del hombre al que el cartel había asimilado a su peor enemigo y había ordenado asesinar. En el anochecer del 18 de agosto —cuando presidía una manifestación pública— un comando de la mafia enviado por Gonzalo Rodríguez Gacha, El Mexicano, y coordinado por Jaime Eduardo Rocha había baleado a tiros al candidato por el liberalismo a la Presidencia de la República, el abogado y economista Luis Carlos Galán Sarmiento. El grupo de sicarios —que operó encubierto entre falsos portadores de pancartas en las que se aclamaba a Galán— estaba integrado además por José Ever Silva, Enrique y José Orlando Chaves Fajardo y casi otra docena de pistoleros.

Galán Sarmiento había representado por más de una década el dique más severo de su partido contra la mafia. De hecho, él había sido el primero en oponerse a la vinculación de Pablo Escobar Gaviria a la política. Aquello había empezado en febrero de 1982 cuando el Movimiento de Renovación Liberal de Antioquia, presidido por Jairo Ortega, inscribió al jefe del cartel como segundo en la lista a la Cámara.

Por intermedio de Iván Marulanda, coordinador en Antioquia del Nuevo Liberalismo, la corriente que él había convertido en una disidencia del partido tradicional, Luis Carlos Galán Sarmiento hizo llegar a Jairo Ortega instrucciones para retirar a Pablo Escobar Gaviria de las listas al parlamento. En una carta a Jairo Ortega, Iván Marulanda le había pedido "modificar su lista de Cámara de Representantes, en el renglón de la primera suplencia".

La misiva justificaba tal solicitud en un párrafo severo: "Luis Carlos Galán Sarmiento se enteró por intermedio de una persona de su confianza de las condiciones inaceptables que reúne la persona que ocupa la primera suplencia de la Cámara en su lista". A renglón seguido, Marulanda precisaba en forma cortés: "Le ruego modificar este lamentable error".

Más tarde, ante la negativa de Ortega, Luis Carlos Galán le había enviado un crudo mensaje escrito: "No podemos aceptar vinculación de personas cuyas actividades están en contradicción con nuestras tesis de restauración moral y política del país. Si usted no acepta estas indicaciones, yo no podría permitir que la lista de su movimiento tenga vinculación alguna con mi candidatura presidencial". Por último, en una manifestación pública, en Medellín, Galán había desautorizado al movimiento de Renovación Liberal de Antioquia como representante del Nuevo Liberalismo. Entonces, Jairo Ortega y Pablo Escobar Gaviria simplemente habían adherido a Alternativa Popular, un movimiento presidido por el senador Alberto Santofimio Botero.

Por esa vía el jefe del cartel de Medellín había accedido a la Cámara y permanecido en ella hasta cuando las denuncias del ministro Rodrigo Lara Bonilla, representante de Luis Carlos Galán Sarmiento y el Nuevo Liberalismo en el gabinete ministerial, lo obligaron a sumirse en la clandestinidad.

Desde entonces, había surgido en Pablo Escobar un odio visceral hacia Luis Carlos Galán y su movimiento y por eso esta noche, en Puerto Triunfo —a instancias de Gonzalo Rodríguez Gacha, El Mexicano— el cónclave de la mafia discutía la suerte de César Gaviria Trujillo.

Economista y parlamentario, Gaviria se había convertido en jefe de debate de la campaña de Luis Carlos Galán después de dejar su puesto como ministro de Gobierno y funcionario estrella de la administración de Virgilio Barco Vargas.

En mitad del sepelio de su padre, en el Cementerio Central en Bogotá, cuando el ataúd con los restos del candidato inmolado descendía a la bóveda, el primogénito de Luis Carlos Galán había pedido a César Gaviria asumir las banderas de su padre. En sólo unas semanas —ante la conmoción y el rechazo general por el magnicidio— César Gaviria había alcanzado verdaderos récords de convocatoria y ahora los jefes de la mafia veían en él a un nuevo enemigo.

—Ésa es la amenaza del continuismo de Barco, que no es otra cosa que la guerra sin cuartel —se repetían.

Después de una hora de discusión, el cónclave adoptó la decisión de asesinarlo y después entró a convenir la forma de hacerlo.

—Hay que colocarle una bomba en el avión.

Pablo Escobar Gaviria, Gerardo Kiko Moncada, Albeiro Areiza, El Campeón, y Gonzalo Rodríguez Gacha, El Mexicano, desechaban un ataque con sicarios en razón de la extrema vigilancia y el celo con el que el Gobierno debía estar protegiendo a César Gaviria. No era el único crimen que planeaban. Acababan de dar la orden de trasladar un carro-bomba a Bogotá para poner fin a la vida de otro connotado colombiano: el ex presidente Belisario Betancur.

El soborno

El coronel Hugo Martínez y su unidad escuchaban perplejos. Infructuosamente intentaban ubicar la zona en donde tenía origen aquella comunicación.

Desde cuando los generales Miguel Antonio Gómez Padilla y Octavio Vargas Silva le notificaron su traslado a Medellín y el carácter del trabajo que debía cumplir y le explicaron que su decisión era enviar oficiales y suboficiales sin nexos con la ciudad, el ex subdirector de la Escuela de Cadetes General Santander había comprendido que hasta los altos mandos temían por los niveles de infiltración de la mafia en las agencias armadas del Estado.

Lo comprobaba por segunda vez ahora que escuchaban a Pablo Escobar y a un extraditable acordando un soborno a una patrulla armada. Delatado y sorprendido por una operación oficial en un refugio en algún punto en los alrededores de Medellín, Gustavo González Flórez negociaba su libertad y pedía al jefe del cartel atender las demandas de los uniformados: 500.000 dólares (220 millones de pesos colombianos).

Pablo Escobar dialogaba desde un "handy" con el extraditable mientras buscaba que desde la central clandestina de comunicaciones localizarán a Luis Carlos Aguilar Gallego, El Mugre, Otoniel González Franco, Otto, o a Pinina, a quien Escobar también apodaba El Monito.

Una vez comunicado con este último, le ordenaba darse de inmediato a la consecución del dinero. Los oficiales del Bloque de Inteligencia seguían desde el principio ambas comunicaciones, que utilizaban una misma red y frecuencia y que estaban coordinadas desde la central clandestina:

Pablo Escobar: Base, base.
Base: Adelante:
Pablo Escobar: Tímbrele al Monito, a Mugre o a Otto, urgente.
Base: Listo, listo.
Pablo Escobar: ¿Quién habla? ¿Qué hubo del beeper?
Base: Al Monito se lo estamos poniendo (...) Un momentico Patrón. Está río Claro, ¿se lo pongo por este medio? .
Pablo Escobar: Póngalo, póngalo, sígale que le copio.
Extraditable: Estoy aquí con los señores; dicen entonces que cuánto ofrecemos por ellos.
Pablo Escobar: ¿Cuántos son ellos? ¿Cuántos son?
Extraditable: Son 25.
Pablo Escobar: Cincuenta millones de pesos.
Extraditable: Nada, que ni riesgos.

El coronel Hugo Martínez y su unidad alcanzaron a captar entonces, en el fondo, otra voz. De seguro, era la voz del oficial que negociaba con el traficante:

Voz: Aquí hay 28 operativos, pero están los duros, los que nos mandan... está la otra gente de arriba.

257

Pablo Escobar: Dígales que una cosa justa, que están pidiendo una cosa muy exagerada. Dígales que están pidiendo muy exagerado. Que nosotros les colaboramos para que todo quede tranquilo y que así quedo yo tranquilo y ellos quedan tranquilos y que así quedamos todos tranquilos.

Extraditable: Oiga, socio: ellos dicen que no, hermano, que no hay nada.

Pablo Escobar: Dígales que negociamos, pero que se pongan en una cosa justa. Ellos saben que ahora nosotros no estamos trabajando, que estamos en un problema, en guerra, hermano. Ellos saben cómo está la situación. Usted es un hombre que trabaja a lo grande, hermano. Usted sabe cómo es la cosa. Yo le colaboro porque usted es amigo mío y así ellos también quedan tranquilos y quedamos todos tranquilos. Dígales que se pongan en una cosa justa y que cuadramos la cosa.

Extraditable: No. Ellos están asustados, hermano, por ustedes. Yo les digo que no hay problema y que conmigo menos porque no hay ningún problema. Están muy asustados y dicen que se sube, hermano, o que ya nos vamos.

Pablo Escobar: Dígales que no vamos a tener problemas con nadie y menos vamos a tener problemas con los que se manejan bien. Si ellos se van a manejar bien, hermano, y van a colaborar: ¿qué problemas vamos a tener con ellos?

Extraditable: Que ellos se están manejando bien, dicen. Usted sabe que ellos también están en su causa adentro.

Pablo Escobar: Por qué no le dice que se muevan de ahí para que no bloquiemos la cosa y en otro lado negociamos. Dígales que le bajen un poquito. Que despachen a algunos y tal, pero que se pongan en una cosa justa. Esa plata no la saca uno ni del Banco de la República, hermano.

Extraditable: Ellos están, hermano, que nos vamos...

Pablo Escobar: Bueno, pues, hermano, si ellos no quieren colaborar, usted sabe que ya el problema está arreglado hermano y usted tampoco tiene problemas con Estados Unidos.

Extraditable: Ah, pero usted sabe cómo es la cosa aquí, hermano. Desafortunadamente vos sabes que yo estoy, pues, como estoy.

Pablo Escobar: Por eso, pero una cosa justa hermano, es que están muy exagerados.

Extraditable: Ellos dicen entonces que nos tenemos que ir.

Pablo Escobar: ¡Ah! ¡Pero, ¿cómo nos vamos a dejar chantajear, hermano?! ¡Esa moneda es imposible!

Extraditable: Pero es cuestión de hablar, hermano. Usted por qué no me colabora. Yo me bajo de cosas, hermano.

Pablo Escobar: Pero ¿de dónde voy a sacar esa moneda, hermano? ¿Usted no ha visto todos los problemas que hay, hermano? No. Dígales que se pongan en lo justo para yo quedar contento con el arreglo y que ellos queden tranquilos conmigo porque yo para quedar verraco con un arreglo, no queda contento nadie.

Extraditable: Entonces, ¿cómo hacemos?

Pablo Escobar: Ofrézcales cien, pues, pero hagamos un arreglo que yo no quede verraco porque es que si yo quedo aburrido, hermano, imagínese. Una cosa tan exagerada, un descaro. No. Una cosa que sea justa. Yo les doy cien millones de pesos, pues. Arregle a ver.

Extraditable: Un segundito por favor.

Base: Señor...

Pablo Escobar: Sí.

Base: El Monito por este medio.

Pablo Escobar: Siga, le copio, siga.

El Monito: En este momento que estabas hablando habían dejado el radio como que con el botón hundido. Se ponen a hablar huevonadas y entonces les están oyendo todo... ¿Qué más, bien o no?

Pablo Escobar: Bien, bien. Es que un amigo mío tiene un problema y está con los señores ahí que lo cogieron para la lotería y entonces estamos en eso. Esté escuchando ahí porque lo necesito también a usted para una cosa, en seguida.

El Monito: Yo estoy aquí pendiente.

Pablo Escobar: Ahí va a escuchar en seguida.

Extraditable: Aló.

Pablo Escobar: Siga que le escucho, adelante.

Extraditable: Que les busquen medio peso, hermano, o que nos vamos porque es que son muchos, hermano, y realmente sí son muchos porque yo sí vi mucha gente, hermano, y entonces por lo menos la gente es chévere, es bacana, hermano, por lo menos son a lo bien, hermano.

Pablo Escobar: Vea, medio peso son 220 millones, hermano. Yo les doy 150 para yo quedar tranquilo. Ellos me colaboran a mí también y yo quedo tranquilo. Quedamos de amigos y nos servimos y nos entregarán al sapo que estamos necesitando también.

Extraditable: Vea, hermano, que el hombre es amiguín, que quiere trabajar a lo bien. Que, al contrario, también quiere hablar con usted, si se puede hablar después de esto. Lo que dicen es que los de arriba están con los brazos abiertos y que es mucha gente.

Pablo Escobar: Bueno, dígale, pues, que partamos la diferencia y que yo quedo tranquilo y que ellos quedan tranquilos y que yo quedo contento. Usted queda contento y ellos quedan contentos.

Extraditable: Pues, hermano, que no, que no, hermano. Que es que esos manes de allá están muy tragones.

Pablo Escobar: Dígales que no se cierren a la banda; que para que quedemos de amigos de ellos y de los de arriba. Lo que me interesa es tener amigos y que me den al sapo.

Extraditable: Que no, hermano... A mí me da pena, llave, hermano. Yo no los estuviera molestando si yo no estuviera con eso, hermano.

Pablo Escobar: Dígales que partimos la diferencia, ¿en cuánto están ellos...?

Extraditable: Un segundito, por favor.

Pablo Escobar: ¿Qui hubo, Mono?

El Monito: ¿Qui hubo? ¿Quién es él?

Pablo Escobar: Por aquí no te pudo decir. Es un extraditable que está por ahí cogido. Entonces están pidiendo muy duro, pero ya estamos arreglando ahí. Entonces para que llamés a Chepe para que nos aliste eso, hermano, porque hay que colaborarle al hombre, porque ¿cómo lo vamos a dejar abandonado?

El Monito: Ah, bueno.

Pablo Escobar: Siga, siga.

Extraditable: No hermano, esta gente dice que no. Que entonces que me voy con ellos.

Pablo Escobar: ¿Qué se lo van a llevar por 20 millones si ya tienen 200 en el bolsillo? Dígales que dejen esa huevonada. Que cuadren esa maricada.

Extraditable: Mano, usted sabe todo lo que yo hago. Yo les he dicho aquí. ¡Qué falla, hombre!

Pablo Escobar: Listo, hermano, cerremos esa maricada así, pues.

Extraditable: ¿Cómo hacemos?

Pablo Escobar: Cierre pues eso así, en 500 verdes. ¿Me copió?

Extraditable: Erre, erre.

Pablo Escobar: Mono.

El Monito: ¿Qué hubo?

Pablo Escobar: Llámate a aquellos para que nos los tengan listos hermano.

El Monito: ¿Quinientos de los verdes?

Pablo Escobar: Afirma, afirma...

El Monito: Voy a llamar a Bernardo a ver.

Pablo Escobar: Pero ojo con las cifras y con las comunicaciones porque yo creo que éste se enredó ayer en una cita conmigo. Seguro dio un teléfono por ahí y ahí fue donde se complicó.

El Monito: No hablo sino por puro móvil.

Pablo Escobar: No, usted no, aquél hombre.

El Monito: Yo siempre le pongo una cita que sabemos él y yo no más y por teléfono nada de cifras.

Pablo Escobar: Erre, erre.

Extraditable: Amigo, ¿entonces cómo hacemos?

Pablo Escobar: Bueno, usted sabe que necesito dos horas por lo menos para hacer la vuelta. Entonces, llámeme a las tres de la tarde ahí mismo. Pero vea: ojo que esos teléfonos y todas las comunicaciones todo lo escuchan. No se pueden dar puntos, direcciones, sino que el sitio tal. Así, hablando en clave. ¿Me entiende?

Extraditable: Lo llamo de nuevo.

Pablo Escobar: Deciles que nos tienen que decir el informante.

Extraditable: Copiado.

Pablo Escobar: Ve, te digo una cosa, vos ayer cuando llamaste a la base para hacer la cita conmigo nos dijiste número de teléfono por el teléfono.

Extraditable: Pues nunca lo hago. Negativo, negativo. Siempre de un público.

Pablo Escobar: Bueno, entonces tiene un sapo por ahí muy encima, hermano. Debe estar muy cerquita del lado suyo. Dígale a la gente que, pues, que nos colaboren; que se van a llevar un billete muy grande pero que nos colaboren con eso, hermano.

Extraditable: Listo socio.

Aun cuando durante las dos horas siguientes el coronel Hugo Martínez y la unidad intentaron ubicar las patrullas en operación tanto del ejército como de la Policía Nacional y del DAS, todo había terminado por ser infructuoso. Era cierto que se habían realizado diversos registros, pero ningún agente aceptaba haber estado frente a extraditable alguno.

Algo similar había ocurrido unas semanas antes de esta captación. Aunque con protagonistas diferentes: Gustavo de Jesús Gaviria Rivero y un sicario del cartel al que conocían con el remoquete de El Pecoso. Identificado y capturado en un retén móvil, El Pecoso había acudido de inmediato por radio a Gustavo de Jesús Gaviria Rivero. Éste lo había orientado en la negociación hasta obtener que los agentes se transaran por 20 millones de pesos, sin saber que Gustavo de Jesús Gaviria Rivero había dado la orden de que colocasen dentro del maletín más de un billete falso.

Hay que colocarles unos falsetes de los que tenemos organizados —le dijo Gustavo de Jesús Gaviria al encargado de conseguir el dinero y después se desternilló de la risa.

En enero 21 de 1990 —después de un allanamiento de la Fuerza Élite en el lugar— el coronel Hugo Martínez y la unidad habrían de saber que el día en que captaron la negociación entre Pablo Escobar Gaviria y los agentes que extorsionaban a un extraditable, el jefe del cartel estaba a sólo 12 kilómetros del área urbana de Medellín.

El refugio era una casa campesina común y corriente, en mitad de árboles frondosos en la cabecera del monte, en una pendiente enorme. A la vivienda se llegaba a través de trochas que partían de un recodo en la vía Santa Helena-Rionegro, pero estaba construida de tal forma que era virtualmente invisible desde la carretera.

El coronel Hugo Martínez y la Unidad verificaron con sus propios ojos cómo esa precaución estratégica de la mafia contrastaba con el increíble dominio que de todo el perímetro —e inclusive de la vía Santa Helena-Rionegro— se tenía desde cualquier punto de la casa.

La unidad fracasó aquel día en el rastreo de la comunicación porque el boliómetro arrojó las coordenadas N 6 grados 12' 39'' W75 grados 31' 27'', un punto situado dos kilómetros al sur de la vivienda en donde realmente se encontraba Pablo Escobar Gaviria.

Diálogos y reos

Las reuniones que el secretario general de la Presidencia, Germán Montoya Vélez, había sostenido en absoluto sigilo con dos ciudadanos elegidos por la mafia y que eran la razón de ser de las órdenes impartidas por Pablo Escobar Gaviria y Gonzalo Rodríguez Gacha, El Mexicano, respecto de Álvaro Diego Montoya Escobar, tenían su origen en unas cuantas líneas de periódico.

Todo había empezado a gestarse con una columna escrita por el ex ministro Joaquín Vallejo Mejía, un antioqueño recio sobre cuya autoridad moral y rectitud nadie en Colombia albergaba dudas.

Vallejo había planteado en mayo de 1988, en una columna titulada "Política de diálogo", la posibilidad de escuchar "aunque no negociar" con los diversos protagonistas de la violencia, incluidos, claro está, los narcotraficantes.

En otras épocas, había sido acérrimo y furibundo enemigo de cualquier acercamiento con la mafia. Inclusive, en 1984, cuando la cúpula del cartel de Medellín intentó por primera vez, a través del procurador General de la Nación, Carlos Jiménez Gómez, un contacto con el gobierno del entonces presidente Belisario Betancur, Vallejo hizo más de un pronunciamiento categórico:

"Si la falta de justicia social lleva a una parte de los colombianos a la revolución, no pueden cerrarse las puertas del diálogo (...) Pero en el caso del narcotráfico, con el cual se está intoxicando a la humanidad para beneficio de los usufructuarios, no existe ninguna justificación posible.

"Aparte del problema de los principios morales queda la duda sobre el cumplimiento de las promesas (por parte de los narcotraficantes). El narcotráfico consiguió que el procurador fuera mensajero de su memorando al gobierno (...) El balance es negativo para la sociedad colombiana".

En realidad, aquellos contactos —sobre cuya existencia el país sólo se enteró por un enorme titular del diario *El Tiempo*, el primer rotativo del país— habían escandalizado a diversos sectores de la opinión pública que aún tenían fresco en la memoria el asesinato de Rodrigo Lara Bonilla y otros crímenes más, que no terminaban de ver con claridad en qué consistía la oferta de la mafia al gobierno. Los narcos habían redactado inclusive un documento.

El "borrador de la oferta" constituía el epílogo de un macabro proceso orquestado directa y personalmente por Pablo Escobar Gaviria. Varias semanas antes de que los contactos se conocieran, el máximo capo de la mafia había concertado una cita con Diego y Santiago Londoño White. Ambos habían sido recogidos en una esquina de El Poblado y trasladados a una finca entre San Lucas y Envigado. Escobar Gaviria y otros traficantes les habían expuesto entonces cuanto pensaban.

Confiaban en que aprovechando los nexos creados por Santiago Londoño con el ex presidente Alfonso López Michelsen, a cuya campaña había servido en 1982 en calidad de activo coordinador en Antioquia o a partir de la cercanía entre Diego Londoño y el entonces presidente Belisario Betancur, se hiciera posible una negociación con el gobierno.

Ofrecían hacer un multimillonario aporte a las arcas oficiales como una especie de indemnización por la violencia y decían estar dispuestos a dejar el ciento por ciento de los negocios de tráfico de narcóticos. A cambio, reclamaban el fin de la extradición a través de una fórmula jurídica segura. Una ley expedida por el Congreso.

Los Londoño iniciaron entonces los contactos que consideraron más expeditos. El ex presidente Alfonso López Michelsen estaba coincidencialmente en Panamá en calidad de testigo internacional del proceso electoral que se desarrollaba en ese país. Notificado de lo que ocurría, López telefoneó a la Casa de Nariño y consultó el asunto con el conservador Belisario Betancur. Ambos acordaron una entrevista personal entre el ex presidente y el ministro Bernardo Ramírez en la ciudad de Miami.

El ex presidente regresó después a Panamá y en compañía de Santiago Londoño White se entrevistó con Pablo Escobar Gaviria y otros traficantes. Estos últimos le hicieron entrega de una especie de documento-propuesta.

Unos días después el propio procurador General de la Nación, Carlos Jiménez Gómez y Santiago Londoño White estuvieron en Panamá y en el Hotel Marriot se registró otra entrevista con los capos. El procurador Jiménez Gómez tenía la misión de explicar los alcances de la oferta de la mafia al propio Belisario Betancur que —según sabían los Londoño White— se proponía consultar al Gobierno de Washington y a colombianos influyentes. Nadie sabía con exactitud si había alcanzado a hacerlo cuando explotó la noticia de los contactos y el procurador Carlos Jiménez Gómez se apresuró a negarlo todo.

De cualquier forma, lo cierto era que desde ese escrito de julio de 1984, registrado por la revista *Semana*, hasta el de mayo de 1988, publicado por el principal diario de Antioquia, *El Colombiano*, la posición del ex ministro Vallejo Mejía se había transformado dramáticamente.

Una vez difundida la columna, interpretando ese cambio de criterio, el abogado Guido Parra —durante varios años vocero oficioso de Pablo Escobar Gaviria y Los Extraditables— buscó al ex ministro Vallejo Mejía y le solicitó hacer cuanto estuviese a su alcance para propiciar un acercamiento entre lo que él consideraba como "sectores en conflicto".

El ex ministro aceptó bajo la condición inexorable de que no hubiese interés económico alguno de por medio y finalmente Parra le concertó una cita con Pablo Escobar Gaviria. En la reunión, el jefe del cartel no dudó un instante en reiterar las ofertas que la mafia había cocinado desde 1984. Al final, Vallejo solicitó una audiencia con Germán Montoya Vélez y, aun cuando éste le expresó sus reservas, en todo caso permitió que las conversaciones prosiguiesen durante algún tiempo. Inclusive, en ese período, el ex ministro alcanzó a sostener una reunión con varios de los traficantes más poderosos del cartel: Gonzalo Rodríguez Gacha, El Mexicano, Escobar y el clan Ochoa: Jorge Luis, Juan David y Fabio Ochoa Vásquez.

Sin embargo, en parte por la severa ofensiva de la mafia contra el Estado (los asesinatos de Antonio Roldán, Valdemar Franklin y Carlos Ernesto Valencia, entre otros) y en parte porque ningún acuerdo hubiese tenido presentación alguna a los ojos del mundo, tras el asesinato de candidatos presidenciales como el líder liberal Luis Carlos Galán Sarmiento, Guido Parra y la cúpula de la mafia verificaron después lo estéril de sus gestiones.

Secuestrar a Álvaro Diego Montoya —según se lo explicó Pablo Escobar Gaviria a Gonzalo Rodríguez Gacha, El Mexicano— era, además de un tenebroso instrumento de presión, una venganza contra Germán Montoya Vélez.

"Tráiganme a ese chancero"

Los tiros se escucharon al unísono. Popeye, Ricardo Prisco Lopera y Chopo abrieron fuego simultáneamente apenas vislumbraron que el vendedor de lotería daba vuelta en la vieja motocicleta y huía.

Una nueva descarga de tiros lanzó a la motocicleta de costado con todo y el cadáver del chancero que golpeó varias veces contra el piso antes de desprenderse completamente de la máquina.

Hacía unos instantes que Popeye, Ricardo Prisco y Chopo se habían atravesado con un jeep en el camino del chancero. Tenían la misión de llevarlo ante Pablo Escobar Gaviria pero, presa del terror, el vendedor había intentado darse a la fuga.

En realidad, no había sido el único. También el parrillero que lo acompañaba corrió por entre la maleza que bordeaba la carretera, sin que ellos supieran si lo habían alcanzado a herir. No les tomó mucho tiempo averiguarlo. No habían terminado de arrojar la motocicleta y el cadáver a un vallado cuando el vigía apostado en una casona cercana los llamó por el radio.

Aterrorizado y sudoroso y con un proyectil de 38 largo metido en el cuerpo, el parrillero había ido a parar a una casa que era la mismísima boca del lobo.

—El que se les voló está acá —dijo el centinela, un campesino de la región, que no era sino otro "cantonero" de Pablo Escobar.

Popeye, Prisco y Chopo lo recogieron y lo llevaron hasta el segundo refugio en donde permanecía Pablo Escobar. El jefe del cartel dirigió personalmente el interrogatorio:

—¿Por qué sapiaron la caleta? ¿Quién la sapió? ¿Quién más sabe?

El muchacho no pudo responder a ninguna de las preguntas y en verdad demostró no estar al tanto de nada pero Pablo Escobar ordenó asesinarlo.

—Éste ya conoce la caleta y lo que hay que hacer es que hay que matarlo —sentenció.

La orden se cumplió casi a media noche en pleno monte del Alto de Minas por cuenta de Pinina, Chopo y Popeye.

—De todos modos —les dijo Pablo Escobar cuando regresaron— hay que salirse de aquí mañana porque cualquiera va y sapea como lo hizo el chancero y luego va y nos cae otra vez la ley.

En realidad, tanto el asesinato del vendedor de lotería como el de su casual parrillero estaban conectados a una venganza por una intempestiva acción policíaca en la casona del Alto de Minas, a mediados de noviembre de 1989. La misma que había obligado a Pablo Escobar a franquear 45 minutos de trochas en busca de un segundo escondite.

El registro policial había tenido lugar dos días antes a las 4:30 de la madrugada. Alertados sobre la existencia de un supuesto laboratorio para procesamiento de cocaína, varios piquetes de policías de Santa Bárbara se lanzaron en una operación sobre la casona.

Los vigías los vieron desplazarse sigilosos monte arriba y dieron la alerta. Pablo Escobar, Popeye, Prisco, Pinina, Chopo, y otros más emprendieron la fuga por entre el monte.

Diez "trabajadores" sin antecedentes quedaron en la vivienda. La Policía los encontró dormidos y, hacia el mediodía, después de un registro exhaustivo —sin toparse con drogas, ni armas, ni nada extraño— desistió del asunto, retornó a Santa Barbara y todo volvió a la normalidad.

Carro Chocao y otros dos siguieron entonces la ruta hasta el segundo refugio previsto por Pablo Escobar Gaviria en Minas —ubicado a 45 minutos de la casa inicial por entre la maleza— y llevaron la noticia sobre la forma como había transcurrido el registro.

Carro Chocao dijo haber reconocido por lo menos a dos policías de cuantos participaban en el allanamiento y, precisamente por ello, Pablo Escobar le dio la orden de buscarlos y de averiguar con precisión quién había "sapiado la caleta".

Era así como había trascendido lo del chancero. Según lo averiguó Carro Chocao, el vendedor de lotería se presentó en el cuartel policial y suministró detalles sobre movimientos extraños en la casona del Alto de Minas en donde, según concebía, lo que había empezado a operar era ni más ni menos que un laboratorio para procesamiento de narcóticos.

Gentes de la región suministraron luego a Carro Chocao información adicional: "El chancero sube todos los días a las 6:30 en una motocicleta". Enterado de ello, Pablo Escobar Gaviria había impartido instrucciones precisas a Popeye, Ricardo Prisco y Chopo:

—Se van en el jeep, lo interceptan, lo cogen y me lo traen.

El maletín-bomba

Tras la reunión del cónclave de la mafia en Puerto Triunfo y tras la orden de otorgar prioridad al asunto de César Gaviria Trujillo —el atentado a través del cual se pretendía quitarle la vida— la verificación de itinerarios de vuelo, correrías y manifestaciones públicas del sucesor de Luis Carlos Galán Sarmiento se había convertido en obsesión para Memín.

Siguiendo en todo las recomendaciones de Arete, Memín viajó primero a Bogotá y analizó el listado público que anunciaba la presencia del candidato en Cali y después en otras ciudades del país y luego tomó la decisión de viajar a la capital del Valle.

Tenía la firme convicción de que existiría menos vigilancia policial en el terminal aéreo de Cali Alfonso Bonilla Aragón que en Bogotá y que, en cualquier caso, tendría una doble oportunidad porque si Gaviria viajaba a la capital del Valle no tardaría más que unas cuantas horas en salir de allí.

Memín estuvo en Cali a las 9:30 en punto de la mañana del martes 2 de noviembre de 1989, en el terminal aéreo. Se dirigió hasta la sede del Partido Liberal en el Valle y cotejó la información pública con aquella de la cual había tomado atenta nota en Bogotá.

Después volvió al aeropuerto e intentó infructuosamente identificar un agente oficial capaz —a cambio de una recompensa— de permitir el paso de armas y explosivos sin detenerse en requisas exigentes. En realidad sólo insinuó que era cuestión de unos kilos de cocaína en una maleta. Con todo, al cabo de unas horas, seguro de no avanzar en su propósito, Memín desistió y regresó a Medellín.

Hubiera preferido utilizar el teléfono para avisar sus avances a Arete, pero ambos sabían que no debían utilizar teléfono alguno del Discado Directo Nacional y menos aún líneas de Telecom.

Tal y como él lo veía, si los agentes del cartel en el aeropuerto Eldorado, en Bogotá, permitían el paso de la dinamita y los contactos en el Departamento Administrativo de Seguridad (DAS) confirmaban efectivamente el viaje del candidato, el atentado debía operarse desde la capital del país. En Cali —era esa su conclusión— nada funcionaría. Por el contrario, así se lo dijo a Arete, el plan sí podía ser descubierto.

Arete aceptó los argumentos de Memín y una mañana de mediados de noviembre se dedicó por completo a un aspecto definitivo en la "vuelta": el diseño y la fabricación de la bomba.

Adquirió en un almacén de la ciudad un maletín tipo ejecutivo en *nylon* negro con una sutil vena roja. Después se dirigió hacia la bodega en El Poblado. Accedió a ella por la entrada conectada con el barrio Colombia, en la última calle de la zona industrial, junto a Helados Mimo's. Tenía permitido el ingreso a cualquier hora desde que Lucho había instalado en calidad de vigía a Martín Ignacio Giraldo Patiño, El Enano, hermano de Orejitas.

Luego se dirigió a la poceta, haló del cordón de acero y vio abrirse la media puerta en concreto y baldosa que ocultaba la dinamita obtenida por Carro Chocao con los proveedores ecuatorianos.

Retiró cinco kilos de dinamita amoniacal y salió rumbo al apartamento. Una vez dentro, colocó el maletín sobre la mesa del comedor y alistó cuanto requería: el estopín, cuatro cables eléctricos y una batería de larga duración.

Arete abrió el maletín, levantó la tapa de *nylon* negro que ocultaba un compartimiento secreto en el fondo del maletín y empezó a amasar y a colocar la dinamita. Se detuvo cuando terminó de formar una película que ocupaba casi la cuarta parte del maletín de 40 centímetros de alto por 60 de ancho.

Después colocó nuevamente la tapa del fondo del maletín, instaló sobre ella la batería de quince centímetros de largo por cinco de ancho y dispuso los dos cables, uno conectado al polo de carga positivo y otro al negativo. Entonces utilizó un interruptor y un bombillo para verificar el sistema. Más tarde, comprobó el estado del estopín y terminó de diseñar el sistema completo.

Tomó los cables que salían de la batería y los conectó al estopín. Luego atornilló a éste dos extensiones y con extrema habilidad las pegó, en sentidos opuestos, a las paredes laterales del maletín. Finalmente se aseguró de que ambas culminaban exactamente en el centro y que conectaban sin dificultad en las patas del interruptor.

Sólo dejó instalado uno de los cables y después entregó el maletín a Memín. Él también había cumplido ya con su parte: entrar en contacto con un pavoroso terrorista cuyo trabajo, desde hacía meses, era simplemente preparar a los "suizos".

Apocalipsis I

El indicador del boliómetro volvió a trazar sólo una línea recta en dirección al Magdalena Medio pero esta vez las pistas no podían ser más afortunadas. O por lo menos era así como lo percibían el coronel Hugo Martínez Poveda y sus oficiales del Bloque de Inteligencia.

Comunicado con un desconocido —era la primera vez que lo escuchaban desde que se había iniciado la intercepción de comunicaciones de los jeques de la mafia— Pablo Escobar Gaviria solicitaba que ubicasen nuevamente a la voleibolista y le avisaran que, en breve, él enviaría otra vez por ella.

En realidad, el jefe del cartel primero había hecho sólo una pregunta escueta: "¿Qui hubo de la china?", pero después, ante la aparente confusión de su interlocutor que sólo atinaba a inquirir: "¿Cuál?", Pablo Escobar Gaviria había tenido que entrar en mayores precisiones.

De no ser porque Pablo Escobar hablaba aquella mañana del 9 de noviembre de 1989 desde un vehículo hurtado del servicio de telefonía móvil de Antioquia, el coronel Hugo Martínez Poveda y la unidad habrían podido volverse locos intentando ubicar a la deportista. Debían existir millares en Medellín y, peor aún, podía resultar que aquella mención no pasara de ser otra clave del cartel.

Después de verificar el número de destino de la llamada —grabado en el sistema electrónico de las Empresas Departamentales de Antioquia— los policías comprobaron, no obstante, que en realidad Pablo Escobar estaba pendiente de una mujer.

El teléfono de destino de la llamada —supieron finalmente— no era otro que el asignado al coliseo de entrenamiento de la Liga de Voleibol de Antioquia. Pese a ello, el coronel y la unidad de inteligencia tardaron algo más de una semana —después de identificar e interceptar línea por línea de las asiduas visitantes al coliseo— sólo para establecer cuál era la voleibolista que Pablo Escobar esperaba. Aquella mujer era la ruta al máximo capo y así lo comprobaron después de seguirla hasta la Estación Cocorná.

Vestidos de paisano, el coronel Martínez Poveda y el mayor Landines pasaron inadvertidos en Doradal. No sabían que estaban en el centro mismo del imperio que se controlaba desde los radios 20-40 de Marcos Tripa y Hernán Darío Henao, H.H., ni conocían un ápice sobre Mamarrosa o sobre los enormes laboratorios tras Parcelas California en los que los representantes y los "trabajadores" de los barones de las drogas se erigían en jefes de increíbles y verdaderas factorías del procesamiento de alcaloides.

Ambos se alojaron en el puesto de Policía en virtud de un carnet improvisado de capitán (r) que portaba el mayor pero habían aparecido a altas horas de la noche y desaparecido a primera hora de la mañana sin que su estadía hubiese pasado de ser la de dos hombres en tránsito hacia Medellín.

La realidad era bien distinta. Durante dos días, desde el mismo instante en que vieron desaparecer a la voleibolista por entre el monte, se dedicaron a inquirir a quién pertenecían las fincas de la zona —40 minutos adentro de Doradal— y la providencia les había llevado hasta un baquiano sin muchos pelos en la lengua.

Él les reveló que unos meses atrás un hombre que decía llamarse Fernando Posada —en realidad el sucesor de Rodrigo en "la oficina"— se había hecho a una finca sobre orillas del río Cocorná y que, desde esa hacienda, se extendían otros cuatro predios. Uno de ellos colindaba a tal punto con el río que desde el primer borde en tierra firme salía una escalera en cemento por la cual se ascendía primero a dos kioscos pequeños y, a partir de allí, a un tercero en forma

Pablo Emilio Escobar Gaviria

Responsable de crímenes que estremecieron a Colombia y al mundo. Ordenó el asesinato de magistrados, periodistas, políticos, altos oficiales y agentes de la policía y fue verdugo hasta de sus propios socios dentro del cartel. Llamado El Doctor Echavarría, se le considera el peor criminal de la última mitad del siglo.

Segundo capo de capos. Muerto en diciembre de 1989. Gestor de escuadrones paramilitares, verdaderos ejércitos privados de la mafia adiestrados por mercenarios israelíes e ingleses.

Gonzalo Rodríguez Gacha, El Mexicano

John Jairo Arias Tascón, Pinina

Patrón de jefes de las bandas de sicarios a sueldo del cartel. Antecedió a Mario Alberto Castaño Molina, Chopo, en el mando del aparato terrorista del cartel.

Roberto Escobar Gaviria, Osito o García

Hermano de Pablo Escobar, dueño de una infraestructura propia dentro de la mafia.

Vocero oficial del cartel en el proceso de negociación de la política de sometimiento con la administración del presidente Gaviria. Asesinado junto con su hijo en 1993.

Guido Parra

Ex socio de Escobar. Procesado por concierto para delinquir dentro de los expedientes por las masacres de campesinos en las fincas Honduras y La Negra. Prófugo de la justicia.

Fidel Castaño, Rambo

Jorge Luis Ochoa

Mayor que sus hermanos Juan David y Fabio, integrantes del clan Ochoa, fue indagado por el atentado contra el avión de Avianca.

Carlos Mario Alzate Urquijo, Arete

Dirigió los secuestros del candidato Andrés Pastrana y del senador Federico Estrada; actuó en el secuestro y muerte del procurador Carlos Mauro Hoyos. Ex prófugo de La Catedral, se sometió nuevamente a la justicia el 7 de octubre de 1992.

John Jairo Velásquez Vásquez, Popeye

Pariente lejano de Pablo Escobar. Principal artífice en los atentados contra un avión en vuelo y contra el Departamento Administrativo de Seguridad, DAS. Se entregó a la justicia en 1993.

Tras la muerte de Gonzalo Rodríguez Gacha, El Mexicano, se proclamó Rey de los Bandidos. Atentó con un carro-bomba contra el Cuerpo Élite, en Itagüí, en abril de 1990. Ordenó la muerte del ex ministro de Justicia, Enrique Low Murtra. Abatido por el Bloque de Búsqueda el 19 de marzo de 1992.

Mario Alberto Castaño
Molina, Chopo

Administrador de "la oficina", eje del imperio de Escobar en Medellín. Asumió el control de varias rutas del cartel para el envío de cocaína. Se presentó a la justicia en febrero de 1993.

José Fernando Posada Fierro

Guillermo Zuluaga,
Cuchilla o Pasarela

Jefe de los paramilitares que vigilaban las "caletas" y los embarques de cocaína que salían de Mamarrosa. Muerto después de la operación Apocalipsis II.

Jairo Adolfo Tangarife,
Enrique o 24

Condujo el carro-bomba que explotó en la plaza de toros La Macarena. Ordenó el frustrado secuestro de la hija del ex presidente Belisario Betancur. Se entregó el 25 de febrero de 1993.

Junto con Marcos Tripa estuvo a cargo de las operaciones de la pista clandestina de Mamarrosa. Murió en 1993 al enfrentarse al Bloque de Búsqueda en Medellín.

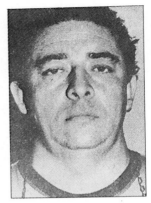

Hernán Darío Henao, H.H.

Terrorista al servicio de Pablo Escobar. Ex prófugo de La Catedral. Se volvió a entregar a las autoridades el 7 de octubre de 1992.

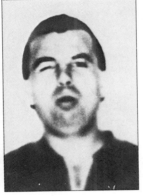

Otoniel González Franco, Otto

Sergio Alfonso Ramírez, Pájaro

Responsable de los asesinatos del magistrado Carlos Ernesto Valencia, del periodista Jorge Enrique Pulido y de Marina Montoya. Coautor del secuestro de Maruja Pachón de Villamizar y de Beatriz Villamizar. Dado de baja el 12 de enero de 1993.

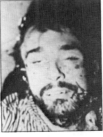

Juan Carlos Ospina Álvarez, Enchufe

Participó en los asesinatos del magistrado Carlos Ernesto Valencia, del periodista Jorge Enrique Pulido y de Marina Montoya. Coautor del secuestro de Maruja Pachón de Villamizar y de Beatriz Villamizar. Detenido el 28 de septiembre de 1992.

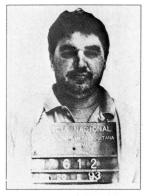

Capturado el 19 de marzo de 1993 en la finca El Cairo, en posesión de 2.000 kilos de dinamita.

Guillermo Sossa Navarro, Memobolis

Actuó en los secuestros del hijo del propietario de Medias Cristar y de Álvaro Diego Montoya Vélez. Capturado el 6 de noviembre de 1992, se convirtió en el principal testigo de cargo contra la mafia.

Alejandro Arrieta Polanía, Boliqueso

Bocadillo

Uno de los escoltas de Fernando El Negro Galeano.

Juan Fernando Toro Arango, Fernando Londoño White o La Monja Voladora

Ingeniero de la Universidad de Antioquia. Autor intelectual de varios secuestros. Encargado de entregar fuertes sumas de dinero a los miembros de la Asamblea Nacional Constituyente.

Secuestrador y sicario, integrante de la
red de Chopo. Se encuentra prófugo.

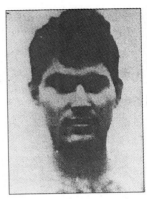

*Juan Carlos Castaño Alzate,
El Latino*

Teniente adscrito
a la Sijín de
Medellín. Servía
a Pinina. Cuatro
de sus
subalternos
realizaron el
secuestro del
senador Federico
Estrada.
Perteneció al
cuerpo de
seguridad de
Escobar. Fue
detenido en
Estados Unidos.

Pedro Chunza Plazas

Responsable del asesinato indiscriminado de
policías y autor de la espectacular fuga en
helicóptero de la cárcel de Bellavista. Partícipe en
la masacre de La Candelaria. Se entregó a las
autoridades el 19 de marzo de 1993.

*Antonio Acevedo
Calle, La Chepa*

*Gabriel Jaime
Acevedo, Chapeto*

Aportó 500.000 dólares para la
conformación de Los Extraditables.
Secuestrado por órdenes de Chopo, fue
liberado tras la intervención ante Pablo
Escobar, de Fernando El Negro Galeano y
Gerardo Kiko Moncada.

Terrorista muerto por unidades del Bloque de Búsqueda el 16 de enero de 1993, en Medellín.

Víctor Giovanni Granada Lopera, El Zarco

Partícipe en el secuestro de Álvaro Diego Montoya Escobar, presidente de Probolsa e hijo del secretario General de la Presidencia, Germán Montoya Vélez. Procesado por el asesinato del periodista Jorge Enrique Pulido. Detenido en la Penitenciaría de La Picota.

Gustavo Meza Meneses, El Zarco

Carlos Rodríguez Sánchez, Risas

Ocultó el carro-bomba que estalló en Barrancabermeja, en una finca de El Peñol, propiedad de Juan Carlos Ospina Álvarez, Enchufe. Se encuentra prófugo.

Hermano de Orejitas. Terrorista del cartel.

Martín I. Giraldo Patiño, El Enano

Trabajó a órdenes de Chopo. Se le atribuye el carro-bomba que estalló en Barrancabermeja. Capturado en Medellín el 18 de marzo de 1993.

Luis Fernando Acosta Mejía,
Ñangas

Integrante de la red de pistoleros al servicio de David Ricardo Prisco Lopera y partícipe en la *vendetta* de la mafia. Se entregó a la justicia el 2 de marzo de 1993.

Dayro Cardoso Metaute,
Comanche

Ex ciclista profesional, supervisor de embarques para la organización de Osito. Participó en el alquiler de una bodega para ocultar dinamita en Bogotá. Asesinado en Medellín por enemigos del cartel.

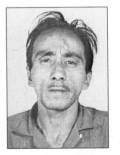

Gonzalo Marín,
Chalito

Freddy González
Franco, Misterio

Participó en las acciones que terminaron en la muerte de Fernando El Negro Galeano y de Albeiro Areiza, El Campeón. Se sometió a la justicia el 5 de marzo de 1993.

Puso al servicio del cartel las bodegas para el almacenamiento de la dinamita empleada en el atentado contra el DAS. En ellas fue torturado y sentenciado a muerte un agente encubierto de la policía.

Eugenio León García Jaramillo, Lucho

Partícipe en la *vendetta* final del cartel. Procesado en Colombia.

Julio David Gómez Hernández, Terry

Andrés Pastrana Arango, momentos después de ser liberado. Horas más tarde de ese día de enero de 1988 caía asesinado el procurador General de la Nación, Carlos Mauro Hoyos.

Además de una flotilla de helicópteros, "Tranquilandia" y "Villacoca" poseían agua potable, sistemas de interconexión eléctrica, refrigeradores, zonas de lavandería, talleres de pintura y mecánica y consultorio médico.

Después que comandos de élite ocuparon los laboratorios de la selva, la policía tuvo que dedicarse a la destrucción de casi 20 toneladas de cocaína y a deshacerse de sustancias químicas importadas desde Holanda, Alemania y Estados Unidos. Los secretos del tráfico y los contactos del cartel aparecían en libretas con registros pormenorizados de las operaciones.

Pablo Escobar hizo trasladar a una voleibolista en noviembre de 1989, hasta donde él se encontraba. La policía la siguió paso a paso, y constituyó el origen de Apocalipsis I, primera de las dos principales operaciones policiales que se realizaron en contra de Escobar. La siguiente, en julio de 1990, también en mitad de la selva, develó que en esta cabaña, el jefe del cartel "estaba durmiendo con las serpientes".

En julio de 1990, Pablo Escobar supo que había sido delatado después de que la policía halló una bomba de dinamita que el cartel había camuflado entre cantinas de leche. Escapó del cerco militar, pero una veintena de agentes del cartel, H.H. entre ellos, fueron detenidos. Este reveló la existencia de una "caleta" en Nápoles donde había uniformes, armas de dotación y documentos de varios policías asesinados.

En el tiroteo que antecedió al secuestro del procurador Carlos Mauro Hoyos murieron un sicario al que apodaban El Pitufo y los dos escoltas del funcionario. Unas horas después del plagio, Pablo Escobar simplemente ordenó: "Ustedes se me van y me matan al procurador y verán que así se le acaba tanto hijueputa triunfalismo al gobierno, porque ya liberaron a Andrés Pastrana y vienen peinando la zona y el hombre está ahí y ahora no vamos a quedar como unos maricas".

Funerales colectivos en Urabá. A las masacres de campesinos, algunos efectivamente conectados con la guerrilla, siguieron los episodios de La Mejor Esquina y Los Cocos. Hombres armados aparecieron y ataron en fila india a 25 labriegos. Dispararon contra nueve y a los demás, atados de pies y manos, entre costales, los arrojaron vivos al mar.

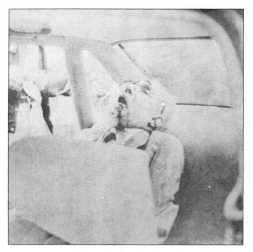

El senador liberal Federico Estrada Vélez fue asesinado unas semanas después que cuatro policías contratados por Popeye lo secuestraron para que Pablo Escobar le ordenase tramitar un proyecto de ley en el Congreso en contra de la extradición.

La Catedral se convirtió en cuartel general de la mafia, intercomunicado por citófono con diversos puestos de control establecidos por el cartel, y fue el escenario de los juicios sumarios que iniciaron la peor *vendetta* en las entrañas del cartel. Además de computadores, fax, celulares, "caletas" y armas, la Fiscalía encontró allí cartas de ex reinas de belleza y de mujeres antioqueñas que ofrecían al capo sus hijas vírgenes y adolescentes.

En un maletín negro que el cartel entregó a un "suizo" asegurándole que a través del interruptor se accionaba una grabadora, Arete instaló una carga de dinamita que el lunes 27 de noviembre de 1989 explotó dentro del Boeing de la compañía Avianca.

Restos de las 117 víctimas inocentes del atentado dinamitero contra el avión de Avianca, planeado por la mafia contra el candidato a la Presidencia de la República, César Gaviria Trujillo. Éste no viajaba en ese vuelo.

Durante más de cuatro meses, el cartel de Medellín almacenó en Bogotá
los diez mil kilos de dinamita que, por orden de Pablo Escobar y tras la
conformación de un fondo de 1.000 millones de pesos, debían utilizarse en
el atentado contra la sede del Departamento Administrativo de Seguridad
(DAS) y su director el general Miguel Alfredo Maza Márquez. En la
pavorosa explosión, en la mañana del 6 de diciembre de 1989, hubo siete
decenas de víctimas mortales y más de medio millar de heridos.

rectangular y finalmente a la casa de vivienda. Algunas lanchas rápidas se habían movilizado hacia allí en los últimos días.

Seguro de estar finalmente ante una pista suficientemente sólida sobre el refugio en donde permanecía Pablo Escobar Gaviria, en el atardecer del segundo día de indagaciones, el coronel Martínez se comunicó por microondas con la Dirección de la Policía Nacional en Bogotá. Necesitaba helicópteros y comandos élite de manera inmediata. Esperó durante 30 minutos antes de volver a comunicarse y recibir instrucciones.

—Hay nueve helicópteros listos y con personal en Barrancaber-meja —le explicó un superior. La operación debe coordinarse desde allí.

Entonces —sin dudar un instante— Martínez dio al mayor Landi-nes, que lo acompañaba, la orden de retornar de inmediato a Mede-llín y, después que ambos buscaron al piloto que los esperaba en un hotel de Doradal, aprovechó el recorrido de retorno para organizar el allanamiento policial.

Ordenó al mayor partir a la madrugada con el Cuerpo Élite acantonado en la Escuela Carlos Holguín y dividirlos en tres patrullas. Una debía entrar bordeando los linderos de Nápoles, otra un kilómetro antes de la Estación Cocorná y la última siguiendo la ribera del río.

Tal y como lo preveía, a las 11 de la mañana las patrullas terrestres estarían en frente de los cuatro predios y sólo unos instantes después se produciría el arribo de los helicópteros y el apoyo aéreo a la operación.

Eran las 4 de la madrugada del 22 de noviembre de 1989 cuando el coronel Hugo Martínez Poveda arribó a la base de Barrancaber-meja y vio los nueve helicópteros y los 86 hombres asignados a esta operación. Por precaución, se abstuvo de precisar lo que ocurría y sólo lo hizo a media mañana, poco antes de que los nueve aparatos decolaran. Esta vez tenía absoluta certeza de que Pablo Escobar estaba ahí... En la zona.

Ubicada en la confluencia entre los ríos El Oro y el Cocorná Sur, en el área del corregimiento de El Prodigio, en el Magdalena Medio, en el centro de convergencia de Puerto Triunfo, Doradal y Puerto Boyacá, a 40 minutos de Mamarrosa, la "caleta" de Cocorná estaba en mitad de la selva.

Pablo Escobar cumplía cuatro días allí tras el episodio del chancero en el Alto de Minas, asunto que dio por terminado después de disponer el asesinato del infeliz parrillero, liberar a su enorme escolta con misiones diversas y proseguir hacia otro punto en la clandestinidad acompañado tan solo por Mario Henao y por Popeye.

En mitad del Magdalena Medio, H.H. y una curtida escuadra de "paras" habían salido al encuentro de los tres hasta la zona en que Pinina, Chopo, Carro Chocao y el resto de su escolta del Alto de Minas tenían la orden de desaparecer. El jefe del cartel garantizaba así su propia seguridad porque un grupo de sicarios jamás sabía hacia dónde se dirigía otro.

En cuanto a Mario Henao y Hernán Darío Henao, H.H., salvo por la coincidencia de apellidos, era realmente poco lo que ambos hombres tenían en común. El primero era cuñado de Pablo Escobar y el hombre que lo había acompañado en las visitas al candidato Andrés Pastrana durante el cautiverio del delfín. El segundo, sólo el "trabajador" al que había entregado la administración de la fabulosa Mamarrosa después del asesinato de Evelio y Héctor Barrientos.

Fue Hernán Henao, sin embargo, quien le notificó del arribo de Rubiela —la voleibolista que lo trastornaba— y el que escoltó hasta allí a Jorge Luis Ochoa Vásquez, don Abel, y a Gonzalo Rodríguez Gacha, El Mexicano, amo y señor de los paramilitares.

Rubiela estuvo durante cuatro días más hermosa y seductora que nunca, aunque le debía ello enormemente a Mario Vásquez, su entrenador en la liga de voleibol y el contacto de Pablo Escobar. De hecho, unos días antes de enviarla hacia Estación Cocorná, Vásquez la había llevado de compras hasta obtener un ajuar de prendas íntimas de color pastel tan diversas y diminutas que no ocultasen un solo encanto de su delgada figura. Eso no era todo. Su entrenador había incluso accedido a permitir que otra chica la acompañara, con una sola condición: que ésta también aceptara llevar un ajuar lo suficientemente atractivo. Ninguna tenía más allá de 21 años.

Ambas estuvieron virtualmente arrestadas desde el instante en que empezó la operación. Los helicópteros de la División de Policía Antinarcóticos y el Élite —Cuerpo asignado a la "Operación Apocalipsis I"— volaban casi tocando las aguas navegables del Cocorná Sur. Habían descendido dramáticamente desde el instante mismo en que los pilotos avistaron la desembocadura del Cocorná en el Magdalena y descubrieron que entraban en el cauce más sereno del afluente.

Esquivaban los radares de la Base Militar de Palanquero y buscaban evitar ser vistos a la distancia, pero a menos de diez minutos de vuelo se encontraron casi de frente con la prolongada escalera de cemento que ascendía desde el río, con los dos puestos cubiertos de paja y diseñados para los vigías, con el kiosco en forma rectangular y por último con la casa en donde estaba Pablo Escobar.

Abajo, decenas de hombres y mujeres corrían despavoridos —algunos con las manos en alto— en tanto los paramilitares empezaban a buscar posición para abrir fuego.

—Que el helicóptero cuatro caiga al norte. El tres al sur y el quinto en el centro. ¡Repito! Que el helicóptero cuatro caiga al norte. El tres al sur y el quinto en el centro y los demás que sigan hacia adelante sobre la ribera del río —instruyó frenético el coronel Hugo Martínez Poveda.

Dentro de la vivienda, sin hacerse notar, Pablo Escobar, recogió un maletín en la habitación, despidió a Rubiela Castro con un lacónico: "Ustedes estarán bien aquí...", y salió con Jorge Luis Ochoa Vásquez, Mario Henao y Popeye.

Armados de fusiles AUG austríacos, con mira telescópica incorporada, abandonaban el refugio en la confluencia entre los ríos El Oro y Cocorná Sur a través de pastizales y cañaduzales de dos metros de altura que semejaban un cultivo de algas pero en tierra.

Pablo Escobar había hecho preservar aquellas siembras porque estaban a escasos 50 metros la selva que bordeaba la desembocadura del río El Oro en el Cocorná Sur.

—¡Señor, nos están disparando desde abajo, nos disparan! —escuchó el coronel Hugo Martínez Poveda de boca del piloto. Una bala acababa de estrellarse contra la hélice del aparato.

Las ráfagas de las ametralladoras punto 60 de tres helicópteros artillados de la policía convirtieron aquello en un infierno durante los siguientes 45 segundos. El fuego cerrado dejó tres cadáveres y sacó al centro de la finca a 40 hombres que, en pantalones de lino y bluyín y en mangas de camisa, aparecieron con las manos arriba.

La siguiente afirmación del piloto exasperó aún más al comandante de la unidad:

—No se puede aterrizar porque hay estacones por todos lados, señor.

No mentía. En los costados de la casa, e inclusive en la zona entre la vivienda y el kiosco rectangular, se erigían estacas de hasta tres metros, conectadas entre sí con alambre de púa; el primer claro —una especie de cancha de fútbol— estaba un kilómetro afuera del perímetro real de la finca.

Con todo, era lo más cercano y fue allí en donde los primeros tres helicópteros pudieron aterrizar. Comandos élite saltaban desesperados en busca de la hacienda pero otra sorpresa los esperaba.

Los linderos de la finca estaban protegidos por una malla doble que terminaba en tres hileras de alambre de púa. La altura era tal que virtualmente se hacía imposible el acceso. De hecho, al cabo de los primeros esfuerzos, el coronel Martínez Poveda tuvo que resignarse a que los "élites" buscaran la entrada al predio y accedieran por allí a la finca.

Los helicópteros de la policía habían estado a las 11 en punto del 22 de noviembre de 1989 en la "caleta de El Oro", pero el tiroteo, la búsqueda de una zona donde aterrizar y hasta la batalla por acceder a la finca, les habían hecho perder una hora y veinte minutos.

Tardaron 40 minutos en identificar a los capturados a pesar de que cuando irrumpieron en la hacienda sólo hallaron hombres y mujeres tendidos en el piso o parados con las manos en alto. En Las Palmas, Florencia y La Paz, las otras tres fincas en la zona, la situación no fue mejor. Las patrullas de a pie —que sólo llegaron a las 12 del día, una hora después de lo acordado— habían sido lanzadas a esa infructuosa operación rastrillo.

En la hacienda había 16 fusiles AUG y 44 equipos de comunicaciones integrados por escaner que registraban las frecuencias de la policía, el ejército y la fuerza aérea y por radios punto a punto y 20-40, pero Pablo Escobar y uno de los Ochoa huían —divididos— monte adentro. Popeye acompañaba al máximo capo.

El coronel Hugo Martínez Poveda tuvo que ser despertado poco después de las ocho de la noche. Extenuado e iracundo, había caído como una roca a las 4 de la tarde de ese 22 de noviembre de 1989, día de la "Operación Apocalipsis I".

No dormía desde que 48 horas atrás se había dedicado a esperar alguna pista sobre la finca en donde se encontraba la voleibolista y desde que, con base en la información de los baquianos, había decidido comunicarse con la Dirección de la policía en Bogotá y organizar la operación de este día.

Quizás hubiese continuado de largo hasta el día siguiente pero un oficial lo despertó con la noticia de que el general Gil Colorado —comandante de la brigada acantonada en Puerto Boyacá— estaba allí y tenía la orden de bombardear.

En efecto, el general Gil sólo esperaba el arribo de dos helicópteros Black Hawk.

—Aquí no puede haber ningún bombardeo —replicó Martínez en cuanto se enteró de la intención. Hay tres patrullas en operación, más de 30 hombres, que no sé por qué diablos no han podido salir.

Durante la hora siguiente, sin éxito, los helicópteros del Ejército lanzaron sus bengalas e intentaron orientar a los élites extraviados. Al final, el propio general Gil Colorado —a quien la insurgencia armada habría de asesinar en un atentado dinamitero en 1994— se limitó a repetir con resignación la frase que 60 minutos antes había escuchado de boca del propio Martínez Poveda: "Aquí no puede haber bombardeo alguno".

Después, enterado de la impresionante flotilla de 9 helicópteros de la policía comprometidos en la operación, Gil dio la orden a sus patrullas de ejército de retornar por donde habían venido.

Casi estaba seguro de que los policías —una vez sorprendidos por la oscuridad— habían decidido permanecer en sitios estratégicos hasta la madrugada. Estaba equivocado. Una tras otra, sin rastro alguno de Pablo Escobar, las patrullas del élite volvieron a El Oro antes de comenzar la media noche.

Dos de ellas —con la convicción de que se trataba de una huida de Pablo Escobar— hasta habían estado a punto de abrir fuego contra un décimo helicóptero de la policía enviado a la zona a las 9:30 de la noche desde Bogotá.

Al día siguiente —cuando empezaron formalmente los interrogatorios y los capturados no hacían otra cosa que decir: "Todos creíamos que Pablo Escobar había sido capturado", el coronel Hugo Martínez Poveda se enteró de otro detalle. Una información insólita y decepcionante: Gonzalo Rodríguez Gacha había abandonado la finca El Oro un día antes de la "Operación Apocalipsis I".

En realidad ni Pablo Escobar Gaviria, ni Jorge Luis Ochoa, ni don Abel, ni los demás habían podido salir de la selva en las siguientes seis horas después de la "Operación Apocalipsis I". Por el contrario, por más tiempo del que pudieron prever el coronel Hugo Martínez Poveda y los élites, el jefe del cartel había permanecido oculto a una hora nada más de la finca El Oro, convertida en cuartel de operaciones de la Policía Antinarcórticos.

El cuñado de Escobar —a quien decidió sepultar como José Francisco Posada Mora, un antioqueño de 40 años de edad— había caído al abandonar la casa, a unos cuantos pasos suyos, cuando ambos habían abierto fuego contra los helicópteros.

El jefe del cartel debía el aviso que le había permitido la fuga a un paramilitar adolescente que lo buscó en su habitación. Fue éste quien le informó sobre el tipo de helicópteros y, por esa vía, sobre la inminencia de una operación policial y el que después corrió hasta otras habitaciones en busca de Jorge Luis Ochoa y Mario Henao, que se alistaban presurosos también para huir.

Pablo Escobar apenas había tenido tiempo de ordenarle a Rubiela que permaneciese allí, dentro de la habitación, y de recoger el maletín y huir por entre los pastizales y el cañaduzal después de despojar a su mensajero del fusil que portaba. Él había hecho los primeros tiros apoyado por Mario Henao y confiando infructuosamente en que los paramilitares entenderían el mensaje y abrirían un fuego nutrido. Vio a su cuñado caer como una rama seca y luego no tuvo otra alternativa que partir y continuar con la fuga.

Consciente de estar aún en el área de la operación, esperó hasta la noche para proseguir la marcha y a las 11 se aventuró en un engaño. Seguro de que a estas alturas, el élite tenía los radios y, por esa vía, las frecuencias de la organización, Pablo Escobar apareció al radio:

—Listo bacán. Sígale adelante. Ahí me recoge.

Estaba lejos de saber que tres patrullas del élite extraviadas en plena selva le habían salvado la vida.

"Rentemos un apartamento"

Después que Juan les "mostró" el blanco, Enchufe y Pájaro se turnaban cada mañana para madrugar, salir de su sede de operaciones en el edificio Confagla, en la calle 116 con carrera 12 y vigilar a Álvaro Diego Montoya Escobar.

El Zarco y Orejitas los apoyaban en ocasiones y estaban al tanto en los progresos y los contratiempos en el seguimiento de Montoya.

Según lo habían podido comprobar todos, no existía una gran distancia entre el apartamento del presidente de Probolsa y la sede de la compañía, pero una misión diplomática se erigía en frente de su residencia y a dos cuadras de allí operaba un Centro de Atención Inmediata (CAI) de la Policía Nacional.

Después de unos días de seguimientos conocían de memoria la ruta de Álvaro Montoya. Lo veían salir de su oficina, en la calle 79 con carrera 9a., virar a mano izquierda, descender en línea recta dos cuadras y volver a girar a la izquierda hasta quedar justo en frente de un semáforo que, sin excepción, cada día lo cogía en rojo.

Sin embargo, ante la extrema irregularidad en los horarios del ejecutivo de Probolsa, Enchufe había llegado a considerar seriamente la posibilidad de rentar un apartamento en el mismo edificio en el que vivía Álvaro Diego Montoya Escobar. Pensaba secuestrarlo exactamente cuando descendiera en el ascensor rumbo al sótano de parqueo de automóviles.

—Es la única manera de verlo más fácilmente —explicó Enchufe a Pájaro. En realidad —según habían terminado por concluir— Álvaro Diego Montoya Vélez no podía ser vigilado en su apartamento en razón de los policías que custodiaban la embajada y tampoco podía ser seguido de cerca en las dos cuadras siguientes por virtud del movimiento constante de las patrullas del CAI.

No obstante, después de varias gestiones para alquilar un apartamento en el segundo piso, Enchufe desistió de la idea ante el cúmulo de trámites engorrosos y referencias personales y comerciales que exigía la administración del edificio.

Entonces —seguros de poder llevar a cabo "la vuelta" a la altura del parque en que se habían reunido por primera vez con Juan— regresaron a Medellín y junto con El Zarco y Orejitas buscaron a los "otros trabajadores". Aquello no les tomó mucho tiempo. Agentes rasos del cartel como Alex Arrieta, Boliqueso; El Pecoso; José Miserias; Meneo; Muelón; El Chino y Bomba Fija, estuvieron listos en cuestión de cuatro días.

Sin embargo, no ocurrió lo mismo con los vehículos. Una camioneta Renault 18, color verde, que El Zarco había encomendado a Boliqueso, no apareció por ninguna parte y tampoco fue posible ubicar automóviles hurtados de aquellos que el cartel compraba con todo y papeles por 400 mil pesos a las bandas de jaladores de vehículos.

Sin perder tiempo, Enchufe tomó la decisión de que todo el mundo partiese hacia Bogotá con los "vehículos sanos": dos Renault 9 y el Renault 4 Master vino tinto, "para tirar la vuelta".

En realidad existía una extraña mezcla y, a la vez, un increíble reflejo de la disímil procedencia de los pistoleros del cartel en aquella selección hecha por Enchufe, Pájaro y El Zarco para organizar el secuestro de Álvaro Diego Montoya.

Casado con una tolimense y padre de una hija, Alex Arrieta Polanía, Boliqueso, cursó sólo hasta el primer año de secundaria en el Liceo Atanasio Girardot, en Medellín. Después desertó como otros cientos de millares de preadolescentes nacidos en hogares pobres de la capital de Antioquia.

Su número telefónico actual era el 250-17-47 y su residencia estaba en el barrio Los Olivos, en un sector de clase media baja en Medellín.

Sin una profesión y sin un oficio definido, Boliqueso había tenido que aceptar un empleo tras otro. Su último trabajo honesto y también el epicentro de su perdición había sido la panadería Casapan, en Aranjuez. Conoció allí a Peto, a John Jairo Posada Valencia, Tití, y a El Zarco.

"A raíz de la amistad que tenía con él, con Meneses, El Zarco, —terminaría por confesar Arrieta a la policía secreta y a la Fiscalía en 1992— me vi involucrado en un secuestro y estuve detenido seis meses en prisión. En Bellavista conocí a mucha gente del cartel".

Ese episodio se constituyó en el bautizo de Boliqueso. ¡Y vaya bautizo! El cartel pagó un abogado, obtuvo la libertad provisional de Boliqueso, canceló la fianza por 2.900.000 pesos (una fortuna en manos de un miserable de Aranjuez con primero de secundaria como único título) y, por último y más importante, la mafia le suministró el dinero para que él y su esposa pudiesen vivir y ya no precisamente a expensas de un sueldo de dependiente de panadería.

En cuanto a John Dennis Giraldo Patiño, Orejitas, tenía 17 años para este diciembre de 1989, pero había hecho su irrupción en el crimen organizado a los 14. Todo empezó cuando en un período de vacaciones escolares, Arete lo llevó con él a la Hacienda Nápoles.

Después de cuatro semanas en el imperio del máximo capo, Orejitas simplemente se negó a regresar a la escuela y, ante ello, en virtud de las peticiones de Arete y otros agentes de la élite terrorista del cartel, Pablo Escobar autorizó que lo contrataran. La mafia pronto verificó la destreza de Orejitas en el manejo de armas y comprobó que era poseedor de una extraordinaria sangre fría.

Su cuerpo menudo y su apariencia de impúber le habían permitido aparecer, sin despertar sospecha alguna, en los escenarios más insólitos de los "traqueteros" de menor importancia en Medellín y saldar a tiros, sin piedad alguna, cuentas pendientes del cartel.

Valido de aquel aspecto de pequeño inofensivo, muchas veces Orejitas salía en pantaloneta, montado en una motocicleta casi de juguete y aparecía en kioscos y heladerías. Entonces, caminaba hasta situarse justo frente a sus víctimas, las halaba con fuerza del cabello hasta doblarles la cabeza y después les descerrajaba un tiro mortal a la altura misma del cráneo. Luego volvía a su motocicleta y desaparecía en las calles alternas. De hecho para este diciembre de 1989, Orejitas era uno de los responsables del asesinato de la jueza María Helena Díaz, muerta a tiros en julio de 1989, en Medellín, por un comando del cartel.

Pablo Escobar había ordenado el crimen después que la funcionaria lo señaló como uno de los responsables de las masacres de

Honduras y La Negra en Urabá. Un grupo de pistoleros sorprendió a la jueza y a su escolta cuando, a bordo de una Toyota 4 puertas, se dirigían hacia el Palacio de Justicia de la capital de Antioquia.

Un complot para asesinar al presidente

El entrenamiento del "suizo" se prolongó por varias semanas. Se trataba de un adolescente que, sin que él lo supiera, había sido elegido por el cartel para detonar la bomba en el vuelo en que viajara el candidato a la Presidencia César Gaviria Trujillo. Según explicó Carlitos a Memín, primero le canceló al "suizo" 50 mil pesos por cada encomienda y después, progresivamente, aumentó la suma cuidando, eso sí, de que jamás rebasara los 100 mil pesos. Luego se encargó de conseguirle ropas de marca y zapatos elegantes; después lo "encaletó" definitivamente.

—No existe otra forma —le explicó, al cabo del tiempo. A los "suizos" hay que prepararlos así.

Ésta era, en verdad, una expresión dramática y pavorosa de lo que la élite terrorista había llegado a concebir. Nada diferente de remplazar los controles remotos en la detonación de bombas por hombres de carne y hueso.

Contactos como Memín y Carlitos se habían hecho verdaderos profesionales en ello. Escogían a sus víctimas entre adolescentes tímidos, sin empleo o estudio, de los cientos que pululaban en las comunas de invasión en Medellín.

Los ponían primero a trasladar simples encomiendas:

—Mirá, llevá esta caja hasta la Loma del Chocho y la dejás ahí, pero que no se te vaya a ocurrir abrirla. Luego, directamente, terroristas como Carlitos y Memín volvían a recoger cada paquete y verificaban que efectivamente no hubiese sido abierto. Lo establecían a través de contraseñas secretas que se hubiesen roto ante el menor intento de descubrir lo que había dentro de la encomienda.

Repetían ese procedimiento una y otra vez hasta estar seguros de poder confiar en el "suizo" y, finalmente, los familiarizaban con una encomienda semejante a aquella que habría de resultar mortal.

En el caso del maletín destinado a dinamitar el avión de la primera aerolínea nacional, Avianca, el contacto de Memín hasta había llegado a enseñarle al "suizo" una valija exacta.

—El maletín lleva una grabadora —le dijo. Lo único que necesitamos es que, cuando el avión haya despegado y esté en el aire, usted oprima el "swiche" y le grabe al tipo que va a ir a su lado... Lo que quiero es la voz.

Bajo ese pretexto, en la mañana del sábado 25 de noviembre de 1989, después de recoger al "suizo", en el sitio que le indicó Carlitos, Memín transportó el maletín-bomba diseñado por Arete hasta Bogotá. Lo ocultó en la cavidad de la caja de fusibles de un Renault 9.

Al día siguiente, domingo 26, en la tarde, Memín se dirigió al aeropuerto y adquirió los tiquetes. Los canceló en efectivo y cuidó de que en verdad le asignaran las sillas sobre los tanques de combustible del Boeing 727 que debía cubrir el vuelo 203 con hora de salida a las 7:00 de la mañana del lunes 27. Destino, la ciudad de Cali.

Compró un tiquete a nombre de Mario Santodomingo y otro a favor de Alberto Prieto. Se decidió por el primer nombre porque era sabido que la compañía Avianca pertenecía a Julio Mario Santodomingo y porque —comprobó después que no se equivocaba— ningún dependiente iba a arriesgarse a hacer interrogantes ante la eventual decisión del mayor accionista de la compañía de descubrir por sí mismo el tipo y el nivel de los servicios de su empresa.

Luego regresó a "la caleta" en donde había recluido al "suizo", le entregó el tiquete a nombre de Alberto Prieto y le enseñó el suyo propio expedido a favor de Mario Santodomingo.

—Mirá —le explicó— el maletín te lo entrego yo mismo dentro del aeropuerto.

Luego, muy temprano en la mañana del día siguiente, lunes 27, lo acompañó a chequear los tiquetes, se aseguró de que el dependiente les reconfirmara las sillas asignadas, 15F y 15E, y se dirigió hacia el avión junto con Alberto Prieto.

Repentinamente, recordó haber olvidado algo en extremo importante, advirtió al "suizo" que intentaría volver a tiempo o partir en el vuelo siguiente y, en todo caso, le encomendó la importante tarea de activar el swiche del maletín para grabar al otro pasajero. Luego, Memín retornó al *counter*, hizo chequear su tiquete con hora de salida en el vuelo siguiente y salió del terminal aéreo.

No lo sabía pero, en razón de que ya se había chequeado, su ausencia había retrasado el vuelo del HK-1803 por más tiempo del que normalmente estarían dispuestos a esperar el piloto, José Ignacio Ossa, y su copiloto. La auxiliar de vuelo repartía café y ahora se esforzaba en atender a los infortunados pasajeros:

Auxiliar de vuelo: Para su comodidad se han designado las filas 1 a la 19 para no fumadores y de la 20 en adelante para fumadores.
Auxiliar de vuelo: ¿Les provoca *El Tiempo*, *El Espectador* o qué?
Piloto: *Tiempo*, *Espectador*, *Colombiano* y *Correo*... vendían en mi tierra.

Eran las 6:49:02 cuando el capitán Ossa encendió los motores del avión y su copiloto entró en contacto con la torre de control.

Copiloto: Autorizaciones, Avianca 1803. Buenos días. En el Puente Aéreo con información Alfa destino Cali.
Torre de control: Avianca 1803. Buen día. Está autorizado a Cali vía Romeo 5-6-4. Ascenso para nivel de vuelo Girardot y el procedimiento de salida y transponder 1-2-1-3.
Copiloto: Autorizados a Cali vía Romeo 5-3-4, subir y mantener 2-2-0. Girardot 1 y 1-2-1-3 en transponder.
Torre de control: Es correcto, rodaje para las 12-02 por tráfico procediendo a Cali. A las 0,8 llame 121.9 para remolque.
Copiloto: Autorizado para las 12-02 y llamaré 0,8 para remolque.

No había terminado la frase cuando la auxiliar de vuelo irrumpió en la cabina:

Auxiliar: Capitán, espere, perdón. Estamos esperando un pasajero más que se atendió pero que no abordó. Supuestamente el equipaje es una caja.
Piloto: Pero no los veo bajando maletas.
Auxiliar de vuelo: Perdón capitán. Estamos a sus órdenes.

Con todo, el capitán Ossa esperó cerca de ocho minutos hasta que decidió que era ahora de partir. Entonces se comunicó otra vez con la torre de control. Estaba a escasos segundos de su cita con la muerte.

Piloto: Okey, ¿cómo les va, bien?
Torre de control: Autorizado a iniciar. Llame. Listos a rodar. Todo lo normal, por favor. Observamos lo de la cabina estéril, o sea en ascenso y en descenso solamente cuando llamemos y nada más. El que esté en la ventral para cuando sea la hora de salida por favor y nada más. Que les vaya muy bonito.
Piloto: Estamos listos a rodar.
Copiloto: Superficie Avianca 1803 Puente Aéreo. Listos a rodar.
Torre de control: 1803 ruede Alfa pista 1, 2. Hora 12:03.
Piloto: Me ajustas la potencia antes de 60 nudos. Me avisas cualquier falla que afecte la seguridad del vuelo y seleccionamos esencial aún generador operando... La salida fue Girardot número 1, vamos a Techo 400 pies y luego a Techo salimos por el radial 2,40 hacia Girardot y no hay... Transportar fue 12-13.
Torre de control: Avianca 1803 ruede a posición y se mantiene. Restricción. Cruce el radial 200 con 16.000 o superior.
Copiloto: Autorizado posición y restricción. El radial 200 con 16.000 o superior.

Despegue y final

Torre de control: Afirmativo. [...] Avianca 1803. Está 11:28, L6-24.... Autorizado a despegar. Viento calma. Prolongue hasta el marcador Romeo.
Copiloto: Enterado. Calma. Autorizado y prolongue hasta Romeo.
Copiloto: Salidas. Avianca 1803. Techo a través de 10.500. 7:14:15.

286

Torre: 1803 llame Girardot 2,20.
Copiloto: Enterado. Llamaré Girardot 2,20.
Copiloto: ¿Ponemos Girardot en el número 1?
Piloto: Bueno.

Todo lo que vieron los únicos testigos en el municipio anexo de Soacha fue una explosión pequeña y luego otra mayor y finalmente una bola de fuego que se precipitaba a tierra como si se tratase de un rompecabezas salido del mismo infierno.

Sólo la investigación y la recuperación de los diálogos a partir de la inspección a la caja negra del aparato permitieron saber exactamente lo que había ocurrido dentro del HK-1803 de la aerolínea Avianca que, en la mañana del 27 de noviembre, con Alberto Prieto a bordo, decoló hacia Cali con 107 seres humanos, entre tripulantes y ejecutivos cuyo destino inmediato era la capital del Valle.

Los diálogos que antecedieron al decolaje y los peritazgos técnicos no hubiesen podido ser más reveladores del atentado. El informe técnico, producto de una investigación adelantada por expertos de la Boeing y de la National Transport Safety Board no podía estar más plagado de conclusiones y afirmaciones dramáticas, a pesar de su pesado tono técnico:

CONCLUSIÓN*
Se comprobó durante la maniobra de ascenso en ruta la explosión de un componente de alto poder explosivo a la altura de la estación 783 (silla 14F) sobre el piso de la cabina de pasajeros, que produjo una explosión de mayor envergadura que ocasionó la ruptura de la aeronave en cuatro secciones y su precipitación a tierra.

---

* Informe de aviación: Departamento Administrativo de Aeronáutica Civil, División de seguridad aérea. Informe de accidente de aviación. Aeronave: Marca Boeing, modelo 727-21, No. de serie 19035. Matrícula: HK1803. Propietario: Aerovías Nacionales de Colombia, Avianca, S. A. Fecha/Hora del accidente: Lunes 27 de noviembre de 1989. 07:16:39, HL. Fecha de este informe: Diciembre 28 de 1989.

CAUSAS

Elemento explosivo a bordo. Explosión consistente en la presencia de un elemento de alto poder explosivo cuya detonación alcanzó el tanque central de combustible, produciéndose la ruptura de la aeronave en vuelo.

Los análisis de laboratorio realizados por expertos de la Agencia Federal de Investigaciones de Estados Unidos (FBI), confirmaron la presencia de dos elementos componentes de explosivos de alto poder, denominados RDX y PETN, en la evidencia clasificada como Q-15, la cual corresponde a un pedazo del tanque central de combustible por su lado derecho.

Igualmente en la evidencia clasificada como Q-12, correspondiente a un pedazo del fuselaje de la aeronave, ubicado en la parte delantera inferior de la salida de emergencia delantera derecha, se encontraron señales perceptibles ocularmente de impactos de partículas a alta velocidad que implican igualmente la presencia de un componente explosivo realizado.

Los componentes RDX y PETN son conocidos como elementos parciales del explosivo denominado SEMTEX, cuya utilización ya ha sido detectada por organismos de seguridad en casos similares.

De acuerdo con lo anterior se puede deducir que los eventos que llevaron a la configuración de este accidente, se resumen así:

Al detonar el componente explosivo a la altura de la estación 783 del fuselaje, sobre el piso de la cabina, la explosión perforó ésta, alcanzando la cara superior del tanque central de combustible, el cual a su vez se rompió, lo que permitió la inflamación del combustible, lo cual en el evento inmediatamente siguiente produjo la ruptura brusca de la sección central de las alas, con el consiguiente desprendimiento de las mismas, liberando las cabinas delantera y trasera de la aeronave y conformando la precipitación a tierra de las cuatro secciones mayores y fragmentación parcial de las mismas durante la caída libre y posterior impacto contra el terreno.

Como lesiones generalizadas se encontraron las siguientes:

1. Grandes destrozos de los cadáveres con amputación de miembros o ausencia de éstos.

2. Destrozos en la parte de los calcáreos, muslos y glúteos, como si alguna fuerza los hubiera golpeado de abajo hacia arriba.

3. Quemaduras de primer grado generalizadas, en los grupos de cadáveres localizados en la cabina y el empenaje.

288

4. Estallido craneoencefálico generalizado, aparentemente producido durante la explosión (suposición hecha por no encontrarse restos de masa encefálica cerca a la localización del cráneo, donde se efectúo el levantamiento).

5. Quemaduras de segundo grado generalizadas en los cadáveres del segundo grupo.

6. Mediante oficio se solicitó a Medicina Legal, se tomaran placas radiográficas a siete cadáveres, encontrando en uno de ellos partículas metálicas, las cuales se encuentran en proceso de análisis en el DAS.

Una vez efectuado el estudio detenido de los cadáveres, las lesiones presentadas por los mismos, la clase de quemaduras observadas, se concluye que en el interior de la aeronave, cuando aún se encontraba en vuelo, se presentó una explosión, que posteriormente fue agravada por la detonación de algún tipo de gas (oxígeno, vapores de combustible u otro elemento).

—El explosivo detonó en el área bajo la silla No. 14F correspondiente a la estación 783 del fuselaje, sobre el piso de la cabina de pasajeros.

—El piso de la cabina de pasajeros fue perforado.

—La piel del fuselaje de la cabina de pasajeros y la parte superior del tanque central de combustible sección intermedia fue perforada.

—En la cabina de pasajeros comenzó la descompresión relativamente despacio y a la vez la presurización del tanque central, que causó una explosión de aire/combustible y la ignición del combustible en la parte superior del tanque central, extendiéndose rápidamente a través de los tubos de ventilación a las secciones izquierda y derecha del tanque No. 2. Por efecto de la presión del tanque se causó el regreso de esta excediendo la presión de la cabina de pasajeros.

—La integridad de la estructura de las cajas del ala del centro del fuselaje izquierdo y derecho en la sección del tanque No. 2 fueron rasgadas bruscamente.

—El combustible de los tanques 1 y 2 se prendió.

—El ala derecha y su tren de aterrizaje se separaron del fuselaje incendiándose e impactándose con el terreno.

—El avión se banqueó hacia la izquierda, la cabina de pasajeros completamente descompresionada arrojó desde su interior componentes y pasajeros fuera de la aeronave.

—El ala izquierda con el tren principal incendiados se separaron del fuselaje impactando con el terreno y continuando la conflagración, excepto una rueda, la cual aparentemente se separó y fue recuperada relativamente sin daños...

Existía una conclusión adicional. Los peritazgos sobre un zapato de marca que portaba el pasajero de la silla 15F ponían en evidencia la existencia de residuos de material explosivo. El "suizo" no había tenido oportunidad alguna de descubrir la trampa mortal a la que el cartel lo había conducido. Tampoco la tripulación ni los 107 inocentes pasajeros del vuelo HK-1803, en su mayoría, ejecutivos y hombres de negocios*.

---

* Una corte estadounidense juzgó en 1994 a Dandenys Muñoz Mosquera, La Quica, como otro de los partícipes en el atentado contra el avión de Avianca. En Colombia, entre tanto, la Fiscalía General de la Nación libró orden de captura contra Carlos y Fidel Castaño, Rambo, por el mismo genocidio.

UN CHANTAJE DE LOS EXTRADITABLES*

Más pulso con el DAS...

Era una extraña reunión la de aquélla noche en El Peñol, virtualmente la última que habrían de sostener las dos cabezas más despiadadas de la mafia: Gonzalo Rodríguez Gacha, El Mexicano —sus días estaban contados— y Pablo Escobar. Éste último, acompañado por John Jairo Arias Tascón, Pinina. Agonizaba el mes de noviembre 1989.

—Tal como ocurrió lo del avión —argumentó Escobar— no tiene mucho sentido.

Sin embargo, coincidió con Rodríguez Gacha, El Mexicano:

—De todas maneras, ésto ha servido para ponerle un punto al gobierno.

Una vez a salvo de la Operación Apocalipsis I —de la cual él y John Jairo Velásquez Vásquez, Popeye, habían podido escapar después de atravesar San Luis y Las Mercedes— Pablo Escobar había ido a instalarse en Puerto Triunfo y después en El Peñol. Había recibido a Carlos Mario Alzate Urquijo, Arete, y escuchado con atención las explicaciones que éste tenía que dar sobre el fallido atentado al candidato César Gaviria Trujillo.

---

* **Diciembre de 1989-marzo de 1990.** Al atentado contra el avión de Avianca siguió el ataque contra la sede del Departamento Administrativo de Seguridad (DAS), con un saldo de más de un millar de víctimas, entre muertos y heridos. La policía dio muerte a Gonzalo Rodríguez Gacha, El Mexicano, y el cartel secuestró al hijo del secretario General de la Presidencia de la República, Germán Montoya Vélez y a otros importantes ciudadanos.

En realidad, por lo menos en cuanto al jefe de la mafia hacía, la responsabilidad no era de sus "trabajadores". Gonzalo Rodríguez Gacha, El Mexicano, pensaba igual. Aun cuando ambos habían planeado el atentado y provisto a los terroristas, sentían que la responsabilidad del oscuro episodio era de Carlitos y su hermano. Eran ellos quienes se preciaban de "manejar el DAS" y los que se habían comprometido a reconfirmar la información que obtuviese Darío Usma, Memín, sobre los desplazamientos del candidato a la Presidencia, César Gaviria Trujillo. De hecho, si el maletín-bomba había podido franquear sin mayores obstáculos los frágiles controles del Aeropuerto Internacional Eldorado lo debían a Carlitos. Con todo, había resultado falsa la información que él tenía, según la cual Gaviria y 10 de sus escoltas debían viajar en el vuelo 203, rumbo a Cali, en la mañana del 27 de noviembre de 1989.

—Si Gaviria no iba en el avión pues esa "vuelta", entonces, no se debía haber realizado —concluyeron los capos, aunque sin preocupación alguna por el enorme saldo de víctimas.

De cualquier forma —según le explicó Pablo Escobar a Gonzalo Rodríguez Gacha, El Mexicano—, él había tenido especial cuidado en advertir a Arete sobre una mayor precaución en el caso del atentado por consumarse: el ataque contra el Departamento Administrativo de Seguridad (DAS), con diez mil kilos de dinamita y el asesinato del general Miguel Alfredo Maza Márquez, en su propia sede.

—Más pulso con el DAS —le había dicho.

La verdad, después del atentado al HK-1803, el cartel había dado la orden de realizar cuanto antes "la vuelta" del DAS. Memín retornó a Bogotá y, junto con Alberto Sandoval, se alojó en el Apartahotel de la 51, el mismo que había servido de refugio a Popeye, a El Monito Jorgito y a otros de los partícipes en el secuestro del candidato Andrés Pastrana.

Después, Memín y Alberto Sandoval pusieron una cita a Guillermo Alfonso Gómez Hincapié o Alfredo Ramírez y a Eduardo Tribín o Carlos González Rodríguez, los dos hombres a los que Arete había contactado a mediados de 1989 a través del ex ciclista Gonzalo Marín, Chalito, y a los que había encomendado alquilar la bodega en San Antonio para almacenar "electrodomésticos de contrabando". En realidad, se trataba de los diez mil kilos de dinamita que el cartel había decidido utilizar en el atentado contra el DAS.

Memín y Alberto Sandoval concertaron la reunión a través de un mensaje que la central de buscapersonas 2970900 transmitió al código 5450. El encuentro tuvo lugar en un expendio de pollo, sucursal del restaurante La Brasa Roja, situada en la carrera 30 con calle 1a.

Memín empezó por repetirle a Alfredo Ramírez el mensaje que ya había recibido por vía de una llamada desde Medellín. El asunto del alquiler de la bodega estaba por terminar pero Pablo Escobar requería un último favor: que le guardasen un bus allí.

La cita de esa noche de primeros de diciembre no tuvo otro objetivo y, mientras Memín explicó a Alfredo Ramírez y a Carlos González otros detalles, Alberto Sandoval fue en busca del bus a un taller del sector de Matatigres, en Bogotá.

El bus en cuestión era otro de los secretos de Arete y sus hombres en los planes contra el DAS. Unos meses antes, escudriñando entre los avisos de los diarios, Memín y Alberto Sandoval habían dedicado tiempo completo a conseguirlo.

Era un bus Chevrolet, modelo 83, inscrito en las oficinas de tránsito con el número de matrícula SE4496, cuyo propietario, José Marín, no podía ostentar una calidad menos inofensiva: rector del colegio distrital San Luis Gonzaga.

Por si aquello no fuese suficiente, el automotor tenía una trayectoria impecable. Tres años atrás había sido adquirido por la prestigiosa firma Leasing Colmena directamente a la empresa Chrysler Colmotores y, a estas alturas —noviembre de 1989—, Marín era apenas su segundo dueño.

Un particular de nombre José Ramírez era el intermediario en el negocio. Fue cuestión de 48 horas el que Alberto Sandoval llegase a un acuerdo con él. Canceló 10 millones de pesos por el bus escolar y dejó uno pendiente aduciendo que aún debían esperar que se hiciera efectivo el traspaso y se firmaran los últimos papeles. Finiquitó los pormenores legales amparado en una "chapa". Una cédula falsa según la cual él era Manuel Restrepo Posada.

Una vez con el bus en su poder, Alberto Sandoval y Memín se trasladaron hasta un taller en el sector de Matatigres, en el sur de Bogotá, y persuadieron a una pareja de latoneros de introducir algunos cambios en el automotor.

El objetivo —según les explicaron— era disponer de una caleta lo más amplia posible para el contrabando de cigarrillos. Todo cuanto los latoneros debían hacer, era colocar un doble piso a la altura del corredor... No tenían de qué preocuparse porque el bus iba a permanecer esencialmente en Maicao. La frontera negra del contrabando con Venezuela.

Ante lo jugoso de la oferta económica, en fin, los latoneros se habían avenido a construir la "caleta" y esa noche de primeros de diciembre el bus estaba listo. Alberto Sandoval lo sacó del taller y lo condujo hasta el restaurante La Brasa Roja.

Memín acababa de ordenarles a Alfredo Ramírez y a Carlos González que le entregaran las llaves de la bodega y no retornaran hasta nueva orden. No vieron dificultad en ello. Hacía tiempo que ninguno de los dos se aparecía por allí. Tenían franco terror desde cuando el cartel les había pedido ocultar allí un misterioso Mercedes Benz azul.

Por lo demás, Alfredo Ramírez no albergaba dudas de que aquel hombre bajo, moreno, con una cicatriz en la frente y voz gangosa, era otro agente del cartel muy cercano a Pablo Escobar y en razón de ello se abstuvo de contrariarlo.

Alfredo Ramírez entregó las llaves a Memín y vio cuando éste hizo lo propio con Alberto Sandoval, que hacia las diez de la noche partió con el bus para conducirlo hasta la bodega en la calle 2a. sur, No. 19-63, en el sector de San Antonio, en Bogotá.

La máquina de la muerte era un bus chato, *pullman*, pintado de color verde, pero no estaba adscrito a empresa alguna.

"México, no te tirés para allá..."

Existían 600 kilos de dinamita bajo aquellas tierras que se extendían al sur del municipio de Caldas, a ocho kilómetros del casco urbano, por caminos carreteables, en una severa pendiente.

Después que Pablo Escobar le dijo: "Nunca hay que guardar todos los huevos en una sola canasta", Mario Alberto Castaño Molina, Chopo, solicitó al propietario de la finca, Eugenio León García, Lucho, hijo del ex cocinero de las Mercedes, que le guardase los explosivos.

En realidad, no era un asunto que preocupara a Lucho en demasía. Durante un tiempo había mantenido aquella finca registrada a nombre de su madre pero después —por recomendación de Arete— hizo un traspaso del predio a favor de un hombre al que apodaban Guayo.

La dinamita que para finales de 1989 ocultaba Lucho provenía del Tugurio, una bodega destinada al almacenamiento de explosivos que estaba en la parte alta del barrio La Paz de Envigado y en la que el Cuerpo Élite habría de encontrar 1.000 kilos de explosivos.

Esa noche del cuarto día de diciembre, en la "caleta" ubicada en las afueras del municipio de Caldas y de propiedad de Lucho, Pablo Escobar y Gonzalo Rodríguez Gacha, El Mexicano, coincidieron otra vez en que el atentado al avión de Avianca nunca se debió haber realizado porque Gaviria no viajaba en el Boeing. Volvieron a culpar del error a Carlitos y a su hermano.

Con todo, rápidamente, dejaron el asunto atrás y otra vez abordaron el tema de la refinanciación de Los Extraditables.

Los asesinatos sistemáticos, el soborno de autoridades y los secuestros se traducían en erogaciones enormes. Siniestra y paradójicamente, el atentado contra el avión de Avianca, el peor acto criminal en la historia de los *pezzonovantes* de la mafia, era el que menos costos había significado: todo resultó tener un valor final de un millón de pesos.

Era una suma que incluía, en conjunto, el valor del maletín de *nylon* y veta roja, los cinco kilos de dinamita, la batería, el estopín, los tiquetes y los pagos que se hicieron al "suizo" por las encomiendas y los desplazamientos de Memín. Éstos últimos, los rubros más elevados.

Otra era la realidad en lo que hacía a la planeación del atentado contra el DAS, a pesar de que Arete no había dejado un instante de insistir en que ésta era "una vuelta" barata.

Aducía que el cartel estaría pagando una fortuna de no ser porque desde los que transportaban la dinamita hasta los que alquilaban las bodegas en Bogotá "iban semiengañados".

En criterio de Pablo Escobar, no obstante, "las vueltas" del magistrado Carlos Ernesto Valencia; del coronel Valdemar Franklin; del candidato a la Presidencia de la República, Luis Carlos Galán Sarmiento, y del atentado que se preparaba contra el DAS, sólo ponían en evidencia la enorme cantidad de dinero que exigía mantener la guerra contra el Estado.

Así se lo había explicado alguna noche en Nápoles a Capeto, a Jorge González, a Gerardo Kiko Moncada y a Albeiro Areiza, El Campeón, y se lo explicaba de nuevo a El Mexicano.

En realidad, durante años, a nombre de la guerra contra el gobierno, la extradición y un tratamiento justo a los barones del tráfico de cocaína, el máximo capo había despilfarrado el dinero en una orden de asesinato tras otra y en montones de atentados dinamiteros, sin que el asunto constituyera una novedad.

Sin excepción, empezando por el propio Rodríguez Gacha y Gerardo Kiko Moncada, el cónclave conocía de aquellos sicarios que se acercaban a Escobar sólo para balbucearle a bocajarro lo que el jefe del cartel parecía estar siempre dispuesto a oír:

—Señor, el tipo está en un edificio en la Loma del Chocho y los que lo cuidan nos dan entrada, pero cobran 200 millones de pesos...

También sabía la élite del cartel de Medellín el efecto que mensajes como esos tenían sobre la hipersensible proclividad de Pablo Escobar hacia el crimen:

—Vea, yo no necesito la plata para nada. Llévenla, que lo que yo necesito es que se muera ese hijueputa...

Muchas veces lo había hecho inclusive en contra de las advertencias de Gonzalo Rodríguez Gacha, El Mexicano:

—¡No, Pablo! ¡Qué le vamos a dar toda esa plata a esos muchachos! Va a ver que se nos crecen y después nos matan a nosotros...

A la postre, sin embargo, consejos y advertencias como esas habían resultado inútiles. Inclusive las más incipientes bandas de barriada habían terminado por acostumbrarse a "trabajar" sólo a cambio de jugosas contraprestaciones y eran capaces de dejar una "vuelta" en la mitad si no veían dinero al instante.

Muchas intercepciones habían dado al Cuerpo Élite de la policía y a la Unidad de Inteligencia al mando del coronel Hugo Martínez Poveda la oportunidad de verificarlo.

Un día cualquiera de octubre de 1989, la imposibilidad de un contador al que apodaban Porfirio de situar una gruesa suma en efectivo, en una "oficina" de pagos, simplemente había dado al traste con la orden de Pablo Escobar de destruir carteles de la campaña del candidato César Gaviria Trujillo a razón de un pago de 30 mil pesos por cada uno.

La verdad era que las cuotas por la destrucción de cada valla representaban lo más ínfimo en los giros millonarios para pagar a sicarios y que, tal y como lo preveía Pablo Escobar, el costo de la guerra no podía correr por cuenta de las fortunas personales de los barones del cartel.

A ese efecto —en una decisión que era un delirio sólo explicable en el hombre más tenebroso de la mafia— Pablo Escobar había elegido ya a las potenciales víctimas de una nueva y pavorosa cadena secuestros: la cónyuge y el hijo de los industriales más poderosos de la nación y la primogénita del que era quizá el artista más afamado y rico de toda Iberoamérica.

Lo que Pablo Escobar había propuesto un día al cónclave de la mafia, era ni más ni menos que enviar agentes del cartel a Nueva York para secuestrar a la esposa del empresario Julio Mario Santodomingo; asignar a otro "comando" el plagio de un hijo del industrial Carlos Ardila Lulle y mandar un grupo a España o a Miami para ver la viabilidad de plagiar a Chabely Iglesias, hija del afamado cantante Julio Iglesias.

No tenía por qué explicar las razones de aquella elección. Las cervezas y las maltas que se expendían en toda la nación; la principal aerolínea del país y un increíble conglomerado financiero eran obra y reflejo de Julio Mario Santodomingo.

A su vez, tres cuartas partes de los textiles que producía el país y 60 por ciento de las gaseosas que consumían a diario 30 millones de colombianos, salían de las factorías erigidas por Carlos Ardila Lulle.

En cuanto hacía a la fortuna del español Julio Iglesias, aquello era un asunto de dominio mundial tanto como su éxito con las mujeres adolescentes, maduras, pobres y ricas, esbeltas y feas, de sinnúmero de naciones al otro lado del Pacífico e inclusive de Europa.

Según había indagado, la esposa de Julio Mario Santodomingo se paseaba virtualmente sin escolta alguna por Nueva York, a bordo de una limosina; otro tanto ocurría con Chabely Iglesias en España y en Miami.

En los cálculos de Pablo Escobar, Julio Mario Santodomingo podía pagar por la liberación de su cónyuge hasta 100 millones de dólares y Carlos Ardila Lulle 50. Entre tanto, el cartel podía exigir 30 millones de dólares a Julio Iglesias.

La propuesta había originado reticencia entre narcotraficantes de la élite de la mafia, pero al percatarse de su reacción, Pablo Escobar simplemente les había dicho:

—Entonces, pongan ustedes la plata...

Al final, el cónclave había "votado" en favor de un estudio más cuidadoso del asunto. No estaban entonces al punto de siquiera imaginarlo, pero la intempestiva muerte de Gonzalo Rodríguez Gacha, El Mexicano, arrastraría consigo la propuesta de Escobar.

Muchas veces Albeiro Areiza, El Campeón y, en particular, Gerardo Kiko Moncada y Fernando El Negro Galeano, se habían opuesto a los secuestros como forma de financiación de la guerra contra el Estado y entonces Pablo Escobar había requerido el apoyo de Gonzalo Rodríguez Gacha, El Mexicano, para presionarlos. El destino iba a impedir, sin embargo, que algo así volviera a ocurrir.

En la "caleta" situada a ocho kilómetros del casco urbano del municipio de Caldas, durante la entrevista que ambos sostuvieron a comienzos de diciembre, Gonzalo Rodríguez Gacha, El Mexicano, notificó a Escobar de sus planes: iba a viajar a Cartagena para reunirse con su hijo Freddy Gonzalo Rodríguez Celades, porque hacía varias semanas que no lo veía, y con El Navegante, porque otra ruta de la cocaína estaba en ciernes.

—Mirá, cuidate. No te tirés para allá... —le dijo Escobar antes que ambos se retiraran a dormir. La verdad, ante la tensión que habían creado los crímenes de la mafia y ante las decisiones que habían surgido de las reuniones extraordinarias del consejo de ministros con el presidente Barco: restablecimiento de la extradición, decomiso de los bienes de los narcotraficantes y facultades de excepción al ejército y la policía para realizar operaciones de registro, allanamiento y ocupación, la costa le pareció un sitio poco estratégico al jefe del cartel y así se lo insinuó a El Mexicano.

Nunca antes le había hecho una recomendación como esa. Después de un quinquenio, en el que ambos se habían encontrado en más de 20 oportunidades, Pablo Escobar sabía que El Mexicano andaba siempre escoltado por 15 ó 20 hombres. Paramilitares dotados con radios de comunicación y granadas, y armados con fusiles de aquellos que Gonzalo Rodríguez Gacha había introducido de contrabando a Colombia en cargamentos que oscilaban entre 250 y 300 Galil y M-60 con destino a su impresionante ejército privado.

En realidad —hasta "El Día D", cuya alborada estaba increíblemente cerca— sólo en una ocasión Gonzalo Rodríguez Gacha, El Mexicano, se había sentido sitiado, y no por el ejército o la policía, si no por la guerrilla. Según se lo había explicado él mismo a Escobar, el protagonista de aquello fue Fedor, un comandante subversivo proscrito por la propia insurgencia armada desde cuando, a finales de 1985, él y otros jefes guerrilleros, a cargo del Frente Ricardo Franco de las Fuerzas Armadas Revolucionarias de Colombia (FARC), propiciaron el más sangriento exterminio dentro de las propias filas subversivas.

Fedor y otros cabecillas guerrilleros convirtieron en rehenes a 126 miembros de la insurgencia y, después de encadenarlos, obligarlos a avanzar por el monte y someterlos a crueles torturas, ordenaron fusilarlos. Los cadáveres aparecieron en fosas comunes en distintas zonas montañosas en jurisdicción del municipio caucano de Tacueyó. Había no menos de ocho mujeres.

Un comunicado del M-19 hizo explícita la responsabilidad de Fedor y sus hombres en el exterminio, en términos hasta entonces nunca vistos entre movimientos guerrilleros.

"Nosotros, que buscamos varias veces la unidad con el Frente 'Ricardo Franco', condenamos y tomamos distancia absoluta, total y permanente con este grupo, hoy destruido en su locura, su sectarismo y su injusticia criminal, sin importar cuáles sean los resultados de las investigaciones de sus purgas de raíz totalitaria.

"Este crimen exasperante, indigno e injusto fue cometido por los mismos miembros de tal grupo, mediante (sic) torturas previas, con la excusa inaceptable de investigaciones sobre infiltrados de los servicios de inteligencia del ejército..."

La declaración del M-19 desde la clandestinidad exigía a las FARC, al EPL, al Quintín Lame, a Patria Libre, al Ejército de Liberación Nacional (ELN) y a la Coordinadora Guerrillera Simón Bolívar expulsar del movimiento "revolucionario" en Colombia a los comandantes del "Ricardo Franco" y a sus hombres.

Tras el macabro hallazgo de las fosas y la acusación del M-19, Fedor y la cúpula del "Ricardo Franco" simplemente habían hecho llegar cintas magnetofónicas en las que justificaban el exterminio con una investigación sobre infiltración del servicio de inteligencia, B-2 del ejército, en las filas insurgentes, y explicaban que el fusilamiento era consecuencia de un juicio revolucionario.

Lo cierto era que desde cuando Gonzalo Rodríguez Gacha, El Mexicano, había declarado la guerra contra la guerrilla y dispuesto el exterminio de líderes sindicales y de dirigentes de partidos de izquierda, Fedor se impuso la tarea de cazarlo y una mañana del último lustro de los ochenta había estado a punto de lograrlo.

Apenas 30 minutos después de que Gonzalo Rodríguez Gacha se refugió en un apartamento, en el norte de Bogotá, una llamada telefónica de Fedor, en persona, anunció a El Mexicano que se acercaba su hora. Presa de la histeria, seguro de haber sido delatado por los propios hombres de su escolta y, al timón de un modesto Renault, Gonzalo Rodríguez Gacha, El Mexicano, guió el vehículo hasta Medellín en busca de "El Bizcocho".

Alcanzó su objetivo casi a media mañana del día siguiente y relató su historia a Pablo Escobar. Permaneció exactamente ocho días con él, tiempo que consideró apenas necesario para impulsar una purga severa dentro de su cuerpo de escoltas.

Una explosión pavorosa

En la mañana del 6 de diciembre, muy temprano, Alberto Sandoval y Memín salieron del Apartahotel de la 51 en busca del bus escolar.

301

Memín había hecho que unos días antes el "suizo" elegido para "la vuelta" del DAS condujera el automotor en varias ocasiones para darle confianza y le había explicado cómo operar el sistema del "swiche" sin entrar, eso sí, en detalles sobre el objetivo.

En las 24 horas que antecedieron al atentado, sin embargo, el "suizo" no volvió a ver el vehículo ni tampoco a Memín ni a Alberto Sandoval.

Ellos lo dejaron en el Apartahotel de la 51 con instrucciones de no telefonear, no salir virtualmente sino para comer y, sobre todo, no hablar con nadie. Luego se justificaron:

—Mirá, la gente de Bogotá es muy desconfiada.

La verdad fue que tanto Alberto Sandoval como Memín estuvieron ocupados como pocas veces. Tras la reunión en el restaurante La Brasa Roja, Memín y Alberto Sandoval se dedicaron a cargar el autobús con la dinamita amoniacal ecuatoriana obtenida por Carro Chocao y transportada desde Medellín hasta Bogotá entre los "cocos" de las neveras, los hornos microondas, las lavadoras y los cargadores de batería en que Gerardo Kiko Moncada había introducido millones de dólares, producto del narcotráfico, a Colombia.

Pronto descubrieron que el doble piso del corredor del autobús sólo tenía capacidad para 2.000 kilos de dinamita. Tuvieron que acomodar el resto: otros 3.000 ó 4.000, no lo supieron bien, debajo y sobre los asientos.

Después, atendiendo las instrucciones de Arete, conectaron los dos primeros cables a una batería y éstos al estopín eléctrico; luego se aseguraron de llevar ambas extensiones, por debajo de los tapetes, hasta el "swiche" de encendido, justo debajo del tablero. Cerraron todas las cortinas laterales y bajaron la que cubría la división de vidrio polarizado que separaba el asiento del conductor de las sillas de los pasajeros.

El peso del bus escolar era tal que Alberto Sandoval tuvo que hacer un enorme esfuerzo aquella mañana del 6 de noviembre de 1989 para controlar el automotor.

Lo logró cuando estuvo exactamente a 10 cuadras de la sede del Departamento Administrativo de Seguridad (DAS), recogió al "suizo", y él y Memín lo acompañaron a lo largo de otros 400 metros.

Después, ambos descendieron y advirtieron al "suizo" que debía estacionar el bus escolar justo detrás de la sede del DAS —en el lugar que ya le habían indicado— y fingir que estaba varado. Habría una grúa. Entonces ellos aparecerían en la escena. Todo para no despertar sospechas.

Desde hacía 10 minutos "los cantoneros" apostados en la sede del DAS habían confirmado por radio que, efectivamente, el general Miguel Alfredo Maza Márquez estaba ya en el edificio. Memín y Alberto Sandoval sólo temían por el peso del autobús. De hecho, el "suizo" demostró menos destreza que Alberto Sandoval y, antes de lograr detener el bus, abolló varias canecas y algunas casetas situadas en calles laterales, en inmediaciones del DAS.

Con todo, al final, el "suizo" parqueó cerca del punto indicado. Se inclinó hacia adelante y buscó con la mano izquierda el "swiche" que aparecía debajo del tablero. Según presumía, éste debía desconectar el sistema eléctrico y, de este modo, hacer creíble la coartada de la varada.

Eran las 7:28 de la mañana y una cola enorme de ciudadanos, ansiosos por obtener su pasado judicial, hacían fila en frente de las oficinas de la División de Extranjería del DAS.

Las paredes laterales del edificio del Departamento Administrativo de Seguridad, DAS, en la zona de Paloquemao, en Bogotá, se desplomaron a pedazos; los techos en cada planta se precipitaron al suelo y los vidrios estallaron en añicos, en formas diversas de armas letales.

En un área de casi diez kilómetros a la redonda, las tejas de las viviendas desaparecieron, las paredes se cuartearon y los desprendimientos desde el techo ocasionaron daños severos en anaqueles, muebles de oficinas y de viviendas.

La planta del quinto piso del edificio de Paloquemao, a 500 metros del DAS y sede de cerca de un centenar de juzgados, sufrió daños graves y lo propio ocurrió en la contigua sede del Departamento Nacional de Tránsito y Transportes.

Habitantes de los barrios Ricaurte, Sabana, Colseguros y Zona Industrial sintieron desplomarse el piso debajo de sus pies y otros millares de ciudadanos se levantaron con la sensación de que un gigante sacudía la tierra.

En una vivienda a cuatro cuadras de la sede del DAS, una pareja de niños de 5 y 7 años vio sólo cuando un pedazo de vidrio atravesó el cuello de su mascota; escenas similares, con seres humanos por víctimas, se vivieron en otras decenas de residencias.

Los 20 niños que se encontraban en el jardín de párvulos y que eran hijos de funcionarios del DAS terminaron con heridas diversas. Se salvaron de morir porque la edificación protegió la zona de recreo de la institución, situada en un campo abierto y a prudente distancia.

En la Ferretería Rodríguez, de sur a norte, situada frente al costado derecho de la sede del DAS, no quedó un ánima. La onda explosiva segó la vida de Romualdo Rodríguez, su esposa Patricia Fernández, de 26 años de edad; su hija Liliana de 4 años y sus empleados Hernando Riaño, de 42, Rodrigo Escarpeta, Flor Lilia Peña y Maruja Nieto. Todos quedaron aplastados debajo de los escombros.

Dentro del edificio de la policía secreta, la muerte halló a la oficinista María Helena Sánchez y a su hija Nubia Merchán Sánchez, de escasos años de edad; a la jefe de sección Josefina Cuenca Gordillo; a la secretaria Beatriz Aminia Cuervo Álvarez; al agente secreto Gonzalo Valdés James y a la profesional administrativa Gladys Fernández Martínez; a la auxiliar de servicio Ana Celmira Morales; a la secretaria Mery Edith Monroy Benítez y a la jefe de enfermería Isabel Elvira Mejía Cuello, entre otras de las 16 víctimas mortales de la institución. Cuarenta y tres funcionarios más resultaron heridos.

El general Miguel Alfredo Maza Márquez se encontraba en su despacho del noveno piso cuando se produjo la explosión. Sólo cuando pudo reaccionar se dio cuenta de que los vidrios blindados de su despacho se habían desprendido de las paredes. El ataque dinamitero inspirado por el cónclave de la mafia había dejado, según las agencias de seguridad, 63 muertos y 727 heridos, pero el general estaba ileso.

Desde su refugio, en Antioquia, Pablo Escobar lo verificó a través de las cadenas de radio. Iracundo, sólo atinó a decirle a Popeye:

—No le pasó nada al hombre...

En el sitio en el que el "suizo" detuvo el bus escolar y accionó el "swiche" debajo del tablero quedó un cráter de 3.80 metros de profundidad, 13.60 metros de largo y 11.60 metros de ancho.

La explosión fue de tal envergadura que hasta Memín y Alberto Sandoval, instalados como una pareja corriente de pasajeros en un taxi y para entonces a varios kilómetros de allí, sintieron que hasta el viento huía de la muerte. Una vez en Medellín, Memín se lo explicó aún nervioso a Arete:

—¡Oíste, sentimos un viento hirviendo que nos subió por entre las botas de los pantalones!

Tengo a El Mexicano

La ceremonia anual de la Escuela de Cadetes General Francisco de Paula Santander, en Bogotá, reunía aquella mañana del jueves 14 de diciembre de 1989 al alto mando de la policía en pleno: los generales Miguel Antonio Gómez Padilla, director de la institución; Carlos Arturo Casadiego Torrado, subdirector; Octavio Vargas Silva, comandante operativo y Miguel Alfredo Maza Márquez, director del Departamento Administrativo de Seguridad, DAS. También al brigadier Rozo José Serrano y a otros oficiales del élite como los coroneles Hugo Martínez Poveda y Gallego.

305

Durante la celebración del 89o aniversario de la policía, el jefe de Estado no sólo había impuesto medio centenar de condecoraciones al mérito y el valor sino que había hecho otra exaltación de las calidades de una institución que integraba ya a 95.000 hombres.

A pesar de las críticas que llovían desde todos los puntos tras la fallida Operación Apocalipsis I y del pánico que habían generado en la ciudadanía los atentados dinamiteros contra el avión de Avianca y contra la sede del DAS, entre otros crímenes, el gobierno del presidente Virgilio Barco continuaba viendo en aquella élite la más fuerte esperanza en la lucha contra los capos del tráfico internacional de narcóticos.

Las reuniones frecuentes del secretario General de la Presidencia de la República, Germán Montoya Vélez, con el general Maza Márquez y la presencia periódica del general Miguel Antonio Gómez Padilla y otros oficiales en los consejos de ministros —estos últimos presionados por la pavorosa arremetida de la mafia— eran de cualquier modo un testimonio de la fe que el presidente seguía teniendo en la cúpula oficial de la policía, aun en contra del malestar que tal actitud había generado entre otros altos mandos de las fuerzas militares.

En medio del protocolo, las salvas, las exhibiciones y el toque de tambores y trompetas, la ceremonia transcurrió dentro de una extraordinaria pero sólo aparente normalidad.

El alto mando vivía una excitación frenética. El informante que se había comprometido a entregar a Gonzalo Rodríguez Gacha, El Mexicano —en realidad, un agente infiltrado en la organización del cartel de Medellín por los narcotraficantes del Valle— había telefoneado temprano exigiendo hablar de inmediato con su oficial de enlace y sólo con él. Contra todo argumento, se negaba a entregar información a ser humano alguno diferente de su contacto. Una verdadera cacería se había iniciado entonces en busca del susodicho oficial, que precisamente ese día estaba de descanso.

El Cuerpo Élite en pleno había sido puesto en alerta y hasta oficiales como Martínez Poveda recibieron la orden de volver de inmediato a su base de operaciones. En Antioquia, el Magdalena Medio y Cundinamarca, unidades de élite permanecían con carácter de acuartelamiento de primer grado y sólo a la espera de instrucciones para partir.

Sin embargo, sólo después de las cinco de la tarde los generales tuvieron en su poder la información que habían esperado casi durante un quinquenio, desde cuando algunos de ellos eran apenas coroneles. Ahora sabían exactamente en dónde se encontraba Gonzalo Rodríguez Gacha, El Mexicano, y algo más...

Según explicó el informante a su oficial de enlace ese atardecer del 14 de diciembre de 1989, El Mexicano estaba acompañado además por su hijo Freddy Gonzalo Rodríguez Celades, quien acababa de volver a reunirse con su padre después de salir de prisión.

Hijo natural de Gonzalo Rodríguez Gacha, El Mexicano, Freddy Gonzalo Rodríguez Celades, era a los 18 años de edad un remedo vulgar de su padre. Antes que ir a la universidad e iniciar una carrera, éste había optado por recibir adiestramiento privilegiado del israelí Yair Klein y de los mercenarios ingleses y a veces había traducido esas lecciones en actos de violencia para someter a algunas mujeres de su predilección.

No era todo. Pese a su corta edad registraba ya dos detenciones. La primera, en el aeropuerto de Medellín, en mayo de 1989, dentro de una investigación a cargo del coronel Valdemar Franklin. La segunda, por cuenta del coronel Uscátegui que lo había sorprendido, en la tarde del 24 de agosto de 1989, en la finca Buenos Aires, a dos horas de Pacho, Cundinamarca.

Escoltado por sus guardaespaldas, Freddy Gonzalo Rodríguez Celades retozaba en una piscina. Lo acompañaban mujeres adolescentes. Algunas de ellas habían visto en él una oportunidad, pero otras no habían tenido opción diferente de acatar las órdenes de sus padres. Estos últimos eran los mismos campesinos que hacía años

307

llevaban las yucas y las papas más grandes de la cosecha y la gallina mejor dotada para obsequiarla, como muestra de respeto y agradecimiento, a Gonzalo Rodríguez Gacha. Sucedía así porque un número indeterminado de los otrora niños labriegos de la región debía a El Mexicano la oportunidad de convertirse en pistoleros y en propietarios de Toyotas nuevas o de inscribirse en la secundaria y luego estar en capacidad de cancelar una matrícula universitaria. En ambos casos, claro está, con la condición de servir por siempre al segundo jeque del cartel de Medellín.

La influencia de los Rodríguez en la zona y su poder corruptor era tal que, después de detener a Freddy Gonzalo Rodríguez Celades, el coronel Uscátegui tuvo que ordenar el traslado inmediato del capturado a Bogotá. Sin que hubiesen alcanzado a transcurrir 30 minutos desde el momento del arresto, un hombre se había aparecido ofreciendo una fortuna a cambio de la libertad del hijo de El Mexicano.

El dinero —según le explicó el extraño al oficial— estaba entre el baúl de un vehículo que acababa de parquear frente a la vivienda que el director de la Escuela de Artillería había convertido en su cuartel general, tras las operaciones que habían seguido al asesinato de Luis Carlos Galán Sarmiento, en agosto de 1989.

Los meses que Freddy Gonzalo Rodríguez Celades pasó en prisión se constituyeron en la más tensa prueba de fuego en la guerra entre los jeques de la explotación y el comercio ilegal de esmeraldas y los barones de la mafia de la cocaína.

Los testaferros de la industria de las esmeraldas mantenían un odio visceral contra Gonzalo Rodríguez Gacha. En medio de su confusa visión de la lealtad y la ética, no terminaban de entender cómo El Mexicano había ordenado asesinar a su primer y único *padrone*, el zar de las gemas, Gilberto Molina.

Aquel crimen había tenido lugar a las dos de la madrugada del lunes 27 de febrero de 1989. Repentinamente, en La Paz, una finca de recreo a 700 metros del casco urbano de la población cundina-

308

marquesa de Sasaima, el fluido eléctrico se cortó y una voz tronó enérgica:

—¡Abran, sabemos que aquí está El Mexicano! ¡Abran ya! ¡Ésta es una operación oficial del ejército!

Persuadido de que los 25 hombres armados, que vestían uniformes camuflados del ejército no lo buscaban a él sino a Gonzalo Rodríguez Gacha, El Mexicano, Gilberto Molina autorizó el ingreso.

—Yo soy el dueño de la casa y ustedes pueden pasar porque aquí no está El Mexicano —les dijo.

Luego los hizo seguir hasta un cobertizo, instalado frente a una de las piscinas de la casa-finca y quiso sorprenderlos con un corrido mexicano, interpretado a voz en cuello por dos hermanas de apellido Vargas, que desde la noche anterior amenizaban su fiesta privada.

—Esto es un allanamiento de rutina —se justificó ante Gilberto Molina el falso oficial que simulaba dirigir el grupo; sólo entonces el zar de las esmeraldas se percató de que estaba ante una trampa letal. Los hombres fueron esposados y las mujeres recibieron la orden de retirarse hacia la casa.

No habían acabado de entrar cuando los hombres que vestían uniformes camuflados del ejército se convirtieron en un pelotón de fusilamiento. Gilberto Molina fue la primera víctima y después siguieron sus escoltas y amigos —entre ellos un coronel retirado de la policía y un corredor de autos. En su mayoría, se desplomaron a causa de proyectiles que los alcanzaron por la espalda cuando, presas del desespero, intentaban huir.

La masacre de febrero de 1989 había inaugurado la guerra por el dominio del territorio más violento y, por lo mismo, en la práctica, más independiente e inaccesible de todo el país: Borbur, Otanche y Coscuez. Tras el asesinato de Gilberto Molina, por cuenta de El Mexicano, las minas de las esmeraldas habían enfrentado varios atentados dinamiteros; uno de ellos contra un bus que transportaba guaqueros y pistoleros encargados de la seguridad de la zona. Sin embargo, la guerra sólo alcanzó su clímax después de la captura de

Freddy Gonzalo Rodríguez Celades y su traslado a la cárcel Nacional Modelo, en Bogotá.

Apenas 24 horas después de la detención del hijo de El Mexicano, tres decenas de sicarios se entregaron a los jueces. Decían ser buscados por porte ilegal de armas, homicidio, atraco y otros delitos. Lo propio hicieron delincuentes al servicio de los esmeralderos. La verdad se supo cuando, una mañana de noviembre de 1989, un motín en un patio del penal estalló en ensordecedores y estridentes alaridos:

—¡Mueran los esmeralderos! —gritaba enceguecido, armas cortopunzantes en mano, un sector de los reos.

—¡Mueran los hijueputas traficantes! —exclamaban, iracundos y también armados, otros convictos.

El saldo del enfrentamiento se redujo a seis cadáveres porque la guardia alcanzó a impedir el paso de reos de un patio a otro, pero la guerra que se libraba dentro de la cárcel no podía tener expresiones más despiadadas.

Si no había ocurrido nada más después era simplemente porque, al día siguiente de la masacre, el director del presidio, un joven abogado con más de una investigación en ciencias de criminología a cuestas, citó en su despacho a Freddy Gonzalo Rodríguez Celades y al cabecilla de los sicarios al servicio de los esmeralderos y los comprometió a aceptar y a transmitir a los que estaban afuera la regla de oro de un pacto que él mismo definió:

—Ustedes, si es lo que quieren, van a matarse allá afuera, pero no aquí, en mi cárcel...

Concertó la reunión y el acuerdo porque —además de que la guardia había hallado granadas y armas automáticas dentro del presidio— se había enterado de que los esmeralderos ofrecían una fortuna para que el cuerpo de custodia asignado a la cárcel permitiese el ingreso de una pareja de bandidos, armados de chuzos fabricados con varillas casi imperceptibles, hasta la celda del hijo de El Mexicano.

310

Las órdenes que partieron ese jueves 14 de diciembre de 1989, desde la jefatura de la policía, en el cuarto piso del edificio de la institución, en el Centro Administrativo Nacional (CAN), involucraban en realidad cuatro operaciones simultáneas cuyo único fin era evitar una funesta filtración de información.

El coronel Hugo Martínez Poveda recibió instrucciones precisas de ir con su equipo de oficiales y suboficiales en dirección al Magdalena Medio e instalarse allí a la espera de nuevas consignas. Órdenes semejantes afectaron a los comandos del élite asentados en puntos diversos de Cundinamarca, que debían dirigirse hacia Pacho, epicentro del imperio de Gonzalo Rodríguez Gacha, El Mexicano. Lo propio ocurrió con las patrullas acantonadas en otros puntos de Antioquia.

El grupo de élite que habría de cazar a Rodríguez Gacha y en el que viajaba el oficial de enlace de El Navegante, el misterioso informante, había partido desde Bogotá al mando del coronel Gallego. El segundo capo, su hijo y una docena de guardaespaldas —en realidad, salvo por el presidente y por los altos mandos policiales, eran muy pocos los que hasta entonces conocían aquellos detalles— se ocultaban en una pequeña finca, en un condominio en las goteras de Cartagena de Indias.

La información no pudo ser más precisa, pero en la misma noche del jueves 14 de diciembre de 1989, cuando se percató del asedio, Gonzalo Rodríguez Gacha, El Mexicano, decidió huir por mar, en una lancha. Salió de la zona de Plan Parejo hacia Coveñas, acompañado de su hijo y cinco guardaespaldas.

En la ruta bordeó las playas de la isla Barú, en el departamento de Bolívar y luego las de Sucre, cruzando el Golfo de Morrosquillo, en una travesía que nadie supo cuánto duró.

El bote ancló en las playas de Coveñas, a unos metros de El Tesoro, un complejo de rústicas cabañas de madera cuya única vecindad eran los kioscos de palma levantados al borde del mar.

Media docena de colchones constituían todo el mobiliario dentro de la cabaña. Gonzalo Rodríguez Gacha, El Mexicano, tenía consigo un juego de cartas, varios salvavidas y hojas de papel, algunas ya impresas con dibujos de caballos hechos al carboncillo. Bocetos que eran otro testimonio de esa pasión que lo había llevado a comprar a Tupac Amaru, un caballo negro que él cotizaba en cientos de miles de dólares. También contaban con varios radios portátiles de comunicación, una subametralladora MP5, media docena de granadas de fabricación israelí, un revólver Llama y una pistola 9 milímetros que él había regalado a su hijo.

Unos instantes antes de desembarcar en El Tesoro esos radios le ayudaron a conseguir un camión Chevrolet, color rojo, carpado, de matrícula TO 1279. Quienes se encargaron de ello pagaron 23.600 pesos por seis barriles de combustible.

Por más de 12 horas, el coronel Gallego y el grupo de oficiales y suboficiales que comandaba no tuvieron un solo indicio sobre el paradero de Gonzalo Rodríguez Gacha, pero todo ello cambió gracias a un informante a media mañana del viernes 15 de diciembre.

Cuando los helicópteros artillados empezaron a sobrevolar El Tesoro, el camión Chevrolet de color rojo emprendió la fuga con El Mexicano al volante y los cinco guardaespaldas y su hijo ocultos en la carrocería. El camión franqueó el sitio Bahía de la Ciénaga y avanzó por la carretera que de Coveñas conducía a Sincelejo. En apariencia era sólo otro carguero de ganado en busca de un viaje. Los guardaespaldas de Gonzalo Rodríguez Gacha vestían a esas alturas como campesinos pobres de la zona y El Mexicano llevaba puesta una camiseta verde y un pantalón azul. Por lo demás, en vez de su habitual sombrero, portaba una gorra de beisbolista.

Nunca supo cómo pero los helicópteros estuvieron pronto sobre él. La persecución fue tal que el primer guardaespaldas se lanzó del camión antes que cruzaran Tolú-gas, el complejo de abastecimiento de propano en toda la región. Lo siguieron los demás. Uno de ellos, Freddy Gonzalo Rodríguez Celades.

Los cinco avanzaron hacia un cerco de robles, en medio de pastizales infestados de maleza. Corrieron y dispararon desesperados. El Mexicano aceleró entonces la marcha y dejó atrás uno de los helicópteros. No lo supo jamás, pero desde ese aparato se lanzaron los primeros élites a la cacería de quienes intentaban huir. Las ráfagas disparadas por la policía élite alcanzaron uno tras otro a los prófugos, cuyos cadáveres quedaron sobre cortes de pasto y cercos de siembras en distancias no mayores de 30 metros.

El pistolero que más había alcanzado a avanzar llegó hasta una vivienda cuyos propietarios acababan de salir con el único fin de recoger a sus dos hijos en la escuela. Era una casa corriente a 500 metros de la vía.

Gonzalo Rodríguez Gacha, El Mexicano, había avanzado, entre tanto, hasta la finca Santillana pero, de repente, había aparecido ante él un retén de la unidad de contraguerrilla de la Infantería de Marina.

El Mexicano abandonó el camión, intentó regresar para no enfrentar el retén y creyó encontrar una salida en un área boscosa detrás de una finca bautizada por sus propietarios como La Lucha, en realidad, una muela de la hacienda Tordesillas, en la cual la policía había capturado dos meses antes a otro extraditable: Eduardo Martínez Romero.

Asustados por el ruido ensordecedor de las aspas de los helicópteros y por las ráfagas cruzadas, los únicos cuatro habitantes del predio La Lucha, Pedro Montes, su hermano, José Manuel, y sus hijos Elvia de 15 años y John Jairo de 14, dejaron sus puestos en un rústico comedor, abandonaron los platos de arroz con coco humeante y recién servido y corrieron a un cuarto para tirarse al suelo.

Allí los encontraron los primeros élites que penetraron en la finca después que una ráfaga de M-60 cruzó el cráneo y destrozó la cabeza a Gonzalo Rodríguez Gacha, El Mexicano. El cuerpo inerte del segundo hombre de la mafia yacía en mitad de un platanal. A unos metros había quedado la ametralladora que portaba. Era la 1:10 de la tarde del viernes 15 de diciembre de 1989.

No hubo una sola alma que pudiese acercarse a la caravana de Toyotas y hombres armados que el domingo 17 de diciembre de 1989, a las 3:10 de la tarde, recogió en el hangar número 1 del Aeropuerto Internacional Eldorado las bolsas de polietileno con los restos de Gonzalo Rodríguez Gacha y de Freddy Gonzalo Rodríguez Celades.

Una hermana de El Mexicano se había presentado 24 horas antes delante de un juez y había hecho exhumar los restos de los Rodríguez, sepultados a primera hora de la mañana del sábado 16 de diciembre, en una fosa común en el extremo sur del cementerio de Sincelejo.

A bordo de una camioneta Luv ambos cadáveres fueron transportados hasta un aeropuerto cercano a Tolú y desde allí se produjo su traslado a Bogotá, en donde una funeraria se hizo cargo de las diligencias restantes, en el amanecer del domingo 17 de diciembre. Los cuerpos, sin embargo, sólo estuvieron en su tumba, en Pacho, Cundinamarca, a las 7 de la noche.

Gonzalo Rodríguez Gacha, El Mexicano, el segundo barón más siniestro de la mafia, había sido dado de baja pero no así su organización criminal, ni sus ejércitos paramilitares. Unas semanas después del deceso, empezaron a circular en forma clandestina discos y casetes con rancheras grabadas a su nombre. Hasta se incluía una en homenaje a su *padrone*, el zar de las esmeraldas Gilberto Molina. Una de aquellas canciones decía textualmente:

PASÓ A LA HISTORIA
(Ranchera)

Pasó a la historia un hombre valiente,
pasó a la historia un señor don Juan.
Gonzalo Rodríguez Gacha era su nombre
y fue buscado a nivel mundial.

314

En ese viernes ya por la tarde,
allá en Coveñas, cerca del mar,
nunca pensaba que en esa tarde,
su propio amigo lo iba a entregar.
Cuando llegaron los del gobierno
en un carro rojo se iba a escapar,
pero su suerte estaba de espaldas
y hasta a su hijo lo hizo matar.

Tenía enemigos en todas partes
y a su terruño podía llegar,
quiso ser dueño de muchas cosas,
por su dinero se hizo matar.

A él lo llamaban El Mexicano,
pues recorrió hasta mi Mazatlán,
pero su historia quedó borrada,
quedó borrada en el más allá.

Cuando llegaron los del gobierno,
los que lo iban a capturar,
salió enfrentando aquellas tropas;
por ser rebelde se hizo matar.

Los simulacros

El entrenamiento que Enchufe y Pájaro previeron como antesala al secuestro de Álvaro Diego Montoya Escobar empezó después del arribo a Bogotá de los bandidos y los "trabajadores".

Enchufe diseñó primero un croquis. Incluía la ubicación de la oficina y las calles a través de las cuales el hijo del secretario General de la Presidencia llegaba a su apartamento después de abandonar la sede de Probolsa; debían virar a la izquierda, seguir de largo por dos calles y encontrarse con el semáforo en rojo. Después estaba el parque y, por último, el sitio exacto en donde debía ubicarse cada uno de los vehículos que habían sido traídos desde Medellín.

Una vez terminó el croquis, Enchufe indicó la forma como los conductores tendrían que cerrarse sobre el automóvil de Álvaro Diego Montoya Escobar y la posición en que estaría ubicado cada uno de los partícipes en el secuestro.

En la mañana del miércoles 13 de diciembre de 1989 El Zarco, Orejitas, Bomba Fija, Boliqueso, El Pecoso, El Chino y José Miserias hicieron su primera visita a la zona, guiados por Enchufe y Pájaro.

Luego empezaron los simulacros. Sin armas. Enchufe y Pájaro deseaban verificar si un "comando" tan numeroso no despertaría de inmediato sospechas en el sector.

Divididos en grupos, vestidos con sudaderas y haciendo deporte, simulando esperar un bus, portando libros y fingiendo ser estudiantes y con los conductores y los vehículos instalados en la zona pasaron inadvertidos durante tres días. Varias veces instalaron pancartas de la Universidad Autónoma o globos de piñata en los vehículos para disimular su verdadero propósito.

Estuvieron seguros de poder actuar cuando comprobaron que, a pesar del frecuente paso por la zona de patrullas diversas de la policía y vehículos escoltas del Departamento Administrativo de Seguridad (DAS), su presencia no generaba sospechas. Enchufe dio el martes 19 de diciembre de 1989 la orden de actuar: "Mañana tiramos la vuelta".

¡Baje de ahí!

Metidos en el Renault 9 azul, Enchufe y El Zarco se ubicaron frente a una panadería, distante cien metros de la sede de Probolsa, situada en la calle 79 con carrera 9a.

316

Esperaban el aviso de Bomba Fija, el "cantonero". Desde su posición, utilizando un "handy", ambos podían dar aviso de la salida de Álvaro Diego Montoya Escobar de la sede de la compañía y ambos veían a Orejitas y a José Miserias. Armados con Miniuzis, éstos se habían ubicado unos metros adelante, sobre la misma calle. Cada uno en una esquina.

Más allá —frente a un parque— en el restaurante Los Fulanitos, Boliqueso, El Chino, Meneo, El Pecoso y Muelón esperaban instrucciones. Habían dejado el Renault 9 blanco frente a la acera con el motor en marcha.

En Medellín, El Zarco les había explicado que era asunto de conseguir a un señor en Bogotá para cobrarle una plata o hacerle firmar unos pagarés. Pero después, una vez que todos estuvieron en la capital, les había soltado a bocajarro la verdad y sólo a medias:

—La cosa es así: este señor hay que cogerlo. No se puede hablar con él, en la vía pública. Me prestaron una casa por unas horas para ir a hablar con él.

Sin otra opción, divididos en dos mesas, en Los Fulanitos, Boliqueso, El Chino, Meneo, El Pecoso y Muelón esperaron la alerta que se produjo poco después de las 6:30 de la tarde del miércoles 20 de diciembre de 1989. Enchufe y El Zarco escucharon el lacónico mensaje de Bomba Fija por el radio: "Ahí va, ahí va". Era todo lo que requerían para dar las instrucciones siguientes.

El Renault 9 blanco se puso en marcha tras el Monza gris y, en segundos, se atravesó en el camino del vehículo que conducía el presidente de Probolsa. Álvaro Diego Montoya apenas si tuvo tiempo de frenar para evitar estrellarse.

Boliqueso, Muelón, Meneo, El Chino y El Zarco rodearon el vehículo y apuntaron con sus armas. Adujeron ser agentes secretos del Departamento Administrativo de Seguridad (DAS).

Álvaro Diego Montoya, inmóvil, se abstuvo de abrir las puertas y de descender del vehículo. Sin embargo, El Zarco rompió el vidrio de la puerta delantera derecha con la cacha de su Sig Sauer 9 milímetros, con proveedor para veinte tiros, y Boliqueso lo tomó por el brazo y lo obligó a salir. Después abrió la puerta de atrás del Monza, entró en el vehículo y empujó hacia adentro a Álvaro Diego Montoya. El Pecoso y Meneo subieron y ocuparon los asientos delanteros del vehículo y el automóvil desapareció con una puerta abierta y los pies del presidente de Probolsa —que forcejeaba— aún por fuera.

Muelón y El Chino marchaban adelante en el Renault 9 blanco y Enchufe, El Zarco, Orejitas y José Miserias, los seguían en un Renault 9 azul.

Los vehículos salieron a la avenida 15, pasaron el supermercado Carulla de la 85 y descendieron hacia la autopista. Entonces, Muelón detuvo el Renault 9 blanco y tras ellos se orillaron los otros dos automóviles.

Boliqueso condujo a Álvaro Diego Montoya desde el Monza gris hasta el Renault 9 blanco y lo instaló entre él y El Pecoso, en el asiento de atrás. Enchufe, José Miserias, El Zarco y Orejitas desaparecieron en el Renault azul hacia los apartamentos en las edificaciones de Confagla y Era 3000 A y Meneo salió de allí conduciendo el Monza gris. Tenía la misión de abandonarlo en un parqueadero pero estuvo a punto de renunciar a esa idea, ante la reticencia de los vigilantes que no deseaban hacerse responsables de un automóvil con un vidrio roto.

El automóvil con Álvaro Diego Montoya Escobar a bordo salió de la autopista norte, a la altura del tercer puente y avanzó durante dos kilómetros por calles sin pavimentar.

Luego se detuvo frente a una residencia en un barrio de suburbio. Aquélla era una vivienda casi en construcción, situada en medio de potreros, en una cuadra de casas distantes unas de otras. Era una casa de apariencia pobre, con fachada de ladrillo y constaba de una sola planta. Pegada al garaje existía una pieza diminuta de paredes claras que contrastaban con una ventanilla insignificante y hacían de aquel lugar una cueva rectangular, lúgubre y oscura.

Al lado estaba la cocina, con una ventana corriente, protegida por una reja, también sin pintar, y atrás un patio enorme y otras habitaciones.

Con todo, a pesar de su apariencia de vivienda precaria, el predio constituía una de las "caletas" más seguras del cartel desde que Pablo Escobar había decidido instalar una "oficina" en Bogotá. Un *chiffonier* de doble fondo ocultaba una fortuna en armas y en la chimenea había una "caleta" con capacidad para quince fusiles Galil. Boliqueso y los demás vieron los fusiles ahí, arrumados en la esquina de una de las habitaciones y, ante la sorpresa, uno de ellos interrogó por instinto al "caletero":

—¿Es que eso lo mantiene ahí?

La pregunta motivó una leve sonrisa en el rostro de Rodrigo, el "caletero", y luego una respuesta escueta, apenas explicable entre quienes se percibían a sí mismos como socios de un mismo cartel:

—No. Al lado de la chimenea hay una "caleta" para eso.

Enchufe y Pájaro conocían aquella casa y las rutas para acceder a ella tanto como la palma de su mano. Estuvieron por primera vez allí en 1988, cuando, por orden de Pablo Escobar, Guillermo Zuluaga, Cuchilla o Pasarela, les entregó el *chiffonier* con siete fusiles R-15, cinco Uzis con silenciador, diez pistolas nueve milímetros con silenciador y munición. El objetivo era que en aquella casalote pudiesen ocultar los vehículos e instalar a los "trabajadores" contactados en Medellín para el caso de las "vueltas" en Bogotá.

Rodrigo, el "caletero", era un hombre de 1,80 de estatura, 90 kilos, moreno, barba escasa y frente amplia y el último sobreviviente de una red tenebrosa apodada Los Nachos, integrada en su mayoría por miembros de una misma familia.

En otros tiempos, Rodrigo había hecho de un edificio, a dos cuadras del CAI de Los Colorados, en Medellín, una guarida fabulosa que dotaba oportuna y generosamente un tendero vecino. Desde allí, él y varios miembros de su familia habían planeado y llevado a cabo decenas de crímenes para el cartel; un día la suerte les había cambiado y, desde entonces, simplemente, Pablo Escobar había decidido que Rodrigo se trasladase a Bogotá.

La finca que él administraba era el más serio refugio de los pistoleros del cartel y hasta su prisión transitoria. En razón del secuestro de Álvaro Diego Montoya, Boliqueso, El Chino, El Pecoso y Muelón tuvieron que pasar allí algún tiempo, aún contra su voluntad.

Enchufe apareció en la casalote después de las 9:30 de la noche del 20 de diciembre. No había escuchado una sola noticia de lo ocurrido y pronto entendió que el asunto no iba a ser cosa de diarios y noticieros de radio y televisión, por lo menos ese día.

A primera vista, sus ademanes eran los de un galán de tez chocolate, trágicamente convertido en carnicero. Desde que había perdido el ojo izquierdo utilizaba un parche café, lentes deportivos oscuros y se peinaba el cabello hacia atrás.

—¡Qué vuelta tan buena la que se hizo! ¡Qué vuelta! —exclamó.

—Sí, pero muy mal porque El Zarco nos dijo era que íbamos a cobrar una plata pero no a coger a un señor —replicó Boliqueso sin emoción.

—Ese señor —replicó iracundo Enchufe— es muy importante para la gente de Medellín, para presionar al gobierno para lo de la extradición.

Después, sin prestar más atención a las quejas de Boliqueso y persuadido de que aquello tendría el impacto de una bomba, Enchufe avanzó unos pasos hasta el secuestrado, lo observó al mismo tiempo con curiosidad y desprecio y luego le exigió enseñar los documentos de identidad.

Verificó que efectivamente estaba en frente de Álvaro Diego Montoya Escobar y volvió a expresar eufórico:

—¡Qué vuelta tan buena! Éste es el que necesitábamos. Éste es el hijo del secretario del presidente.

En cuanto escuchó a Enchufe y se percató de que la víctima del plagio era en realidad el hijo del secretario de la Presidencia de la República, Boliqueso sintió ganas de vomitar. Aunque cumplía ya un período amplio al servicio del cartel, no terminaba de acostumbrarse a aquellas "vueltas". Inclusive, con resolución, se atrevió a decirle a Enchufe:

—Yo me voy de aquí.

—Mínimo —respondió Enchufe, poniendo fin de una vez al conato de rebelión de Boliqueso— se tienen que quedar porque ustedes saben cómo es la cosa para que no haya problemas.

"Cuando dice cómo es la cosa —explicaría cuatro años después Boliqueso a la Fiscalía— significa que si nos hubiéramos ido nos hubiesen matado, nos hubieran hecho algo a nosotros o alguno de los seres queridos de uno".

La verdad fue que sólo unos días después del secuestro de Álvaro Diego Montoya Escobar, Boliqueso, El Chino y El Pecoso pudieron abandonar la casalote e irse a Medellín.

Boliqueso lo hizo por sus propios medios en una flota de servicio intermunicipal y, una vez estuvo en Medellín, localizar a El Zarco se le convirtió en obsesión. Éste había abandonado a Bogotá en la mañana del jueves 21 de diciembre de 1989, el día siguiente al secuestro, pero sólo el viernes estuvo en Medellín.

Tras el plagio de Álvaro Diego Montoya Escobar, temeroso de una infiltración o una vasta operación policial, El Zarco había tomado primero un vuelo Bogotá-Pereira y después se había hospedado por un día en el Hotel Melia. Se registró como Libardo Londoño, comerciante. El viernes 22, temprano, abandonó el hotel, adquirió un tiquete y voló a Medellín.

A los cuatro días recibió la llamada de Boliqueso y escuchó su retahíla:

—Muy mal hecho, sabes, muy mal hecho, oíste, que nos digan una cosa aquí y que era para cobrar una plata y que luego resulta que era un "alzado".

321

Al final, El Zarco se decidió a poner fin a la alharaca y le explicó rápidamente lo que había ocurrido.

—Pablo lo mandó. Él ordenó esa diligencia y yo y Enchufe y Pájaro hicimos la inteligencia... Esa casa se la dio El Señor a Rodrigo... Nosotros teníamos la orden de no aparecer por ninguna parte en esa "vuelta", pero como no había gente también nos tocó camellar...

Luego le hizo otra aclaración respecto a Ricardo Prisco. Lo había persuadido de que podía confiar en Boliqueso y El Pecoso y le había dado su palabra de que ninguno reaccionaría ante el asesinato de Peto, su patrón. Ricardo Prisco había accedido así a detener el exterminio de toda la banda.

La rendición

Desde cuando el secretario General de la Presidencia fue notificado del secuestro de su hijo, el general Miguel Alfredo Maza Márquez le comunicó que todos los indicios sobre la autoría del plagio apuntaban hacia el cartel de Medellín. Germán Montoya no ahorró gestiones hasta conseguir a Santiago y Diego Londoño White.

Les habló sobre su temor de que Álvaro Diego estuviese en poder de Pablo Escobar y les pidió intentar establecer la verdad y saber si había o no de por medio una exigencia económica para la liberación del presidente de Probolsa.

En el caso de Diego Londoño White no era la primera vez que algo así ocurría. Durante los primeros días de cautiverio del candidato Andrés Pastrana Arango, el propio jefe del cartel lo había buscado para que le recomendara las personas que eventualmente podían servir en el proceso de negociación. Así se enteró antes que millares de colombianos sobre la identidad del autor real del plagio del líder conservador. En esa ocasión la reunión con Pablo Escobar tuvo lugar en una finca en Llano Grande.

El jefe del cartel se encontraba con Gustavo de Jesús Gaviria Rivero, Jorge Luis Ochoa Vásquez y otras cinco o seis personas, entre agentes de la élite del narcotráfico y el ala terrorista del cartel.

—Tengo a Andrés Pastrana y esta vez el gobierno va a tener que dialogar conmigo. Necesito que me colaborés con la persona que pueda ser el emisario o el intermediario frente al gobierno para algún arreglo... —le dijo Escobar a Diego Londoño.

Diego Londoño había terminado por suministrarle varios nombres de ciudadanos notables, incluido el de Ernesto Samper Pizano, el líder liberal que, en marzo de 1989, habría de resultar gravemente herido durante un atentado, en el Aeropuerto Internacional Eldorado, contra el abogado de izquierda José Antequera y que en 1994 habría de ser elegido presidente de la República...

Entre la última semana de diciembre de 1989 y la primera de enero de 1990, tras la petición de Germán Montoya Vélez, los Londoño hicieron llegar una primera nota al máximo capo y la respuesta de Pablo Escobar no se hizo esperar. En ella, Pablo Escobar explicaba que el secuestro de Montoya Escobar no tenía fin económico alguno sino una connotación que Los Extraditables preferían denominar política.

La mafia volvía a plantear desde esa perspectiva la farsa de la rendición, el desmantelamiento de laboratorios y medios utilizados por el tráfico internacional de cocaína y, sobre todo, la entrega de sus infinitos recursos terroristas: armas y dinamita. A cambio, el gobierno debía comprometerse a estudiar una fórmula o una estrategia jurídica que, en todo caso, descartara de una vez y por siempre la extradición.

Aseguraba Pablo Escobar —como años más tarde habrían de hacerlo los que la revista *Time* rotularía como los nuevos reyes de la cocaína: Gilberto y Miguel Rodríguez Orejuela— que la oferta del cartel de Medellín involucraba el desmonte efectivo de 70 por ciento del tráfico internacional ilícito de narcóticos. El 30 por ciento restante —aducía— era imposible de controlar porque millares de pequeños contrabandistas de drogas lo alimentaban a diario.

Por último, la mafia ofrecía otra vez un aporte multimillonario al gobierno con el carácter de lo que Pablo Escobar simplemente denominaba indemnización por los perjuicios de la guerra.

Tras un cruce secreto de comunicaciones, aquello precipitó un día una reunión privada en el apartamento del propio presidente Virgilio Barco Vargas y más tarde una reunión del Consejo Nacional de Seguridad, en el Palacio de Nariño y con la presencia de Santiago Londoño White y J. Mario Aristizábal, este último, accionista importante en la firma Conconcreto.

Aristizábal y Guido Parra habían aparecido en escena algunas semanas después de los primeros contactos de Montoya con los Londoño y de éstos con Pablo Escobar.

El primero accedió a cooperar en razón de que se trataba ni más ni menos que del hijo del secretario de la Presidencia de la República y el segundo porque era, e iba a continuar siendo por largo tiempo, el vocero oficioso de Los Extraditables.

En la sesión del Consejo de Seguridad —que integraban los ministros de Gobierno, Defensa y Justicia, los directores de la policía y el DAS y el comandante de las Fuerzas Militares— Santiago Londoño y J. Mario Aristizábal pusieron sobre antecedentes de cuanto ocurría a la cúpula del Ejecutivo. Claro está, advirtiendo que Germán Montoya no había pretendido jamás involucrar al gobierno.

El rechazo y la ácida división interna que la propuesta de los traficantes originó en el seno mismo del gobierno no bastaron para detener a Pablo Escobar. El máximo capo creía tener la sartén por el mango ante la coyuntura internacional que se avecinaba. La primera cumbre antidrogas entre Estados Unidos, Colombia, Bolivia y Perú, en febrero de 1991, con Cartagena de Indias como escenario y con un invitado de excepción: el presidente George Bush.

A pesar de los mil y un informes confidenciales de inteligencia y de los servicios secretos estadounidenses que daban cuenta de un plan de los narcotraficantes colombianos para atentar contra el presidente de Estados Unidos, éste, sencillamente, había hecho llegar al mundo la noticia sobre su indeclinable decisión de asistir a la cumbre y de aceptar a Colombia por sede.

No era el primer presidente de Estados Unidos que decidía visitar a Colombia, pero sí el único que lo hacía en mitad del terrorismo dinamitero, los secuestros y los asesinatos orquestados por los amos de las drogas.

Franklin Delano Roosevelt lo había hecho por cinco horas en 1934, a bordo del Houston, como lo haría Bush, también en el puerto de La Heroica. Por entonces fue el presidente Enrique Olaya Herrera quien recibió al ilustre visitante y a sus cuatro guardaespaldas.

En 1961, lo hizo John Fitzgerald Kennedy. Durante 48 horas, en Bogotá, en el marco de su ambiciosa Alianza para el Progreso, se entrevistó con el presidente Alberto Lleras Camargo y su gabinete y hasta tuvo tiempo de colocar la primera piedra del barrio que habría de llevar su apellido y convertirse en una colmena de más de dos millones de habitantes.

El último en aquella corta lista era Ronald Reagan. En 1982, escoltado por un centenar de agentes de su servicio de seguridad, el ex *cow-boy* de los filmes americanos había hecho una escala en Bogotá y limitado su gestión a una breve reunión en el Palacio de Nariño.

Después de escuchar las quejas de su homólogo colombiano, Belisario Betancur, según las cuales cada niño latinoamericano nacía debiendo 300 dólares, "mientras cada minuto un mundo enloquecido gastaba un millón en armarse para la muerte", Ronald Reagan dejó a Colombia. Eso sí, tras comprometerse a evitar las restricciones injustificadas al comercio y anunciar una drástica reducción del uso de drogas en el país de los 70 millones de consumidores eventuales, 25 millones de consumidores periódicos y 2.500.000 adictos.

En febrero de 1990, en fin, el turno era para el presidente George Bush, virtualmente sentenciado a muerte, según publicaciones de su propio país. De acuerdo con la edición de *Newsweek* del 25 de diciembre de 1989, existía la posibilidad de que los traficantes colombianos de narcóticos finiquitaran un contrato por 30 millones de dólares con terroristas del Oriente Medio para asesinar al presidente de Estados Unidos.

A la vez, sostenía un informe obtenido por la CBS, la mafia colombiana adquiría misiles SA-7 —un tipo de *rocket* que podía ser accionado con sistemas equiparables a un lanzagranadas— y que los traficantes confiaban en utilizar para volar el avión en que George Bush debía trasladarse a Cartagena de Indias. Cantidades no precisadas de aquellos misiles —indicaba el informe periodístico— habían ingresado irregularmente a Colombia.

Todo aquello, no obstante, no viró en un ápice la determinación del primer hombre de la Casa Blanca porque, según explicó entonces el vicepresidente Dan Quayle: "Si el presidente George Bush no fuera, estaría enviando un mensaje equivocado. El presidente estará haciendo lo que le corresponde".

Una comisión de alto nivel del gobierno de Estados Unidos estuvo así a principios de diciembre de 1989 en Colombia concretando los pormenores de la cumbre de febrero de 1990. Era ese el encuentro que las cabezas de la mafia se proponían aprovechar en cuanto les fuera posible para presionar al gobierno del presidente Virgilio Barco.

Por lo demás, todo parecía facilitárseles. Según Diego Londoño White, desde el gobierno se solicitaba una tregua y, más que eso, muestras efectivas de buena voluntad. Por ejemplo, la liberación del presidente de Probolsa, una de 17 personas en poder del cartel.

El 17 de diciembre de 1989, en una calle de El Poblado, en Medellín, Pablo Escobar Gaviria había hecho secuestrar a Patricia Echavarría y a su hija. Ambas llevaban la sangre del ex ministro Hernán Echavarría Olózaga y hacían parte de una casta que lideraban los industriales Norman y Felipe Echavarría Olózaga y que estaba unida al presidente Virgilio Barco por virtud del matrimonio de una hija del jefe de Estado con uno de los integrantes de la familia.

Junto con Álvaro Diego Montoya y Patricia Echavarría y su hija, el cartel contaba otros importantes secuestrados. Roberto Mauricio Toro Zuluaga, hijo del propietario de almacenes Éxito, uno de los mayores emporios de almacenes de cadena de la nación, plagiado el 14 de diciembre en la Plaza Mayorista de Itagüí, era otra víctima de Pablo Escobar.

Se sumaban a ellos Hugo Londoño Restrepo, propietario del almacén Motomarina, secuestrado el 21 de noviembre, en el kilómetro 2 de la variante en la vía a Las Palmas; Darío Sierra, un pujante comerciante de arroz, y Andrés Hinestroza Isaza, de 27 años, gerente de la Compañía Constructora Monterrey.

La policía también imputaba a la mafia el secuestro de Ruby Alicia de la Torre Heredia, una mujer de 47 años, raptada el 30 de diciembre en una finca del municipio de San Carlos, en el oriente antioqueño.

Episodios anteriores y parte de la misma escalada dramática eran el plagio, del 13 de octubre, de Raúl Álvarez Osorio, propietario de la cadena de confecciones Bobbie Brooks y el hallazgo en la tarde de ese mismo día del cadáver del comerciante Jesús Roldán Carvajal, a quien pistoleros del cartel habían plagiado 24 horas antes en el municipio de San Andrés de Cuerquía.

Pablo Escobar se había encargado, el 15 de enero de 1990, de que un comunicado de Los Extraditables diese cuenta, en forma velada, de aquellos secuestros. Intentando, claro está, aparecer como Robin Hood. Según la nota, la serie de plagios de prominentes personalidades e industriales cumplía un doble objetivo: obtener recursos —equivalentes a 50 por ciento de cada rescate— para la construcción de viviendas con destino a las clases menos favorecidas y financiar con el otro 50 por ciento la guerra contra el Estado.

A la postre, la mediación de Diego y Santiago Londoño White y la intervención de Guido Parra en el caso del secuestro de Álvaro

Diego Montoya Escobar culminaron en la sorpresiva expedición de una declaración pública, el 15 de enero de 1990.

Los ex presidentes liberales Julio César Turbay Ayala y Alfonso López Michelsen; el jefe del conservatismo, el partido en la oposición, Misael Pastrana Borrero; el presidente de la Unión Patriótica, Diego Montaña Cuéllar y la Iglesia —representada por el presidente de la Conferencia Episcopal, el cardenal Mario Revollo Bravo— suscribían el documento.

En la declaración, Los Notables —como la prensa los bautizó— instaban a Los Extraditables a poner fin a la violencia, a dejar en libertad a los secuestrados y abandonar el tráfico de los narcóticos, en una actitud que podía llevarlos a "hacerse acreedores a un tratamiento menos riguroso (por parte del Estado)".

A la vez, a través del documento, Los Notables virtualmente dejaban abierta la posibilidad de que el Estado pudiese actuar en coherencia con la actitud de Los Extraditables. Aquella declaración era todo cuanto esperaba Pablo Escobar, seguro de que sus interlocutores obtenían avances sustanciales en las negociaciones con el gobierno.

—Oíste, mañana se me van y ponen en libertad a Patricia Echavarría y a su hija —ordenó el capo a Popeye y a Pinina.

—Las sueltan en el barrio Medellín sin Tugurios y les dan este comunicado para que lo entreguen a la prensa y llaman a dos periodistas de Caracol para que vayan y las encuentren.

Siguiendo esas instrucciones, el 17 de enero de 1990, Popeye y Pinina se encargaron de obtener una furgoneta robada, instalaron en ella varias almohadas y después se detuvieron ante la casa en que permanecían ambas secuestradas. Luego obligaron a Patricia Echavarría Olózaga y a su hija a acompañarlos.

Después telefonearon a Caracol, citaron a los periodistas con el anuncio de un importante mensaje de Los Extraditables y luego hicieron efectiva la liberación de ambas víctimas de secuestro que no tuvieron más alternativa que hacer público el comunicado de la mafia. Éste contenía una declaración de Los Extraditables al pueblo de Colombia y textualmente señalaba:

1. Que hemos conocido la patriótica invitación que contiene el documento suscrito por Monseñor Mario Revollo Bravo, en la muy ilustre compañía de los señores expresidentes Alfonso López, Julio César Turbay Quintero y Misael Pastrana Borrero, del presidente de la Unión Patriótica, señor Diego Montaña Cuéllar.

2. Que para responder a tan elevados propósitos, reiteramos nuestra ya conocida voluntad de paz, dentro de nuestras más sinceras y francas manifestaciones.

3. Que compartimos plenamente el criterio expresado por ellos sobre la supervivencia del Estado y del gobierno elegido democráticamente, frente a organizaciones y personas que, como es nuestro caso, vivimos al margen de la Ley, combatiendo las instituciones y la existencia misma del orden jurídico establecido.

4. Que sometida nuestra conducta al anterior concepto, sólo deseamos la paz, la tranquilidad y la democracia para nuestra patria y para nuestro pueblo.

5. Que en consecuencia aceptamos el triunfo del Estado, de las instituciones y del gobierno legítimamente establecido.

Depondremos entonces las armas y objetivos de lucha, en aras de los más altos intereses de la patria.

6. Que nos acogemos al ordenamiento legal vigente con la esperanza de obtener del Gobierno y de la sociedad, el respeto por nuestros derechos y el reintegro a nuestras familias y comunidades.

7. Que como prueba absoluta de nuestra entrega a la causa de la paz, resolvemos dejar en libertad inmediata a la señora Patricia Echavarría y a su hija, y a los demás retenidos, en la medida en que las demás circunstancias lo permitan, aclarando además que no somos responsables de todas las retenciones que se nos atribuyen.

8. Nos ofrecemos como mediadores para obtener la paz con los grupos esmeralderos, de los llamados paramilitares y con los grupos denominados de bandas de sicarios, con el único propósito de poner fin a la violencia que lesiona y conmueve a nuestra patria colombiana.

9. Que hemos decidido suspender el envío de droga y entregar las armas, los explosivos, los laboratorios, los rehenes, las pistas clandestinas y demás elementos propios nuestras actividades, en el momento en que se nos den garantías constitucionales y legales.

10. Que no habrá atentados con explosivos en ninguna parte del territorio nacional y que hemos ordenado suspender todo tipo de ejecución a líderes políticos, funcionarios gubernamentales y gremiales, funcionarios judiciales, periodistas, policías y militares.

11. Que la causa esencial de nuestra lucha ha sido y será siempre: nuestra familia, nuestra libertad, nuestro pueblo, nuestra vida y nuestros derechos de nacionalidad y de patria.

Tras percatarse de cuanto ocurría, el general Harold Bedoya decidió hacer pública su denuncia.

Las declaraciones del comandante de la IV Brigada de Institutos Militares, con sede en Medellín, explotaron como una bomba un día después que se conoció la declaración de Los Extraditables.

La intercepción de comunicaciones —que esta vez había corrido por su cuenta y no había sido resultado de los barridos que a diario realizaba la Unidad de Inteligencia de la policía— lo llevó a denunciar públicamente, aún en contra de Los Notables, aquello que de fondo percibía como una farsa: la rendición de Los Extraditables.

—Los términos (del documento) han sido consultados con Los Extraditables e inclusive han participado de la redacción de algunos de sus apartes... Es posible que detrás de todo este sólo se esconda un chantaje para el país... —dijo, en tono enérgico, el general Harold Bedoya a la prensa.

Luego de la liberación de Patricia Echavarría Olózaga y su hija y una vez difundido el comunicado de Los Extraditables por las diferentes agencias internacionales de noticias, Washington expresó su visión del asunto a través del propio presidente George Bush:

—Los narcotraficantes tienen conmigo un problema de credibilidad... El presidente Virgilio Barco me ha dicho que no habrá acuerdos...

En Colombia, el titular de la cartera de Gobierno, Carlos Lemos Simmonds, sostuvo tajante ante los periodistas:

—Habrá garantías, pero no concesiones...

El heredero de Luis Carlos Galán, el candidato presidencial César Gaviria aseguraba por su parte:

—La declaración no debe conducir al diálogo, pues les daría *status* político... Lo único que pueden esperar los narcotraficantes es que se les juzgue por las vías ordinarias del Código Penal y no por las vías del Estado de sitio, lo que implicaría la suspensión de la extradición.

Roberto Mauricio Toro Zuluaga —hijo de uno de los principales accionistas de Almacenes Éxito— recuperó la libertad el 18 de enero con un único mensaje: "El gobierno debe dialogar". Su pesadilla había terminado en un mes y cuatro días. Vestía la misma camisa a cuadros y el pantalón sport que llevaba en el momento del plagio.

Popeye y Pinina lo habían buscado muy temprano en la residencia del barrio La América en donde permaneció secuestrado. Luego le habían anunciado su liberación y le habían advertido:

—Mirá, cuando los periodistas te pregunten, vos vas a decirles que pasaste el cautiverio en una finca de tierra fría.

Más tarde le colocaron una cadena gruesa alrededor de la cintura, lo condujeron en un automóvil hasta la avenida Nutibara de Medellín, lo esposaron a una verja y telefonearon a la cadena radial Caracol.

Después, la mafia dio aviso sobre enormes laboratorios de procesamiento de cocaína y entregó un bus cargado con mil kilos de dinamita.

En la estrategia diseñada por Pablo Escobar, ésas eran las muestras de "buena voluntad". El cartel hurtó helicópteros legales para pintarlos, borrar los números de identificación y entregarlos como parte de la flotilla de la mafia. También estableció falsos laboratorios y dio aviso de ellos a las autoridades.

Finalmente, el 22 de enero de 1990, a las 2:30 de la madrugada, en la calle 45 con carrera 30, en una vía solitaria en inmediaciones de la Universidad Nacional, en el centro oriente de Bogotá, Álvaro Diego Montoya fue puesto en libertad.

Las liberaciones (de los secuestrados) —terminaría por revelar Francisco Diego Londoño White, en 1994, después de entregarse a la Fiscalía General de la Nación— se produjeron en atención a la presunta tregua y a la exigencia de muestras de "buena voluntad". Por lo demás, según afirmó, "el Ejecutivo habría de constituir una especie de oficina del zar antidrogas colombiano para que se ocupara de atender las demandas de Los Extraditables". Ello, claro está, después de la cumbre de Cartagena.

La cumbre culminó con una declaración que suscribían los presidentes George Bush, Jaime Paz Zamora, Alan García y Virgilio Barco y que, en teoría, otorgaba carácter de imperiosa a la lucha frontal contra los narcotraficantes. Con todo, lo que sí parecía claro, ante la opinión pública mundial, era que Colombia no podía entrar en una negociación con la mafia.

El Zarco comprobó directamente la reacción de Pablo Escobar. El tercer día de la primera semana de febrero de 1990, llegó temprano y se dedicó a esperar en "La Universidad", en realidad, el atrio de la iglesia de La América, en Medellín, a los agentes del cartel que debían recogerlo y llevarlo a la "caleta" en donde permanecía oculto el máximo capo.

No era el único que había sido citado. Dos ejecutivos habían tenido que esperar junto con él. Sin embargo, sólo cuando los tres estuvieron en la "caleta", en inmediaciones de una casa-finca arriba de la glorieta de la 35, en el barrio Belén de Medellín, supo que por lo menos uno de ellos era Diego Londoño White.

La administración Barco había logrado finalmente un compromiso estadounidense de fortalecer la asistencia, servir de aval a los empréstitos que Colombia requería con urgencia de la banca multinacional de desarrollo y apoyar las solicitudes del país ante la Comunidad Económica Europea, siempre que se mantuviera la ofensiva contra la mafia.

Tal y como lo veía Pablo Escobar —y así se lo explicó a Londoño en presencia de El Zarco y otros agentes de la élite terrorista del cartel— las negociaciones por la liberación de Álvaro Diego Montoya no habían terminado en nada y lo que él se proponía era producir un comunicado de Los Extraditables que hiciera público todo lo hablado y desatar otra vez la guerra.

MERCADERES DE LA MUERTE*

"Rocíen gasolina y quemen el cadáver..."

No tardó en su delicado trabajo más de cuatro horas. Mario Alberto Castaño Molina, Chopo, terminó de revisar los circuitos que conducían al sistema de ignición de la bomba poco antes de las 11 de la noche. Era el miércoles 10 de abril de 1990. Debía sus conocimientos en explosivos a Miguel, el extremista español que había sido maestro de José Zabala, Cuco; Carlos Mario Alzate Urquijo, Arete, y Julio Mamey, entre otros agentes de la mafia.

Chopo podía actuar esta noche con absoluta serenidad gracias a la buena voluntad de Eugenio León García Jaramillo, Lucho, y a las bodegas que él y su padre habían puesto incondicionalmente al servicio del cartel. En esta ocasión, Chopo utilizaba la bodega de Lucho sobre la autopista sur. La misma que constaba de dos salones y en la que Jaime García, el antiguo "cocinero" de "la oficina", había hecho los últimos procesos de estupefacientes antes de retirarse para siempre del negocio de los narcóticos.

Chopo camuflaba en la bodega de Lucho un campero Toyota de color amarillo, modelo 1977, placas HT 2505, que el cartel había

---

* **Enero-junio de 1990**. Pocos períodos en la historia del terrorismo desatado por el cartel encerraron tantos episodios cruentos como los que Colombia registró en el primer semestre de 1989. La mafia secuestró y con posterioridad asesinó al ex magistrado, ex embajador y senador antioqueño Federico Estrada Vélez; segó la vida de decenas de policías en homicidios indiscriminados e individuales y con sus coches bomba llevó luto y dolor a cientos de hogares en Bogotá y Cali, en el preludio mismo del Día de las Madres.

robado días antes en Medellín con el único fin de emplearlo en el atentado.

Por boca de más de un agente del cartel, Chopo conocía los innumerables servicios que Lucho prestaba desde hacía meses a la organización y que no tenían que ver exclusivamente con el almacenamiento de la dinamita utilizada en el atentado contra el edificio del Departamento Administrativo de Seguridad (DAS), ni con el carro bomba que Chopo preparaba. El cartel también había utilizado las bodegas de Lucho como último y enorme calabozo de un sentenciado.

Aquella era una historia excepcionalmente cruel. Todo empezó una tarde cuando Arete envió a Lucho un lacónico mensaje de beeper. Requería que le prestara la bodega para liquidar "el asunto de un alzado". Lucho apenas si le pidió tiempo para remplazar al vigilante que estaba de turno en la bodega. Atendió la solicitud de Arete no sólo por los favores que le debía —el asesinato del ambicioso hermano de la amante de su padre, el principal, —sino por la amistad que ambos mantenían desde que se habían conocido en Puerto Triunfo, en 1988.

La decisión de remplazar al vigilante tenía sólo una razón de ser: "un alzado" no era otra cosa que un secuestrado y las suspicacias de un vigilante novato podían terminar en un comentario inoportuno y quizás en una operación policial. Por eso, aun cuando no sabía a ciencia cierta de qué se trataba, Lucho dijo a Arete que consideraba claramente más conveniente instalar en la bodega a Martín Ignacio Giraldo Patiño, El Enano.

Arete aceptó porque el asunto tenía que ver con un agente de la Dirección de Policía Judicial e Investigación (Dijin) el cuerpo de la policía secreta colombiana que con más encono había perseguido al cartel.

León Avendaño, Leo, otro del grupo de los Avendaño, descubrió al oficial de policía cuando éste hacía algunas preguntas sobre el eventual paradero de Carlos Mario Alzate Urquijo y de inmediato le mandó un mensaje por beeper a Arete para que él decidiera lo que se debía hacer.

Leo retuvo al detective y esperó hasta que arribaron Rodrigo Arturo Acosta Villegas, Rigo; El Negro Alexander, Darío Usma, Memín y El Tosco, que estuvieron en cuestión de 30 minutos en la residencia del barrio La Paz en donde Avendaño mantenía al agente secreto, que vestía de civil y que se había convertido en un secuestrado. Por la fuerza, atado de pies y manos, el oficial terminó en el baúl de un automóvil que lo condujo hasta la bodega de Lucho.

El propio Arete dirigió el interrogatorio, que duró toda la noche y que involucró más de un episodio de violencia, hasta que el agente secreto dijo todo cuanto sus captores deseaban saber. El detective había sido enviado desde Bogotá con la única misión de ubicar a integrantes de la élite terrorista del cartel.

Lo que siguió constituyó una faena cruel y povorosa. Rigo, El Negro Alexander, El Tosco, Memín y Arete, introdujeron al detective en un automóvil, salieron de la bodega de Lucho, en la carrera 50B No. 65-47 y se dirigieron hacia la autopista sur de Medellín. El automóvil viró frente a un cruce en forma de "U", avanzó hacia el basurero del municipio y se detuvo. Después se escucharon los balazos de pistola 7.65 y revólver 38 largo. Eran armas que el cartel amparaba con salvoconductos oficiales, tramitados ante el Ministerio de Defensa y expedidos a "chapas" o falsas identidades.

Tras los fogonazos de las armas, un fuerte olor a gasolina impregnó el lugar y una cerilla encendida hizo arder el cadáver del oficial hasta que fue sólo un bulto de carbón en medio de la basura.

"Intercepta al senador"

Abogado con especialización en Roma, cinco veces presidente del Concejo de Medellín, ex representante y senador de la República, a sus 63 años, Federico Estrada Vélez no sólo había sido director del liberalismo en Antioquia y miembro de la Comisión Central del partido a nivel nacional sino magistrado de la Corte Suprema de Justicia y embajador en Italia.

Enterado de que John Jairo Velásquez Vásquez, Popeye, no sólo residía a unas cuadras de la casa de Estrada sino que, mejor aún, conocía a sus hijos, Pablo Escobar lo citó a comienzos de abril de 1990, en una de las fincas del sector de Llano Grande y después lo lanzó a la caza del líder antioqueño.

Estrada acababa de hacer una declaración pública a través de un informativo de televisión en la que se oponía a la posibilidad de un diálogo gobierno-narcotraficantes y más bien exigía una enérgica acción de las autoridades frente a lo que el ex magistrado prefería denominar "esta clase de delincuentes".

La consecuencia de esa posición había sido la orden de Pablo Escobar Gaviria a Popeye: "Escoja un grupo de muchachos, lo intercepta, lo lleva a una 'caleta' y se lo entrega a Cuchilla".

Cuchilla o Pasarela no era otro que Guillermo Zuluaga, el mismo de quien Juan Carlos Ospina Álvarez, Enchufe, Sergio Alfonso Ramírez Ortiz, Pájaro y Mario Grillo habían recibido en 1988 el *chiffonier*, las armas y una suma discreta, para que se instalaran en Bogotá y montaran la primera "oficina" del cartel en la capital del país.

Desde el mismo instante en que se encontró con Pablo Escobar Gaviria en la finca de Llano Grande y el jefe del cartel le comunicó lo que debía hacer, Popeye llegó a la conclusión de que sólo con la colaboración de Chunza y los suyos podría tener éxito en "la vuelta" del senador Estrada Vélez.

Conocía desde hacía tiempo al teniente Chunza, oficial de la Sección de Investigación y Policía Judicial (Sijin) división del servicio de la policía secreta en Antioquia. Debía aquello a Fabián Tamayo, Chiruza, y a John Jairo Arias Tascón, Pinina.

El teniente Chunza y cuatro policías realmente próximos a él tenían un récord importante al servicio del cartel y, en particular, de sus escuadrones de sicarios. Sin embargo, nunca antes, como para finales de 1989 y comienzos de 1990, el apoyo del oficial a la mafia había revestido tal trascendencia.

Con la ciudad militarizada y con patrullas del Cuerpo Élite y puestos de control instalados a lo largo y ancho de Medellín, Pinina y otros agentes terroristas del cartel habían visto en el teniente Chunza y su cuerpo de detectives asistentes una especie de garantía. Bastaba con que el teniente Chunza y sus policías exhibieran las credenciales que certificaban su cargo para que se les abriera el sésamo de cualquier patrulla del ejército o la policía.

Infructuosamente, en la tarde del lunes 2 de abril de 1990, Popeye estuvo en la central del F-2 y preguntó por el teniente Chunza o alguno de sus agentes. Regresó poco después de las ocho de la noche y, aun cuando no encontró al oficial Chunza en las instalaciones de la Sijin, sí consiguió que por radio ubicasen a los policías de la escuadra. En diez minutos los cuatro detectives asistentes estuvieron en las instalaciones del F-2. Entonces Popeye les explicó el asunto.

No le sorprendió la respuesta. Lo único que exigían los policías era que no diese cuenta de aquello a Chunza porque, según argumentaban, era "una verdadera chichigua" lo que él dejaba después de cada golpe. Deseaban ahora que el dinero fuese para ellos en su totalidad. Popeye accedió sin reparos.

"Un giro a El Tiempo"

El mensaje que transmitió el coronel Hugo Martínez Poveda desde su cuartel de operaciones en la Escuela Carlos Holguín, en Medellín, a la Dirección de la policía, en el Centro Administrativo Nacional (CAN), en Bogotá, no pudo ser más elocuente: el cartel planeaba otro atentado de honda trascendencia.

Los generales Miguel Antonio Gómez Padilla y Octavio Vargas Silva, y el propio Miguel Alfredo Maza Márquez —alertado del asunto por su doble calidad de alto oficial de la policía y jefe del Departamento Administrativo de Seguridad (DAS)— tuvieron certidumbre de la amenaza después de escuchar la cinta y leer el pie de folios anexo a la transcripción.

Desde el pavoroso atentado en la sede del Hotel Hilton de Cartagena y el deceso de los dos médicos que asistían a un congreso de gastroenterología, el 25 de septiembre de 1989, la policía y los servicios secretos habían aprendido a desentrañar con mayor destreza el sentido de las instrucciones de Pablo Escobar.

Esta vez las órdenes de Escobar tenían por blanco la sede del periódico *El Tiempo*, primer diario de la nación y uno de los principales de América Latina. El coronel Martínez había tenido buen cuidado de hacer algunas anotaciones concretas a ese respecto después de releer la transcripción de la llamada:

Base: Coméntele a 70 que 1.000 en la de 500 (coméntele a Pablo Escobar que tengo a Gustavo Gaviria en el teléfono).

Pablo Escobar: Siga que le copio... adelante

Gustavo Gaviria: ¿Aló?

Pablo Escobar: ¿Qué más ha habido? ¿Bien o qué?

Gustavo Gaviria: Ahí trabajando y, ¿usted bien?

Pablo Escobar: Bien, afortunadamente. ¿Leyó *El Tiempo* hoy o no?

Gustavo Gaviria: Eso le iba a decir, que lo leyera. Cambio.

Pablo Escobar: Vea... mande al muchacho que va a girar en el banco (envíe al que va a poner la bomba). ¿Me copió?

Gustavo Gaviria: Correcto, correcto. Yo estoy en esas: conversando con él para mandarlo. Usted sabe que eso hay que prepararlo y se demora unos diítas. Cambio.

Pablo Escobar: Eche para adelante. Mantenga contacto con el hombre.

Gustavo Gaviria: Así estamos haciendo: para adelante.

Pablo Escobar: Los de *El Tiempo* están en riguroso turno. Yo llamo mañana a las 7 de la noche. Eso que le digo que lo voy a llamar es para algo que les tengo a los de *El Tiempo* pero es muy grande.

Gustavo Gaviria: Bueno compadre...

"No quedará un policía vivo"

Ni la decisión de utilizar la bodega de Lucho para armar la bomba, ni el sitio que Chopo había elegido para consumar el atentado, tenían algo que ver con la simple casualidad. Todo lo contrario. Después de prolongadas jornadas de vigilancia, durante los primeros días de abril de 1990, Chopo había llegado a la conclusión de que por lo menos una patrulla de la policía debía atravesar a diario, indefectiblemente, por debajo del Puente Pandequeso, en Itagüí, sobre el río Medellín, en la carrera 42 con calle 72, en la autopista sur.

Como ningún otro sicario del cartel, Chopo sentía una atracción morbosa por el crimen. Se solazaba narrando homicidios cruentos de los que era autor y el atentado que había preparado contra el Cuerpo Élite de la policía no era el primero de cuantos él mismo había organizado y ejecutado. Una mañana de octubre de 1989, Chopo y dos de sus agentes habían dinamitado la sede del periódico *Vanguardia Liberal* con un carro-bomba. La orden había partido de Pablo Escobar: "*Vanguardia Liberal* se nos está convirtiendo en otro *Espectador*..." Ese atentado había dejado dos víctimas mortales y pérdidas millonarias, pero jamás podría equipararse al que se consumó en la tarde del miércoles 11 de abril de 1990.

La patrulla 083 del Cuerpo Élite de la Policía Nacional retornaba después de establecer varios retenes. Era el primero de dos carros oficiales que transportaban a un total de 32 policías. Ninguno de los agentes, sin embargo, tuvo tiempo suficiente de percatarse del Toyota amarillo parqueado a un lado de la acera. La explosión lanzó los dos camiones a varios metros y segó la vida de ocho policías y ocho transeúntes. Era una carga que los grupos antiexplosivos estimaron más tarde en 200 kilos de dinamita.

Un amplio sector del valle del Aburrá sufrió un corte instantáneo de energía y hubo daños en la sede de una bodega del Banco de Occidente, un depósito de maderas, varios establecimientos públicos y numerosas viviendas. En el sitio quedaron destruidos un bus de servicio público, el Mazda QA 1951, el Renault 18 de placas KB 8341, el taxi ITK 442, el camión TM 1822, la camioneta IB 9684, el taxi TIK 930, el Renault 4 QA 4910 y el campero LI 1526.

El subteniente que comandaba la patrulla murió en la Policlínica de Medellín y lo propio ocurrió con los agentes Alberto Sánchez Libreros, Rosemberg Vahos y Alonso de Jesús Barrios. Un centenar de heridos fue ingresado de urgencia en los hospitales y luego sólo siguieron las llamadas anónimas a los diarios:

"Los Extraditables nos atribuimos lo ocurrido en Itagüí. Pedimos la investigación sobre las torturas y desapariciones hechas a nuestros compañeros como Nelson Arbeláez Gutiérrez. De continuar las torturas no vamos a dejar ningún policía vivo. Se están desapareciendo nuestras familias..."

"Hay Operación Candado"

El establecimiento público más cercano a la residencia del senador Estrada Vélez era una tienda pequeña ubicada a 300 metros de la casa de Popeye y a menos de 100 de la de su víctima. Popeye se instaló en el expendio muy temprano, en la mañana del 3 de abril de 1990. Hacía seis días que se había entrevistado con Pablo Escobar en la finca de Llano Grande y cinco que vigilaba con rigurosidad cada uno de los movimientos en la rutina del senador Estrada.

Los cuatro policías que integraban la escuadra del teniente Chunza y a los que Popeye había buscado la noche anterior, 2 de abril, esperaron sus instrucciones a bordo de un Renault 18 blanco. Se estacionaron a escasos metros de la sede del almacén Éxito, sobre la Avenida Colombia. La señal de alerta se transmitió por handy y estuvo a cargo de Popeye. En algunas ocasiones había visto salir al senador Estrada rumbo del Éxito y de la Avenida Colombia y en otras, en sentido contrario, en busca del colegio San Ignacio y la carrera 70. Fue esta última ruta la que escogió el ex magistrado de la Corte Suprema, esa mañana del martes 3 de abril.

En cuanto el Renault 9 en el que viajaba Estrada dejó atrás el Centro de Atención Inmediata (CAI), situado cerca de la Unidad Deportiva Atanasio Girardot, un automóvil se cerró brutalmente sobre el carro del líder político. Dos de los cuatro policías de la escuadra del teniente Chunza descendieron del Renault 18 blanco oficial en que se transportaban. Vestían chaquetones negros. Popeye los vio pegar los cañones de sendas ametralladoras a las ventanas de las puertas traseras del Renault 9 de Estrada y apuntar contra el senador. Lo obligaron así a descender de su propio vehículo. Luego lo esposaron y lo tiraron dentro del baúl del carro policial.

Popeye puso en marcha el automóvil que conducía y vio pasar raudo el Renault 18 blanco. Apenas habían entrado a la autopista, cuando se encontraron frente a frente con un retén del Cuerpo Élite de la policía. El vehículo oficial redujo la velocidad y los cuatro agentes, que tenían en su poder al senador Estrada, enseñaron sus placas y prosiguieron la marcha sin contratiempos.

Popeye condujo hasta una avenida de El Poblado, detuvo su automóvil, descendió frente a una cabina de teléfonos públicos y marcó a una central de beepers. Luego pidió que se transmitiera el mensaje en clave con destino a Cuchilla o Pasarela.

Colgó el auricular, volvió a su automóvil y guió varios kilómetros. Divisó el Renault 18 y aparcó en reversa, asegurándose de pegar el baúl de su carro al de los policías de la Sijin. Fue rápido el traslado de Estrada de un vehículo a otro.

—Hay una operación candado —lo increpó uno de los policías. La ciudad está cerrada.

Popeye asintió, volvió a su automóvil, puso el motor en marcha y se dirigió al parqueadero del Éxito, en el sector de El Poblado, en Medellín. Cuchilla o Pasarela esperaba a Estrada. Pasarela iba acompañado de otros dos hombres. Éstos se encargaron de someter al senador a un nuevo transbordo.

—Pilas, que ya ve la ciudad cómo está —alertó Popeye, casi al oído, a Cuchilla o Pasarela, que replicó sereno:

—Tranquilo... yo tengo una "caleta" en La Castellana que es muy firme y una "caletera" que es muy buena y me lo llevo es para allá...

El ex presidente Belisario Betancur

Tras la conversación que captaron en Medellín el coronel Hugo Martínez Poveda y la Unidad de Inteligencia Electrónica, varias patrullas con detectives de la policía fueron lanzadas a las calles de la capital. Tenían por toda y única misión identificar cualquier pista sobre el inminente atentado dinamitero que la mafia planeaba contra el diario *El Tiempo*.

La verdad era que ante la eventualidad de un atentado, desde agosto de 1989, los ejecutivos del diario viajaban en carros blindados, acompañados por parejas de escoltas oficiales, y la sede del periódico *El Tiempo* estaba custodiada por infantes de marina y circundada por una barricada de toneles pintados de amarillo y negro, repletos de arena. Después de la intercepción, sin que hubiese muchas otras medidas por tomar, fue cuestión de días la restricción del paso de vehículos, a través de la avenida hacia el Aeropuerto Internacional Eldorado, sobre el carril de la vía en frente del diario.

Los oficiales que habían conocido la transcripción realizada por la Unidad de Inteligencia no albergaban dudas sobre la orden que Pablo Escobar transmitía directamente a su primo Gustavo de Jesús Gaviria Rivero y cuyo blanco evidente era el principal diario de la nación.

Por lo demás, en llamadas que se producían en forma esporádica a la central de conmutador o a algunas secciones del periódico, voces de inconfundible acento paisa amenazaban con un camión-bomba, y advertían que ningún piquete de guardia detendría al cartel. "Hay un suicida para eso y lo que le ocurrió a *El Espectador* no es nada comparado con lo que les va a pasar a ustedes".

El ovillo del cordel empezó a desenredarse, aunque sólo en parte, en virtud de una información obtenida por la Central de Inteligencia del Departamento Administrativo de Seguridad (DAS), en Bogotá. Dos jóvenes y esbeltas antioqueñas a las que en "Medallo" conocían como Lina y Anita, se habían instalado en un conjunto de apartamentos del norte de la capital y ahora esperaban un Mercedes Benz azul que debían ocultar en el parqueadero del edificio. El lujoso automóvil, según la información, estaba repleto de explosivos.

Durante cinco días y cinco noches, vestidos de paisano, camuflados como estudiantes, haciéndose pasar por vigías de compañías privadas y, desde vehículos oficiales, varias parejas de detectives de la Dirección de Policía Judicial e Investigación (Dijín) y funcionarios de la División de Policía Judicial del DAS, vigilaron sin éxito el complejo residencial de La Toscana, en el norte de Bogotá. Una tarea similar ocupó simultáneamente a oficiales y suboficiales de la Unidad de Inteligencia en Medellín. Espiaban un taller-parqueadero de tercera en Itagüí, sitio del que debía partir el Mercedes-bomba.

Los seguimientos, sin embargo, no arrojaron pista alguna y entonces, en el sexto día, sobrevinieron los allanamientos y con ellos la apertura del sésamo: el Mercedes que infructuosamente los oficiales de la Unidad esperaban ver partir hacia Bogotá y que oficiales de la Dijin y detectives del DAS tenían que aguardar en La Toscana, se encontraba desde hacía varias semanas oculto en el sótano del edificio. El Mercedes Benz estaba cargado con 300 kilos de explosivos salidos de las fábricas oficiales del Ejército de Colombia, y tenía por blanco un hombre prominente: el ex presidente Belisario Betancur, jefe de Estado entre 1982 y 1986.

Como si se tratase de una simple tacada en una partida de billar, Escobar veía en el asesinato del ex mandatario el efecto de una dramática carambola. Por un lado, el crimen de Belisario Betancur vengaba a nombre del cartel la extradición de los primeros traficantes. Por el otro, agudizaba el severo clima de desestabilización que conspiraba ya contra los comicios presidenciales y la elección del economista César Gaviria, sucesor de Luis Carlos Galán.

.Por instrucciones del ex ciclista Gonzalo Marín, Chalito, los contrabandistas contactados por el cartel, en 1989, como fachada para almacenar las diez toneladas de explosivos que el cartel planeó utilizar en el atentado contra la sede del DAS, habían permitido que el conductor del Mercedes Benz pudiese ocultarlo por algún tiempo en la bodega de San Antonio, en la calle segunda sur.

Una vez que el automóvil salió del taller-parqueadero de Itagüí —con varias semanas de antelación al día en que el DAS recibió la información— Guillermo Alfonso Gómez Hincapié o Alfredo Ramírez y Eduardo Tribín o Carlos González Rodríguez, se ocuparon de que el conductor del Mercedes encontrara la ruta hacia la bodega, y le pusieron una cita en Galerías, en el noroccidente de Bogotá.

El Mercedes permaneció en la bodega de San Antonio el tiempo estrictamente necesario para instalar la bomba y después fue conducido hasta el sótano del conjunto de apartamentos de La Toscana, y puesto al cuidado de Lina y Anita, instaladas allí en virtud de su amistad con Luber y El Flaco, organizadores de La banda de La Ramada, y agentes del cartel a órdenes directas de Escobar.

El hallazgo del Mercedes-bomba sólo fue el preludio de un descubrimiento que resultó ser tan oportuno como impresionante.

Mercaderes de la muerte

La orgía era tal que ni Popeye, ni Micaela, ni otros contadores del cartel, se daban abasto para atender la cascada de cobros. Los atentados dinamiteros como el perpetrado por Chopo en el Puente de Pandequeso sumaban más de cien y el asesinato sistemático de oficiales y agentes de policía ocupaba como nunca antes a cada una de las múltiples redes criminales del cartel.

Popeye, Micaela y los contadores recibían gruesas sumas en dólares que en casas de cambio convertían a pesos o cheques de cuentas bancarias en Colombia. El dinero salía del fondo común de Los Extraditables que los tesoreros del cartel conocían como "la cuenta de las empanadas". Popeye cuidaba de que cualquier suma fuese cancelada directamente a los jefes de banda después que Escobar le dijo: "Ocupate vos de eso para que a mí no me estén molestando".

Escobar echó a rodar la orden del exterminio de policías desde el instante en que estuvo a salvo del allanamiento a la hacienda El Oro, en el marco de la Operación Apocalipsis I, en noviembre de 1989. Justificaba la sangría en la ráfaga de M-60 que dio cuenta de Mario Henao, su cuñado, y cancelaba cinco millones de pesos por el asesinato de oficiales y dos millones de pesos por el de agentes de la policía. La mafia pagaba a ochocientos mil pesos los heridos.

Aquello cesó transitoriamente ante las expectativas del cartel tras la liberación de Álvaro Diego Montoya y Patricia Echavarría, en enero de 1990, y ante lo que podría surgir de la Cumbre Presidencial de Cartagena de Indias, en febrero del mismo año. No obstante, después de esos días de relativa tregua, la sangría volvió a entrar en un cruento furor. Los Extraditables habían hecho conocer al país las presuntas negociaciones con el gobierno y habían anunciado la reiniciación de la guerra.

Popeye, Micaela y los contadores pagaban dinero a manos llenas a Brances Muñoz Mosquera, Tyson, cabeza del grupo de sicarios de Castilla en el que tenían una participación definitiva Paul Daniel Muñoz Mosquera, Tilton, y Antonio Acevedo Calle, La Chepa. El primero, hermano de Tyson y el segundo, uno de los artífices de las más espectaculares fugas de reos del cartel de la cárcel de Bellavista, en Medellín.

Otro cobrador en aquella subasta sangrienta era Juan Carlos Ospina Álvarez, Enchufe, segundo de Fabián Tamayo, Chiruza, en la organización que actuaba desde el barrio Antioquia. En realidad, el embrión de otras tres redes temerarias que estuvieron a cargo, respectivamente, de Dandennis Muñoz Mosquera, La Quica, hermano de Tyson y Tilton; de Julio Rengifo y de Peto y su hermano Frito. Rengifo había muerto en Envigado en 1989, durante un tiroteo con una patrulla de la policía, a la que se enfrentó después de asesinar a un sacerdote y a un ex teniente de las fuerzas armadas. Sin embargo, su organización, La banda de La Ramada, con sede en el municipio de Bello, permanecía intacta por cuenta de sus sucesores, El Flaco y Luber.

En cuanto a Peto y su hermano Frito, ellos dirigían otra ala de la misma red de La banda de La Ramada pero en el barrio Aranjuez de Medellín. Sus hombres hacían parte del Departamento de Seguridad y Control de Envigado, un cuerpo siniestro que operaba simultáneamente en tareas de protección de los narcotraficantes, en general, y de Pablo Escobar, en particular; y como la Mano Negra, en oscuras misiones de "limpieza" y exterminio de cientos de personas. El testimonio de su única sobreviviente, en marzo 17 de 1990, era por sí mismo una evidencia escalofriante e incontrovertible:

"A mí me asesinaron el 14 de octubre del año pasado. Faltando un cuarto para la una de la madrugada, después de que nos citaron dizque para recibir dinero de un mafioso. Me cogieron junto a los calabozos en 'la oficina' y luego me subieron en una furgoneta y me llevaron a un potrero. Me dieron 35 hachazos, pero gracias a Dios, y a una chaqueta negra, que se vino hacia adelante tapándome la cabeza, 'resucité' media hora después.

"Me mataron mis propios compañeros del Departamento de Seguridad y Control de Envigado, que me acusaron de sapa, de informar al ejército de los crímenes que ellos cometían.

"Esa noche los acompañaron otros sicarios. Balazo, que quería matarme a tiros, y Piquiña, que le dijo que no fuera imbécil, que no podían hacer ruido. Por eso me cogió a hachazos.

"Yo fui agente de Seguridad y Control de Envigado desde el primero de agosto de 1988 hasta esa noche en que decidieron asesinarme.

"Me dieron 12 hachazos en la cabeza y la chaqueta quedó hecha trizas por otros 23. Fueron 35 en total. Me salvó Dios y esa chaqueta, porque cuando se cansó de darle hachazos a la chaqueta contra la tierra, dijo: "A esta vieja ya se le cayó la cabeza".

En el registro que llevaban Popeye, Micaela y otros contadores, seguían cuatro grupos de sicarios al servicio del cartel que estaban dirigidos por John Jairo Arias Tascón, Pinina, y coordinados por cuatro avezados delincuentes del barrio Lovaina: Robapollas, el que encontraría la muerte antes de la entrega de Pablo Escobar Gaviria a la justicia; don Germán y Maradona, los autores del atentado dinamitero contra *El Espectador*, y Céforo, el que habría de asesinar al extremista español experto en explosivos y el mismo que habría de caer baleado durante el rescate de un cautivo, en una operación del Grupo Antiextorsión y Secuestro, Unase, de la policía.

El Loco, El Pecoso y una gruesa lista de cabezas de grupo a órdenes de Ricardo Prisco Lopera, artífice del asesinato del ministro de Justicia Rodrigo Lara Bonilla, estaban también involucrados en aquella cacería de oficiales y agentes. El uno iba a cumplir su cita con la muerte en la operación del Bloque de Búsqueda en una finca del oriente antioqueño y el otro habría un día de ser asesinado por el propio Ricardo Prisco después de la repartición inadecuada del botín de un millonario atraco bancario en Cartagena.

Una red adicional dependía de Chopo, artífice del cruento atentado contra el élite en el Puente de Pandequeso y fuerte en los municipios de La Estrella e Itagüí. Sus cabezas eran John Jairo Posada Valencia, Tití; John Edison Rivera Acosta, El Palomo; El Pecosito y El Limón, entre otros.

Popeye, Micaela y los contadores mantenían así, para el primer semestre de 1990, cuentas enormes por saldar y ello sin incluir las bajas.

Procreadora de un sicario

Cuchilla o Pasarela no mintió una palabra en lo que le dijo a Popeye. Tenía una "caleta firme" y una "caletera" curtida. La casa del barrio La Castellana, que había elegido como sitio de cautiverio del senador Estrada, era una de aquellas que el cartel había adquirido a "chapas" falsas o utilizando testaferros. Siempre, eso sí, asegurándose de que sus ex propietarios fueran hombres de reconocida honorabilidad: banqueros, comerciantes o ejecutivos. Todo con el fin de garantizar que las viviendas estuvieran exentas de intercepciones telefónicas y de cualquier problema de policía. El cartel pagaba cada casa con cheques de gerencia, a salvo de eventuales seguimientos. Por instrucción expresa de Pablo Escobar, la mafia había evitado las residencias con antecedentes de varios alquileres.

"Un inquilino nunca da a una casa el mismo manejo que su dueño y nunca se sabe en qué líos se puede meter", solía advertir Escobar a sus agentes.

La casa de La Castellana era, en fin, una "caleta firme". Varios vecinos habían estado en ella, de visita, en más de una ocasión, sin que nada les permitiera suponer que podría ser la cárcel de un secuestrado. En cuanto a la "caletera" que escogió Cuchilla o Pasarela, en el caso del secuestro del senador Estrada, era una mujer a la que algunos agentes de la mafia llamaban Esnudia y otros preferían nombrar sólo como Dunia. Debía su acreditación ante el cartel a los lazos de consanguinidad que la unieron con un bandido. Este había caído muerto en una residencia del barrio Calatrava de Itagüí, cuando intentaba irrumpir para hacer cautivo a un desconocido. Como hasta ese momento él había sido parte de una red de Chopo, el cartel optó por dar empleo periódico a Esnudia o Dunia.

Hasta cuando se presentó el plagio del senador Estrada, Cuchilla o Pasarela había mantenido a Esnudia en una finca en Sabaneta, Antioquia, a la espera de necesitarla. Ella sólo debía hacerse cargo de proveer la alimentación al secuestrado porque la responsabilidad de vigilarlo era tarea de un terrorista al que todos apodaban J.

En realidad, aunque nada de ello hubiese sido así, no era asunto de Popeye lo que Cuchilla o Pasarela hiciese respecto del senador Estrada Vélez. De hecho, en cuanto entregó al ex magistrado de la Corte, en el parqueadero de almacenes Éxito de El Poblado, Popeye volvió a su propio automóvil y enrumbó hacia la finca de Llano Grande. Comunicó a Pablo Escobar los pormenores del plagio y, claro está, la sorpresiva aparición de un retén del élite en la autopista. Le explicó que había hecho "la vuelta" con los hombres del teniente Chunza, pero tuvo especial cuidado en dejar en manos de Escobar la decisión final: "Usted dirá cuánto les pagamos..."

Después de escucharlo, el jefe del cartel tomó una hoja blanca y dirigió un mensaje a uno de sus contadores clandestinos: "Suzuki, entrégale a Popeye 50 millones de pesos". Luego firmó el documento con el nombre de Óscar.

Al atardecer del 3 de abril de 1990, Suzuki verificó la rúbrica de Escobar y extendió a Popeye un cheque de gerencia de una sucursal bancaria frente al parque de Envigado. Popeye lo hizo efectivo, se dirigió hasta la sede de la Sijin y buscó a los cuatro detectives de la escuadra del teniente Chunza y entregó diez millones de pesos a cada policía. Guardó diez para sí y se dirigió hacia Itagüí. Una noche frenética de mujeres y licor lo esperaba. Sólo con el tiempo supo los planes que Escobar tenía respecto del senador Estrada Vélez.

La entrevista entre el jefe del cartel y el ex magistrado de la Corte tuvo lugar en la noche del mismo miércoles 4 de abril de 1990. Deseaba que el ex presidente del Directorio Liberal de Antioquia utilizara sus contactos en el Senado y en la Cámara de Representantes e impulsara un debate contra la extradición.

Aún más, el propio Estrada Vélez debía hacer algunas declaraciones concretas en contra de la entrega de ciudadanos colombianos a tribunales federales estadounidenses y tenía que convertirse en cruzado de una campaña antiextradición. Después que le explicó aquello, Pablo Escobar dio la orden de ponerlo en libertad.

La liberación debía cumplirse el viernes siguiente pero una intempestiva ola de allanamientos policiales obligó a Esnudia y a J a abandonar a Estrada Vélez en la residencia en que permanecía cautivo. Así se produjo su autoliberación y su traslado hasta su residencia, a bordo de un taxi. Después de tomar un baño y descansar, el senador Estrada Vélez recibió al alcalde de Medellín, Juan Gómez Martínez, y a su comitiva, y luego a más de uno de sus viejos amigos en el liberalismo y a varios de sus fervientes seguidores. Lo demás era cuestión de una lectura de diarios.

"El senador Federico Estrada Vélez —consignaban— anunció que emprenderá una campaña de opinión pública en contra de la extradición y pedirá la suspensión de la guerra contra el narcotráfico. Estrada Vélez dijo que invitará a personas respetables como el ex ministro Joaquín Vallejo, quien ha actuado como intermediario de propuestas de los narcotraficantes ante el gobierno y el alcalde de Medellín, a que se sumen a su campaña. El Estado debe terminar de una vez por todas con la extradición de colombianos... Es una vergüenza. Las que se han autorizado han demostrado que el tráfico de drogas no se acaba, no disminuye la violencia, no hace eficaz a la justicia y no sirve sino para descomponer al país".

El silencio del terror

Un Ford F-900 ensamblado en 1956 atravesó la ciudad capital en el amanecer del cinco de abril de 1990 y se detuvo a las 6:30 en frente del número 7-54 de la calle 85, en el exclusivo barrio de La Cabrera. El vigilante privado asignado a la custodia del sector, lo vio aparecer por la bocacalle. Era un armatoste de cabina verde y carrocería de estacas, con capacidad de ocho toneladas. Exhibía una carpa de la fábrica Lufer de Medellín y estaba inscrito a la Sociedad de Transportes del Guarne, Sotragur. No llegó solo. Justo a cien metros del sitio donde los primeros estudiantes se reunían para esperar el paso de las rutas escolares, una camioneta Toyota de color blanco se parqueó delante del camión, en la acera contraria.

La residencia elegida tenía un huésped particular: el general Miguel Alfredo Maza Márquez, director del DAS, pero en las viviendas a la redonda habitaban además el ex presidente Alfonso López Michelsen; el ministro de Gobierno encargado, Horacio Serpa Uribe; sus homólogas de Trabajo, María Teresa Forero de Saade y de Obras Públicas, Priscila Ceballos de Ordóñez y el por entonces ex candidato presidencial, Hernando Durán Dussán. La sede del Consejo de Estado y las aulas del Liceo de Cervantes y el Liceo Francés Luis Pasteur, se erigían a escasas cuadras de allí.

En cuanto detuvo finalmente el camión Ford, el conductor descendió y corrió despavorido hacia la Toyota que lo esperaba. Esta partió rauda. Tanta prisa puso sobre sospecha al vigilante. Se cumplían 24 horas desde la última amenaza de Los Extraditables: volar un barrio de la ciudad si cuatro agentes del cartel, presuntamente detenidos por agencias oficiales, no aparecían en cuestión de horas. El comunicado en cuestión advertía:

1. Que si los ciudadanos retenidos en Envigado no aparecen ante sus respectivas familias, nosotros como represalia colocaremos una bomba de cinco mil kilos de dinamita en uno de los principales barrios de la oligarquía colombiana.

2. Que por cada colombiano que sea entregado a Estados Unidos, nosotros colocaremos una bomba de cinco mil kilos de dinamita en la capital de la República.

3. Que ejecutaremos a los jueces gobiernistas, a los políticos vendepatria, a los torturadores y a los principales miembros de la familia Cano.

El vigilante corrió hasta el camión. Los vehículos escolta del general Miguel Alfredo Maza Márquez aparecieron en la bocacalle.

Una mecha de 2.50 metros ardía lentamente. El celador gritó como un loco y observó a la escolta oficial hacer uso de sus radios e iniciar la evacuación. Agentes de seguridad y oficiales de policía aparecían en segundos desde mil puntos de la ciudad. Se hacían cargo de la mecha, en la cabina, pero reclamaban con desespero a las unidades antiexplosivos. Había allí 1.500 kilos de dinamita ocultos entre varias toneladas de rollos de papel higiénico. Era una pavorosa carga que un hombre de apellido Caro había obtenido para el cartel y retirado de las fábricas mismas del ejército, amparado en documentos que lo acreditaban como agente-representante de una mina en explotación.

Se frustró así el atentado, cuya ejecución había empezado a consumarse también en la bodega de San Antonio, después que el cartel explicó a los contrabandistas que aquel "era un regalo de la gente de (José Gonzalo Rodríguez Gacha) El Mexicano, para la guerra contra el cartel de Cali". Cientos de ciudadanos escaparon ese 5 de abril de 1990 de las garras de la muerte, pero la decisión del cartel de sembrar el terror continuaba ahí... y también su blanco: Bogotá.

Las víctimas del Día de la Madre

Las pavorosas explosiones se produjeron casi en forma simultánea aunque hicieron estremecer y sembraron el terror y la muerte en dos sectores diferentes de Bogotá. Una tercera ocurrió varias horas después en Cali. Todo tuvo lugar el sábado 12 de mayo de 1990, preludio del Día de la Madre. La mafia convirtió la capital en un infierno. Un carro-bomba explotó a las 4:15 de la tarde en el Centro Comercial de Niza, en el norte de Bogotá y, apenas un minuto después, otro hizo explosión en el sector de Quirigua, un enjambre de clase media baja repleto de comercios menores.

Las víctimas de ambos atentados se dedicaban a hacer compras cuando la muerte los sorprendió. Las escenas eran dantescas. Restos de los cadáveres de 5 menores quedaron esparcidos en las calles o en los aparcaderos de los centros comerciales y otro tanto ocurrió con los cuerpos de 22 adultos. Eran tantas las ruinas de vehículos en llamas y construcciones venidas a menos en los sectores de Quirigua y Niza en Bogotá, que las autoridades no sabían por dónde comenzar. Los heridos sumaban más de 180 y el país entero se estremecía cuando un tercer atentado dinamitero, poco antes de las nueve de la noche, en Cali, en el sector donde se erigían las discotecas, terminó por acentuar el desespero y la desolación. Hubo seis víctimas mortales más y una veintena de heridos.

La interceptación del amenazante diálogo contra *El Tiempo* que sostuvieron Pablo Escobar Gaviria y su primo Gustavo de Jesús Gaviria Rivero impidió una tragedia, y otra se evitó con la confiscación del Mercedes Benz dirigido contra el ex presidente Belisario Betancur. Sin embargo, nada detuvo la cruenta jornada del 12 de mayo de 1990. La verdad, desde que Los Extraditables habían declarado el reinicio de la guerra, en marzo de ese año, en Bogotá estallaban casi a diario petardos en sucursales de la banca oficial, cajeros automáticos de autoservicio y hasta en locales de supermercados, pero nada de ello podía equipararse a las víctimas de la víspera del Día de la Madre.

Notificados de lo ocurrido, en Bogotá y Cali, oficiales de diversas graduaciones, adscritos a la Unidad de Inteligencia Electrónica en Medellín y basados en la Escuela Carlos Holguín, apenas si atinaron a preguntarse cuánto se proponían cobrar por esto los agentes de la mafia. Hacía unas semanas disponían de otra interceptación dramáticamente reveladora de lo que estaba ocurriendo y, ante el saldo creciente de víctimas, no podían más que maldecir. Un oficial volvió sobre la cinta y la transcripción. Era un diálogo entre Pablo Escobar y otro pagador de la mafia que recibía instrucciones terminantes sobre el procedimiento a seguir por concepto de cancelación de los atentados terroristas.

Pagador: Por ahí este amigo Tyson (Brances Muñoz Mosquera) me está cobrando 17 botellitas de la plata de tierra fría (Bogotá). ¿Me copió?

Pablo Escobar: Afirmativo. Vea, usted se va a encargar de eso. Va a funcionar de la siguiente manera...

Pagador: Era que yo estaba esperando que usted viniera para explicarle: ¿Cómo me está copiando? Si quiere subo. Estoy pendiente de "los muchachos" aquí pero si me necesita yo subo... y hablamos allá personalmente.

Pablo Escobar: No, no hay necesidad. Vea, yo le explico y usted se va a encargar de cancelar todas esas cuentas. Hable con El Poeta para que le preste los cuatro periódicos de todos los días de la capital.

Pagador: Ya le entendí. Con eso yo le entendí todo. No es necesario que me explique más.

Pablo Escobar: Mire, usted coge los periódicos y atiende a todo el que le vaya llegando y le dice hágame el favor y me da la lista suya, me da la hora, me da la fecha y me da el sitio y vea si concuerda con los periódicos para que unos no le vayan a cobrar más propagandas que le cobren otros.

Pagador: Sí correcto. Por eso precisamente...

Pablo Escobar: Y no les pague todavía. Les puede adelantar unas platicas para que ellos se defiendan, pero no les pague hasta que usted no tenga todas las listas y hable con Chapulín y toda la gente a ver quiénes son y todo para que usted haga una lista y haga una cosa bien organizada, porque usted sabe que no falta el vivo que cobra dos veces.

Pagador: No, correcto. Precisamente de eso se trataba, porque resulta que unos hacen un camello con otro y lo cobra él y después lo enredan a uno.

Pablo Escobar: Afirmativo. Pero entonces usted apunta bien apuntadito, hace noticias y fuera de eso revisa por los periódicos y entonces va diciéndole a cada cual a ver qué es lo que está cobrando. Que quién fue el que puso la propaganda, que cuánto le cobraron en los periódicos. Y toda la cosa bien organizadita... ¿Me entiende?

Pagador: Correcto.

Pablo Escobar: Por ahora les da por ahí el 30 por ciento de lo que estén cobrando. El 30 por ciento y ya para la otra semana que usted tenga la lista clara, les cancela lo demás.

Pagador: Correcto.

Pablo Escobar: Entonces, como le digo, haga unos numeritos y apunte bien a quién le pagó, tal y tal, y mire lo que le digo de la prensa para que no tengamos problemas...

"Una vuelta para Estrada"

No transcurrían aún 40 días desde el secuestro y los posteriores anuncios antiextradición del senador Estrada Vélez y Pinina se daba ya a la caza del connotado líder político. Tenía instrucciones precisas de poner fin a la vida del ex magistrado de la Corte Suprema de Justicia, al que ahora, encolerizado, Pablo Escobar acusaba de incumplir los acuerdos. Popeye se enteró de ello 24 horas antes del homicidio, en la noche del domingo 20 de mayo durante un encuentro casual con Pinina.

—Andá vos y cobrá una plata que debe J.M. que yo voy a organizar un camello de Estrada Vélez que Pablo anoche me ordenó.

Popeye no discutió la orden porque el dinero de J.M. era, entre otras cosas, un aporte a la cuenta de Los Extraditables o "cuenta de las empanadas" y porque Pinina parecía realmente dedicado al asunto de Estrada. La verdad era que Pinina había asignado "la vuelta" a Maradona y a otros pistoleros del cartel y simplemente esperaba los resultados. Éstos se concretaron en forma dramática en la mañana del 21 de mayo, a escasos seis días de la elección de presidente de la República, con César Gaviria como candidato único del liberalismo y principal favorito en las encuestas.

Maradona y los demás esperaron a que el jefe de debate de la campaña de Gaviria en Antioquia abandonara su oficina en una moderna zona del Centro Administrativo de La Alpujarra. Lo vieron abordar un Renault 21 que se dirigió hacia el Éxito de Colombia. Siguieron el vehículo a través de la avenida San Juan y decidieron actuar en el cruce de la calle 44 con carrera 65, cuando aún se encontraban en el barrio La América y antes que el Renault de

Estrada virara hacia la Unidad Deportiva Atanasio Girardot. Estaban en el mismo sector de Medellín en el que, en 1989, el cartel había asesinado primero al gobernador de Antioquia, Antonio Roldán Betancur y después al comandante de la policía, coronel Valdemar Franklin Quintero.

Apoyados por Tití y los hombres del cartel que viajaban a bordo de un Renault 9 blanco, dos sicarios avanzaron a bordo de una motocicleta y dispararon varias ráfagas. Diez balas segaron la vida de Estrada y diez cerraron para siempre los ojos de su conductor. Utilizaban proyectiles Dum-dum, que explotaban al entrar en contacto con el blanco y que, en el cuerpo de los seres humanos, ocasionaban destrozos enormes.

El cartel pensó en reivindicar públicamente aquel asesinato —al igual que un mes antes lo hizo con el secuestro— pero Pablo Escobar se abstuvo de dar la orden cuando Popeye le comunicó que había hablado con dos familiares del senador y que estos estaban seguros de que el crimen lo había cometido la policía...

El más viejo de los policías

Aunque en los primeros meses de 1990 casi un centenar de policías había muerto en las calles de Medellín, por virtud de la orden de exterminio de Pablo Escobar, los descalabros en el interior de la mafia tampoco eran un asunto de poca monta. Popeye, Micaela y los contadores debían responder por las bajas en las filas del cartel y extendían gruesas sumas de dinero a los familiares de los muertos y los capturados. También a los abogados contratados para hacerse cargo de litigar ante los jueces en defensa de los detenidos.

Aterradas ante la escalada de asesinatos contra oficiales y agentes de policía, las agencias de seguridad oficiales hacían esfuerzos enormes por enfrentar al cartel. La policía había capturado a dos "trabajadores" de apellidos Arias y Henao cuando intentaban asesinar a los agentes asignados a la custodia del consulado de España en Medellín; a Sánchez y a Tamayo bajo sindicación de atentar contra unidades policiales; a Pérez, un pistolero de la banda de Los Caballeros de Aranjuez, como responsable de atentar contra una patrulla de la Sección de Investigación y Policía Judicial, Sijín; a Agudelo y a Cordero por ataque a instalación policial; a Varela, El Tapicero y a García, El Pescado, por el homicidio de agentes en Centro de Atención Inmediata (CAI); a Montoya, El Palomo y a Sierra, El Chinga, como autores de homicidio agravado en la persona de un agente de la Policía Nacional; a Heredia y Mayo como jefes de la red de La Guayana y protagonistas de la muerte de policías en el sector de Manrique, en Medellín; a Alzate por el homicidio de un agente; a Martínez por usar su arma de vigilante en contra de un uniformado; a Agudelo por porte ilegal de armas y homicidio de un agente; a Carmona, López y Betancur, en calidad de autores del atentado a la estación de policía de Copacabana; a Porras, Sánchez y Urán, como responsables del asesinato de agentes y hurto de sus armas; a Umaña y González por ataque a una patrulla; a Del Río, Gómez y Castrillón (este último un ex agente de la policía), bajo cargos de segar la vida de un suboficial; a Zuluaga y Urrego como autores del homicidio de un suboficial; a Benjumea, Hurtado y Márquez, por ocultar un pequeño arsenal de armas en "una caleta" tras el mostrador del bar La Tanga; a Celín que iba a detonar un taco de dinamita gelatinosa de media libra; a dos hermanos Paredes que portaban brazaletes de la Sijín y poseían uniformes de la policía y a los que se acusaba de pagar sicarios por la muerte de policías; a Restrepo y Rivera, Tato, como sospechosos del pago de sicarios; a Caro, Tripas y a López por asesinato de agentes; a San Martín, Sepúlveda, Velásquez, Echavarría, García, Sánchez y Gómez, por conspiración en el homicidio de un suboficial; a los dos Yepes por portar un revólver sin salvoconducto, un proveedor doble para pistola y una granada de fragmentación y por el asesinato de policías; a Arroyave y Vélez por muerte de uniformados; a Villada y Pérez,

La Chinga, por segar la vida de un agente de la policía; a Luna, Becerra, Gallego, Giraldo, Rodríguez y dos mujeres de apellido Arango y Gómez, en calidad de partícipes en el atentado a un CAI y el ataque a agentes de policía y, por último, a Velásquez, Ramírez, Espinosa, Uribe y Muñoz, bajo cargo de porte de armas, munición y chapuzas. Acostumbraban conservar en estas últimas los recortes de prensa que registraban la muerte de sus víctimas.

A esos capturados se sumaban las bajas de Palacios, El Patrón y Taborda, Moneda; de Ramírez minutos después de dar muerte a un agente; de Rendón y Monsalve tras el ataque a una instalación policial; de Cuartas durante el atentado a una patrulla oficial; de Castañeda, de la banda El Peludo que murió después de asesinar a un agente; de Zapata cuando desenfundó su arma para atacar a los vigías instalados en un CAI y de Meneses después de disparar desde un vehículo contra una patrulla policial.

Con todo, el asesinato incesante de policías no se detenía y, por el contrario, cobraba cada vez más vidas. El 17 de julio de 1990, la de Crisanto Amarillo Sandoval, un agente de 63 años que era para entonces el policía más viejo de Colombia. Cumplía 43 años dedicados a la custodia de las calles de Medellín y sumaba 33 felicitaciones de sus superiores que él guardaba en un baúl como si se tratase de billetes del gordo de la lotería.

Vivía en un barrio de Envigado, que era tan humilde que sus habitantes preferían llamarlo Calle Basura y, desde que se había enterado de la muerte de su primer compañero en la calle, el viejo policía no hacía otra cosa que recomendar a sus hijas adultas y a su vieja repleta de achaques que no volvieran a abrirle la puerta absolutamente a nadie. La previsión de Crisanto Amarillo era tal que el día en que su hijastro se asomó a la ventana, seducido por la voluptuosidad de una vecina, el veterano policía lo increpó airado: "No me volvás a correr esa cortina que por ahí me pueden disparar".

A pesar de aquel temor instintivo, Crisanto Amarillo no había dejado un solo día de salir a la calle ni de estar más puntual que los jóvenes en su sitio de trabajo, el Palacio de Justicia, en el sector de La Alpujarra, en Medellín. Por cuenta de las órdenes del cartel, sin embargo, la tarde del 17 de julio de 1990, cuando se disponía a abordar el autobús con destino a su trabajo, dos adolescentes sorprendieron a Crisanto Amarillo. Dos tiros certeros al cráneo lanzaron al policía más viejo de Colombia, de espaldas, desde el estribo del automotor hasta el pavimento. El deceso de Crisanto Amarillo estremeció al país, pero los atentados más pavorosos estaban aún por venir.

La empleada de servicio

Sólo después de los pavorosos atentados del sábado 12 de mayo de 1990, en Bogotá y Cali, el coronel Hugo Martínez Poveda y la Unidad de Inteligencia Electrónica consiguieron una pista que habría de resultar definitiva sobre el paradero de Pinina. Era un terrorista tan precavido en el uso de las comunicaciones que fue su empleada del servicio quien lo puso en evidencia. De hecho, hasta entonces, la Unidad de Inteligencia había rastreado en forma infructuosa durante casi cuatro meses comunicaciones diversas de Pinina. La historia de esas interceptaciones era en sí misma una escena perfecta para una serie de espionaje.

Desde cuando el cartel llegó a la conclusión de que era inminente el riesgo de interceptación de sus comunicaciones, Pinina optaba por las únicas claves que resultaban realmente indescifrables para los élite. Todas sus referencias estaban vinculadas al pasado y en más de un caso a los años mismos de su infancia o su adolescencia. "Vea: ¿usted se acuerda cuando estábamos "pelados", la casa esa donde íbamos a tomar jugos? ¿Se acuerda? Bueno, ahí nos vemos", o: "Vea, ¿se acuerda usted esa novia que usted tuvo por el barrio? Ahí en la cuadra de la casa de ella nos encontramos", "Sitúese en la heladería a la que íbamos cuando los partidos de fútbol. ¿Ya sabe cuál?"

Aquel cúmulo de frases inciertas que sólo podían entender Pinina y sus interlocutores había hecho virtualmente imposible cualquier intento de rastreo y seguimiento, pero todo cambió sustancialmente una tarde de mayo de 1990. A pesar de las expresas prohibiciones de su patrón —que de haberse enterado de ello no le habría concedido más de una hora de vida— la empleada del servicio telefoneó desde el apartamento de Pinina a su novio.

Aunque la unidad escaneaba a diario cientos de llamadas "intrascendentes" como ésta, sin que después de prolongados intentos resultara absolutamente nada, esta vez un semáforo se puso en rojo. El adolescente mencionó el nombre de Gustavo Gaviria. La referencia no fue clara, pero los élite se dieron de inmediato a la tarea de identificar las líneas involucradas en la comunicación. Comprobaron la asignación de una de ellas y ese mismo día estuvieron en la casa de quien había sido receptor de la llamada.

Después de hablar con él y de que éste les reveló que su novia era empleada de un hombre al que apodaban Pinina, los oficiales del élite ofrecieron una fortuna sólo porque les indicase la dirección de la vivienda. Tenían la certidumbre de que la línea desde la cual se había hecho la llamada había sido instalada en forma subrepticia y, en consecuencia, debía aparecer a una dirección falsa de Medellín. En esas condiciones, coincidían los oficiales, improvisar sólo arriesgaría la operación.

En decenas de oportunidades, después de interceptar una llamada y de frenéticas búsquedas de información en las centrales de teléfonos de Medellín, la policía había forcejeado con los jueces para obtener las respectivas órdenes de allanamiento. En muchas ocasiones, sin embargo, todo había terminado en el descubrimiento de que la línea o no estaba en la vivienda a la que aparecía inscrita o simplemente, a través de amplificadores o derivaciones, la mafia manipulaba la red desde cualquier punto del recorrido del cable físico. En el mejor de los casos, las líneas terminaban en una residencia a 200 metros de aquella para la cual se había obtenido orden de allanamiento. De este modo, era siempre demasiado tarde para cuando las patrullas daban con el sitio real, en los eventos en que ello era posible.

En el caso del propio Pinina, los élite sumaban ya varios fracasos y uno de ellos particularmente insólito. Todo empezó por una interceptación fugaz. Varios oficiales ubicaron al técnico que tuvo que instalar la línea y llegaron inclusive hasta el centro comercial en donde se había adquirido el aparato telefónico que supuestamente iba a estar conectado a la red. Tanto el técnico como el empleado en el centro comercial coincidían en la dirección y ambos aseguraban haber estado en la respectiva vivienda. Por entonces, desocupada.

Con la certidumbre de que iban a encontrar allí a Pinina, varias patrullas del élite se abalanzaron una madrugada sobre la vivienda, sin que en ésta alguien pudiera dar razón de la supuesta línea asignada a la casa. Al final la policía descubrió que la línea no estaba siquiera en los alrededores y llegó a la conclusión de que sencillamente debía haber sido conectada a una red cualquiera que Pinina hacía suya a partir de sofisticados sistemas de repetidores. Las consecuencias de fracasos como éste eran letales. Los empleados de la telefónica que se avenían a cooperar con las autoridades aparecían muertos y no había que hacer demasiadas suposiciones para identificar el origen de las balas. Era lo que había ocurrido con un mayor retirado de la policía que prestaba sus servicios a Empresas Públicas de Medellín y que en varias ocasiones había puesto información, uniformes y equipos de la telefónica al alcance de las autoridades. Era ello lo que preocupaba al coronel Hugo Martínez Poveda y a la unidad ahora que tenían, otra vez, una pista importante sobre Pinina.

La idea de una fabulosa recompensa excitó de inmediato al novio de la empleada de servicio de Pinina, pero el repentino resplandor en el rostro desapareció con un gesto de ira. El dinero era cuanto necesitaba para realizar varios sueños pero su novia no había permitido nunca que él la acompañara hasta la casa y menos aún había suministrado dirección o teléfono alguno. Era ella quien se comunicaba.

La insatisfacción de los élite no fue menor que la de su interlocutor pero entonces otra idea se vino a la cabeza de un oficial. El muchacho —que habría de aparecer asesinado cuando el cartel se enterara de lo ocurrido— podía seguir a su prometida en la próxima cita hasta ubicar el sitio en el que ella vivía y asunto terminado. No era un método muy confiable pero sí la única oportunidad real de evitar un nuevo fracaso.

El espionaje tardó más de lo previsto. Durante nueve días, a pesar de los ingentes esfuerzos del nuevo aliado de la policía por concertar citas con la joven, nada resultó del todo bien. La muchacha era realmente hábil y en las primeras dos ocasiones en que aceptó reunirse con su prometido terminó por burlar la vigilancia.

En realidad sólo el 11 de junio, los élite tuvieron la certeza de estar en el sitio exacto. A diferencia de lo que había ocurrido en ocasiones anteriores, en la noche del domingo 10, la empleada del servicio de Pinina, no pudo dejar atrás el seguimiento de su novio y en la mañana del día siguiente bastó con que ella se asomara una vez a la ventana para que los élite identificaran el blanco de la operación.

Era cuestión de esperar a que Pinina apareciera en el apartamento.

Las pruebas piloto de la operación policial se realizaron en cuestión de horas. Oficiales y suboficiales del élite, camuflados de civil y ataviados con vestuarios de todo tipo, se instalaron en distintos puntos del sector e identificaron rutas diversas hasta asegurarse de que podrían llegar al apartamento de Pinina en cuestión de 5 minutos, una vez ordenado el allanamiento.

Existía una razón poderosa para evitar la presencia policial más cerca del edificio. A diferencia de los ciudadanos comunes y corrientes —era una variable que el élite no desconocía— los agentes del cartel se tomaban su tiempo para entrar en un sitio y Pinina no era la excepción. Primero enviaban a alguien a inspeccionarlo todo y después, personalmente, merodeaban en círculos para estar seguros de que no existían riesgos ni presencia de autoridades. Sólo entonces entraban en sus refugios.

Inclusive la unidad tenía ya en sus archivos una interceptación claramente reveladora de aquellas previsiones de la mafia. La captó una cuadrilla de oficiales, sin poder ubicar el punto exacto, cuando Pablo Escobar se movía de un sitio a otro.

Pablo Escobar: ¿Cómo vamos ahí?
Maradona: Muy bien, sigan.
Pinina: 25.
Maradona: Siga.
Pinina: ¿En el mismo sitio?
Maradona: Afirmativo.
Pinina: Ah, entonces esperen ahí.
Maradona: Siga.
Pablo Escobar: ¿Cómo me oye?
Maradona: Al ciento.
Pablo Escobar: Un momentico, dele despacio.
Maradona: Recibido, cambio.
Pinina: Erre... El número 3 volteó a la izquierda.
Pablo Escobar: Negativo, negativo, manejen la ruta.
Pinina: ¿Nos quedamos o seguimos?
Pablo Escobar: Sigan por la ruta.
Pinina: El 04 se devuelve.
Pablo Escobar: Mara, Mara...
Maradona: Siga que le copio.
Pablo Escobar: Espérenme ahí en la casita, ahí donde la primera vez.
Pinina: Ahí, en la del mayordomo. Ahí donde paramos la primera vez a dejar al del otro carro...

Con todo, las precauciones que Pinina y otros tomaban para desplazarse, no eran las únicas. Según lo habían comprobado la

Unidad de Inteligencia Electrónica y el Cuerpo Élite, Escobar y sus hombres eran excepcionalmente rigurosos respecto del secreto de sus refugios.

Pablo Escobar: Siga que le copio.

Pinina: ¿Qué más, bien o no?

Pablo Escobar: Bien... ¿Qué más ha habido?

Pinina: ¿Se acuerda del señor que le hablé ayer, el de la máquina (el helicóptero)?

Pablo Escobar: Afirma.

Pinina: Pues yo ya voy a ir a hablar con ellos que traen muy buenas noticias, pero sería bueno ver quién pega una charladita con usted. ¿El de la D o el de la S? ¡Es muy importante!

Pablo Escobar: El de la D de dedo, pero hagamos una cosa: lo metés en el furgón que sabemos y lo encerrás ahí y le das unas vueltas bien raras y lo llevás hasta la escuela ("caleta").

Pinina: Yo le respondo para botar la cola.

Pablo Escobar: Que no se den cuenta de dónde están tampoco.

Pinina: Listo.

Pablo Escobar: Háganlo por la noche.

Pinina: Para mañana ¿a qué horas? Más bien acuerda con los señores de don Abel (Jorge Luis Ochoa Vásquez) para mañana a qué horas.

Pablo Escobar: Listo, para mañana a las ocho de la noche. Con los señores de don Abel.

Pinina: Para que él esté mañana también y alcance a venirse a las ocho, mañana.

Pablo Escobar: Listo pues, a las ocho.

El coronel Hugo Martínez Poveda, su homólogo Lino Pinzón y las patrullas asignadas a la operación Pinina, tuvieron que esperar más de 48 horas antes de obtener resultados. La ansiedad convirtió aquella en una jornada larga y exasperante. Pinina no apareció en el día ni en la noche del lunes 11 de junio, ni tampoco en las 24 horas siguientes. Lo hizo al medio día del 13 de junio de 1990. El coronel Lino Pinzón y sus élites irrumpieron entonces en el edificio, ganaron las escalinatas y derribaron la puerta. El tiroteo resultó corto y dejó sólo una víctima; sin embargo, la retaliación de la mafia no se hizo esperar.

Una Luv con casi cien kilos de dinamita hizo explosión a cien metros de la estación de policía de La Candelaria, unas cuadras antes del parque de El Poblado y muy cerca del edificio en el que la policía acababa de cazar al principal agente terrorista del cartel. La detonación de la carga de dinamita segó la vida del agente de la policía Rigo Alonso Sanabria Ortiz y del transeúnte John Jairo Restrepo Alfonso. Las salas de los hospitales más próximos se vieron repentinamente atiborradas con 97 heridos y unidades de bomberos debieron comprometerse con la remoción de los escombros de 33 vehículos. Aterrados comerciantes se enfrentaron de pronto al sombrío espectáculo de edificios sin fachadas y a las pérdidas que superaban los 700 millones de pesos. La explosión había dejado un cráter de tres metros de diámetro y dos de profundidad en plena avenida de El Poblado. El forense no acababa aún de practicar la diligencia de levantamiento del cadáver, ni de contar los más de 30 impactos de bala en el cuerpo inerte de Pinina.

APOCALIPSIS II*

"Dice que sabe de Pablo..."

Cuando el coronel Hugo Martínez Poveda recibió aquellas instrucciones apremiantes y perentorias, no habían transcurrido tres semanas desde la operación contra Pinina. Debía presentarse en el despacho del director de la policía en el Centro Administrativo Nacional, CAN, en Bogotá, en la mañana del domingo primero de julio de 1990.

Un campesino decía conocer el sitio en el que se ocultaba Pablo Escobar. La misión de Martínez —según lo había concebido el general Octavio Vargas Silva— era trasladar al potencial informante hacia Medellín y organizar la operación. En realidad se trataba de dos baquianos y muy pronto el coronel verificó con enfado que el más despierto y locuaz desconocía en detalle la información. Con todo, agradeció la forma en que presionaba a su acompañante y los ingentes esfuerzos que hacía por obligarlo a precisar detalles, aunque nada de ello tenía que ver simplemente con el loable fin de servir a la justicia. El campesino iba tras la recompensa que el Estado ofrecía por Pablo Escobar y exigía una y otra vez garantías sobre la forma de pago.

---

* **Julio de 1990**. Nunca como en julio de 1992, el Comando Especial Armado, integrado por comandos de élite de la Policía Nacional, tuvo más cerca a Pablo Escobar Gaviria, John Jairo Velásquez Vásquez, Popeye y otros. Esta es la historia de la operación Apocalipsis II. Los informantes, la cacería paso a paso y la fuga del jefe del cartel y los suyos, por entre la selva del Magdalena Medio, a instancias de Jairo Adolfo Cano Tangarife, 24 o Enrique.

El coronel Martínez, los dos informantes y otro oficial partieron del helipuerto de la Policía Antinarcóticos en Bogotá, en un helicóptero artillado, en la segunda tarde de julio de 1990. En esencia Martínez intentaba definir desde el aire un área virtual de operación. Si los datos eran correctos, tenía que actuar en el menor tiempo posible. Su objetivo inicial se cumplió sólo a medias. Una vez en el aire, basados en la información de ambos individuos, Martínez y su subalterno apenas si pudieron hacer una filmación y tomar una fotografía, a cientos de millas de la zona en la que probablemente se encontraba Escobar.

Sobrevolaron tan alto aquel día, 2 de julio de 1990, que hasta tuvieron la oportunidad de divisar debajo de ellos otro helicóptero que surcó los cielos sobre Aquitania y desapareció en el horizonte. Como en una pesadilla, el coronel Martínez tuvo por unos instantes el oscuro presentimiento de que Escobar huía en ese aparato, sin que él estuviese en capacidad de evitarlo. Sólo pudo disipar sus temores cuando aterrizaron en la base de la Escuela Carlos Holguín, en Medellín. Dos oficiales de la Unidad de Inteligencia, cuya tarea principal era informarse cada día sobre los vuelos que comprendían a Antioquia, explicaron que el helicóptero que se le había cruzado en el camino era un aparato de la Gobernación de Antioquia, desplazado a Aquitania para trasladar a un obispo.

Aunque aquello fue una noticia relajante para el coronel Martínez, otro episodio terminó por exasperarlo. Cuando estaban ya sentados a la mesa cartográfica, con varios mapas del Magdalena Medio, perfectamente identificado en el centro de Colombia y cuando empezaban a analizar la filmación que habían hecho desde el aire y que ahora veían en un equipo de VHS, el oficial se encontró con que sus dos informantes estaban realmente lejos de saber cuál era la ubicación exacta del refugio en el que presumiblemente permanecía oculto Escobar. Sintió una profunda indignación cuando el campesino de las pocas palabras le dijo que no era él quien sabía del paradero del jefe del cartel.

—¡Hermano, lo que necesitamos es que venga el que sabe... El que conoce el sitio y nos puede servir de guía! —explicó irritado el coronel Martínez observando por igual a sus desconcertados interlocutores.

Realmente estaba convencido de que era víctima de un engaño o por lo menos de una información tan gaseosa e imprecisa que nunca iba a ubicar a Escobar en esa zona, aun cuando volcase sobre ella a cada uno de los 92 mil hombres de la policía. Decidió entonces posponer la operación y el desplazamiento de los comandos de élite. Le tomó 24 horas más ubicar al campesino que aparentemente lo sabía todo sobre el paradero de Escobar.

Escoltado por una patrulla y acompañado de uno de los primeros informantes, el baquiano apareció el 3 de julio de 1990 en el despacho del coronel Hugo Martínez Poveda, en la sede de la Escuela Carlos Holguín de Medellín. No obstante, al igual que sus antecesores, tenía dificultades para comunicar cuanto sabía y más aun sobre planos de ubicación, mapas y fotografías. Ni qué decir de la cinta con la grabación de la zona. Después de dos horas de interrogatorios, entre aturdido y desesperado, el tercer campesino se atrevió a decir lo que verdaderamente pensaba:

—Yo puedo orientarlos pero si vamos por tierra. Yo desde el aire me pierdo.

Esa promesa llenó por unos instantes de júbilo al coronel Martínez. Sin embargo, la emoción le duró poco. Se crispó como nunca, cuando finalmente se lanzó a hacer la pregunta obligada:

—¿Usted vio a Pablo Escobar? ¿Usted lo vio en alguna casa cercana?

Su interlocutor quedó virtualmente mudo. Tampoco era él quien había visto al jefe del cartel de Medellín. Probablemente, si alguien podía orientar a la policía, una vez que ésta estuviera en la zona, era un vecino suyo.

Después de escuchar al tercer informante, el coronel Martínez se levantó airadamente de su silla. A su juicio, no tenían en realidad una sola pista. Decidido a desechar la idea de la operación, telefoneó directamente al general Vargas y le pidió suspender la acción.

—Mi general —le dijo— no hagamos esa operación porque perdemos el viaje. Ninguno de los tipos sabe exactamente dónde es el sitio. El último con el que hablé dice que en ese punto vio al que sabe o al que le dijo: "Vea... por allá está Pablo Escobar". Pero eso es todo.

—General —insistió— ¿por qué no esperamos? Podemos aprovechar si hay una persona que nos identifique más el lugar, que nos dé precisión sobre el punto y ahí sí hacemos la operación...

El ex subdirector de la Escuela de Policía General Santander estaba francamente harto de todo aquello. No sólo ignoraba el sitio exacto de la ubicación de Escobar, sino que los delatores eran hombres incapaces de ubicar algún punto de partida en las fotografías o el video. Por si aquello fuese poco, localizar a quien supuestamente había visto en esa zona a Escobar era una labor al extremo fortuita. En el mejor de los casos algo podía resultar de todo aquello pero, en el peor, la prensa tendría otra vez la oportunidad de convertir la operación en un nuevo fiasco. No obstante, el pesimismo que embargaba al coronel Martínez, y hasta su reticencia a lanzarse en una operación a ciegas, no disuadieron a sus superiores sobre la conveniencia de realizarla.

—Usted, coronel Martínez —le explicó el comandante operativo de la Policía Nacional, general Octavio Vargas Silva— está a cargo de la Operación Apocalipsis II.

Tres divisiones del Cuerpo Élite partieron de la guarnición de la Escuela Carlos Holguín poco después de las 10 de la noche del martes 3 de julio de 1990. Los campesinos que servían de informantes al coronel Hugo Martínez Poveda marchaban en la segunda línea de fuego. Las primeras escuadras estuvieron antes de la medianoche en una vía secundaria camino de Aquitania, entre las poblaciones de

Doradal y La Danta. Creyeron haberse encontrado con la primera pista después de ascender casi 40 minutos a pie sobre la cordillera visualizando al costado derecho el río San Miguel, que se extendía hasta una pequeña vereda del mismo nombre, atravesaba La Danta y desembocaba en el río Cocorná.

A lo lejos, Martínez, los élite y los propios campesinos divisaron una casa enorme y extravagante, en un área que sabían apenas circundada por ranchos pobres y pequeños. Dispuestos en varios grupos rodearon en silencio el lugar, pero pronto descubrieron que la vivienda estaba apenas en construcción y que esa noche no había ni siquiera un perro cuidandero allí. Era una casa trabajada con madera de aquella que se extraía de los aserríos de la zona y tenía un techo fabricado con tejas de lámina nuevas y relucientes.

Más adelante, siguiendo durante una hora y diez minutos de camino a través de trochas hasta entonces inexploradas por la policía, se veían quemas, testimonio de los laboratorios de procesamiento de narcóticos que en épocas recientes tenían que haber operado allí. Los élite descubrieron canecas incineradas, restos de las ramadas que alguna vez habían servido de refugio a los procesadores de coca, varios vestigios de vehículos quemados y caminos que la maleza empezaba a recubrir y que habían sido abiertos a machete y a fuerza del peso de camiones. Aquello estaba en mitad de la selva, pero existía un claro para aterrizaje de helicópteros. El coronel Martínez Poveda y otros oficiales sólo se percataron de la magnitud de aquella infraestructura unos días después, desde el aire, a bordo de los aparatos artillados. Por la acción de las aspas de los helicópteros, los oficiales de policía pudieron ver, por entre la maleza, los restos de un enorme complejo de laboratorios.

En esa madrugada del miércoles 4 de julio de 1990, Martínez y sus hombres sólo pudieron llegar hasta la cabecera de los extintos laboratorios. El ex subdirector de la Escuela de Policía General Santander no había visto jamás un informante más aterrorizado.

—Yo los acompaño hasta aquí. El tipo debe estar por allá... —le escuchó decir al baquiano.

"Por allá" no era en realidad nada y, sin otra alternativa, Martínez decidió que los élite esperaran en el helipuerto. Sólo al amanecer permitió que se lanzaran en allanamientos sobre casas que encontraran en los alrededores. A primera hora, él mismo enlazó con microondas a Bogotá y comunicó el fracaso de sus pesquisas. Luego pidió apoyo de helicópteros para que él y varios oficiales hiciesen un barrido de la zona, si los generales lo consideraban conveniente.

Aunque Martínez Poveda no lo sabía, Escobar se encontraba más cerca de lo que los élite podían creer. Su refugio distaba una hora a pie del cementerio de laboratorios hasta el que habían llegado las patrullas del Cuerpo Élite de la policía. Era una vivienda mimetizada entre la selva a la que se accedía siguiendo el curso de una quebrada natural conocida como La Cristalina.

Sin embargo, alertado por el sobrevuelo de helicópteros, Escobar había salido de ese primer refugio acompañado por John Jairo Velásquez Vásquez, Popeye; Jairo Enrique Cano Tangarife, 24, y otros, y se había dirigido hacia la "supersecreta", una casa construida por Carlos Taborda, El Negro. La vivienda estaba a 15 kilómetros del corregimiento de Doradal, en jurisdicción de la localidad de Santa Ana y a dos kilómetros de allí, por entre la selva, se encontraba la carretera que conducía a los municipios de Argelia, Santo Domingo y Aquitania. Era una construcción *sui generis* que iba de un árbol a otro y que aprovechaba ambos troncos a manera de vigas laterales. Después de partir de la casa de la quebrada de La Cristalina, Escobar, Popeye y 24 tardaron una hora en llegar hasta la "supersecreta".

"Hay una pista..."

Las patrullas de tierra que seguían rastreando la zona con oficiales extenuados, hartos y semidormidos, volvieron a la vida poco antes de las 2 de la tarde del miércoles 4 de julio de 1990. Llegaron a esa hora hasta la casa, en la ruta por el cauce de la quebrada La Cristalina y sus hallazgos se constituyeron en evidencia contundente y reveladora sobre la proximidad de Escobar. El oficial que se comunicó por radio con el coronel Hugo Martínez le explicó que existía más de una variable para construir esa hipótesis y concluir que estaban en el camino correcto. Había una motobomba, una planta eléctrica, cientos de pequeñas cajas de agua pura y más de un enlatado sin destapar. También poseían documentos y libretas abandonadas durante la fuga y un rastro tan truculento como revelador: en el cuarto principal, debajo de la cama, había una cascabel muerta a tiros, pero aún no descompuesta.

—¡Este h.p. está viviendo al fin entre las culebras! Sus condiciones son paupérrimas —dijo a través del radio el oficial al coronel Martínez, que ahora le exigía coordenadas, verificación del claro más próximo de aterrizaje y, por sobre todo, intensificación de las operaciones.

Aun cuando seguía dependiendo de su poco locuaz pareja de informantes, el coronel Martínez Poveda tenía al fin una evidencia de que Pablo Escobar se encontraba en la zona. Lo verificó con sus propios ojos cuando estuvo en la casona. Eran las 3 de la tarde. En una olleta había café fresco y en una olla una buena porción de fríjoles. Lo demás eran enlatados. También encontró varios entierros de basura, cantidades realmente importantes de repelente y las cajas de agua.

La casa tenía poco de extraordinario. Estaba construida en madera y había sido diseñada de tal forma que el piso se encontraba a 30 centímetros del suelo. Tenía dos piezas. En la segunda había cuatro camas, dos sobre las tablas de madera y otras dos encima de una especie de rascacielos al que se accedía por una escalera. Martínez divisó tres televisores y después ubicó la planta eléctrica. Todo ello, sin embargo, pasó rápidamente a un segundo plano.

La patrulla que avisó al coronel sobre la existencia de la cabaña de La Cristalina tenía un prisionero. Los baquianos de la región lo apodaban El Negro, y su nombre era Carlos Taborda. Al divisar a los élite, intentó huir pero unos minutos de persecución y varios tiros al aire lograron disuadirlo, entre otras cosas, porque en medio de la fuga terminó acorralado en el fondo de un pequeño barranco.

Con enorme satisfacción, el coronel Martínez comprobó que El Negro era el misterioso testigo al que los dos campesinos que hacían las veces de informantes se referían. El mismo que unos días atrás había dicho a los baquianos: "Mirá, por allá anda Pablo Escobar".

Aterrorizado y seguro de que vivía los últimos instantes de su existencia, El Negro se ofreció a guiar a la policía hasta otro sitio, una cabaña en construcción que él terminaba para Escobar. No obstante, en cuanto se percató de la familiaridad con que el detenido se refería a Escobar y se dio cuenta de que El Negro estaba lejos de ser un simple baquiano, Martínez sintió una profunda desconfianza frente a la oferta. No pudo evitarlo. En razón de los meses que llevaba al frente de las interceptaciones producto de los sistemas de *scanner* y de los que cumplía dedicado al rastreo de líneas telefónicas, el ex subdirector de la Escuela de Cadetes General Santander se había convertido en un escéptico. Conocía la audaz capacidad de desinformación de la que hacían gala los agentes del cartel y estaba seguro de que "la otra cabaña" no pasaba de ser un engaño. Con todo, hacia las 4 de la tarde del 4 de julio, antes que terminara de caer la tarde, envió la última patrulla de que disponía. Las había distribuido en una vasta zona desde las seis de la mañana de ese miércoles 4 de julio de 1990, y los refuerzos apenas empezaban a llegar.

"Retírense, vamos a bombardear"

La continuidad de las operaciones arrojó sus frutos antes de las 6:30 de la tarde. El Negro guió a la patrulla del élite, directamente hasta la "supersecreta", una construcción perfecta, con los árboles por muro y la selva como resguardo y, claro está, con más de una comodidad: planta eléctrica, motobomba, televisores y montones de alimentos.

Ni el coronel Hugo Martínez Poveda ni los élites tuvieron un solo instante de sosiego desde cuando el capitán al mando de la patrulla que arribó primero a la "supersecreta" tomó el radio y balbuceó un mensaje directo:

—Mi coronel... el hombre se acaba de ir. Esto está fresco...

Martínez volvió entonces al claro en las ruinas de los laboratorios, que servía ya de helipuerto a la policía, subió a uno de los aparatos artillados y empezó a sobrevolar la zona.

—Yo no veo nada... No se ve... ¡indíquenme, indíquenme!

Realmente desde el aire todo cuanto podía visualizar era la selva en oscuridad y, sin más, optó pronto por una nueva decisión.

—Prendan una hoguera y salgan de ahí porque vamos a disparar hacia abajo...

El capitán y los élite hicieron caso inmediatamente y, apenas cumplieron con lo suyo, pusieron el semáforo en verde: "Pueden proceder porque ya salimos". Tres helicópteros de la policía dispararon esa noche y hasta el amanecer cuanta munición tenían. Cada uno más de 1.500 tiros de M-60. Acababan de inaugurar realmente la Operación Apocalipsis II, una acción de la policía y el ejército que habría de prolongarse casi un mes dentro de la selva.

"Esto es obra de Henry Pérez"

Pablo Escobar tenía la certeza de que la delación y las operaciones policiales eran obra de Henry Pérez. A finales de junio de 1990, apenas dos días después que ambos habían sostenido su última entrevista en una casa a 30 minutos de "la caleta" de La Cristalina, la policía había descubierto uno de los más sofisticados planes para atacar y volar en pedazos un grueso convoy del Cuerpo Élite. En un punto de la vía Puerto Triunfo-Doradal, tras barrancos de la carretera, que varios "trabajadores" habían picado durante las noches hasta dejar de ellos sólo una tela menor de tierra, Escobar había hecho instalar ocho canecas lecheras repletas de explosivos. Estaban interconectadas entre sí por mecha larga y, en conjunto, constituían una pavorosa carga de 1.800 kilos de dinamita.

La confiscación de los explosivos hizo sospechar por primera vez a Escobar de Henry Pérez, pero fue el episodio del helicóptero el que lo llevó a la convicción de que había sido traicionado por aquella especie de comandante de los paramilitares del Magdalena Medio al que había engendrado Gonzalo Rodríguez Gacha, El Mexicano. Escobar vio el helicóptero como un punto borroso en el horizonte, pero no dudó en expresar cuanto estaba pensando:

—Popeye, estamos sapeados...

Verificó que no se equivocaba cuando en la madrugada del 4 de julio de 1990 un vigía le avisó que agentes del Cuerpo Élite venían barriendo la zona y él escuchó tronar el inconfundible rotor de las hélices de los helicópteros. Tuvo que salir con Popeye, 24, Ismael y otros de la cabaña, en un recodo de la quebrada de La Cristalina. Una alerta similar le permitió abandonar ese mismo día, 4 de julio de 1990, la "supersecreta", introducirse por entre la selva y ser testigo de excepción del ataque de los helicópteros sobre la vivienda.

Reinició el camino de huida al día siguiente pasadas las 5 de la mañana. Hizo que Popeye, 24 y los demás llevaran sólo lo justo: R-15 pequeños y subametralladoras, *nylon* y anzuelos para pescar y una que otra bolsa menor de confites.

En la mañana del 5 de julio de 1990, al día siguiente del bombardeo, el propio general Octavio Vargas Silva descendió de uno de los helicópteros de apoyo. Comandaba a los élite transportados para servir de soporte a las operaciones. Le tomó menos de una hora examinar primero "la caleta" de La Cristalina y después las ruinas de la "supersecreta". Se reunió luego con el coronel Martínez y con otros oficiales.

En el mapa de la extensa zona que conectaba por el Magdalena Medio antioqueño intentaba descubrir las eventuales rutas de escape, en tanto el élite iba instalando patrullas en vías anexas a La Danta, a Doradal y a Puerto Triunfo y hacía reconocimientos en los aserríos de San Luis y en las viviendas incrustadas en toda la región de Aquitania. A partir de allí se dio la orden de realizar rastreos día y noche y se hizo obligatoria la instalación de puestos permanentes de control. Era cierto que Escobar huía, pero también que debía estar en algún punto de la selva.

La verdad, después de caminar durante más de once horas, monte arriba, aprovechando la luz del día del jueves 5 de julio de 1990, Escobar, Popeye, Ismael, 24 y otros, empezaron a desandar sus pasos. Deliberadamente durante el día habían dejado más de una huella esporádica: papeles de chocolatina y dulces y otros rastros que pudieran confundir a sus perseguidores. Sin embargo, tuvieron especial cuidado de que no ocurriera lo mismo en la noche.

Antes que amaneciera se encontraron el único puesto de control policial que se cruzó en su camino y estuvieron a diez pasos de los agentes del Cuerpo Élite. Lo franquearon apoyados en la astucia de 24, que era como un pez en el agua en la oscuridad y la maleza. Soportaron extenuantes jornadas hasta arribar a una zona de maleza, cerca de Río Claro. Siguieron la ribera y caminaron hasta una vereda en la que obtuvieron transporte. Llegaron a San Carlos y se dividieron. Pablo Escobar y Popeye marcharon hacia El Peñol.

No pasaron mucho tiempo allí. Los insectos y las aguas crudas del Magdalena Medio tuvieron un efecto devastador en Pablo Escobar.

A las operaciones en la "supersecreta" y sus alrededores siguieron las capturas. El 7 de julio de 1990 El Negro condujo a la policía primero hasta varios procesadores de cocaína vinculados a la pista de Mamarrosa, en el alma misma de Nápoles; después hasta el propio Hernán Darío Henao, H.H., y finalmente hasta cinco paramilitares que habían huido hacia Doradal y que se disponían a escapar en un campero cuando los sorprendió el élite. El Negro conocía a H.H. desde hacía años y debía a él sus últimas órdenes de trabajo. El administrador de Mamarrosa no era solamente quien lo proveía de herramientas y clavos sino, más importante aún, de los jornales cotidianos.

Una vez identificado, el propio H.H. condujo a los élite hasta una "caleta", ubicada en el desvío hacia la población de San Miguel, a dos kilómetros, en línea paralela, del portal de Nápoles. Era un cilindro amplio, en forma de silo enano, que se encontraba bajo tierra. H.H. paleó la maleza y después levantó una gruesa tapa fundida en lámina y cemento. El coronel Martínez Poveda se estremeció. Identificó al instante los uniformes de los dos agentes de la Policía Vial que habían desaparecido en forma misteriosa una semana atrás; sus revólveres de dotación, sus chapuzas y sus brazaletes. También estaban allí las carteras que contenían los documentos de identificación de los agentes y pequeñas fotografías en que aparecían al lado de sus esposas o de sus hijos. La "caleta" ocultaba además tres fusiles.

"Yo me vengaré"

A la finca La Bola, que Escobar y Popeye escogieron como refugio después de dejar atrás la Operación Apocalipsis II y de abandonar El Peñol, se llegaba a través de un desvío, situado a dos kilómetros del primer peaje en la autopista Medellín-Bogotá. En cuanto Escobar estuvo en la hacienda, Ricardo Prisco asignó 20 hombres a la custodia del predio y se aseguró de que su hermano, el médico, se hiciera cargo del maltrecho estado físico de Escobar. Con Popeye como enfermero, el jefe del cartel tuvo que tomar antibióticos fuertes y consumir un galón de agua tras otro, después que el galeno le tomó una muestra de sangre, la llevó al laboratorio y descubrió que su paciente padecía algo que los baquianos llamaban "paludismo cerebral". En realidad, nada distinto de fiebres, agudizadas por una infección intestinal, producto del consumo de aguas insalubres.

Aunque pasó más de un mes postrado en cama, delirando y vomitando todo lo que comía, Escobar no dejó por ello de dictar la sentencia de muerte de Henry Pérez. Era un mensaje incoherente pero macabro:

"HENRY PÉREZ:
Le hago saber que la traición no tiene precio.
Me daré el gusto de arreglar algunas cuentas con Ud. además de ser sapo se aliaste (sic) con esa gonorrea del mayor Aguilar de la Dijín, pero le hago saber que la guerra no la estoy perdiendo y así me gaste $ 2.000.000.000.oo de pesos y tenga usar la forma que sea, los agacharé.
Muy pronto me daré ese placer.
DOCTOR ECHAVARRÍA"

Están libres

Los élite instalaron el cuartel general de la Operación Apocalipsis II en el alma de Nápoles y pusieron allí campamentos de abastecimiento y apoyo logístico. Por instrucción del propio jefe de Estado, ofrecieron 300 millones de pesos por información útil para cumplir la captura de Pablo Escobar, a más de protección especial y cambio de identidad a los eventuales testigos.

Tras las detenciones, la policía había identificado, entre otros, a José Aquilano García Quintana; Luis Eduardo Castrillón Granada, Eduardito; Jesús María Giraldo Domínguez, Chucho; John Jairo Orozco Narváez, Chocolate; Iván Gómez Díaz; Carlos Alberto

379

Quintana, Topo Giggio; José Nicolás García; Luis Eduardo Reyes; Gilberto Giraldo Martínez y, claro está, Hernán Darío Henao, H.H.

El propio brigadier general Octavio Vargas Silva —cuyas órdenes se cumplieron al pie de la letra— dio instrucciones precisas para que los capturados fueran traslados a Bogotá y puestos a disposición de jueces antimafia o de orden público.

Los interrogatorios a que oficiales de la policía sometieron a H.H y a otros detenidos, los llevaron a la convicción de que Hernán Darío Henao y los suyos estaban directamente involucrados en el ataque a una patrulla de élites en Puerto Libre, entre La Dorada y Puerto Boyacá, en junio 27 de 1990. En la emboscada habían muerto los agentes Gustavo Gaviria Jaramillo, Fernando Valderrama Naranjo, Alon Darío Rodríguez García y José Alirio Cardona Gil.

Los élite también creían tener certeza de que entre los detenidos se encontraban los responsables del atentado a los policías Helí Rojas Montenegro, Alejandro Rosas y Jaime Enrique Gutiérrez Hernández, baleados el mismo 27 de junio de 1990, cuando se disponían a requisar un taxi Renault 9. Varios oficiales de la policía confiaban, además, en que alguno de los capturados suministrara pistas sobre el homicidio del cabo primero Luis Orlando Hoyos Cruz, adscrito a la compañía Escorpión y cuyo cadáver había aparecido el 1o. de junio en un despoblado de la vereda de Río Claro.

Pero no tuvieron éxito. Un juez decretó la libertad de los detenidos unas semanas después que se cumplió el traslado de H.H y su grupo a Bogotá. A pesar de ello y de la fuga de Escobar, la Operación Apocalipsis II sí había tenido un efecto colateral enorme: 24 y sus paramilitares partieron en éxodo y lo propio ocurrió con el caldense Rodrigo Vanegas y con otros veteranos capataces del procesamiento y envío de cocaína de Fernando El Negro Galeano, Albeiro Areiza, El Campeón y Gerardo Kiko Moncada. Era el fin de Mamarrosa y, con ella, de los laboratorios tras Parcelas California, La Danta y Las Mercedes, el más fabuloso emporio del tráfico de los narcóticos que había erigido Escobar en toda su historia criminal.

EL REINO DE LOS SECUESTROS*

Diana Turbay, plan 1

El plan original para secuestrar a Diana Turbay, hija del ex presidente liberal Julio César Turbay Ayala, había fracasado en forma circunstancial, a comienzos de junio de 1990. Como si los funcionarios supiesen exactamente lo que estaba por ocurrir, varios vehículos del Departamento Administrativo de Seguridad (DAS) aparecieron, en esa oportunidad, intempestivamente, sobre la calle 34 con carrera cuarta, donde tenía su sede la revista *Hoy por Hoy*. Los Toyotas con detectives del DAS a bordo surgieron en el instante mismo en que

---

* **Agosto de 1989-diciembre de 1990.** Aun antes de la vasta Operación Apocalipsis II, el secuestro de personalidades como fórmula de chantaje al gobierno, a los sectores influyentes de opinión y a la sociedad en general, era una obsesión en la cabeza de Pablo Escobar. No obstante, fue durante el período de plena convalecencia del jefe de la mafia, acosado por fiebres y vómitos tras sus días de fuga por entre la selva, que a través de los plagios de Diana Turbay —hija del ex presidente Julio César Turbay Ayala—, de Marina Montoya —hermana del ex secretario general de la presidencia—, de Germán Montoya Vélez, de Francisco Santos —jefe de redacción de *El Tiempo* y miembro de una familia prestante de toda la nación—, de Maruja Pachón —cuñada del inmolado candidato Luis Carlos Galán Sarmiento—, y por coincidencia de Beatriz de Villamizar —hermana de Alberto Villamizar, senador contra el que la mafia había intentado atentar por defender la extradición—, el cartel hizo que una nación entera se sintiese rehén. Este capítulo es, a la vez, la historia de cómo actuaron los hombres de la mafia antes de cada plagio y la historia de los inocentes que fueron sometidos a una cacería en la que jamás tuvieron oportunidad de saber que eran la presa a la que seguía el cartel. Ni la baja a finales de 1989 de Gustavo de Jesús Gaviria Rivero, el capo del envío de drogas más importante en la familia de Escobar, puso freno a la escalada de los narcotraficantes en busca de rehenes.

Popeye y otros agentes del cartel se disponían a realizar el secuestro de Diana Turbay.

Para entonces, cumplían más de una semana siguiendo a la directora de la revista *Hoy por Hoy* y en el día elegido para llevar a cabo el secuestro acababan de ver a Diana Turbay salir de la sede del magazín y cruzar la calle en busca de una cafetería cercana. Sólo esperaban a que ella estuviese adentro para bajar de los vehículos cuando surgieron en los espejos retrovisores los carros del DAS y los agentes con el índice puesto en el gatillo de las Ingram. Sin esperar, Popeye y los demás desaparecieron por la vía que habían previsto como ruta de escape. Les tomó 40 minutos estar de nuevo en el hotel La Fontana, uno de los últimos hoteles cinco estrellas del norte de la capital, situado sobre la avenida 127 con carrera 21, en uno de los sectores más exclusivos de la ciudad. Los enviados de Pablo Escobar se habían alojado allí amparados en cédulas falsas. Pasaban como un grupo de ejecutivos elegidos por una empresa que asistía a seminarios y finiquitaba negocios diversos en Bogotá. Paulatinamente, tras la aparición del DAS en la casa que servía de sede a la revista, cancelaron los registros y así mismo fueron partiendo hacia Medellín.

Unos días después Popeye volvió a Bogotá pero rápidamente comprobó que intentar algo en la revista iba a ser imposible. Dos policías permanecían en los alrededores y no tuvo dudas de que por lo menos una pareja de detectives secretos vigilaba el sector con atuendo de paisano. Regresó a Medellín y notificó de ello a Pablo Escobar. El jefe del cartel pidió a Popeye que permaneciera con él en las "caletas" del Magdalena Medio y le explicó que tenía otro candidato para realizar "la vuelta": Ricardo Prisco Lopera.

Artífice en el asesinato del ministro Rodrigo Lara Bonilla y veterano como pocos en el submundo del hampa, Ricardo Prisco pensaba en un señuelo *sui generis*: un ex guerrillero del Ejército de Liberación Nacional (ELN). Se lo explicó tácitamente a Pablo Escobar: "Yo tengo la manera de picarle arrastre a Diana Turbay con el cuento de que ella puede hablar con el cura Pérez". Estaba realmente seguro de que el ex insurgente se bastaría por sí solo para entrar en contacto con la hija del ex presidente.

Escobar había pensado en el plagio de Diana Turbay porque a la par con la impronta del ex presidente, la madre de la directora de la revista *Hoy por Hoy,* doña Nydia Quintero, era uno de los ciudadanos con más carisma y popularidad de toda la nación. Sus cruzadas en favor de los desvalidos y de las gentes sin recursos habían cristalizado en una organización poderosa que ella bautizó como Solidaridad por Colombia. Su movimiento era una esperanza en la lucha contra la pobreza.

En cuanto hacía directamente a Diana Turbay, si bien ella dedicaba la mayor parte de su tiempo a la revista, era además una ejecutiva influyente en el noticiero Criptón, en el que los Turbay tenían la primera participación accionaria.

Tras el fracaso de Popeye y los agentes del cartel que en junio se habían hospedado en La Fontana, Ricardo Prisco estaba seguro de que sólo acudiendo al artificio de una historia exclusiva, podrían conducir a Diana Turbay hacia una trampa. Ella no iba a negarse ante la oportunidad de hacer una entrevista con el cura Manuel Pérez, clérigo español que había dejado la sotana y el incienso para convertirse en cabeza de una organización guerrillera y radical, cuyos actos de violencia se concentraban esencialmente en atentados dinamiteros contra la infraestructura eléctrica y petrolera del país. Escobar estuvo de acuerdo en esa percepción y simplemente le dijo:

—Dele el manejo que usted crea conveniente. El caso es que me la traigan y que pongan mucho cuidado en que no le pase nada...

La desinformación

La unidad rastreaba otra vez, esa noche de agosto de 1989, las comunicaciones de Gustavo de Jesús Gaviria Rivero. Recibía órdenes de su primo Pablo Escobar, que no dejaban de asombrar al propio coronel Hugo Martínez Poveda y que, claro está, iban a causar aún más estupor entre los generales de la policía en Bogotá. Una de ellas era una confabulación insólita contra la campaña de recompensas que el gobierno había puesto en marcha después del fracaso de la Operación Apocalipsis II, para obtener información que permitiera detener a Escobar y a otros potentados del tráfico de narcóticos.

Lo que Escobar se proponía, a instancias de Gustavo de Jesús Gaviria, era desestabilizar plenamente las operaciones policiales en su contra a través de llamadas anónimas y del suministro constante de información que, aunque falsa, siempre tuviese el carácter de real. Aunque la unidad había llegado tarde a la comunicación, a su juicio, el mensaje no podía ser más evidente:

Pablo Escobar: Es que lo que yo considero muy bueno es que pongamos un grupo de seis u ocho muchachos. Que El Pecoso se los consigue, hermano, para que estén haciendo llamadas todos los días allá y dando datos suyos y míos y ponerlos a trabajar para que cuando uno llame de verdad no le hagan caso: ¿me entiende?

Gustavo Gaviria: ¿Para hacer llamaditas?

Pablo Escobar: Llamaditas y cartas y cuentos. De que yo le pinté una casa, que yo estuve en una fiesta, de que yo soy el padrino, que soy hermano del que le hace la comida, un montón de cuentos raros... Hermano, esa gente le está parando bolas a todo, porque yo ya me di cuenta y, así, hermano, el día que llamen de verdad, ya no le creen y los mantenemos ocupados a toda hora, hermano. Tenemos que poner un grupo únicamente a trabajar en eso.

Gustavo Gaviria: Repíteme que no te oí...

Pablo Escobar: Bueno, que pongan a trabajar un grupo que dé datos. ¿Me copió?

Gustavo Gaviria: Correcto, correcto, para que hagan llamaditas...

Pablo Escobar: Esa es la mejor defensa de nosotros. Que se inventen cuentos raros de que uno pintó una casa, de que el otro fue a una finca, de que el otro es amigo de la cuñada, que el otro es vecino... Un montón de cuentos raros: ¿me entiende?

Gustavo Gaviria: Correcto, correcto.

Pablo Escobar: Hay que pagarles sueldo. Hay que poner una "oficina" para eso y con eso los mandamos (al Cuerpo Élite y a los organismos de seguridad) para el manicomio.

Gustavo Gaviria: Correcto, correcto.

Pablo Escobar: Organízala con El Pecoso, que ellos tienen unos muchachos muy capaces y les damos una platica para que todos los días manden cartas y telegramas, llamadas y fotos y huevonadas raras.

Gustavo Gaviria: Correcto, correcto.

Pablo Escobar: Bueno, ¿qué más ha habido?

Gustavo Gaviria: Pues no, todo bien.

Pablo Escobar: Ayer hicimos una llamadita que estábamos por allá en un hotel y casi tumban el hotel.

Gustavo Gaviria: ¿A quién, a los de allá?

Pablo Escobar: A los de la televisión (los élite).

Gustavo Gaviria: Ah, ya, correcto.

Pablo Escobar: Entonces así los desgastamos. Poner un grupito de seis estudiantes a hacer esas vainas que El Pecoso los organiza con Upegui, que es muy vivo para eso.

Gustavo Gaviria: Correcto, correcto.

Desde aquellas interceptaciones en que Gustavo de Jesús Gaviria había hecho mención sobre los "giros" a Cartagena y negociado el monto de sobornos para obtener la libertad de terroristas como El Pecoso, la unidad había captado otra decena de comunicaciones del tercer zar del cartel de Medellín. Se trataba en realidad de un delincuente avezado y en ello el coronel Hugo Martínez Poveda no se equivocaba un centímetro. Gustavo de Jesús Gaviria Rivero, según lo había comprobado la unidad, no era sólo un criminal hábil para la administración del tráfico de narcóticos. Invertía sumas importantes en empresas discretas y, sólo en apariencia, absolutamente lícitas. Aeroes era sin duda uno de los mejores ejemplos de ello. La firma aparecía inscrita a ciudadanos sin antecedentes y, con el tiempo, terminaría prestando servicios esporádicos a los dos consorcios que estaban a la vanguardia dentro de las compañías de transporte de joyas y valores y que, sin saberlo, iban a terminar colocando enormes fortunas en manos de los testaferros de la mafia.

Aeroes —cuya razón social habría de cambiar en 1992 por la de Aerolíneas Especiales— operaba desde julio de 1988 a instancias de Hernando Sepúlveda, Raúl Rubiano y William de Jesús Pérez. Los dos primeros, pilotos retirados de la Fuerza Aérea Colombiana. La firma tenía el permiso de operación expedido por la Aeronáutica Civil No.18462 de 1988. Rubiano aparecía como el propietario del HK-3081, en realidad propiedad de Pablo Escobar, y un hombre identificado como Alonso Muñoz Restrepo hacía figurar como suyo el HK-2588, un aparato que habría de terminar accidentado en Titiribí, Antioquia, y que, como muchas otras aeronaves, era un activo de Gustavo de Jesús Gaviria Rivero.

Un tercer helicóptero, de matrícula HK-2679, retenido por la policía y basado en el aeropuerto de Guaymaral, figuraba a la razón social de Aeroes y otro, de matrícula HK-2196, estaba inscrito a nombre de José Humberto Hoyos Cano, aunque era una propiedad compartida entre Gustavo de Jesús Gaviria Rivero y Hernando Sepúlveda, a la sazón dueño de 30 por ciento del aparato.

Más aún que Pablo Escobar Gaviria, en fin, Gustavo de Jesús Gaviria Rivero era el traficante pujante y el organizador de "las vueltas" de envío clandestino de narcóticos. Repartía cuotas, asignaba responsabilidades y señalaba la tajada de utilidades que correspondía a cada quien. Así lo ponían en evidencia los rastreos cada vez más frecuentes de sus conversaciones. El coronel Martínez Poveda y la unidad habían pasado días enteros, con las agujas de los boliómetros de un extremo a otro, sólo a la caza de las comunicaciones de Gustavo de Jesús Gaviria Rivero. En la primera semana de agosto de 1990 se encontraron con una nueva línea telefónica. La certeza de una red, sin embargo, lo era todo y no era nada. Eso lo sabía la unidad después de decenas de allanamientos fallidos y, aún más, tras el episodio que finalmente los había llevado hasta Pinina.

Por lo demás, en una oportunidad, en la persecución de un narco-traficante, los élite habían seguido una línea casi desde su conexión en la telefónica y, con una orden de allanamiento en mano, habían terminado irrumpiendo en la residencia de una familia de clase media alta de Medellín integrada por una pareja de profesionales honestos. Al cabo del tiempo descubrieron que el hombre al que buscaban, Camilo Zapata, J.C., el mismo maniático de la brujería y las prácticas satánicas, que era a su vez uno de los principales artífices del tráfico de cocaína en la organización del extinto José Gonzalo Rodríguez Gacha, El Mexicano, estaba en realidad a un kilómetro del sitio del registro. Lo supieron después de descubrir un complejo sistema de inalámbricos cuya base se encontraba a dos casas de la dirección en que realizaron el allanamiento.

Algo similar les había ocurrido en cinco oportunidades, respecto del propio Gustavo de Jesús Gaviria Rivero, y ahora que habían identificado un nuevo número de teléfono —era esa la convicción del coronel Martínez— los resultados dependían de una operación milimétrica y, en lo posible, idéntica a aquella que había conducido a Pinina a la tumba. Al fin y al cabo estaban ante el traficante más avezado de los Gaviria.

"Alcen de nuevo a Diego..."

La orden de Pablo Escobar Gaviria había sido tajante: "Se me van para Bogotá y alzan de nuevo a Diego Montoya porque el gobierno ya nos engañó y tiene una deuda conmigo..." Con todo, Juan Carlos Ospina Álvarez, Enchufe, y Sergio Alfonso Ramírez Ortiz, Pájaro, casi estaban a punto de desistir de "la vuelta" cuando surgió lo imprevisto: Juan apareció a través de un beeper. Poseía la dirección de un restaurante propiedad de dos hermanas del ex secretario General de la Presidencia de la República.

Para esa última semana de agosto de 1990, Enchufe y Pájaro cumplían veinte días de vigilancia en los alrededores de la sede de Probolsa y de continuas idas y venidas desde el apartamento de Álvaro Diego Montoya, en el norte de Bogotá. Buscaban nuevamente, pero esta vez en forma infructuosa, al hijo de Germán Montoya, secretario General de la Presidencia durante los cuatro años de gobierno de Virgilio Barco Vargas, el parco ingeniero liberal, cuya administración había llegado a su fin el día 7 de ese mes.

Aunque la información que les suministró Juan no tenía en absoluto que ver con la orden que Pablo Escobar Gaviria había impartido, Enchufe viajó a Medellín y le envió una carta al máximo capo, a pesar de que desconfiaba profundamente de obtener una respuesta positiva.

A instancias de Julio Mamey, en una parcela a diez kilómetros de la cabecera urbana del municipio antioqueño de La Ceja, Enchufe y Pájaro habían sostenido su última entrevista con Escobar, una noche de comienzos de agosto de 1990. Nunca antes lo habían visto tan encolerizado.

"Pablo Escobar se sentía como un payaso ante el país porque decía que le habían incumplido los acuerdos y que creían que lo podían engañar en cualquier momento...", habría de revelar Sergio Alfonso Ramírez Ortiz, Pájaro, en 1994, a la Fiscalía General de la Nación. En el fondo, todo aquello tenía que ver con el fallido intento de Escobar de llegar a una negociación con la administración Barco, a partir de las conversaciones que sus emisarios habían sostenido con Germán Montoya, antes y después del secuestro del presidente de Probolsa, en diciembre de 1989.

Después de aquella entrevista con Escobar, Enchufe y Pájaro habían recibido el dinero que requerían para adquirir carros robados y placas legítimas. También una porción para imprevistos. Esta última era producto de una experiencia, para entonces reciente, en el seno del cartel. Mientras hacían un abundante mercado en el Éxito de Bogotá, tres agentes subalternos en la mafia resultaron siendo identificados por varios funcionarios del Departamento Administrativo de Seguridad (DAS). La tríada de "caleteros" de un secuestrado sólo logró ponerse a salvo del arresto y de la consecuente investigación de antecedentes penales, después de entregar a cada uno de los detectives un millón de pesos.

En total, a la postre, eran diez millones de pesos lo que Escobar había hecho entregar a Enchufe y a Pájaro, antes que éstos se dedicaran a ubicar a Álvaro Diego Montoya. Al cabo de 20 días de búsqueda, no tenían pistas sobre el posible paradero de su víctima. Por ello Enchufe dio casi por hecho la cancelación de "la vuelta". Estaba equivocado. "Háganle, háganle pues", respondió Escobar.

Enchufe retornó a Bogotá por instrucción expresa de Escobar y durante la primera semana de septiembre de 1990, secundado por Pájaro, verificó los horarios de ingreso y salida de las hermanas Montoya. En calidad de comensal, Enchufe estuvo en el restaurante Las Tías, situado en la calle 80 con carrera 11, en el Chicó, en Bogotá.

Volvió después a Medellín y se tomó una semana en buscar a los que ejecutarían el secuestro. Los primeros en alistarse fueron J y Cuco, oriundos del barrio Villahermosa y sobrevivientes de una red estructurada por John Jairo Arias Tascón, Pinina. Les siguieron los hermanos Rodolfo y Juan Carlos, Los Pájaros, delincuentes del barrio Buenos Aires, ingresados a las filas de la mafia por vía de Fabián Tamayo, Chiruza y con el beneplácito de Gustavo de Jesús Gaviria Rivero. Finalmente contaron Hugo, Meneo y Botiquín, éste último, un sicario nacido en el barrio Cedeño, entre Manrique y Villahermosa y un agente del grupo de El Topo.

"Policía, me asaltan..."

Embutidos en trajes de técnicos de la empresa de teléfonos, los élite fingían ser una cuadrilla asignada a inspecciones rutinarias de las centrales y las redes telefónicas. Era la mañana del jueves 9 de agosto de 1990 y en realidad, verificaban palmo a palmo la línea física que Gustavo de Jesús Gaviria Rivero parecía haber utilizado en las llamadas que la unidad había captado en los primeros días de ese mes.

Se encontraron con lo que esperaban después de algunas horas de trabajo. La línea original se dividía en dos, en un punto que hubiese resultado casi imperceptible para un técnico novato. La bifurcación se iniciaba, justo antes de una terminal, a 70 centímetros de la acometida de la casa que, a simple vista, era el destino real de la línea. El cable adicional partía por debajo de otros y terminaba frente a una residencia ubicada a dos viviendas de la primera.

Gracias a las mediciones de los boliómetros, los élite supieron al día siguiente que, desde el segundo punto, la capacidad de la línea era amplificada a través de un potenciador y que el hombre al que buscaban estaba probablemente a otras dos casas de ese sitio. Exactamente, en una vivienda demarcada con el número 32E-47 de la diagonal 74E, en el barrio Laureles, casi al frente de la Universidad Pontificia Bolivariana, en Medellín.

Sólo tuvieron certeza de ello a las 3 de la tarde del sábado 11 de agosto de 1990, cuando el coronel Martínez dio la orden de lanzar la operación final. La unidad escuchaba nítidamente a Gustavo de Jesús Gaviria Rivero, que utilizaba la línea rastreada y daba instrucciones para repartir las cuotas de un envío de narcóticos.

—El hombre está hablando —alertó Martínez a los élite a través del radio. Entren en la casa ahora —añadió.

A pesar de su apariencia de casa familiar corriente, la vivienda demarcada con el número 32E-47 era una fortaleza construida en muros de concreto, protegida por vidrios blindados y por un discreto circuito de televisión.

Ese sábado 11 de agosto de 1990, en el mismo instante en que los primeros élite se situaron frente a la fortaleza, en el número 32E-47 del barrio Los Laureles, Gustavo de Jesús Gaviria Rivero cortó la llamada y marcó los dos dígitos que comunicaban con la central de la policía en Medellín.

—¡Policía, policía, me están asaltando! ¡Me van a matar! —dijo a través de la línea.

Atónita, la operadora que recibía la llamada preguntó:

—¿Quién habla? ¿Quién habla? ¡Deme su dirección, señor!

Presa del pánico, sin poder concentrarse y con mil imágenes atravesándole el cerebro, Gustavo de Jesús Gaviria no atinaba más que a gritar. Los élite lo escuchaban desde afuera:

—¡¿Cómo es la dirección de aquí?! ¡¿Cómo es la dirección de aquí?! ¡Oigan, la dirección!

Estaba desesperado. Soltó el auricular. Corrió desde el comedor hasta la sala. Tomó entre las manos un fusil. Era un MK niquelado. Nuevo. Volvió al comedor y se apertrechó. La puerta principal cedió tras el estallido de una pequeña carga de dinamita. El tercer zar del tráfico de narcóticos apuntó y disparó la primera ráfaga. No tuvo tiempo de hacer la segunda. Varios proyectiles de R-15 le atravesaron el pecho.

Cuando el tiroteo cesó, dos mujeres surgieron de detrás de la puerta de vaivén de la cocina. Lloraban, y una de ellas, aún privilegiada de esas dotes propias de la juventud, llevaba una niña entre los brazos.

El forense encontró en el bolsillo del pantalón de Gustavo de Jesús Gaviria Rivero un juego de documentos de identidad y tarjetas expedidas a nombre de Ramiro Vélez Vélez. El cotejo dactiloscópico disipó las dudas de los jueces. El muerto era en verdad El León.

"Tengo a Diana"

Ricardo Prisco no se equivocó. El ex guerrillero del ELN al que había encomendado la misión de atraer a Diana Turbay hacia una trampa, utilizando por señuelo la perspectiva de una entrevista exclusiva con el cura español Manuel Pérez, cumplió con su trabajo el último día de agosto de 1990. Diana Turbay y Juan Vitta de la revista *Hoy por Hoy*; Azucena Liévano, Richard Becerra y Orlando Acevedo del noticiero Criptón y el periodista alemán Hero Buss, terminaron en Medellín, convertidos en rehenes de la mafia.

Popeye supo lo que había ocurrido en cuanto Ricardo Prisco apareció en la "caleta", a diez kilómetros del casco urbano de La Ceja y comunicó a Pablo Escobar los resultados de "la vuelta".

—Tengo a Diana, a Azucena Liévano, a un alemán y a un camarógrafo. Los tengo en Medellín y los voy a mover para la finca por Copacabana... No terminaba la frase cuando Escobar lo interrumpió:

—Es lo que hay que hacer porque la ciudad está muy agitada...

—Mirá —replicó Ricardo Prisco— no te preocupés que yo los voy a sacar para la finca de Copacabana...

Se refería a La Bola, el mismo predio en que Escobar se había ocultado tras Apocalipsis II y superado la convalecencia originada en lo que los baquianos llamaban "paludismo cerebral". Durante los meses siguientes, Ricardo Prisco llevó a Escobar muestras contundentes sobre la supervivencia de Diana Turbay y los otros cautivos.

En ocasiones eran casetes en los que Diana Turbay leía titulares del periódico del día y en otras, cartas que ella dirigía a su madre, doña Nydia Quintero, quien desde cuando se enteró del secuestro de su hija, había buscado por todos los medios comunicarse con Pablo Escobar. Sólo para pedir por la liberación de los secuestrados. La presidenta de Solidaridad por Colombia envió más de una carta dramática, más de un pequeño escapulario y más de una medalla con rostros piadosos, confiando en que llegarían a manos de Diana.

"Hay que tirar la vuelta el miércoles"

Enchufe y Pájaro volvieron a Bogotá en la tarde del domingo 16 de septiembre de 1990, en un vuelo ordinario de una aerolínea comercial. Rodolfo y Juan Carlos, Los Pájaros, lo hicieron en la noche al terminal de transportes y J y Cuco, uno al volante del Renault 9 blanco y otro conduciendo un Mercedes Benz 190 azul. Los acompañaron Botiquín y Meneo. Juan Carlos Rodríguez Sánchez, Risas, había conseguido ambos vehículos con una red de haladores y J, Cuco y los demás atendían una consigna precisa de Enchufe: "El lunes (17) todo el mundo debe estar en Bogotá".

Enchufe los citó en la casalote del tercer puente y, desde allí, juntos hicieron el recorrido hasta el restaurante Las Tías, en el norte de Bogotá. Viajaron en el Renault 9 y el Mercedes Benz. Enchufe decidió que J y Juan Carlos almorzaran ese lunes y también el martes siguiente dentro del restaurante. Ambos identificaron así a Marina Montoya y a su hermana. En las tardes, J, Juan Carlos, Enchufe y Pájaro, recorrieron una y otra vez las rutas de escape.

El miércoles 19 de septiembre, después que Enchufe les dijo: "Hay que tirar 'la vuelta' hoy", entraron en acción. Poco antes del medio día, J y Juan Carlos irrumpieron en el restaurante, apoyados por Meneo, Botiquín, Cuco y Rodolfo. Sin embargo, sólo encontraron a Marina Montoya. Su hermana sufría una afección repentina y se había excusado de ir ese día al restaurante.

Enchufe y Pájaro lo observaban todo desde afuera, a bordo de un vehículo. Apenas vieron salir a los secuestradores y a la víctima, se pusieron en marcha hacia la casalote del tercer puente. Paradójicamente, era la misma casa de cautiverio en que Álvaro Diego Montoya había permanecido durante su secuestro. El presidente de Probolsa había salido sano y salvo de ese episodio, pero era otra la suerte que esperaba a su tía.

Una vez en la casalote, Pájaro dio la orden de abandonar el Renault 9 blanco y ocultar el Mercedes Benz 190 azul y ese mismo día Cuco, J, Juan Carlos y Rodolfo partieron de regreso hacia Medellín. Según lo determinó Enchufe, sólo Botiquín y Meneo quedaron en la vivienda del tercer puente, en la noche del 19 de septiembre de 1990, vigilando a Marina Montoya.

Tuvieron que permanecer allí hasta el viernes 21, cuando Enchufe y Pájaro volvieron a aparecer, obligaron a Marina Montoya a abordar un vehículo y la trasladaron hasta la residencia que el cartel había adquirido desde principios de 1988 en Unicentro. Pandora, Francisco Javier Cuartas, Pachito; Julio Escopeta y Víctor Hugo Quiroz Piedrahíta, Destroyer, la esperaban. Enchufe instruyó entonces a los "caleteros" para que atendieran sin reparos las peticiones de doña Marina y después, en voz pausada, pero con un mensaje amenazante, se dirigió a ella:

—Usted estará bien si no nos genera ningún problema, señora... No quiero —prosiguió— que tengamos que amarrarla y me imagino que usted tampoco. Ellos no la van a maltratar si usted no nos crea motivos para eso.

Llamó aparte a los "caleteros" y les recordó que Risas, el pagador, estaría listo a atender periódicamente cualquier demanda económica. Luego les dijo que todos tendrían un reemplazo en un mes. Enchufe se refería a Pacho Le Sancy, El Flaco y Congote, entre otros. El cartel pagaba mensualmente un millón de pesos a cada uno.

El secuestro de Francisco Santos

En cuanto Enchufe estuvo nuevamente en Medellín, Escobar dio la orden de que le entregaran 10 millones de pesos a cada uno de los partícipes en el plagio de Marina Montoya: J, Cuco, Juan Carlos, Rodolfo, Botiquín y Meneo, y lo que Enchufe requiriera para sostener durante seis meses a "los caleteros": Pandora, Destroyer, Julio Escopeta, Pachito, Pacho Le Sancy, El Flaco y Congote.

La orden de pago se produjo después de una prolongada entrevista entre Enchufe y Escobar. En ella, Enchufe relató uno tras otro los pormenores del secuestro de Marina Montoya, pero cuidó de que sus comentarios no aparecieran como un reclamo ante el hecho, ya consumado, de "la otra vuelta": el secuestro de Francisco Santos Calderón, un volcán de ideas audaces que a sus 28 años era el tercer heredero del más prestigioso e influyente imperio de la prensa colombiana.

El jefe de redacción de *El Tiempo* había sido plagiado por el grupo de Toño Porcelana, en la noche del mismo día, 19 de septiembre de 1990, en que Enchufe y Pájaro secuestraron a Marina Montoya. Diego Londoño, según lo sostendrían más tarde otros narcotraficantes, había suministrado varios detalles de importancia al grupo de secuestradores*.

A las 7:05, en una calle del barrio Las Ferias, en Bogotá, dos jeeps se cerraron sobre el Trooper rojo blindado en que Santos acababa de dejar las instalaciones del periódico. Los agentes de Toño Porcelana apuntaron sus armas contra el vehículo. Francisco Santos sólo vio una "cosa gruesa, con un hueco en la mitad, como una escopeta recortada, y un mazo enorme". El hombre que lo empuñaba se disponía hacer trizas el vidrio blindado. El jefe de redacción de *El Tiempo* abrió la puerta y descendió, pero su gesto no detuvo a los plagiarios. Tres impactos de bala con orificio de salida en la cabeza —que Santos escuchó como balines chocando entre sí— segaron la vida del conductor Oromancio Ibáñez, de 38 años, casado, padre de dos hijos y de turno aquella noche en la sección de radio del periódico.

Los secuestradores trasladaron a Santos hasta una residencia ubicada a escasas cuadras de la enorme planta de la cervecería Bavaria, en el occidente de Bogotá. Después le revelaron que llevaban varios meses vigilándolo; que lo apodaban El Fantasma, en razón de lo irregular de sus horarios y sus rutas; que se habían estrellado una vez mientras lo seguían; que estaban enterados de sus viajes a Estados

---

* Diego Londoño White negó varias veces desde prisión haber tomado parte en ese plagio. En una nota breve, *El Tiempo* le respondió que tenía evidencia de lo contrario.

Unidos y que conocían de memoria los números de la matrícula del vehículo de María V., su señora. Muchas veces lo habían vigilado apostados en la calle 123, en el norte de la ciudad. Fingían esperar el autobús, y lo veían cuando salía a llevar su hijo al colegio.

Enchufe y Pájaro supieron de la decisión del cartel de secuestrar a Francisco Santos, desde el mismo día, comienzos de agosto, en que Escobar los citó en "la caleta" de La Ceja y dio la orden de plagiar, por segunda vez, a Diego Montoya.

En esa ocasión, después de ponerlos al tanto de sus planes, Escobar les dijo: "Yo tengo una gente contratada para lo de Santos, pero si ustedes le hacen rapidito a esto yo les doy esa 'vuelta' también".

Aunque ello no resultó así, Enchufe y Pájaro verificaron que no era asunto de preocuparse. Tras el secuestro de Marina Montoya, Escobar tenía otros planes para ellos. Su nueva víctima era una mujer identificada como Maruja Pachón de Villamizar.

Esposa del senador Alberto Villamizar, a quien El Negro Pabón había intentado secuestrar infructuosamente en 1988, y cuñada del líder liberal Luis Carlos Galán Sarmiento, asesinado por el cartel en agosto de 1989, la nueva víctima de Enchufe y Pájaro, la comunicadora social Maruja Pachón de Villamizar ocupaba para octubre de 1990 el cargo de directora de la Compañía de Fomento Cinematográfico, Focine, entidad cuyo norte, financiar el precario Hollywood local, chocaba a diario con el drama de la falta de recursos, común a otros cientos de organismos oficiales.

Enchufe y Pájaro empezaron a seguirla desde el martes 16 de octubre de 1990. En la mañana, salieron del apartamento del edificio de Confagla, situado en la calle 116 con carrera 12, en el norte de Bogotá. Tomaron la séptima y se dirigieron al centro de la ciudad. Viraron a la altura de la calle 34 en busca de la carrera cuarta, y se detuvieron a unos metros del número 4-89, sede de Focine.

Juan —con quien Enchufe y Pájaro se habían reunido la noche anterior, lunes 15 de octubre, en la sucursal de la cadena de restaurantes de pollo Kokorico, en Unicentro— se encargó de guiarlos hasta Focine, les señaló el vehículo Renault 21 oficial de color gris oscuro, asignado a Maruja Pachón, y después identificó a su conductor. Enchufe y Pájaro vigilaron cuidadosamente, durante los ocho días hábiles siguientes, los horarios de su víctima. Maruja Pachón se ceñía a una rutina al extremo precisa. Era constante en sus horas de entrada y salida de la oficina.

Así lo explicaron Enchufe y Pájaro, en Medellín, en la cuarta semana de octubre de 1990, a los agentes del cartel que buscaron para que tomaran parte en el secuestro: John Dennis Giraldo Patiño, Orejitas; Rodolfo y Juan Carlos, Los Pájaros; Cuco y J; Botiquín; Pandora y Bomba Fija. Todos aceptaron, sin reparos, participar en "la vuelta" porque, según solían decir, "es diez veces más fácil trabajar en Bogotá que en Medellín, pagan mejor y es mucho más organizado el sistema". Por lo demás, eran prácticamente los mismos que habían protagonizado el secuestro de Marina Montoya y, en algunos casos, como el de Orejitas, el de su sobrino Álvaro Diego Montoya.

Enchufe y Pájaro habían recibido 15 millones de pesos, en el rubro de viáticos, para comprar carros robados, adquirir pasajes y sufragar los demás gastos que exigiera el secuestro de Maruja Pachón. Entregaron parte de ese dinero a Risas, que consiguió un carro robado, un taxi de color amarillo.

Orejitas; Rodolfo y Juan Carlos, Los Pájaros; Botiquín, Cuco, J y Bomba Fija, arribaron el lunes 29 de octubre a Bogotá. Pájaro explicó a Rodolfo y a Botiquín la ruta hacia Focine y las vías que deberían utilizarse para volver a la casalote del tercer puente. Después, en forma gradual, en los días siguientes, hizo lo propio con el resto de secuestradores. El sábado 3 de noviembre Enchufe los reunió a todos en la vivienda y les transmitió las mismas instrucciones que él había recibido de Pablo Escobar:

—La que vamos a "alzar" en Bogotá no va a servir para entregar plata sino para presionar la caída de la extradición. Por eso no debe haber ni un muerto en esto. Si se les va a escapar o algo, es mejor que la dejen ir...

Enchufe hizo después un pequeño mapa de ubicación, definió tareas individuales y luego añadió:

—Ni Pájaro ni yo vamos a ir con ustedes en los carros y ustedes tienen que hacer todo esto solos.

Desde su posición, apostado en un negocio de la carrera cuarta, Pájaro divisaba aquel atardecer del 7 de noviembre de 1990, la puerta central de la sede de la Compañía de Fomento Cinematográfico, Focine. Veía claramente a Enchufe instalado en el parque y observaba a Rodolfo y Botiquín al timón de los dos vehículos traídos desde Medellín y cerca de los cuales esperaban J, Bomba Fija, Orejitas, Juan Carlos y Cuco, pasando por simples transeúntes.

Con un leve movimiento del brazo, Enchufe dio la primera alerta sobre la salida de Maruja Pachón. Pájaro hizo lo propio y, por radio, el primer vehículo dio el aviso al segundo. Empezaba a caer la noche cuando se inició la fase final. Los carros marchaban raudos por la avenida circunvalar de Bogotá tras Maruja Pachón. Rodolfo y Botiquín comprobaron que, esta vez, su víctima no viajaba sola con el conductor. La acompañaba una mujer.

Cumplían ocho minutos detrás del Renault 21 gris oscuro cuando J ordenó a Rodolfo que se cerrara sobre el vehículo oficial de Maruja Pachón. Descendieron armados de subametralladoras Uzis con silenciador y revólveres 9 milímetros. Casi tenían dominada la situación cuando apareció un camión del ejército, con varios soldados a bordo. El conductor, un suboficial adscrito a la Décima Tercera Brigada de Institutos Militares, redujo drásticamente la velocidad. J se acercó al conductor, enseñó el brazalete que portaba del Departamento Administrativo de Seguridad (DAS) y explicó que se trataba de una operación de rutina.

Sin descender del camión, el conductor y su acompañante dieron un rápido vistazo y decidieron proseguir la marcha cuando verificaron que todos los hombres portaban brazaletes de la agencia estatal de seguridad. J avanzó entonces hacia el conductor de Maruja Pachón, Ángel María Roa, y, sin más, le descerrajó un tiro en la cabeza. Luego abrió la portezuela del automóvil y lo lanzó contra el piso. Entonces hizo cuatro disparos más.

El conductor Ángel María Roa agonizó durante varios minutos sobre la acera, al lado del Renault y falleció en un vehículo particular que lo conducía hacia la clínica del Country. En su juventud había estudiado un semestre de economía y dos de derecho, pero luego había desistido de hacer una carrera. Simplemente se vinculó al Estado y estuvo ahí durante casi dos décadas. Para el fatídico día en que cumplió su cita con la muerte, tenía 42 años de edad y era padre de dos hijas.

La revelación sobre el asesinato del conductor de Maruja Pachón enervó a Enchufe a tal punto que, esa noche del 7 de noviembre, en la casalote del tercer puente, sólo estuvo satisfecho cuando J se declaró dispuesto a asumir toda la responsabilidad por lo ocurrido. Si es que ello era necesario, delante del propio Pablo Escobar.

Enchufe y Pájaro coincidían en que J y los demás simplemente habrían podido "enmaletar" al conductor y plagiarlo. J creía lo contrario y en ello contaba con el apoyo de quienes habían participado en el secuestro. Adujo que de otro modo el conductor habría alcanzado al camión del ejército y que así "la vuelta" se hubiese "venido al piso". Luego, en cuanto se percató de que no iba a persuadir con sus argumentos ni a Enchufe, ni a Pájaro, J simplemente les dijo:

—Lo hecho, hecho está y si es necesario yo respondo por eso ante El Señor.

Solo cuando lo escuchó decir aquello, Enchufe se avino a examinar los documentos que J deseaba enseñarle. Un carné y la cédula de identidad de la otra secuestrada. Se trataba de Beatriz Villamizar, cuñada de Maruja Pachón y su asistente en Focine. J deseaba saber si debían ponerla en libertad, pero Enchufe dijo que cualquier decisión a ese respecto debía ser adoptada directamente por Escobar.

399

En verdad la respuesta de Escobar no se hizo esperar. Estaba tan satisfecho por lo ocurrido que subió de 10 a 15 millones de pesos el monto de dinero, con destino a cada uno de los partícipes en el secuestro, y ordenó a Víctor Giovanny Granada entregar 20 millones de pesos adicionales a Enchufe y a Pájaro para gastos: "los caleteros", la ropa y la alimentación de Maruja Pachón y Beatriz Villamizar y cuanto se requiriera.

Enchufe recibió el dinero en dólares y paulatinamente empezó a convertirlo a títulos valores en moneda colombiana. Utilizó El Cambalache, una casa de cambio en la plaza central de El Poblado. Hacía tiempo que prefería recibir cheques, antes que plata en efectivo. Rechazaba la idea de portar gruesas sumas de dinero, desde cuando se enteró del episodio que estuvo a punto de llevar a la tumba a Carro Viejo.

Veterano agente del crimen organizado, Carro Viejo se encontró un día de finales de los ochenta ante un retén, instalado por cuatro funcionarios de Policía Judicial, y no tuvo otra alternativa que ofrecer 20 millones a cada detective para evitar que alguno de ellos esculcara el baúl del carro y descubriera los 400 millones de pesos adicionales que transportaba. A pesar de lo "jugoso" de la oferta, Carro Viejo sólo logró convencer a los policías de no hacer preguntas ni requisas, después que les dijo: "Otro carro viene detrás de mí y, si ustedes no entienden por las buenas, aquí mismo se va armar la balacera". Apenas conoció la historia de Carro Viejo, Enchufe llegó a la conclusión de que no era necesario correr semejantes riesgos y de ahí su preferencia por cheques y otros títulos valores.

En noviembre de 1990 entregó a Risas varios de ellos y le encomendó hacerse cargo de las necesidades de Rafa, El Pato; La Chinga; Pachito; Tribilín y Destroyer, entre otros. No necesitó explicarle el régimen al que debía someterse a "los caleteros" de Maruja Pachón y Beatriz Villamizar. Estaban prohibidos los escándalos, la música en alto volumen y el consumo de licores.

ASESINEN A LOS REHENES*

Un carné de J. Car

El *maitre* terminó de anotar la orden de pedido y después se retiró. El restaurante El Nevado era otro más en la Avenida de Las Palmas, en la vía hacia el aeropuerto de Rionegro, en las afueras de Medellín. Un sitio sobrio y tranquilo. Por expresa solicitud en la reservación, John Jairo Posada Valencia, Tití, Alex Arrieta, Boliqueso y Leopoldo, Muelón, fueron ubicados en una mesa con vista a la calle. La Avenida de Las Palmas estaba concurrida y engalanada aquella noche de viernes.

Tití residía en el séptimo piso del lujoso edificio Bosques de Alejandría, sobre la transversal inferior de El Poblado, pero esa noche había citado y recogido a Boliqueso y a Muelón en el Centro Automotriz.

Su apariencia era la de un adulto con manías de adolescente incurable. Llevaba el cabello largo y engominado y recogido atrás en forma de cola. Tenía la cara redonda y un lunar notable en el mentón. En ocasiones, se dejaba crecer la barba aunque inexorable-

---

* **Enero-junio de 1991.** Una madrugada de enero de 1991, en un terreno baldío, frente a un colegio, a unos metros de la Autopista Norte de Bogotá, apareció el cadáver de la primera rehén. Mientras Juan Fernando Toro Arango, La Monja Voladora, cancelaba gruesas sumas de dinero a quienes decían poder influir en algún miembro de la Asamblea Nacional Constituyente, con el fin de asegurar la abolición de la extradición, Escobar ordenaba plagiar a la hija del ex presidente Belisario Betancur; la mafia fraguaba purgas hacia adentro (hasta las amantes de turno eran sentenciadas a muerte) y los abogados del cartel fijaban las condiciones para una eventual entrega a la justicia.

mente después de un tiempo terminaba por desistir de ello. A pesar de su imagen de hombre inofensivo, Tití era un sicario avezado y un peso pesado en el hampa que servía directamente a Pablo Escobar.

Circulaba por Medellín amparado en una cédula falsa expedida a nombre de Hernán Darío Hernández y portaba además un carné expedido al mismo nombre por el lavado de automóviles J. Car. Aunque nunca se sabía, en caso de una redada o un revés infortunado, la policía siempre tendría menos dudas respecto de un ciudadano con empleo. Un dependiente de J. Car no podía ser asimilado a un delincuente y, menos aún, a un jefe de organizaciones criminales o de grupos de sicarios.

Esa noche de viernes Tití estaba acompañado por Sandra, su esposa, y Muelón iba con una amante de turno a la que Boliqueso solo conocía como Lía. Un día Lía habría de aparecer con un tiro en la cabeza, sin que jamás nadie supiese quién había sido el autor del disparo. El sexto comensal apenas acababa de llegar. Descendía de un BMW 86, cuatro puertas, azul rey. Él tenía consigo la llave que abriría el sésamo de un enorme botín.

Sentencia de muerte

El mensaje era breve y en sí mismo una sentencia de muerte. Juan Carlos Ospina Álvarez, Enchufe, lo recibió de manos de un emisario del cartel al que también apodaban Zarco. Marina Montoya, ordenaba Pablo Escobar, debía morir. "Vamos a hacer que el gobierno negocie y que la gente y los familiares de los 'alzados' presionen de verdad", argüía.

En cuanto pudo, Enchufe se comunicó con Sergio Alfonso Ramírez Ortiz, Pájaro, y ambos se pusieron en marcha hacia Bogotá. Llegaron al atardecer del lunes 21 de enero de 1991, y se aparecieron en la casa de Unicentro con el rostro cubierto con pasamontañas. Después de una rápida inspección, Enchufe llamó a un lado a Víctor

Hugo Quiroz Piedrahíta, Destroyer y a Pandora y les transmitió el lacónico mensaje de Escobar. Luego, él y Pájaro desaparecieron.

A media noche del miércoles 23, en el baúl de un automóvil, Destroyer y Pandora condujeron a Marina Montoya hasta un terreno baldío en el tercer puente, a 8 kilómetros de la residencia de Unicentro. Cumplía 134 días de cautiverio y 60 años de vida para esa noche en que, descalza, se encontró caminando de repente por entre húmedos pastizales. Primero fueron dos disparos y después otros cuatro. Eran tiros de subametralladora Uzi 9 milímetros con silenciador.

Destroyer y Pandora partieron entonces hacia Medellín, seguros de que aquello era todo. Se equivocaban. En la mañana del lunes 28 de enero, Enchufe apareció a través de un beeper: Escobar preguntaba qué habían hecho con el cadáver.

Ellos relataron su historia y el primero de febrero la noticia estalló en las estaciones de radio, los noticieros y los diarios. Marina Montoya había sido sepultada como N.N. o víctima sin identificar. Un madrugador había sido el primero en encontrarse con el cadáver.

Tras el hallazgo, el vigilante del colegio San Carlos vio a los curiosos rodear el cuerpo de la víctima y esperó paciente hasta la 1 p.m., cuando llegaron los técnicos forenses; el juez 78 de Instrucción Criminal Permanente se apersonó de las diligencias de levantamiento del cadáver. Fue él quien realizó el acta de necropsia, registrada bajo el número 105-0029, y consignó: "Levantamiento de una mujer de aproximadamente 60 años de edad, abundante cabello rubio, descalza, vestida con sudadera rosada y medias café. Presenta seis heridas con armas de fuego en la cara y el cráneo, todas con orificio de salida, producidas por balas de calibre 9 milímetros".

Entreguen a Popeye

La ira de Fernando El Negro Galeano no cesó ni siquiera después que Pablo Escobar le explicó que la afrenta estaba saldada y que el ladrón debía encontrarse ahora en el mismísimo infierno. Se refería a Jorge González. En realidad, el mismo hombre que en otros tiempos se había batido con los pistoleros que decían servir a Griselda Blanco, La Viuda Negra.

González, argumentaba Escobar, no había tenido tiempo de disfrutar un solo céntimo de los 17 millones de dólares que había hurtado a Fernando El Negro Galeano. En una finca del municipio antioqueño de Sabaneta, Mario Alberto Castaño Molina, Chopo, había dado cuenta de aquel infeliz.

Más temprano que tarde, no obstante, Escobar descubrió que no era el asesinato de González lo único o lo que más importaba a Fernando El Negro Galeano. Según coincidían también Gerardo Kiko Moncada y Albeiro Areiza, El Campeón, Escobar debía entregar a John Jairo Velásquez Vásquez, Popeye. Estaban seguros de que Popeye había tomado parte en el fenomenal robo de "la caleta" y que sabía en dónde se encontraba el dinero. En esas condiciones, justificaban, Popeye era otro de los que debía expiar con su vida la muerte del "trabajador" de Galeano al que Jorge González había asesinado durante el asalto.

Una orden siniestra

La certidumbre de que la orden del cartel era asesinar a los secuestrados, si es que se presentaba una operación policial para rescatarlos, pesaba sobre la cabeza del coronel Hugo Martínez Poveda y sobre la de sus superiores como una espada de Damocles. El coronel Martínez sabía de la espantosa amenaza que se cernía sobre la vida de Francisco Santos, Maruja Pachón de Villamizar y Beatriz Villamizar, no sólo porque el cartel había asesinado a Marina Montoya, sino porque la Unidad de Inteligencia había interceptado una reveladora comunicación. A pesar de que la transcripción del casete ocupaba apenas dos folios, la cinta era suficientemente reveladora.

Enchufe recibía instrucciones de un hombre que, claramente, estaba por encima de él en la jerarquía del cartel:

XX: ¿Qui hubo?
Enchufe: ¿Qui hubo? ¿Bien?
XX: Oiga, usted tiene que concientizar a la gente...
Enchufe: No, eso ya.
XX: Si se complica la cosa (si aparece la policía), qué tal. Usted sabe que no puede, que no se deja (al secuestrado)... ¿Me entiende?
Enchufe: Sí, que chao pescao con él...
XX: Sí.
Enchufe: Bueno, listo.
XX: Lo más importante es que...
Enchufe: Sí, sí... los tengo concientizados.
XX: Que el que lo esté cuidando hermano, y que si cuando lo están cuidando y que el día que si se cayó (si aparece la policía), hermano, que no hay salvación para nadie. Entonces se lo tienen que llevar también (al secuestrado).
Enchufe: Sí, sí.
XX: ¿Me entiende? La gente hay que concientizarla. Decirle que no crea que si lo cogen (la policía) se lo van a llevar.
Enchufe: No, no. Ya los tengo también por ese lado.
XX: La gente sabe que si les llegan ahí, le deben arrancar es la moña (la cabeza).
Enchufe: Sí, sí. Oiga otra cosa. ¿Qué era lo que le tenía que decir más? Ah, ve... Por la casa, estee, hay un *man* de los que están repartiendo por las esquinas (un policía), ¿si me entendés? Por la casa hay un *man*, entonces a ver qué hacemos con ese *man*.
XX: ¿Por dónde?
Enchufe: Por la casa de mi mamá.
XX: Arránquele a ese marica. Maten a ese hijueputa.
Enchufe: Entonces le arranco, le pongo algún pelado que le arranque y le damos cualquier liga.
XX: Sí, hágale.
Enchufe: Listo bueno...

El sexto comensal

Lejos de ser un hombre insignificante, el propietario del BMW modelo 1986, color azul rey —el sexto comensal, a quien esperaba Tití en el restaurante El Nevado— era uno de los principales gestores de secuestros para el hampa conectada con Pablo Escobar Gaviria. Su nariz era mediana y recta y sus ojos negros. Tenía el cabello peinado hacia atrás. En el contraste con las luces de neón, que brotaban de los avisos del restaurante El Nevado, su piel parecía más oscura y revelaba una edad y una estatura inciertas. La verdad era que no tenía siquiera 30 años y que medía 1.73. Esa noche de viernes llevaba puesta una chaqueta de cuero, pero no portaba su tradicional maletín de ejecutivo. Su audacia era tal que inclusive, en enero de 1993, él habría de tener previsto y rigurosamente calculado, para el caso de que la policía diese con el paradero de Pablo Escobar, el plagio inmediato de un hermano del entonces presidente César Gaviria.

Juan Fernando Toro Arango, La Monja Voladora, era un hombre a la vez afortunado y siniestro. Un infiltrado en la élite de Antioquia y un verdugo sin piedad de esa casta pujante de industriales y hombres de negocios, la más creativa y solidaria de toda la nación. Los Londoño White nacieron y se criaron ocho. Sin embargo, en 1989, Juan Fernando Toro Arango, La Monja Voladora, se convirtió en el Londoño White número nueve. Dejó de presentarse por su verdadero nombre, Juan Fernando Toro Arango y empezó a hacerlo como Fernando Londoño White. Bajo ese seudónimo urdió tantos plagios de industriales notables y de sus familiares que pronto su fama dejó de ser un asunto sólo de dominio de las altas esferas del cartel. De hecho, salvo por Tití, su entrevista de esa noche abarcaba a obreros rasos del crimen organizado: Boliqueso y Muelón.

Toro Arango había hecho una carrera vertiginosa y temeraria, pero, eso sí, soslayada en el crimen organizado. Se conectó con el submundo del crimen por circunstancias profesionales pero, antes que salir, él decidió anclarse allí.

Ingeniero de la Universidad de Antioquia, graduado en 1986, Juan Fernando Toro Arango se inició como interventor de obras civiles en la firma Nagui Saabet Asociados. Su primera tarea consistió en supervisar la construcción de una finca en El Peñol. Tres años más tarde, en 1989, La Monja Voladora dejó la firma Nagui Saabet Asociados, se convirtió en socio de Luis Guillermo Londoño White y, por esa vía, en asesor —primero indirecto y después directo— de los privilegiados del tráfico de narcóticos y, por último, de sus más sangrientos pistoleros.

Era una cuestión extremadamente difícil de creer o siquiera de imaginar. Los Londoño White constituían casi una institución en Antioquia. Santiago Londoño White era ex tesorero general del liberalismo, el primer partido político del país, y Guillermo Londoño White había pertenecido a la junta directiva de Almacenes Éxito, una cadena de grandes almacenes por departamentos. Una cuarta parte de los antioqueños compraban allí cuanto consumían en casa y más de 30 por ciento vestía lo que imponían las diversas secciones del Éxito.

Santiago y Guillermo Londoño White eran dos de los Londoño White de reconocida influencia, pero en esa dinastía contaba además el arquitecto Diego Londoño White. Este tenía a su vez una carrera corta pero privilegiada en la administración pública de Antioquia. La impronta de sus apellidos y su imagen de ejecutivo emprendedor y pujante lo habían convertido en el primer gerente de la empresa más ambiciosa iniciada por ciudad alguna del país: el metro de Medellín. En razón de ese cargo, por decir lo menos, Diego Londoño se convirtió por varios años, ante el gobierno español de Felipe González, en el vocero oficial de Metromed, un consorcio que operaba con fondos binacionales y a cuyo cargo estaba la construcción del primer metro de toda la nación.

En defensa del proyecto, Diego Londoño White había representado al presidente César Gaviria y compartido, codo a codo, con el embajador de Colombia, Ernesto Samper Pizano, ante industriales y altos cargos madrileños. Quizás por ello, resultaba difícil imaginar siquiera la magnitud de sus actividades extraoficiales. En razón de ese *good will* y su contacto permanente con la flor y nata de la sociedad y la industria colombiana, Diego Londoño White terminó señalando, indirectamente para Pablo Escobar y para los bandidos, a algunas de las potenciales víctimas de plagio, a instancias de La Monja Voladora después de que éste se vinculó y se hizo socio de Londoño White, una firma prestigiosa de corredores de bienes raíces en Medellín.

Millonarias sumas entraban así en las alforjas del propio Pablo Escobar Gaviria y de los bandidos, entre tanto que La Monja Voladora recibía jugosas comisiones por cada secuestro. Diego y Guillermo Londoño White hasta resultaban, en algunas ocasiones, de intermediarios y gestores de buenos oficios. Fue lo que ocurrió en el caso del prestigioso empresario Isaías Vaida Schulaman, ex socio de la firma Londoño-Vaida y Compañía.

Vaida fue secuestrado un día después de retornar a Colombia tras un largo período en Estados Unidos. A pesar de las precauciones que tomó —evitó volar directamente a Colombia y viajó Miami-Panamá-Medellín— terminó siendo identificado en el aeropuerto de Rionegro por La Monja Voladora. Él lo señaló a un "combo" de hombres de Pablo Escobar. Después del plagio, atendiendo una expresa solicitud de la familia Vaida, Diego Londoño se convirtió en negociador para la liberación del empresario.

Diego Londoño explicó a Arturo Vaida, hermano de Isaías, que el propio Pablo Escobar Gaviria le había mandado a decir que el industrial estaba en poder de las Milicias Populares de Medellín, un embrión *sui generis* de las guerrillas rurales del país. Con el tiempo, Diego Londoño terminó por llevar a Arturo Vaida hasta el segundo piso de una construcción sobre la calle Junín a la que llegaron dos agentes del cartel que se hacían pasar por integrantes de las Milicias Populares. Estos exigían diez millones de dólares por liberar a su víctima, pero, según habría de afirmar Diego Londoño, habían reducido a dos millones de dólares esa demanda, ante la renuencia de Arturo Vaida a aceptar semejantes condiciones.

Hubo una segunda reunión. Según dijo en esa oportunidad Diego Londoño a Arturo Vaida, en la portería o el buzón de su oficina, en el Centro Comercial Oviedo, había aparecido un papel con las instrucciones para un nuevo encuentro. Estaban citados en la esquina de una calle en la avenida Oriental. En efecto, esa misma noche, otro agente del cartel que se hacía pasar por miliciano abordó brevemente a Diego Londoño y a Arturo Vaida dentro de un vehículo y, al final, fijó una suma definitiva*.

Los Vaida no tuvieron otra alternativa que cancelar varios cientos de millones de pesos en efectivo. A decir de Diego Londoño, sin embargo, si los Vaida no tuvieron que pagar más fue porque él recriminó al cartel por el plagio y porque junto con Arete los obligó a hacer una rebaja. El dinero fue colocado dentro de un automóvil que Diego y Gabriel Londoño White y Arturo Vaida tuvieron que dejar, en el Centro Comercial Monterrey, con una portezuela sin seguro y con la llave bajo el tapete. De hecho, aun cuando Diego Londoño White siempre se declaró inocente de ese cargo, el 17 de marzo de 1993 en Bogotá, uno de los principales testigos de cargo contra la mafia habría de revelar a la Fiscalía General de la Nación, lo que La Monja Voladora le relató sobre ese secuestro.

"Se pagaron dos millones de dólares de rescate. El producto de éste fue dividido en 30 por ciento al señor Pablo Escobar, 30 por ciento al señor Carlos Alzate Urquijo, y el 40 restante para los tres asesores".

---

* Diego Londoño habría de afirmar en 1994 que, después de ese encuentro, él se enteró de que su hermano, Guillermo Londoño, había conocido de los planes del cartel para secuestrar a Vaida, sin que, a su modo de ver, su pariente se hubiera opuesto con suficiente fortaleza a ellos.

La verdad era que, a instancias de Jorge Luis Ochoa Vásquez, Diego Londoño había conocido a Pablo Escobar desde la campaña política de Belisario Betancur, en 1982. Ambos narcotraficantes habían apoyado por entonces el movimiento poniendo a su disposición aviones y helicópteros. Después, Pablo Escobar Gaviria apareció para negociar una propiedad y, más tarde, Gustavo de Jesús Gaviria Rivero para contratar la adquisición de un terreno y la construcción de un edificio. A través de ellos surgieron Fernando El Negro Galeano, Gerardo Kiko Moncada y Albeiro Areiza, El Campeón, tres jeques del tráfico de cocaína cuya existencia habría de desconocer el mundo por más de una década. Sólo El Campeón había dejado a Diego Londoño White ganancias por cien millones de pesos en un negocio: la compra de un *penthouse*, en el edificio Bosques de Viena, en El Poblado, cerca del Club Campestre. Después, los que se presentaron para contratar la adquisición de bienes fueron, en su mayoría, sicarios generosamente pagados.

El primer negocio que hizo Diego Londoño White con Pablo Escobar involucraba un terreno sobre la transversal superior, en el sector de San Lucas, en Medellín, en donde el jefe de la mafia construyó La Cascada, un lujoso centro de diversión nocturna en Medellín. Por la venta del predio, Londoño obtuvo 12 millones de pesos en 1980. Luego hizo una transacción similar con Gustavo de Jesús Gaviria Rivero y obtuvo una rentabilidad de 18 millones. Más tarde adquirió 14 viviendas en un condominio que Pablo Escobar deseaba destinar a sus familiares pobres y al final terminó dirigiendo personalmente la construcción de los edificios Mónaco y Dallas a cambio, en cada caso, de 5 por ciento sobre el valor total de la obra.

Empezó de ese modo a amasar una verdadera fortuna que le permitió hacerse a la enorme Hacienda Sierra Blanca después de comprar la parte que les correspondía a sus dos hermanos: Gabriel y Álvaro Londoño White y se convirtió, con el tiempo, en criador de caballos pura sangre.

Mónaco era uno de los más fabulosos búnkeres de la mafia: una fortaleza de ocho pisos, forrada en mármol opaco blanco y protegida por circuitos cerrados de televisión, que se erigía en el exclusivo sector de El Poblado. La misma que en enero de 1988 había sido objeto de un atentado dinamitero y que, a cuenta de El Negro Pabón y la lucha por los mercados de la cocaína en Queens, había inaugurado oficialmente la guerra entre carteles.

Todo Mónaco era una de esas bellezas extravagantes de la mafia. No sólo porque la construcción era una obra sólida de ingeniería moderna sino por la forma como aquella mole ponía en evidencia el reino del cartel. Sus garajes subterráneos ocultaban una asombrosa colección de vehículos antiguos: un Rambler del año 1902, un Ford modelo 1928 y otro de 1929, un coche Plymouth y un Chevrolet del año 1932 y dos Ford de 1934. También había cuatro Toyotas nuevas, un Mazda último modelo y una limosina Mercedes Benz blindada. Según reveló la prensa, completaban aquel espectáculo quince motocicletas: diez de colección y cinco que estaban para el uso ordinario de familiares del capo.

En el primer piso, un amplio corredor de mármol conducía a tres lujosos ascensores y a la recepción, dotada con una consola para el control de los circuitos cerrados de televisión y con una central de citófonos que comunicaba con las distintas habitaciones y con los salones contiguos a las piscinas y la cancha de tenis. La segunda planta parecía una amplia y lujosa sala de espera. Estaba decorada con pinturas y una escultura que representaba una mesa de café hecha por el antioqueño Fernando Botero, el hombre cuyos gordos y gordas monumentales habrían de exhibirse desde los Campos Elíseos en París y el Central Park de Nueva York hasta la zona de la Recoleta, en Buenos Aires, junto al cementerio donde los argentinos habían levantado el mausoleo con los restos de Evita Perón. También había allí un *Pensador* de Rodin, un jarrón de la Dinastía Ming que medía más de un metro de altura, numerosas piezas en cobre y una escultura de Negret y otra de Darío Morales.

Pablo Escobar también había hecho elaborar una réplica a escala de la escultura ecuestre de El Libertador, Simón Bolívar, que se erigía en el Parque Bolívar de Medellín. De no ser por un oso polar disecado, en fin, el órgano instalado en otro rincón de la segunda planta habría hecho de aquel piso de Mónaco una de esas galerías de arte que debían su aparición y su auge a los traficantes dispuestos a pagar millones de pesos por obras que jamás atinaban a entender. En la tercera planta se encontraban un comedor con capacidad para 20 comensales y los dormitorios destinados a los niños. En uno de ellos permanecían cinco maletas llenas de muñecas, en su mayoría, ingenios de la última era de las fábricas norteamericanas. El cuarto y quinto piso estaban vacíos y el sexto y el séptimo eran zona privada de Pablo Escobar y su esposa, María Victoria Henao, La Tata. Todo terminaba en un *penthouse*, con una terraza y una piscina rodeada por esculturas de Negret. Era un complejo de más de una decena de habitaciones con cocinas vacías y cuartos sellados. Una cueva de Alí Babá que la guerra de la mafia descubrió a los ojos del mundo.

Con todo, Mónaco y las inversiones restantes de la mafia, sólo fueron una cuestión de negocios para Diego Londoño. Descubrió que era todo lo contrario, cuando esa proximidad con el cartel lo llevó a él a prisión y cuando una de las tantas *vendettas* de la mafia hizo blanco en Guillermo Londoño, su hermano, que fue secuestrado por los enemigos de Pablo Escobar y apareció baleado con un letrero en el que se le acusaba de ser "iniciador de secuestros para el cartel". Tampoco La Monja Voladora habría de salir bien librado de aquello, pero esa noche de viernes de 1991, en su reunión con Tití, Muelón y Boliqueso, lo único que le importaba era hacerse a otro botín.

"Ustedes eligen, mátenla o secuéstrenla"

La estridencia de la música y la congestión de parejas que se apretujaban para hacerse a un puesto en la pista de baile, en aquel amanecer de febrero de 1991, hicieron casi imperceptibles para Pájaro las palabras de Chopo. Finalmente, a una señal lo comprendió. Chopo buscaba una conversación en privado. Pájaro se levantó de su asiento, dejó por unos instantes la mesa que compartía con Víctor Giovanni Granada Lopera, La Modelo, y lo siguió. Ambos se abrieron paso por entre decenas de adolescentes de clase media alta de Medellín a los que las impresionantes fortunas de la mafia obligaban cada vez más a compartir sus otrora privilegiados santuarios nocturnos con bandidos de todas las calañas.

El mensaje de Chopo fue claro y directo. Deseaba que Pájaro hiciera "una vuelta" en Bogotá. Desde que la policía había dado muerte a Gonzalo Rodríguez Gacha, El Mexicano, en diciembre de 1989, Chopo se proclamaba a sí mismo como el Rey de los Bandidos. Pájaro lo escuchó con atención y después se retiró para ir en busca de Enchufe. Se abrió paso de nuevo por entre el enjambre de danzantes y, unos minutos más tarde, ambos estuvieron sentados al rededor de la mesa en la que se encontraba Chopo. Este volvió a ser directo:

—Hay que hacerle una "vuelta" a la hija de Belisario Betancur. Van a ser 300 millones si la "alzan" y 150 si la matan... Ustedes escogen —les dijo.

—¿Es una orden de Pablo? —interrogó Enchufe.

—No, no —respondió Chopo—. Esa vuelta me la dio mí pero no hay problema si la hacen ustedes y si quieren pueden preguntarle...

La conversación no duró mucho más. Enchufe sólo pidió tiempo para dar una respuesta. En realidad, sí tenía el firme propósito de consultar el asunto con Pablo Escobar Gaviria y de inmediato se dio a esa tarea. En cuanto él y Pájaro retornaron a la mesa en que se encontraba La Modelo, ambos le pidieron llevar un mensaje que, en esencia, consignaba la oferta de Chopo.

No tuvieron que esperar demasiado la respuesta. Al día siguiente La Modelo volvió con ella: Pablo Escobar estaba plenamente de acuerdo en que ellos hicieran "la vuelta de la Betancur".

"Tranquilos, háganle a eso tranquilamente. Les doy el permiso y la orden..." consignaba el papel que de su puño y letra les había enviado el jefe del cartel.

"Asesina a El Torerito"

Durante casi una década, Fernando El Negro Galeano, Gerardo Kiko Moncada y El Campeón, habían constituido la otra élite de la mafia. Eran la espina dorsal del cartel tras Pablo Escobar Gaviria.

Popeye escuchó primero las hipótesis que los tres compartían sobre el robo de los 17 millones de dólares, propiedad de Fernando El Negro Galeano, y entendió de inmediato la razón por la cual habían solicitado a Pablo Escobar que Chopo asesinara a Jorge González.

Fernando El Negro Galeano, Gerardo Kiko Moncada y El Campeón tenían evidencia suficiente sobre la responsabilidad de González en el robo pero, en el caso de Popeye, según lo explicó él mismo, todo estaba basado sobre suposiciones infundadas. Era cierto que, para los primeros meses de 1991, había departido muchas veces con Jorge González pero también que, según aducía, nunca había llegado a enterarse de que se estuviera fraguando o se hubiera realizado semejante robo. De hecho había estado de vacaciones una temporada en Venezuela porque después de acompañar varios meses a Pablo Escobar de "caleta" en "caleta", éste le había dicho: "Vos estás mamado y es mejor que te perdás un tiempo".

Después de oír a Popeye, Fernando El Negro Galeano, Gerardo Kiko Moncada y El Campeón adoptaron otra decisión:

—Si no tenés nada que ver con el robo, andá y dale a El Torerito —le ordenaron.

En términos de la mafia, la fórmula no podía ser más maquiavélica. A esas alturas, si Popeye era uno de los partícipes en el robo, el hijo de Jorge González, un rejoneador de 21 años al que apodaban El Torerito, debía estar responsabilizándolo de la muerte de su padre.

Si ello era así, El Torerito daría cuenta de Popeye antes que éste pudiera hacerlo con él. Si Popeye disparaba primero, a sabiendas de ser otro de los autores del robo, los sobrevivientes de la red de los González lo buscarían para matarlo.

Bomba en La Macarena

A pesar de la siniestra comunicación que había captado la Unidad de Inteligencia Electrónica, Maruja Pachón de Villamizar, Beatriz Villamizar y Francisco Santos —los "alzados" que el cartel aún tenía en su poder— no eran el único blanco potencial de la mafia ni la única amenaza que se cernía sobre el Estado. Instruido por Pablo Escobar, José Zabala, Cuco, armó durante los primeros días de febrero de 1991, un poderoso carro-bomba y lo entregó a los "trabajadores" de La Modelo. Su objetivo eran los agentes encubiertos de la Dirección de Policía Judicial e Investigación, Dijín, que por entonces, en busca de traficantes y terroristas al servicio del cartel, asistían con frecuencia a la Plaza de la Macarena, escenario de la Feria Taurina de Medellín.

—Los hijueputas de la Dijín, que creen que nos van a coger a todos allá, lo que se van es a morir... —explicó La Modelo, en la tarde del 15 de febrero de 1991, a sus agentes en la mafia. Sólo parafraseaba a Pablo Escobar que había ordenado dar "una lección" a los policías.

La misión de La Modelo era sorprender a los detectives y fue lo que hizo, aunque estuvo a punto de cancelar el asunto después que supo que sus agentes no habían hecho otra cosa que hablar del atentado en ciernes. El carro-bomba, diseñado por Cuco, explotó a las 6:18 de la tarde del 16 de febrero de 1991, diez minutos después de terminar la octava corrida de la Feria Taurina de Medellín.

Los agentes de La Modelo colocaron el carro-bomba con cerca de 150 kilos de dinamita justo al lado de un Mazda WD 6415 que el cartel había identificado como uno de los vehículos particulares utilizados por miembros de la policía secreta. Detonaron la carga a control remoto y los cadáveres de ocho agentes, tres suboficiales y nueve civiles quedaron al instante esparcidos por el suelo.

La bomba segó la vida de los cabos José Francisco Molano Silva y Edgar González Porras y los agentes José Galíndez, Sigifredo Pérez, Rubén Darío Meza Álvarez, Nelson León León, Moisés Miranda y Alfredo López.

La unidad técnica de levantamientos encontró debajo del Mazda LM 3340 los cuerpos destrozados y sin vida de la estudiante de sistemas Sandra Cecilia Arbeláez Tamayo y de su novio. Otra víctima fue el músico Bertulfo Alfonso Rincón Ramírez.

Casi 60 personas, de 143 que resultaron heridas, se retorcían segundos después, víctimas de esquirlas, vidrios y latas que la onda explosiva había convertido en armas mortales. La carga desprendió las barandas laterales del Puente de San Juan, cerca de la Plaza de la Macarena, y restos de seres humanos volaron hasta las aceras. El fuego consumió decenas de vehículos. En el fondo de la plaza la orquesta Macondo enmudeció... El atentado fue el más cruento después del que había consumado Chopo el 11 de abril de 1990, en el Puente de Pandequeso.

"Ahí va..."

Valiéndose de los conocimientos de Diego y Guillermo Londoño y de la información que él mismo podía obtener en la élite industrial y acaudalada, Juan Fernando Toro Arango, "Fernando Londoño White", el falso noveno Londoño, La Monja Voladora, se aventuraba esa noche de viernes, en Llano Grande y más exactamente en el

416

restaurante El Nevado, en organizar un secuestro más. Su víctima era el hijo del potentado de Medias Crisol, un emporio pujante y sólidamente prestigiado en Antioquia, de donde salían cada mes toneladas de licras perfectamente confeccionadas.

Al fin surgió lo que esperaba. Una Toyota blanca Land Cruiser, 4 puertas, rauda como un avestruz en fuga, pasó por la carretera, seguida por otra de idénticas características.

—Vea... ahí va el muchacho —explicó La Monja Voladora sin inmutarse y sin reparar un instante en Sandra y Lía. No le importaba si se daban cuenta de esto. Estaba dispuesto a mucho más. Apoyado en su imagen de ingeniero respetable, llevó gruesas sumas de dinero a quienes decían tener influencia sobre algún miembro de la Asamblea Nacional Constituyente, el cuerpo colegiado de 76 delegados a los que, por votación popular, se encomendó la difícil y compleja tarea de reemplazar la Carta Política que regía desde 1886.

Detrás del dinero entregado por La Monja Voladora, claro está, no existía fin altruista alguno ni cruzada distinta de la abolición de la extradición. ¡Ay de aquéllos que habían escogido la ruta de la guerra contra la mafia! Él mismo estaba dispuesto a coordinar —de hecho, lo tenía previsto— el secuestro de un hermano del presidente César Gaviria. Su pasmosa serenidad y su asombrosa sangre fría, pusieron los pelos de punta hasta a Tití, que explotó como un huracán:

—¿Lo seguimos o qué? ¡¿Hay que seguirlo?!

La Monja Voladora sonrió, pidió otro trago y después replicó:

—No. Él va para allí, a la Tienda de Flo...

La otra cacería

En cuanto La Modelo les transmitió el mensaje de Pablo Escobar, Enchufe y Pájaro entraron en contacto con Chopo. Éste les entregó 5 millones de pesos para "viáticos" y volvió a insistir en el pago por "la vuelta":

—Van a ser 300 millones si ustedes la secuestran y 150 si la matan. Ustedes escogen.

Por último, como lo presumían, les ordenó entrar en contacto con Juan en Bogotá.

En la capital, en los primeros días de marzo de 1991, Juan guió a Enchufe y a Pájaro primero hasta la residencia y después hasta la oficina de María Clara Betancur de Helo, hija del ex presidente Belisario Betancur. En realidad, ella seguía trabajando para su padre con la misma dedicación con que lo había hecho mientras él ocupó la jefatura de Estado, desde 1982 hasta 1986.

María Clara Betancur residía en un conjunto de apartamentos en el norte de Bogotá. Pájaro y Enchufe aprendieron rápidamente la rutina. Para llegar allí había que tomar la carrera séptima, virar hacia la derecha en la esquina donde se erigía la Embajada de la República del Perú y ascender cuadra y media. Entonces se estaba frente a un enorme edificio de apartamentos situado sobre el costado izquierdo de la vía. No existía ni otra entrada hacia el conjunto ni otra salida de éste.

La abogada María Clara Betancur de Helo salía del edificio, cada mañana de lunes a viernes, a bordo de un Mazda 626L de color pastel, cuya matrícula clave el cartel decidió identificar como BBB 141. Enchufe y Pájaro la siguieron muchas veces por la carrera séptima y la avenida circunvalar. Su destino era por lo general la residencia del ex mandatario, una vivienda amplia sobre la vía al municipio de La Calera. Desde la casa, que permanecía custodiada por soldados o agentes de policía, se tenía vista hacia los cerros. Después de tomar un desvío a la derecha, se estaba finalmente frente al portal de acceso principal.

Con esa información, Enchufe y Pájaro retornaron a Medellín y buscaron quienes se ocuparan del secuestro.

Salvo por Andrés, un pistolero del barrio Manrique, los demás eran bandidos curtidos a los que Pájaro conocía a la perfección: Bomba

Fija, Muelón, Homeiro, Botiquín, Pandora, El Pecoso y El Ratoncito, este último integrante de La banda de La Ramada.

La adquisición de los vehículos robados y destinados al plagio de María Clara Betancur de Helo tampoco tuvo contratiempo alguno. Los automóviles, un Mazda blanco 323 y un Renault 9, estuvieron ocultos en la casalote del tercer puente. Al igual que había sucedido en el caso del secuestro de Marina Montoya, algunos de los bandidos viajaron hacia Bogotá por vía aérea y otros por vía terrestre con "viáticos" que previamente les habían sido entregados.

Más tarde se inició el señalamiento de la rutina de María Clara Betancur de Helo, que Enchufe y Pájaro conocían ya de memoria. Paulatinamente, llevaron al terreno a uno por uno de los bandidos y les enseñaron el sitio seleccionado para realizar el secuestro. Después asignaron turnos de vigilancia para esperar a la víctima y, una vez reconfirmado el itinerario, Enchufe dio la orden de actuar. Habían optado por el plagio porque, según coincidían Enchufe y Pájaro, la hija del ex presidente Belisario Betancur era en realidad "una víctima fácil".

María Clara Betancur salía cada mañana poco antes de las nueve y las instrucciones de Enchufe fueron directas: "Hay que 'alzarla' a la salida del apartamento". Enchufe eligió ese sitio porque a 500 metros, en diagonal al conjunto de apartamentos, había una construcción y ello les facilitaba camuflar a los bandidos.

Borbotones de sangre

Seguro de que no podía existir celada alguna tras la cita que le había puesto el amigo de su extinto padre, El Torerito apareció a bordo de un taxi acompañado de sólo un guardaespalda. Llegaba puntual al sitio de encuentro, en la 80 de Medellín, y se detuvo casi al frente del restaurante Manhattan.

419

Desde el Renault 4 en el que viajaba solo, Popeye divisó a El Torerito y a su escolta y después avanzó hacia ellos. Lo vio descender del taxi y tomó el revólver 38 largo. Sin bajarse del vehículo, sacó el arma a través de la ventanilla y apuntó directo a la cabeza de El Torerito. Hizo cuatro disparos. Luego accionó su arma contra el guardaespalda e hizo dos tiros más. Este último respondió al fuego, antes de hundir el acelerador del taxi y huir. Popeye hizo lo propio.

El cadáver de El Torerito, que tenía apenas 21 años y era el hijo de Jorge González, quedó tendido sobre la vía. Popeye alcanzó a reconocer de un vistazo las abarcas de tres puntadas que lo caracterizaban y la tez fuertemente morena del rostro que los borbotones de sangre empezaban a cubrir.

Popeye había cumplido así a las exigencias de Fernando El Negro Galeano, Gerardo Kiko Moncada y Albeiro Areiza, El Campeón.

Noches de sopor y angustia

Francisco Santos era quizá la única víctima, en poder del cartel, que estaba notificada de cuanto ocurría. Lo sabía casi desde el mismo 21 de enero de 1991, cuando Enchufe y Pájaro se aparecieron en la casa de Unicentro, se entrevistaron con Destroyer y Pandora y transmitieron el lacónico mensaje de Pablo Escobar: "Hay que ocuparse de Marina Montoya".

Según había dicho a Santos uno de "los caleteros" que lo cuidaba, la orden del cartel era asesinar a los rehenes, con un intervalo, no muy preciso, de una o dos semanas, y Marina Montoya representaba sólo el primer blanco.

Notificado de ello, desde cuando despuntó febrero de 1991, Francisco Santos hacía dramáticos cálculos mentales, cambiando una y otra vez su turno en la cadena de crímenes que se avecinaba y pensando en la agonía que debía haberse apoderado de Maruja Pachón de Villamizar y de su cuñada, Beatriz Villamizar. La expectativa de la muerte lo enfrentó a instantes de honda depresión. Repentinamente dejó de lado el centenar de libros y revistas que había devorado; las anotaciones críticas que hacía sobre el diario del que era jefe de redacción y hasta las columnas que escribía, en un esfuerzo por mantener la disciplina y la mente abierta. Aún en cautiverio, Santos escribía de deporte, economía y, sobre todo, respecto de la Constituyente, el cuerpo colegiado de 76 miembros que el país había elegido en las urnas para reformar la Carta Política.

Francisco Santos era consciente de que bastaba una orden para que cualquiera de "los caleteros" lo asesinara: Caballero, Serafín, Tiberio, Rosendo o Eliseo. Sabía mejor que ningún otro que un sicario no iba a dejar jamás de cumplir una orden de Escobar, ni porque le ofrecieran todo el dinero del mundo, ni mucho menos, claro está, porque el cautivo le hubiese enseñado a leer o a hacer sandwich con jamón y queso, perros calientes y hasta incipientes chuletas ahumadas. Había visto ir y venir muchas veces a Tiberio a sabiendas de que en cada visita a Medellín cargaba uno o dos muertos más a su larga lista, hasta llegar un día a casi asesinar a la mujer de uno de sus muchos hijos. Los otros no eran muy diferentes.

"Son muchachos de la provincia antioqueña, llenos de violencia heredada, que inmigran a Medellín con una ética religiosa totalmente trastocada: rezan para que no les falle la bala, pero la vida para ellos no vale nada. La mayoría de los muchachos eran capaces de matar y hacerse matar sin contemplaciones y sin ningún problema. Hablan de la muerte como si estuviéramos hablando de un chocolate... La mayoría de ellos lo primero que piensa hacer con la plata es comprarle una casa a 'la cucha' (su progenitora)" —habría de escribir el propio Santos en las páginas de *El Tiempo*.

Otra cruda noticia había contribuido a agudizar la zozobra de Santos. A finales de 1990 el cartel había liberado al jefe de redacción de *Hoy por Hoy*, Juan Vitta, a la periodista del noticiero de televisión Criptón, Azucena Liévano, al alemán Hero Buss y al camarógrafo Orlando Acevedo, pero Diana Turbay había muerto, en la tercera semana de enero de 1991, tras una fallida operación de rescate realizada en la finca La Bola por agentes y oficiales del Cuerpo Élite de la Policía Nacional. La hija del ex presidente había recibido un disparo mortal.

La advertencia del "caletero", la muerte de Diana Turbay y el hallazgo del cadáver de Marina Montoya alimentaron durante aquel período de cautiverio más de un infierno en la cabeza de Santos, el hombre que habría de impulsar la más severa legislación antisecuestro de la República a través de una fundación desde la cual se prestaba asistencia a familiares y víctimas de plagio y que, a la sazón, él bautizó como País Libre. Antes que un rótulo, un mensaje desesperado en un país que hasta en la última década de finales de siglo registraba más de un millar de secuestros al año, con industriales, empresarios, ganaderos, comerciantes, profesionales y hasta amas de casa, ancianos y niños por blanco.

La Tienda de Flo

El lugar era un santuario de las juventudes adineradas de Medellín y, por aquello mismo, una trampa mortal. La Monja Voladora pidió la cuenta y todos abandonaron el restaurante El Nevado —Tití, Sandra, Boliqueso, Muelón y Lía— y se dirigieron a La Tienda de Flo. Sin embargo, no entraron. Era un grupo corriente de noctámbulos en "rumba" y pasaron inadvertidos durante dos horas, sembrados en un puesto original pero callejero de chuzos. De fondo, una parrilla con media docena de palitos chinos coronados con una arepa y trozos de carne de res. La víctima salió y La Monja Voladora llamó aparte a Tití y a Muelón y cumplió con lo suyo. Les susurró al oído lo que finalmente habían esperado escuchar aquella noche:

—Ése es el secuestrable...

Dos meses después, Tití completó el crimen que empezó a gestarse en el restaurante El Nevado. Boliqueso lo supo en el mismo instante

422

en que Tití lo llamó por teléfono y lo citó en el restaurante La Costillita, situado sobre la diez de El Poblado. Tití estaba acompañado por otra mujer y Boliqueso también encontró allí a Chopo y a Muelón.

—Como usted ya estuvo el día en que Fernando mostró al secuestrable, ahora vamos a ir a cogerlo... —explicó Chopo a Boliqueso, sin entrar en más detalles.

La víctima estaba en otro establecimiento por la vía de Las Palmas. Era un restaurante rotulado como Baviera y Boliqueso sintió que no tenía otra alternativa. "Lo que pasa —explicaría años más tarde a los jueces— es que si uno no cumple las órdenes que ellos le dan, lo matan. Eso no necesitan decirlo porque uno ya sabe que esa es la ley que impera allá".

También estaban Juan Carlos, El Latino; Jaime Arroyave, Tarzán; El Cabezón; Toby; El Ñato y Valmer.

—Hay que entrar por el señor —sentenció Chopo y avanzó. Muelón lo siguió al instante. El hijo del dueño de Medias Crisol, ese emporio de toneladas de licras que era la vida en la piel de millones de colombianas, estaba finalmente, en forma inexorable, en el ojo del huracán. Después de hacer su primera incursión al restaurante Baviera, ni Chopo ni Muelón tardaron más de un minuto. Los escoltas de la víctima estaban afuera y sólo era cuestión de desarmarlos. Tití debía supervisar esa parte de la operación y tomar sus armas: una Uzi, un revólver y dos pistolas. Lo demás, por lo menos así lo percibían los hombres del cartel, era un juego de niños.

Muelón y Chopo entraron nuevamente en el restaurante. Esta vez con las armas a plena luz y con el dedo puesto en el gatillo. Los seguían otros tres. El hijo del propietario de Medias Crisol estaba con tres hombres y varias mujeres. Muelón disparó un tiro a la cabeza de uno de los acompañantes del secuestrable y le quitó el arma a otro. Chopo se apoderó de la 7.65 con salvoconducto del secuestrado y después lo embarcó en el auto de Toby. Un Mazda 323 azul.

El automóvil partió raudamente por la vía de Las Palmas hacia una casaquinta que, según habría de informarse a la Fiscalía General de la Nación, era propiedad de un bandido del cartel a quien apodaban El Mugre, pero cuyo verdadero nombre era Luis Carlos Aguilar Gallego. La casa era una fortaleza. Estaba situada en el kilómetro 16, al lado izquierdo, en una subida con curva. La vivienda era enorme, de dos plantas, y estaba bordeada por una impresionante y extensa reja blanca.

El Cabezón, Valmer y Tarzán hicieron el primer turno de vigilancia. Más tarde, otros trasladaron a la víctima a una finca en Alejandría, Antioquia, propiedad de un hombre que se preciaba de ser amigo de Chopo y durante cuatro meses y algo más Guillermo Gerardo Sossa Navarro, Memobolis, se encargó de proveer los comestibles y de llevar los mensajes.

Aunque nunca existió evidencia alguna de que alguien hubiese pagado un solo céntimo por aquella liberación y todo indicó lo contrario, el secuestro cesó después que La Monja Voladora dijo haber obtenido 30 millones de pesos y de que los "trabajadores" recibieron varios millones que, en todo caso, según pensaban, no debían representar mucho frente a las sumas percibidas por Chopo, Guillermo Zuluaga, Cuchilla o Pasarela; La Modelo y Tití.

Ha escapado

La noche del jueves 21 de marzo de 1991, en la casalote del tercer puente, Enchufe explicó su plan y, en la mañana del día siguiente, viernes 22 de marzo, Bomba Fija, Muelón, Homeiro, Botiquín, Pandora, El Pecoso y El Ratoncito lo pusieron en ejecución. Un vehículo se estacionó arriba de la séptima, frente a la portería principal del edificio y otro a 500 metros. Salvo por los conductores, los demás vestían como obreros y estaban instalados afuera de los apartamentos en construcción. Enchufe y Pájaro esperaban a un kilómetro de allí, frente a la Embajada del Perú. Siempre tendrían oportunidad de avisar por radio sobre cualquier eventual aparición de la policía.

Eran casi las 9 de la mañana, cuando María Clara Betancur de Helo abandonó el conjunto de apartamentos. El primer automóvil se puso en marcha tras el Mazda 626L, de color pastel. El otro se atravesó en la ruta de la hija del ex presidente Belisario Betancur, exactamente frente a la construcción.

Apenas vio a los falsos obreros que se abalanzaron sobre el Mazda, armados y dispuestos a romper los vidrios, María Clara Betancur introdujo la primera velocidad y chocó el carro de adelante. Después usó la reversa e hizo lo propio con el vehículo de atrás. En cuestión de segundos, repitió el procedimiento varias veces.

Bomba Fija fue el primero en percatarse de que había también una menor dentro del carro y no tuvo otra alternativa que avisar de ello por radio.

—Rómpanle los vidrios y sáquenla pero no la vayan a matar... —replicó Enchufe. No la vayan a matar delante de la niña...

No había terminado para cuando el Mazda 626L subió al sardinel, franqueó varios montes de arena y desapareció rumbo hacia la carrera séptima en frenética huida.

Después de ello y cuando estuvo de regreso en Medellín, Enchufe explicó lo ocurrido a Chopo. Se tranquilizó cuando escuchó la lacónica respuesta:

—Pues si no hay nada, no hay plata y yo hablo con Pablo.

Wendy

Si el episodio de El Torerito había sido una prueba macabra, el que le esperó a Popeye con Wendy, esa noche de marzo de 1991, constituyó el culmen de cuanto la mafia podía exigir todavía a un bandido.

Sin saber que ella había sido amante de Pablo Escobar en lo más fresco de su juventud, Popeye había conocido en 1990 a la hermosa Wendy y había terminado por enamorarse de ella. Con el tiempo, en los lapsos en que él no permanecía "encaletado", en calidad de agente y escolta del jefe del cartel, ambos se habían ido a vivir juntos y así habían continuado aún después que, enterado de la relación, Escobar había decidido relatar la historia de Wendy a Popeye.

En 1986, contra la voluntad de Escobar, Wendy había quedado embarazada y, entonces, sencillamente, el máximo capo había decidido ocuparse del asunto. Varios pistoleros secuestraron a Wendy por algunos días y un médico pagado por Escobar la obligó a abortar. Desde entonces, ella había desarrollado un profundo desprecio hacia el jefe del cartel y para 1991, según presumía Escobar, Wendy no era más que un señuelo de la policía en la persecución del cartel.

Las revelaciones de Pablo Escobar, no obstante, no terminaron por disuadir a Popeye de su relación con Wendy que por varias semanas, a pesar de la ira que lo consumía por dentro y del temor de que en verdad lo estuviese utilizando, se hizo más fuerte.

Con todo, las cosas cambiaron dramáticamente un día de marzo de 1991 cuando Escobar volvió a citar a Popeye en un apartamento del centro de Medellín. En cuanto éste estuvo allí, el jefe del cartel puso a rodar la cinta de una interceptación telefónica, en realidad, una de aquellas por las cuales el máximo capo siempre había estado dispuesto a pagar varios millones de pesos porque provenían directamente de los funcionarios que, según creía el Estado, eran parte del equipo punta de lanza en la lucha contra la mafia. Era una conversación entre Wendy y un extraño.

"Usted —Popeye reconoció de inmediato la voz de Wendy— no se preocupe que yo voy bien con el que sabemos y de un momento a otro yo les doy el dato del señor importante...".

—El interlocutor de Wendy —le explicó Pablo Escobar— es un agente de inteligencia, pero eso no es todo.

En realidad, según prosiguió Escobar, un oficial de aquellos acantonados en la Escuela Carlos Holguín, le había informado que la policía estaba cerca:

—Mirá, él dice que la policía va a llegar "a través de una novia de Popeye..." —explicó el jefe del cartel. No obstante, fue la última advertencia de Pablo Escobar la que estremeció a Popeye.

—Los muertos —le explicó— van a ser ella y vos...

Después de escucharlo, sin titubear, Popeye reaccionó:

—Yo mismo la entrego...

En realidad así lo hizo. Citó para las ocho de la noche a Wendy en el exclusivo restaurante Palos de Moguer, en las afueras de Medellín.

La vio entrar radiante y plena pero era poco lo que tenía ahora que ofrecerle. Pidió dos copas de vino y después simplemente esperó a que apareciesen El Zarco y sus "trabajadores".

"Escobar al cielo"

El senador Alberto Villamizar era un defensor de instrumentos como el tratado de extradición con Estados Unidos y, desde siempre, una víctima potencial de la mafia. De hecho, el 22 de octubre de 1986, Pablo Escobar Gaviria había encomendado a El Negro Pabón y a los Priscos la misión de asesinar al joven seguidor de Luis Carlos Galán y militante del Nuevo Liberalismo. Si para mayo de 1991 Villamizar estaba vivo era, en síntesis, porque los pistoleros habían fallado, por aquel entonces, en su intento.

Rafael García-Herreros, entre tanto, podía preciarse de ser el sacerdote más popular entre los colombianos. Cumplía tres décadas transmitiendo su mensaje pastoral a través de la televisión. Su espacio, conocido como El Minuto de Dios, salía al aire de lunes a viernes, a las 7 de la noche. En sesenta segundos, haciendo mención de pequeños fragmentos bíblicos, él enviaba a los hombres un mensaje de reconciliación. A ese breve sermón cotidiano, el clérigo

427

había sumado la fundación del barrio Minuto de Dios en Bogotá y la puesta en marcha de varias granjas para niños campesinos. Financiaba sus obras humanitarias a través del Banquete del Millón, una cena anual en la que industriales, altos funcionarios del gobierno y prominentes líderes sociales hacían su aporte a la causa.

Desde noviembre de 1990, cuando fue un hecho consumado el secuestro de Maruja Pachón y Beatriz Villamizar Cárdenas, el senador Villamizar, esposo de la primera y hermano de la segunda, se había aventurado en cuanta gestión le era posible para obtener la liberación de los cautivos de la mafia. Algo similar había ocurrido con el sacerdote eudista Rafael García-Herreros. Aunque ambos agradecían a los ex presidentes Alfonso López Michelsen y Misael Pastrana Borrero y al cardenal Mario Revollo Bravo, Los Notables, las declaraciones que hacían públicas para demandar la liberación de los plagiados, ninguno de los dos había permanecido cruzado de brazos.

Villamizar había hecho varios viajes a Medellín en busca de contactos y, en los primeros meses de 1991, a García-Herreros lo había sorprendido un emisario de Escobar con el anuncio de que éste se entrevistaría con él en Bogotá. Aquello era a tal punto real que, según lo comprobó el sacerdote, mientras las unidades de élite buscaban en Medellín al jefe de la mafia, éste permanecía en la capital, oculto en el apartamento de un pintor y, simulando ser un simple conductor de taxi, hasta se aparecía en el edificio de una vieja amiga. Llevaba consigo medicamentos para que ella pudiera atender su gripa.

Con todo, aun cuando desde el asesinato de Marina Montoya y el deceso de Diana Turbay Quintero, en enero de 1991, el terror había crecido a pasos agigantados entre los familiares de las víctimas de plagio y había agudizado aún más la zozobra a la que el cartel sometía desde hacía casi una década a la opinión pública de toda la nación, fue sólo el 13 de mayo de 1991 cuando García-Herreros reveló sus encuentros con Escobar y aseguró que los periodistas serían liberados.

La verdad era que el cartel estaba seguro de haber obtenido más de un avance en la estrategia de la mafia por imponer sus condiciones al Estado. La política de sometimiento a la justicia que, en la práctica, según habría de conocer el país en enero de 1995, se tradujo en que uno de cada dos narcotraficantes resultó condenado a penas leves y favorecido con el beneficio de la libertad condicional, entró en vigencia en septiembre de 1990 a instancias del presidente César Gaviria. El mismo hombre al que, en una ceremonia profundamente emotiva, un adolescente erigió en heredero de las ideas de Luis Carlos Galán y en candidato presidencial. De hecho, ostentando ese rango de privilegio, en enero de 1990, cuando se produjo la declaración de "seudorrendición de la mafia" —la misma que el general del ejército Harold Bedoya prefirió denunciar como "un chantaje de Los Extraditables"— César Gaviria había sostenido:

"La declaración no debe conducir al diálogo, pues les daría *status* político... Lo único que pueden esperar los narcotraficantes es que se les juzgue por las vías ordinarias del Código Penal y no por las vías del Estado de sitio, lo que implicaría la suspensión de la extradición".

Al final, según descubrieron los narcotraficantes, los resultados no pudieron ser mejores. La promesa de no extradición de barones del comercio ilegal de cocaína siempre que éstos comparecieran ante los jueces e hicieran confesión de todos sus crímenes, se convirtió en parte de la política de sometimiento. Desde entonces, Escobar buscaba dar la puñalada final a la extradición y propiciar la adopción de medidas aún más favorables para su caso.

El antioqueño Guido Parra —en calidad de único rostro del *pool* de abogados al servicio de la mafia— era en ello el responsable de llevar la batuta y no había cumplido nada mal con su papel. En enero de 1991, a sabiendas de que los secuestrados constituían una poderosa carta en poder de la mafia, Parra había expedido un primer comunicado. Solicitaba hacer absoluta la garantía de no extradición para los narcotraficantes que se presentaran ante los jueces. La no confesión de algún delito o el hallazgo de evidencias en el extranjero sobre la comisión de otros —aducía Parra— no podían ser base para la extradición, como lo preveía el decreto original 2047, a través del cual el gobierno había puesto en marcha su estrategia. Más tarde pidió que se abolieran los requisitos de delación de otros cómplices y de confesión de más de un delito y, por último, exigió que el gobierno garantizara la no extradición frente a los narcotraficantes que decidieran presentarse ante la justicia aunque éstos no hicieran confesión o delación alguna. El Estado, argumentaba, era el que debía probar eventuales cargos contra los que el abogado Guido Parra prefería llamar "la otra parte en conflicto". En marzo de 1991, a través de un lenguaje que era simplemente una codificación jurídica y constitucional de los ventajosos dictados de la mafia, Guido Parra reveló al gobierno las pretensiones de Pablo Escobar.

A la postre, el presidente César Gaviria y su ministro de Justicia Jaime Giraldo Ángel terminaron expidiendo dos decretos (3030 y 303) que adicionaban el primero y recogían algunas de las inquietudes del abogado Guido Parra. El más notable de los caricaturistas de los diarios colombianos optó por expresarlo en términos audaces a través de su lenguaje mordaz. El entonces ministro de Justicia aparecía en una caricatura como un sastre servil que tomaba medidas al cuerpo de Pablo Escobar Gaviria.

El 17 de mayo de 1991 Los Extraditables dieron a conocer un comunicado en el que se anunciaba la liberación de los últimos secuestrados: Maruja Pachón de Villamizar y Francisco Santos Calderón. La angustia, la fe y el escepticismo crecieron entonces a la par entre sectores diversos de opinión. Era el mismo mensaje que el sacerdote Rafael García-Herreros había hecho público cuatro días antes.

En las 48 horas siguientes al comunicado de la mafia, las declaraciones del sacerdote fueron a la vez un nuevo llamado a la fe en la liberación de los cautivos y un mar de afirmaciones confusas, plenas de candidez. El clérigo se preciaba de ser amigo personal de Pablo Escobar y de haber bendecido, durante un encuentro furtivo, algunos de los escapularios que los hombres del cartel llevaban siempre consigo como un amuleto. Enfatizaba que había dialogado con Escobar en más de una ocasión y que éste le había dicho que era ajeno a varios de los crímenes que se le imputaban. En particular, el asesinato del ex ministro de Justicia Enrique Low Murtra.

Economista y abogado, Low Murtra había sido muerto a tiros en la noche del 30 de abril de 1991, por lo demás, fecha del séptimo aniversario del homicidio de su homólogo y antecesor, Rodrigo Lara Bonilla. Low Murtra salía de dictar la última hora de cátedra y caminaba por la avenida en busca de un taxi cuando los pistoleros lo sorprendieron.

A pesar de sus cruzadas contra de la mafia, de las extradiciones que había suscrito, de las amenazas de muerte que se cernían sobre su vida y de la asesoría gratuita que prestaba a varias entidades del Ejecutivo desde cuando había dejado de ser titular en la cartera de Justicia en la administración del ingeniero Virgilio Barco, el decano de la Facultad de Economía de la Universidad de La Salle, en Bogotá, era un hombre tan poco exigente como solitario.

El cadáver de Low Murtra quedó sobre la acera, con varias laceraciones de bala, sin que nadie atinara a advertir que la víctima era precisamente el mismo que entre 1987 y 1988 se había batido contra las sentencias antiextradición de la Corte Suprema de Justicia y el Consejo de Estado.

En realidad, el sacerdote eudista no tenía por qué saberlo pero el magnicidio del que él había pretendido exonerar públicamente a Escobar era otra de esas instrucciones a Chopo.

431

Aquello se había gestado un día de la segunda semana de abril de 1991 en que Chopo buscó a Escobar, en una "caleta" en El Poblado, con el único fin de notificar que acababa de recibir una valiosa información de Bogotá. Low Murtra dictaba cátedra cada noche en la Universidad de La Salle y luego de ello salía completamente solo. Por lo demás, sostenía Chopo, siempre podrían hacer "la vuelta" utilizando gente que no pudiera saber que la orden provenía del cartel.

—Lo de la entrega está casi acordado con el gobierno pero si hay un error todo se va ir a la mierda. Es muy peligroso matar a ese tipo porque se puede venir abajo el arreglo con el gobierno —se opuso entonces Popeye.

Después de escucharlos a ambos, argumentando que estaban ante una oportunidad muy bonita para "despreciarla" y que, en cambio, "así podrían vengarse varias extradiciones", Escobar ordenó consumar el crimen y simplemente fijó una suma a Chopo:

—Le voy a dar cien millones de pesos por "la vuelta" pero usted me responde que quede bien hecha porque es mucha plata. La Lotería de Medellín paga ochenta millones de pesos y yo le voy a dar cien. Haga de cuenta que se ganó la lotería.

Con todo, lo cierto fue que con la misma frialdad con que Escobar dio aquella instrucción y negó ser responsable del homicidio ante el sacerdote García-Herreros, el cartel dio, el 20 de mayo de 1991, la orden de poner en libertad a los últimos secuestrados.

Enchufe y los "caleteros" sacaron a Maruja Pachón de Villamizar de la residencia en que permanecía y después la pusieron en libertad en la calle 107 con carrera 29. Eran las 7 de la noche. Francisco Santos fue dejado en la intersección de las avenidas Boyacá y Suba. Después tomó un taxi y volvió a su casa. Era las 10:20 de la noche del día 243 de su secuestro. Él y Maruja Pachón oraron al día siguiente, 21 de mayo, con el sacerdote eudista Rafael García-Herreros y ambos, como el intermediario final en su liberación, expresaron su fe en el fin de la guerra de la mafia y el sometimiento de Pablo Escobar Gaviria a la justicia.

No se equivocaban en cuanto a la presentación de Escobar pero sí en lo relacionado con el fin de la guerra. De hecho, la última batalla apenas empezaba.

El 19 de junio de 1991 las palabras de Pablo Escobar fueron otra vez directas en el mensaje pero distintas en el tono. Realmente, desde su escondite en una residencia en pleno corazón de Medellín, sentía que aquél era el día señalado.

—Si la extradición cae hoy en la Constituyente —dijo dirigiéndose a Popeye— usted se entrega inmediatamente a la justicia.

Aquella instrucción tenía en las huestes del cartel de Medellín el carácter de una victoria. El pavoroso baño de sangre al que Escobar había sometido a la nación durante 7 largos años alcanzaba su clímax: la abolición absoluta de la extradición. En la Asamblea Nacional Constituyente, por 51 votos contra 13, el instrumento había dejado de existir poco antes de la una de la tarde. Tres horas después, un helicóptero de la Gobernación de Antioquia descendía sobre el presidio de La Catedral. García-Herreros conducía en él a Pablo Escobar. El jefe del cartel se había presentado ante los jueces. La historia habría de demostrar que no lo haría precisamente en calidad de convicto y sometido.

EXTERMINIO EN LAS ENTRAÑAS
DEL CARTEL*

La "caleta" de los Galeano

Todo empezó en un asunto fortuito. Una naciente aventura amorosa puso al alcance de Alejandro, El Ñato, información a tal punto confidencial y privilegiada, que por cuenta de ella habría de correr la sangre a cántaros en las horas, los días, las semanas, los meses y hasta en los años siguientes.

Aun cuando desconocía el sitio exacto del entierro, El Ñato se enteró por medio de la chica, sobre la existencia de una enorme "caleta". Estaba en una casa del barrio occidental de San Pío y la custodiaban una adolescente y su progenitora, una mujer madura.

Los Galeano y los Moncada denominaban a esos entierros sus "cajones" y, entre ellos, socarronamente, alababan tal previsión: "Hay que sobrevivir y siempre hay que guardar una platica". Por lo demás, Fernando El Negro Galeano y Gerardo Kiko Moncada, coincidían en que si el tráfico de narcóticos se venía repentinamente al suelo, ellos podrían retirarse y legalizarse acudiendo a aquellas

---

* **Julio de 1992-diciembre de 1993**. El 3 de julio de 1992 marcó para Pablo Escobar y para el cartel de Medellín el comienzo del fin. El robo de una "caleta" de 20 millones de dólares y el juicio sumario y asesinato, en La Catedral, de Gerardo Kiko Moncada y de Fernando El Negro Galeano, los zares ocultos de la cocaína, desató la más pavorosa *vendetta* dentro del cartel, puso a aterrorizados agentes de la mafia al alcance de la ley y representó la hecatombe de Pablo Escobar, el peor criminal de la última mitad del siglo.

fortunas enormes que mantenían ocultas y dispersas en varias propiedades en Medellín.

Aunque sin saber a ciencia cierta a quién pertenecía la "caleta", en cuanto tuvo certeza sobre su existencia, El Ñato comunicó su hallazgo a John Jairo Posada Valencia, Tití, quien reveló el asunto a Pablo Escobar Gaviria y obtuvo la autorización para actuar. En la noche del jueves 2 de julio de 1992, El Ñato, Tití, Leopoldo, Muelón y Freddy Misterio, irrumpieron armados hasta los dientes en la vivienda de San Pío y sorprendieron a la cuidandera y a su hija.

El Ñato no se equivocó, pero la magnitud de aquella guaca lo hizo estremecer. Eran 20 millones de dólares. Una suma exorbitante aun entre bandidos cercanos al jefe del cartel. Quizás por ello, ni él, ni Tití, ni Muelón, ni Freddy Misterio, dudaron en poner aquel botín a órdenes directas de Pablo Escobar, recluido en el presidio de La Catedral desde aquel 19 de julio de 1991, cuando la extradición había caído de una vez y para siempre.

El robo de la "caleta" estalló como una bomba dentro del cartel. Aquel jueves 2 de julio de 1992, enterado de lo ocurrido, Fernando El Negro Galeano se prometió a sí mismo que esta vez no habría de quedar uno solo de los ladrones con vida.

Un año antes, por intermediación de Pablo Escobar Gaviria, Fernando El Negro Galeano, Albeiro Areiza, El Campeón y Gerardo Kiko Moncada habían tenido que resignarse a que el hurto de 17 millones de dólares tuviese por único epílogo un doble homicidio: el de Jorge González, a manos de Mario Alberto Castaño Molina, Chopo, en una finca de Sabaneta y el de El Torerito, por cuenta de Popeye, en la 80, frente al restaurante Manhattan de Medellín.

El Negro, Kiko y El Campeón confiaron por algún tiempo en que la lección había sido suficientemente elocuente, pero en mayo de 1992 descubrieron que estaban equivocados. Varios bandidos hurtaron en la segunda semana 20 millones de dólares y, después de sus averiguaciones, Fernando El Negro Galeano tuvo que ceder cuatro y avenirse a que sólo 16 le fueran devueltos. Esta vez, sin embargo, no estaba dispuesto a transar ni a perdonarle la vida absolutamente a nadie.

En cuanto supo del robo, de un salto abandonó la cama, telefoneó a su escolta de confianza, Luis Fernando Giraldo, Bocadillo, y se dirigió a su oficina, situada casi en la sede del Club Deportivo Independiente Medellín, el sexto consorcio más importante del fútbol rentado en el país. Desde allí, por beeper, envió un mensaje tras otro a Chopo. Después siguió el mismo procedimiento en busca de Juan Carlos Castaño, El Latino, cuñado de Chopo. No obtuvo, sin embargo, una respuesta de ellos. Al final sólo pudo entrar en contacto con Carlos Mario Alzate Urquijo, Arete. Le pidió que se reunieran de inmediato, pero apenas si insinuó el asunto del que se trataba. Luego lo citó en La Visitación.

Chapulín

Nieto del ex presidente de la República Mariano Ospina Pérez y uno de los primogénitos en la dinastía que engendró su abuela, Bertha Hernández de Ospina, una voz conocida, vehemente y escuchada entre conservadores y liberales, Rodolfo Ospina Baraya, Chapulín, era quizá el antioqueño que con mayor alivio respiraba desde la presentación de Pablo Escobar Gaviria ante la justicia, aún a sabiendas de la farsa que se ocultaba tras aquella parafernalia de pronunciamientos, decretos, secuestros y tiras y aflojes mafia-Estado. En otros tiempos, Escobar lo había conminado a cooperar o al exterminio y si aún estaba vivo, pese a no haber aceptado actuar en algunas misiones pavorosas, lo debía a otros barones de la cocaína.

Al principio, Escobar había intentado hacerlo cómplice de algunos crímenes participándole lo que planeaba. Era lo que había ocurrido en el caso del sucesor de Rodrigo Lara Bonilla, el entonces ministro de Justicia, Enrique Parejo González.

—El hombre está estorbando mucho. Está acosando mucho y yo veo la necesidad de eliminarlo —explicó Escobar a Chapulín durante una reunión de carácter social que, claro está, involucraba a más de una de las cabezas del creciente negocio de los narcóticos. Debido a una filtración, el primer intento de homicidio contra el ministro no llegó a consumarse porque el gobierno "extraditó" a Parejo González hacia su embajada en Austria. Sin embargo, con el tiempo, el cartel dio orden de ejecutar el plan en el exterior. Informado de cuanto ocurría y aprovechando un viaje a Europa, Chapulín concertó una cita con Parejo en Hungría y le explicó lo que podría sobrevenir:

—Cuídate, Escobar va a volver a intentarlo. Lo sé porque he estado muy cerca de él. Lo he oído y sé del odio que tiene contigo. Dice que no le importa el precio, pero que te va a eliminar.

Al escuchar a Chapulín, instintivamente, el ex ministro y jefe de la misión diplomática de Colombia en Hungría no tuvo otra opción que cuestionar a su interlocutor. Deseaba saber qué había detrás de ello. Chapulín no titubeó en la respuesta:

—No comparto ninguna de las ideas de Escobar y yo creo que usted es de las pocas personas, hombre doctor González, en las cuales yo confiaría y de las cuales yo creería que me podría colaborar para presentarme gente importante que no sea de Colombia porque yo no podría confiar. Si usted me presenta alguna gente podríamos acabar a ese hombre... Aquel fue en realidad un acuerdo...

Seguridad en La Catedral

De no ser por la concertina, la malla electrificada y la media docena de garitas y puestos de vigilancia, el presidio de La Catedral, en las afueras de Envigado, bien hubiese podido pasar por una enorme y vieja casa de campo, empinada sobre la montaña, dotada de gimnasio particular, bordeada por chalés de lujo y diseñada con cancha de fútbol y con campamento para una guardia privada.

El escenario de la reclusión de Pablo Escobar Gaviria, Roberto Escobar Gaviria, John Jairo Velásquez Vásquez, Popeye; Valentín Taborda; Luis Carlos Aguilar Gallego, El Mugre, y Otoniel González Franco, Otto, entre otros, era en realidad, antes que producto de una estrategia oficial, una idea de la mafia.

En cuanto el presidente César Gaviria lanzó la política de sometimiento, en septiembre de 1990, Pablo Escobar Gaviria vio en aquel terreno un campamento inequiparable. Por el frente, sólo podía accederse a él mediante una vía destapada, y por detrás, a partir de una cañada comunicada con el bosque. Aunque algunas vías anexas cruzaban a la distancia, en línea paralela, era imposible acceder sin ser visto. De hecho, con un teleobjetivo superpotente, durante casi un año, Pablo Escobar y sus hombres habían podido divisar, cuando se lo proponían, hasta los buses y vehículos que transitaban sobre la vía principal del municipio de Envigado.

Con el tiempo, el predio apareció inscrito como propiedad del municipio de Envigado y lo demás surgió por cuenta de los abogados del cartel. Así, el 19 de junio de 1991, el capo apareció en Medellín de la mano del sacerdote eudista Rafael García-Herreros, ante una comitiva oficial que esperaba por él y que presidía el procurador General de la Nación, Carlos Gustavo Arrieta Padilla.

Oportunamente los interlocutores de Escobar hicieron saber al gobierno que las autoridades de Envigado estaban dispuestas a convertir el terreno de La Catedral en un presidio municipal. Ello, a pesar de que el objetivo inicial era construir allí un centro de rehabilitación para adictos a los narcóticos. Al final, la celada de la mafia cristalizó. El ministro de Justicia Jaime Giraldo Ángel, terminó por rentar el "presidio" a través de un contrato que hasta en el Congreso de la República habría de ser tachado más tarde como "leonino".

Se trataba de un instrumento jurídico de complejos alcances. Otorgaba al municipio el derecho de hacer parte activa en la selección de un sector de la guardia de custodia y prohibía el acceso de la fuerza pública al "presidio". Con fundamento en la primera cláusula, Pablo Escobar había hecho contratar a agentes del cartel bajo el camuflaje de vigías y amparado en la segunda se sentía inmune a eventuales allanamientos o registros por cuenta de la policía e inclusive del ejército.

Tras aquellas argucias, Pablo Escobar Gaviria y sus hombres habían terminado recluidos y excepcionalmente protegidos por el Estado en su propia finca. Ni en "El Bizcocho", su cuartel general durante la planeación de los secuestros de Andrés Pastrana y del procurador General de la Nación, Carlos Mauro Hoyos, el sistema de seguridad había sido más sofisticado, operante y discreto y todo ante los ojos del mundo.

Realmente era una unidad importante aquella asignada a la custodia del "presidio" de La Catedral. Un primer pelotón del ejército permanecía instalado en la margen izquierda de la vía que de El Salado conducía hacia la vereda La Catedral. Tenía la misión de montar a diario un retén móvil en la Y, sitio en el que la carretera se bifurcaba en dos trochas apenas carreteables. La primera llevaba directo a dos portones de acceso al "presidio" y la segunda a la vereda Arenales.

Un suboficial y seis soldados ejercían funciones de control diario, de seis de la mañana a seis de la tarde, con instrucciones teóricas para efectuar requisa de vehículos y de verificación inicial sobre las autorizaciones de acceso al penal. Las autorizaciones eran producto de un intrincado sistema de controles. Escobar y sus agentes tenían permitido hacer listas de visitantes potenciales. Estas eran enviadas a las centrales de inteligencia del Comando de las Fuerzas Militares y el Departamento Administrativo de Seguridad (DAS) y a la división antimafia de la Fiscalía General de la Nación.

Tras un cotejo que a los ojos del país se hacía ver como exhaustivo y a través del cual se pretendían evitar contactos del jefe del cartel con delincuentes en libertad, la Fiscalía expedía los permisos de ingreso que más tarde refrendaba el Comando de la IV Brigada de Institutos Militares. Dos técnicos en dactiloscopia del Departamento Administrativo de Seguridad (DAS), cuya función era evitar que visitantes no autorizados pudiesen colarse exhibiendo permisos obtenidos por otros, hacían las veces de tercer filtro.

Un segundo pelotón, dividido en tres escuadras, atendía otros puntos estratégicos. La primera, integrada por un oficial, un suboficial y nueve soldados, permanecía asignada al puesto de huellas, en realidad el puesto número 1, situado a escasos metros de la puerta de acceso principal al "presidio". Los soldados tenían órdenes estrictas de consignar en varios libros la identidad y el número de cédula de quienes ingresaban a La Catedral y estaban autorizados para someter inclusive a los miembros de la guardia a un obligado registro de huellas dactilares tanto en el instante de ingreso como en el de salida. La segunda escuadra del pelotón número dos permanecía las 24 horas asignada al puesto número 5 de control, localizado en la parte sur alta de la cárcel, al borde de la malla exterior. Su misión era evitar un eventual ataque aéreo y a ese efecto operaban desde el sitio elegido para montar una ametralladora punto 50. Era una tarea que cumplían un suboficial y nueve soldados. La última de las tres escuadras de ese segundo pelotón operaba en la parte alta boscosa detrás de la cárcel, con otra responsabilidad: evitar incursiones sorpresa por esa zona. Dos suboficiales y 18 soldados hacían, estratégicamente divididos, patrullajes permanentes en el perímetro.

El Campeón ha desaparecido

Julio Correa, Orejas, recibió en su oficina la primera y única llamada. Eran las 6 de la tarde del tercer miércoles de febrero de 1992. Sergio

Alfonso Ramírez Ortiz, Pájaro, lo vio palidecer levemente y lo siguió con atención hasta cuando finalmente Orejas se decidió a hablar. Quien le telefoneó aseguraba que Albeiro Areiza, El Campeón, Camilo Rister y El Tuso, este último, escolta y conductor del quinto jinete de la mafia antioqueña, acababan de desaparecer. Lo único que sabían era que los tres habían descendido de un Twin Otter privado que a las 3:30 p.m. aterrizó en el aeropuerto Olaya Herrera.

Los agentes del cartel habían sido dispersados por toda la ciudad con la misión de ubicar a Areiza y a Camilo Rister. Quien había llamado a Orejas ordenaba que Pájaro, Enchufe y cuantos se encontraban en la oficina de Julio Correa hicieran lo propio.

En el atardecer del tercer miércoles de febrero de 1992, Enchufe y Pájaro entraron en contacto con Hernán Darío Henao, H.H., y los tres acudienron a dos agentes de la Sijín, en Medellín.

No hubo para la mafia un solo receso durante la noche ni en la mañana del día siguiente, tercer jueves de febrero de 1992, pero a las dos de la tarde la incertidumbre se disipó. Los detectives de la Sijín telefonearon a Enchufe y lo pusieron al corriente de cuanto sabían. A través de los radios oficiales acababan de saber que la policía había hallado los cadáveres de tres hombres, con los rasgos de los desaparecidos, en un despoblado en las afueras de Medellín.

Enchufe y Pájaro buscaron entonces a varias amigas de Albeiro Areiza, El Campeón. Éstas salieron hacia sitios diferentes: una, al anfiteatro de La Ceja; otra, a la morgue de Llano Grande y una tercera, a la sede del Instituto de Medicina Legal, en Rionegro. La segunda enviada reconoció los cuerpos. La muerte de El Campeón, Camilo Rister y El Tuso se confirmó el jueves, antes de caer la noche.

Cacería de ladrones

Guillermo Gerardo Sossa Navarro, Memobolis, le dijo a Arete que aún debía cumplir con varias de las tareas encomendadas por Chopo.

No obstante, el propio Memobolis se encargó de buscar a su remplazo. Fue así como Alex Arrieta, Boliqueso, terminó en la madrugada como un poste, sembrado en la inferior de El Poblado, en la esquina de La Visitación, centro comercial de comidas rápidas. Esperó 15 minutos hasta que finalmente apareció Rodrigo Arturo Acosta Villegas, Rigo, partícipe en el frustrado atentado al general del ejército, Harold Bedoya Pizarro. Sigifredo Gómez, Chichi, otro avezado sicario de profesión, acompañaba a Rigo. Luego vio a Arete y a Fernando El Negro Galeano.

Abordaron dos vehículos, y después de franquear la transversal de El Poblado, se detuvieron frente a la sede del Club Deportivo Independiente Medellín. Fernando El Negro Galeano descendió de un Mazda Asahi y lo propio hizo Bocadillo. Mientras entraban a una oficina, casi en la sede del club, sus cuerpos proyectaron sombras dispares y excepcionalmente opuestas, reflejo de su realidad. Fernando El Negro Galeano, la de un hombre delgado, relativamente bajo, y Bocadillo, su escolta, la de un Rambo, alto y corpulento.

Chichi, Boliqueso y Rigo siguieron a Arete hasta el despacho de Fernando El Negro Galeano, quien había tomado su puesto tras el escritorio, a la espera de Arete. Bocadillo guió a Chichi, a Boliqueso y a Rigo hacia un cuarto contiguo, dotado de una mesa de juntas.

—Alguien ha robado 20 millones de dólares y hay que organizar la búsqueda —explicó Fernando El Negro Galeano a Arete.

—El dinero estaba en una caleta en San Pío y se lo robaron varios hombres armados. He hecho traer a las "caleteras" porque ellas pueden identificar a los que se llevaron la plata y saben que tienen que colaborar —añadió El Negro Galeano.

Arete se levantó de su sillón, salió un instante, hizo una señal a Boliqueso, que tenía la corpulencia de Bocadillo, y pronto consiguió una reunión en el pasillo.

—Se robaron una "caleta" de El Negro y hay que organizar la búsqueda. Vamos a estar aquí para lo que se ofrezca...

Arete no alcanzó a explicar el asunto a Rigo, a Boliqueso y a Chichi cuando vio aparecer a dos escoltas de Fernando El Negro Galeano. Traían consigo a un prisionero. Era hermano de un agente al que le decían Valmer y, según creían los "trabajadores" de El Negro, eran de los que habían participado en el asunto. El adolescente estaba aterrorizado. Sin embargo, después de varias horas de interrogatorio las cosas terminaron bien para él. Las mujeres no lo identificaron como uno de los que tomó parte en el robo y, en cambio, él demostró que no sabía de la "caleta" ni estuvo jamás cerca de San Pío.

Después, el propio Fernando El Negro Galeano dio la orden de soltarlo, aclarando, eso sí, que no podría hacer mención del asunto.

El viernes 3 de julio transcurrió entre las conversaciones de Fernando El Negro Galeano y Arete; el repicar de los teléfonos, el ingreso de agentes y escoltas a la caza de información y muchos sandwiches, refrescos, tintos y cervezas heladas.

Sin embargo, a media tarde todo cambió dramáticamente. Boliqueso, Chichi, Rigo y Bocadillo veían un partido de fútbol en la televisión local cuando Fernando El Negro Galeano les notificó que sus agentes tenían ya la fotografía de por lo menos uno de los principales responsables del robo. La adolescente lo reconoció en seguida y su madre asintió ante El Negro cuando le enseñó la fotografía.

—Este es uno de los que fue allá por la plata —coincidieron casi al unísono ambas mujeres.

Fernando El Negro Galeano tomó la fotografía, la examinó con cuidado y luego se la mostró a Arete. El servicio de inteligencia de Galeano había resuelto el asunto en escasas 24 horas, pero la faena en la que él y sus hombres habrían de perder la vida apenas empezaba.

Arete palideció en cuanto observó la fotografía. Pronto Boliqueso, Chichi y Rigo comprendieron la razón.

—Hay que subir a hablar con Pablo —sentenció resueltamente El Negro Galeano. Luego señaló con el dedo la fotografía aún en poder de Arete y prosiguió:

—Aquí se dice que a este hombre le dicen El Ñato y que es un "trabajador" de Tití.

Arete asintió, tomó el teléfono y marcó sin dejar de observar un instante los movimientos de El Negro Galeano. Otro auricular se descolgó al momento en Envigado y Arete reconoció de inmediato la voz ronca de su interlocutor.

A sus escasos 24 años Luiscar era un agente activo en la organización de Chopo, su cuñado. Desde cuando Pablo Escobar, Roberto Escobar, Popeye, El Mugre y otros estaban recluidos en La Catedral, este hombre blanco y de 1.78 de estatura era el enlace entre el penal y el mundo exterior. Ejercía esa función desde una casalote, situada en El Rosellón, en la vía que de Envigado conducía primero hasta el estadero La Montaña y de ahí hasta La Catedral.

—El Negro necesita subir urgentemente a entrevistarse con El Señor y yo voy a ir con él —explicó Arete.

—Entiendo —asintió Luiscar y colgó. Asimiló las palabras de Arete como una orden y se dispuso a prepararlo todo para que el ascenso estuviese listo.

Arete y El Negro Galeano salieron entonces de la oficina, y abordaron el Mazda Asahi. Sólo Walter Estrada, El Capi, viajó con ellos. Capitán retirado de la policía, era desde hacía años el jefe de seguridad de Fernando El Negro Galeano. Bocadillo guió otro automóvil y cubrió un itinerario rápido. Dejó a Rigo y a Boliqueso en La Visitación y se dirigió hasta el parque de Envigado, unos kilómetros más allá del sitio en donde había hecho su primera parada para que descendiera Chichi. Cumplían así con las instrucciones que el primero había recibido de Fernando El Negro Galeano y los otros tres, de Arete.

No lo sabían, pero ese viernes 3 de julio de 1992, Fernando El Negro Galeano había concertado una cita en el patíbulo.

Contacto secreto

Chapulín dedicó varias horas e inclusive días a las agencias estadounidenses antidrogas tras su entrevista con Enrique Parejo González, en Budapest. En efecto, conforme a lo acordado, el ex ministro le presentó a varios funcionarios de la administración del presidente Ronald Reagan.

La información inicial les interesó y colmó de planes a encubiertos de la Drugs Enforcement Administration (DEA). Chapulín poseía información en extremo valiosa: ubicación de propiedades, sedes reales de "la oficina", refugios y casi el sitio exacto en el que Pablo Escobar pasaba una noche y otra.

Chapulín casi había obtenido la certeza de una operación encubierta, cuando los planes de los agentes estadounidenses y sus propias proyecciones se vinieron al suelo. Un intento de atrapar a Pablo Escobar, utilizando efectivos militares o policiales colombianos, con base en la información suministrada por Chapulín, podría fracasar y comprometer severamente a los gobiernos de Estados Unidos y Colombia. La DEA argumentaba que eran excesivamente altos los niveles de infiltración del cartel.

Fue lo que explicaron a Chapulín los agentes de la DEA. Paradójicamente, lo que sí se cumplió fue la advertencia de Chapulín. El 13 de enero de 1987, Parejo abandonaba la sede de su residencia oficial, en realidad la vivienda asignada al embajador de Colombia en Budapest, cuando un sicario disparó en cinco ocasiones, con un arma hechiza, contra el sucesor de Lara Bonilla...

Puestos de control 4, 5 y 6

Un tercer pelotón del ejército custodiaba La Catedral desde el sector de Carpas, aledaño a la entrada de la cárcel y cumplía la misión quizá de mayor relevancia. Eran 36 soldados divididos en tres turnos de 12 cada uno y cuatro garitas de vigilancia. Los relevos se realizaban cada tres horas. Les correspondían los puestos 2, 3, 4 y 6. En el puesto número 2 un soldado mantenía control visual sobre el área de Guyana en el interior del penal; otro más tenía la tarea de vigilar el exterior, y un tercero permanecía protegido en la garita con vista sobre otros puestos y sobre sus compañeros.

Una tarea equivalente se cumplía en el puesto número 3 de vigilancia, instalado a prudente distancia del puesto número 2. Ambas garitas estaban situadas entre el área de Guyana, una reja energizada en construcción y la cerca exterior. Los soldados instalados allí constituían una retaguardia perfecta en caso de un ataque desde la carretera de acceso a la cárcel.

El puesto número 4 cumplía la mismas funciones, pero había sido provisto de una ametralladora M-60. Los soldados podían controlar desde su garita una cañada que daba acceso a la parte alta posterior del penal y que, salvo por la carretera, constituía la única posibilidad de un ataque terrestre sorpresa.

El puesto intermedio entre el 4 y el 6, el 5, había sido dotado de una ametralladora punto 50 y de armamento adicional destinado a evitar las incursiones aéreas. No era una garita sino una especie de barricada antiaérea a cargo de un oficial. Finalmente contaba el puesto número 6 de control. El último bastión de protección. Por su excelente ubicación en la parte más alta de La Catedral constituía un puesto de alarma temprana. Como el puesto número 5 de control, el 6 estaba dotado de armamento antiaéreo.

Había además dos turnos de personal disponible. Uno, seccionado en dos grupos, se movilizaba en patrullajes hacia la vía de aproximación a La Catedral. El otro permanecía alerta para apoyar el cordón antiaéreo.

Las comunicaciones eran posibles gracias a tres radios de alta potencia y a varios radios Hayton punto a punto. Una red de citófonos completaba la infraestructura logística. Los citófonos comunicaban algunos de los puestos del ejército con la dirección de la

446

cárcel, la casa fiscal de la dirección, el campamento de la guardia y el centro de información de la cárcel.

A pesar de aquella infraestructura militar, desde el primer trimestre de 1992, abundaban los rumores que daban cuenta de la paulatina conversión de La Catedral en un nuevo centro de operaciones criminales del cartel y proliferaban las versiones sobre eventuales salidas de Escobar del penal. Muchos decían haber visto al máximo capo, en persona, en discotecas e inclusive en supermercados. Sin embargo, el gobierno atribuía aquello a la fantasía popular, y la policía, que por decisión oficial no formaba parte de los cuerpos de custodia de La Catedral, había fracasado en sus esfuerzos por vigilar a Escobar y a sus hombres.

Los intentos de la Dirección Nacional de Investigación y Policía Judicial (Dijín) por infiltrarse y vigilar La Catedral habían derivado en el asesinato de dos detectives. Los noticieros de televisión y los diarios sólo se ocupaban de los eventuales sobrevuelos de aparatos extraños sobre el penal y el alto gobierno concentraba su atención en la urgencia de sistemas de control antiaéreo, tras los informes de inteligencia que daban cuenta del hurto de tres bombas Papaya al ejército salvadoreño y aseguraban que estas habían ingresado ilícitamente a Colombia. Según se decía, con destino al cartel de Cali.

La verdad era que mientras la opinión especulaba sobre un eventual ataque aéreo con las tres bombas Papaya y el gobierno reforzaba los sistemas de vigilancia para evitar un ataque contra la cárcel, Pablo Escobar y sus hombres transformaban La Catedral en un magnífico e impresionante cuartel de operaciones. El cartel había construido varios chalés en la parte posterior del penal e indirectamente había contratado la construcción de varios refugios antiaéreos, pero esas obras, con sus jacuzzis y sus lujos, eran lo de menos frente a la multinacional del crimen que operaba desde allí, en las narices del gobierno, del ejército y de la Procuraduría General de la Nación.

Una carta sentencia

No habían transcurrido más de ocho días desde el hallazgo de los cadáveres de Albeiro Areiza, El Campeón, Camilo Rister y El Tuso cuando Albeiro Costales recibió desde La Catedral la orden de actuar. A pesar de sus escasos 1.65 metros de estatura y su evidente obesidad, Albeiro Costales o El Gordo, era un piloto avezado de motocicletas de alto cilindraje y un triste ejemplo de versatilidad para los pistoleros que reclutaba entre adolescentes de la comuna nororiental de Medellín y que él directamente instruía en escuelas a las que las autoridades denominaban "los parches".

Servía directamente a Víctor Giovanni Granada Lopera, El Zarco, quien le hizo entrega de un mensaje de puño y letra de Pablo Escobar Gaviria. Costales lo abrió delante de Pájaro y pronto ambos verificaron que el asunto tenía expresa relación con la muerte de El Campeón. La carta contenía la dirección de una residencia en la que presuntamente vivía un agente de la Policía Nacional involucrado en el homicidio de El Campeón.

Pablo Escobar ordenaba que Costales ubicara la residencia y "alzara" al uniformado. Debía trasladarlo hasta una "caleta" en la vía a Las Palmas y obligarlo a "cantar".

La dirección consignada correspondía a una vivienda de dos plantas, situada cerca a una Estación de Bomberos, entre los sectores de Las Palmas y La Milagrosa de Medellín.

Costales y Pájaro vigilaron la puerta de entrada a la residencia desde un automóvil Renault 9. Después de una hora en el lugar y cuando ya anochecía vieron aparecer a su víctima. No vestía el uniforme de la policía pero lo reconocieron por la escueta descripción que contenía la carta. Era un hombre de 1.70 de estatura, moreno, delgado y de labios gruesos. No parecía tener más de 30 años de edad.

Costales esperó a que el agente entrara en la residencia, encendió el vehículo y abandonó el sector. Luego buscó a Juaco, un mono grueso oriundo del barrio Santa Mónica; a Iván, un pistolero del barrio Campo Valdés que medía 1.68 de estatura y estaba casi calvo a pesar de sus escasos 25 años; al tocayo Albeiro, un hombre corpulento del municipio de Envigado y a Boliqueso. Los citó para el día siguiente en el edificio Monterrey y les entregó un vehículo Renault 21 negro, pistolas y subametralladoras.

—Lo que hay que hacer es "alzar" un tipo esta noche. Vamos a ver si le sacamos una información —les explicó Costales y luego les suministró otros detalles: la dirección de la residencia del agente, el remoquete del bandido que iba a servir de "cantonero" y el sitio en el que debían encontrarse.

El Rey de los Bandidos

El hombre que se autoproclamaba Rey de los Bandidos desde que la policía había ubicado y dado muerte a Gonzalo Rodríguez Gacha, El Mexicano, en diciembre de 1989, era en realidad un adicto a los narcóticos y a la sangre. Consumía fuertes dosis de cocaína cuando bebía y, durante años, no había dejado pasar más de tres meses sin acreditar un episodio con una víctima mortal. Hablaba de cada homicidio como si se tratase de una presea y solía hacer morbosas descripciones de los últimos gestos de los condenados.

Mario Alberto Castaño Molina, Chopo, tenía más de 35 años para julio de 1992. Medía 1.55 de estatura, tenía una barriga notoria y gustaba dejarse crecer la barba desde los pómulos. Ocultaba su calvicie con pelucas de abundante pelo negro rizado y hacía años que exhibía en el brazo izquierdo un águila tatuada en colores. En otros tiempos, su sevicia le había granjeado el remoquete de Campo Elías, nombre de un colombiano ex combatiente de Vietnam, que en la noche del miércoles 5 de diciembre de 1986, después de asesinar a su progenitora en un edificio de apartamentos en Bogotá, irrumpió

449

en Pozzetto, un restaurante de comida italiana, y asesinó a sangre fría a veinticinco comensales.

Chopo servía a Pablo Escobar Gaviria desde las épocas doradas de la exuberante Nápoles y, aunque había hecho fortuna al lado del jefe del cartel, siempre había deseado más. De hecho, a nombre de esa ambición, había sido el primero en concebir la sangría que estaba por sobrevenir. Un día de enero de 1992, en el estadero Los Cristales, mientras acariciaba el anillo de oro con incrustaciones de diamante que llevaba en el anular de la mano izquierda, sugirió lacónicamente el exterminio de los Galeano y los Moncada.

—Los Galeano no están cooperando con El Señor. Tampoco Los Moncada —explicó esa noche Chopo, a Tití y a Muelón, mientras se servía otro trago.

—Pablo casi que no puede ni con los gastos de La Catedral, nosotros estamos aguantando hambre y estos hijueputas están acumulando una fortuna.

Desde entonces, la idea martillaba entre sicarios del cartel, pero ni Chopo ni otros esperaban un desenlace como el que se precipitó ese viernes 3 de julio de 1992 por cuenta del asalto a la "caleta" de Fernando El Negro Galeano, en una residencia del barrio de San Pío. Chopo y El Latino, su cuñado, acababan de retornar de Centroamérica y apenas si habían tenido tiempo de deshacer la maleta.

Los atentados

A pesar de las dificultades de pronunciación, propias de los resortes con que los médicos tuvieron que atar una mandíbula a la otra para devolver movilidad a la quijada, destrozada por uno de los proyectiles que hicieron blanco en su humanidad el día del atentado, cuando salía de su residencia en Budapest, el discurso del embajador Enrique Parejo González ante la Asamblea de las Naciones Unidas, en 1988, persuadió aún más al mundo civilizado sobre la amenaza de la mafia y detonó la Convención de Viena contra el Uso y el Abuso de Drogas. Países de los cinco continentes se unían en busca de instrumentos para develar los innumerables tentáculos de la mafia.

De hecho, en el caso de Colombia, salvo por los barones de la cocaína y, claro está, por el ex ministro, a quien fortuitamente el destino libró de las garras de la muerte, eran pocos los que como Chapulín conocían el origen real del atentado. Él mismo había experimentado los extremos a los que podía llegar la mafia, aun respecto de sus socios en el tráfico de drogas.

Los Ospina almorzaban esa tarde del 20 de junio de 1987 en las afueras de Bogotá, en el restaurante Aero Burguer. Era una adquisición de Fernando Ospina Hernández en inmediaciones del aeropuerto de Guaymaral, por más de una razón, más que un aeropuerto, un muelle de decolaje y aterrizaje y, como era de esperarse, escenario de diversas escuelas de pilotaje y de la operación de disímiles consorcios privados. Los había reunido un hecho lúgubre: el deceso en Estados Unidos de Gonzalo Ospina Hernández, víctima de un temprano pero fulminante paro cardíaco.

Eran casi las 3:30 de ese sábado, cuando varios agentes del cartel irrumpieron en el restaurante y accionaron sus ametralladoras. Doña Bertha Hernández de Ospina no había tenido otra opción que ocultarse debajo de una mesa. A pesar de sus años, pasaba de los sesenta, mantenía una vitalidad sorprendente.

—Cumplan sus tratos —gritaban furibundos los pistoleros mientras disparaban.

Una bala alcanzó a Fernando Ospina Hernández en el muslo derecho y cinco hicieron blanco en Rodolfo Ospina Baraya, Chapulín. Cuando los pistoleros desaparecieron, doña Bertha se incorporó. Era un general en un campo de guerra. Fernando Ospina Hernández terminó recluido en la Clínica Santa Fe, y Rodolfo Ospina, en una residencia en el municipio de Chía, anexo a Bogotá pero, en todo caso, lo suficientemente apartada del escenario del atentado. Doña

Bertha no aceptó nada distinto a que los médicos atendiesen directamente allí a su nieto...

Ruta a La Catedral

La red que permitía al cartel ejercer el absoluto control sobre La Catedral empezaba en un parqueadero de Envigado, a escasos kilómetros de El Rosellón. Era una especie de casona y finca a la vez, cuya custodia estaba asignada a un hombre barrigón, próximo a los 40 años, al que le decían Rigor. El lugar era corriente, de fachada roja y estaba situado en la vía a La Catedral, a unos metros de la Casa Comunitaria, centro de reunión de los pobladores pobres de Envigado.

Cuando así lo requería Pablo Escobar, desde la casalote cerca de El Rosellón partían los visitantes clandestinos de La Catedral. Previamente, claro está, Rigor reseñaba en una lista los nombres de los potenciales visitantes y verificaba su documentación. Después revelaba por radio el listado a Luiscar y, una vez obtenida la autorización, asumía las requisas y disponía el transporte de los favorecidos.

Era una operación controlada al extremo. Milimétrica. La Catedral tenía aviso inmediato desde el momento en que partían los jeeps de la casa-parqueadero y El Rosellón. Diez minutos después se producía una nueva alerta sobre el paso de los camperos. El hombre a cargo de esa segunda voz era un paisa inválido y viejo que Escobar había hecho instalar en una rústica vivienda de color café, ubicada a escasos diez metros del sitio donde se iniciaba la carretera destapada rumbo a La Catedral.

Desde ese segundo punto de control del cartel, había diez kilómetros hasta el estadero La Montaña, un establecimiento de fachada que era el único en la vía. Constituía la última e inexorable escala que debían hacer quienes accedían ilegalmente al presidio. Era la base de Luiscar. Aunque en La Catedral se utilizaban detectores de metal, micrófonos y micrograbadores, Luiscar inspeccionaba a los visitantes, apoyado por un hombre al que apodaban El Bacán.

No era su única tarea. Cada día, Luiscar y El Bacán, mediante potentes binóculos divisaban durante horas cualquier movimiento en el Valle del Aburrá.

Desde la cocina del estadero La Montaña, a través de un citófono conectado a una caja de pares aislados, con ramificaciones a puestos de control del ejército, a garitas de la guardia penitenciaria y al chalet construido por Escobar en La Catedral, Luiscar y El Bacán podían informar con anticipación sobre cualquier movimiento sospechoso.

La red que conectaba el citófono del estadero con los de la cárcel constaba de dos tramos: uno oculto bajo tierra y protegido por cientos de metros de tubo PVC y otro aéreo. Eran 4.500 metros de cable que sólo con el tiempo las autoridades habrían de descubrir.

Una caseta de latón, roja y blanca, camuflada como expendio de gaseosas y confites, en la vía a la cárcel y administrada por La Yaya, contacto de los reos de La Catedral, completaba el círculo externo de vigilancia. Dentro del penal, tres·fax, cuatro computadores, seis teléfonos celulares y una compleja red de beepers servían al mismo propósito: la febril e ineluctable actividad de la nueva "oficina" del cartel.

"Entren por él"

Costales vio cruzar el Renault 21 negro con Iván, Juaco, Albeiro y Boliqueso y en su propio vehículo, acompañado de Pájaro, siguió el Renault a prudente distancia. Observó cuando el automóvil se detuvo poco antes de la Estación de Bomberos, en una vía de ascenso hacia La Milagrosa, pero prosiguió para verificar que el "cantonero" estuviese en su posición: un granero frente a la estación. Dio varias vueltas por la zona atento a su propio handy hasta que escuchó la señal.

El agente de la policía —al igual que había ocurrido el día anterior, cuando ellos identificaron la casa y empezaron a vigilarla— entró en su residencia hacia las siete de la noche. Iván, Juaco, Albeiro y Boliqueso forzaron la puerta de la vivienda y sacaron de ella al funcionario. Por radio, Pájaro les dio la instrucción siguiente:

—Mirá, nos encontramos en la entrada de la discoteca Kevins. Ahí los vamos a esperar. Apenas nos vean, nos siguen...

Los vehículos se detuvieron 45 minutos después en una "caleta" sobre Las Palmas, a ocho kilómetros de la vía de San Diego hacia el Aeropuerto Internacional de Rionegro. El Zarco y Arete se aparecieron en la "caleta" unos minutos después que Iván, Juaco, Albeiro y Boliqueso introdujeron al policía en la casa. El agente —era cuanto sabían El Zarco y Arete— estaba adscrito a la unidad apostada por el Comando de la Policía Metropolitana de Medellín en el Aeropuerto Olaya Herrera y, según las indagaciones que el cartel había hecho tras la muerte de Camilo Rister y El Campeón, el uniformado había desaparecido durante 30 minutos el día del secuestro.

El Zarco interrogó a su rehén primero sobre aquella historia y después obtuvo la información que realmente le interesaba. El día del secuestro de El Campeón y Camilo Rister —aseveró el policía— varios civiles se habían presentado en el aeropuerto y habían obligado a algunos policías a entregar sus uniformes de dotación. Más tarde los extraños simplemente habían desaparecido. El interrogatorio se prolongó durante varias horas, pero en cuanto El Zarco y Arete salieron de la "caleta" con una libreta repleta de notas, Costales ordenó a Juaco y a Iván que asesinaran al agente de policía. La policía halló el cadáver dentro de un vehículo abandonado en la carretera a Las Palmas. Era el Renault 21 negro.

Cita en el patíbulo

Antes de empezar el ascenso hacia La Catedral, Fernando El Negro Galeano se percató de que Pablo Escobar Gaviria había citado también a Gerardo Kiko Moncada. No le disgustó en absoluto la iniciativa del jefe del cartel. De seguro, Kiko podría hacer las veces de un juez imparcial y, esta vez, obtener no sólo la restitución del dinero hurtado de la "caleta" en el barrio San Pío sino el castigo de los ladrones.

Sólo se percató de su error una vez que entró al presidio. Antes que obtener la devolución de sus veinte millones de dólares y la autorización para escarmentar a los responsables del robo, esa noche del viernes 3 de julio de 1992, Fernando Galeano se enfrentó a un juicio sumario. Infructuosamente intentó persuadir a Escobar de que ese dinero era su cuota de años de trabajo, sin que se le hubiera pasado alguna vez por la cabeza que debía explicar su tenencia o su procedencia a nadie. No estaba dispuesto a perderlo, y tampoco a cederlo o a explicar nada a nadie. Ahora, sólo deseaba que se lo restituyeran.

—Tampoco voy a entregar un solo dólar a los bandidos, porque hace mucho tiempo que no hacen más que robar —explicó por último.

Otra cosa, no obstante, decidió Escobar. La sentencia del jefe del cartel fue nítida y dramática:

—Todos los bienes, las pistas, los aviones, los embarques, los créditos, las deudas, los pilotos, quedan confiscados para la guerra —dijo.

No otra, argumentó Escobar, podía ser la decisión frente a quienes habían decidido atesorar dineros al punto de permitir que se pudriesen bajo tierra antes que compartirlos. Si había permitido que El Ñato y otros hurtaran la "caleta" de Fernando El Negro Galeano, explicó, era sólo para verificar que La Fania seguía siendo una ruta segura y millonaria, cuyos dividendos él había repartido en otros tiempos para atender las necesidades de "la oficina".

A decir de Pablo Escobar, ahora existían nuevas necesidades, pero no había una repartición justa de las ganancias. Él debía sostener a un número elevado de viudas y huérfanos, asistir a los sicarios y a los testaferros detenidos y pagar un sueldo a los terroristas que habían actuado en la guerra contra el gobierno y que estaban en libertad. Según lo concebía, la irrisoria suma que Fernando El Negro Galeano y Gerardo Kiko Moncada aportaban mensualmente a "la oficina", entre 150 mil y 200 mil dólares, no era más que una limosna. Los veinte millones de dólares que El Ñato y los demás habían encontrado en un lento proceso de pudrición, en la residencia de San Pío, eran una evidencia contundente de ello. El sostenimiento del presidio, los litigios legales, las altas cuotas de sobornos y los cien millones de pesos que, según él, se repartían entre algunos mandos de la fuerza pública para garantizar la efectiva seguridad de La Catedral y la laxitud de los funcionarios frente a los requerimientos de Escobar, demandaban mucho más que una miserable partida asignada a regañadientes.

Por lo demás, sostenía esa noche el jefe del cartel de Medellín, "la oficina" no debía un céntimo a William Moncada, a quien Escobar acusaba de ser un alcohólico y un traficante ajeno a la guerra contra el Estado y un "patrón" sin respeto por el bienestar de sus "trabajadores".

Desde una celda cercana a la de Carlos Aguilar Gallego, El Mugre, algunos de los otros 15 reos de La Catedral siguieron el juicio contra Fernando El Negro Galeano —a su vez, indirectamente, el de Gerardo Kiko Moncada. Se sentían un jurado de conciencia. Compartían cuanto sostenía Escobar y rechazaban los argumentos de Fernando El Negro Galeano que, después de escuchar al jefe del cartel, había vuelto a insistir:

—No voy a dar un solo dólar para los bandidos porque no se lo pasan más que robando.

La ira de Galeano y su desprecio por los bandidos sólo terminó por desenmascarar a Chopo.

—Ah, este hijueputa está semialzado ¡Y todavía está caliente! ¿Qué es lo que se cree este marica? —vociferó mientras apuntaba el gatillo de su pistola contra Fernando El Negro Galeano. Gerardo Kiko Moncada quiso reaccionar, pero era demasiado tarde. Ambos habían sido condenados a muerte. Escobar y los bandidos acababan de inaugurar la más sangrienta *vendetta* en las entrañas del cartel.

Refugio en Miami

En cuanto Rodolfo Ospina Baraya, Chapulín, pudo ponerse en pie y soportar las dificultades propias de la convalecencia, doña Bertha Hernández de Ospina y otros familiares lo prepararon todo para que él saliera de la casa-finca de Chía, en donde lo habían ocultado tras el atentado en el restaurante Aero Burger.

Aunque ninguno de sus parientes compartía los negocios de finca raíz que habían involucrado a Chapulín con los hombres de la mafia y, menos aún, después que ello había estado a punto de acarrear una tragedia a los Ospina, la decisión de que estuviese por un tiempo en Miami resultó unánime. De hecho, sólo pudo regresar a Colombia después de obtener que Fernando El Negro Galeano y Gerardo Kiko Moncada intercedieran por él ante Pablo Escobar.

Chapulín se había iniciado en 1983 en un negocio de importación de automóviles, que la justicia y los medios de comunicación habían terminado por identificar con expresiones menos sutiles: contrabando. Delito que constituía una nimiedad si se tenían en cuenta los nexos de Chapulín con el crimen organizado. Si bien era cierto que, en un principio, conoció a los barones de la cocaína por cuenta de eventuales transacciones de fincas y ganados, también lo era que había terminado de cabeza compartiendo con los hombres de la mafia.

"A mí me 'apuntaban' —habría de revelar Chapulín el 22 de julio de 1992 a la Fiscalía General de la Nación— en cinco kilitos o en diez o en quince o me ponían a prestar un servicio cualquiera. Me sentía superbien, agradecido, y no tenía por qué estar preguntándoles nada. ¿Que se cayó el viaje? ¡Ah bueno! ¿Que lo cogieron o se estrellaron? ¡Ah bueno! Con el recorte de prensa me era suficiente para estar ahí o, pues, convencido de que nos había ido mal".

Chapulín obtenía sus propios kilos a un millón de pesos cada uno, cada vez que Fernando El Negro Galeano y Gerardo Kiko Moncada le permitían ir en algún "apuntado". En ocasiones entregaba diez para obtener los réditos de cinco: 70 mil dólares, en las épocas en que el precio había caído de 35 mil dólares a 14 mil dólares. Los 70 mil dólares restantes eran lo que El Negro Galeano y Kiko Moncada cobraban por fletes y ubicación de la droga en manos de los expendedores estadounidenses.

La verdad era que los "apuntados" de Chapulín representaban para ellos una bicoca. Negociaban cantidades enormes de narcóticos. Desde 500 hasta 2.000 kilos y sus "oficinas" eran frecuentadas por proveedores de Bolivia, Perú y Ecuador. Transportaban la base de coca por rutas de todo el país y se encargaban de distribuirla para su procesamiento en haciendas de Caucasia, Urabá y los Llanos. Una y otra vez, Chapulín había visto cuando contaban en sus narices uno, dos, tres y hasta 12 millones de dólares y los había escuchado decir frases como estas: "Pablo Escobar nos va a dar un cupo de calidad", "Pablo le va a subir al transporte", "nos van a llevar en 500 kilos".

"De pronto lo 'tumban' a uno"

Asignado al escuadrón responsable de las requisas en un retén sobre la vía a La Catedral, el soldado Carlos Enrique Martínez Toro, era oriundo de Yarumal (Antioquia) y había cursado hasta cuarto año de bachillerato antes de enrolarse en el ejército. En julio de 1991 lo habían enviado por primera vez a La Catedral y exactamente el 9 de junio de 1992 había sido trasladado allí por segunda vez. El soldado Martínez no era, en fin, un novato en las lides de La Catedral. Todo lo contrario.

En virtud de la rotación que se realizaba quincenalmente, conocía cada uno de los puestos de control. De hecho, hubiese preferido estar en una de las garitas antes que integrar el pelotón de requisas, cuya labor, según habría de confesar, le parecía una rutina miserable: "Había una cadena. Ahí se parqueaba el carro que iba a ingresar. Uno llegaba y saludaba. Entonces el 'man' que fuera ahí en el carro se bajaba, uno le pedía el permiso del vehículo y el permiso de él y los llevaba a donde el cabo que estuviera de comandante de guardia. Se comenzaba la requisa del carro y de las personas. Luego el carro seguía para arriba y ya".

Según había comprobado el soldado Martínez, sólo existía una excepción a la regla de requisar cualquier vehículo y persona que pretendiera acceder a La Catedral. Se trataba de un furgón Mazda 3.5 azul.

Desde cuando regresó a La Catedral, el soldado Martínez tuvo la percepción de que el presidio operaba de manera diferente, pero sólo con el tiempo comprobó que no se equivocaba. El día en que por primera vez vio aparecer el furgón Mazda 3.5 e intentó oponerse a su paso y someter al conductor a la requisa de rigor, el teniente Ortegón se cruzó en su camino y lo disuadió de una vez y para siempre de ello. Le explicó que se abstuviera de requisar el camión porque pertenecía a la guardia interna del presidio y después, en cuanto se percató de que aquel no era un argumento suficientemente satisfactorio, se dio vuelta y le advirtió:

—Si quiere vivir, no pregunte tanto...

Unos días después de aquel episodio, intentando buscar algo de consenso, el soldado Martínez se atrevió a comentar el asunto con otros:

—Bueno, ¿y ese carro por qué diablos no se requisa? ¿Dónde está el permiso? ¿Quién dijo que los carros de la guardia no se requisan? —interrogó. No obstante, la respuesta que recibió lo dejó aún más perplejo:

—No hay que requisarlo porque todo el mundo sabe que de pronto van y lo "tumban" a uno.

El soldado Martínez entendió a qué se referían el día en que obligó a una visitante a detener el vehículo particular en que viajaba y a abrir el baúl. Según habría de relatar un día a la Fiscalía General de la Nación, "la mujer subió y le contó al 'man' ese de adentro. Entonces me llamaron al momentico abajo. No sé quién me llamó. El comandante me dijo que lo había llamado de adentro el marido de la mujer y entonces yo tuve que explicar de todo".

Aunque después descubrió que varias mujeres ingresaban al presidio a bordo del camión Mazda, lo ocurrido con el teniente Ortegón, el miedo que era evidente en otros soldados y las explicaciones que tuvo que dar ante las quejas de la esposa de uno de los convictos, disuadieron al soldado Martínez de involucrarse en lo que, a su juicio, no debía ser algo que le preocupase. Simplemente decidió abstenerse de hacer cualquier cosa que pudiera convertirlo en el primer blanco de la advertencia: "Va y de pronto lo 'tumban' a uno".

La víctima del B-2

Tras el asesinato del agente de policía adscrito al Aeropuerto Olaya Herrera de Medellín, Enchufe recibió un mensaje escrito por Pablo Escobar Gaviria desde La Catedral.

Pájaro y Enchufe debían localizar a un ex colaborador de los servicios de inteligencia del B-2 del ejército que, según Escobar, buscaba información en Medellín sobre varios agentes del cartel. Tenían que buscar primero a Caras Lindas, propietario de uno de los gimnasios de la ciudad, y después a Costales para que él se encargara de decidir quiénes hacían "la vuelta".

Caras Lindas suministró a Pájaro y a Enchufe la dirección de una bodega ubicada en Itagüí y lo demás surgió después de un par de días de seguimientos. El ex colaborador del B-2 era un hombre corpulento. Estaba próximo a los 35 años y medía 1.75 de estatura. Se movilizaba por Medellín a bordo de un Montero Mitsubishi carpado de color azul niebla. Salía a horas tan impredecibles de la bodega que Enchufe y Pájaro le perdieron varias veces el rastro. Lo siguieron durante una semana para establecer con quiénes se entrevistaba y después entraron en contacto con Costales, quien persuadió a Caras Lindas de concertar una reunión con el investigador. "Tengo que darle una razón de Pablo", le argumentó.

El ex colaborador del B-2 cumplió la cita en el gimnasio pero Costales decidió que "la vuelta" no se hiciera allí porque, según habría de confesar Pájaro ante la Fiscalía General de la Nación, "eso era acabar con la clientela y no era justo puesto que él nos había colaborado para localizarlo".

A cambio, Costales telefoneó al gimnasio y lacónicamente explicó al detective que tenía serios inconvenientes para ir hasta ese lugar, entre otras razones, por el tipo de información que se proponía suministrar. Luego le pidió que se reunieran en un bar sobre la transversal inferior de El Poblado.

El campero Mitsubishi azul niebla franqueó a las ocho en punto la diez de El Poblado, viró a mano izquierda y se detuvo ante el primer bar que encontró sobre el costado derecho de la vía. Acompañado por Caras Lindas, el ex colaborador del B-2 entró en el establecimiento. Llevaba consigo un maletín de cuero tipo ejecutivo.

Caras Lindas buscó a Costales entre quienes departían en las distintas mesas del bar, pero no lo encontró. Ingenuamente recomendó al investigador que esperaran unos minutos. Sin embargo, ninguno de los dos alcanzó a tomar asiento cuando Juaco, Iván y Chichi se levantaron de sus puestos en el bar y dispararon sendas ráfagas contra el detective. Luego se apoderaron del maletín tipo ejecutivo y desaparecieron.

Costales encontró dentro del maletín una subametralladora, varios documentos sin importancia, una libreta con números de teléfono sin interés y una calculadora. La información de relevancia para el cartel estaba almacenada en la memoria de esta última. Allí habían sido consignados el nombre de Fernando Galeano, el alias de Pasarela y varios números de placas de vehículos efectivamente utilizados por el cartel.

Costales y Enchufe hicieron llegar la información a Pablo Escobar en La Catedral y después recibieron instrucciones de pagar tres millones de pesos a Juaco, Iván y Chichi.

"Tenemos a Mario Galeano"

La de ese sábado 4 de julio de 1992 fue una jornada intensa, febril y sangrienta. Contactados desde primeras horas de la madrugada a través de telegráficos mensajes de beeper, sicarios del cartel se lanzaron desde las 9 de la mañana, raudos por calles de Medellín, Itagüí y La Estrella, a la caza de sus blancos. Eran una especie de comandos élite del crimen y, actuando en conjunto, constituían un impresionante y devastador aparato terrorista.

Chopo y Cuchilla o Pasarela se habían erigido desde la noche anterior, después del juicio sumario a Fernando El Negro Galeano y a Gerardo Kiko Moncada en La Catedral, en los "comandantes" de esa operación criminal. Para las 9 de la mañana, ambos viajaban a bordo de un Trooper color champaña que Chopo habría de desaparecer en el curso de la semana siguiente, entre un laberinto de transacciones comerciales, con el único fin de no dejar huellas tras de sí.

Dos automóviles, en los que se transportaban ocho agentes del cartel, seguían al jeep que se detuvo frente a un lujoso edificio de apartamentos. El Latino, Pomas, Edwin y Jaime Arroyave descendieron de un Mazda cobrizo e irrumpieron en la edificación.

Chopo tenía una particular confianza en Arroyave, a quien había hecho recoger directamente en el sector de Canalización, en la 65, en una casa amplia de dos plantas, con puertas de aluminio, rejas exteriores y fachada de color curuba. Lo conocía como cabeza de una red de 15 pistoleros del barrio Manzanares de Medellín.

Otros cuatro hombres se apostaron a prudente distancia sobre la acera y la puerta de acceso principal al edificio y Chopo y Cuchilla o Pasarela aguardaron a bordo del Trooper. Chopo portaba su Smith & Wesson plateado y una pistola 25 milímetros. Acariciaba impaciente el silenciador del arma que habría de cegar, seis días más tarde, el viernes 10 de julio de 1992, con un disparo certero en el rostro, la vida de otro de los jeques de la cocaína: William Moncada.

Chopo odiaba visceralmente y desde siempre a los Galeano y a los Moncada, pero sobre todo a William Moncada. Sabía que él recriminaba a Fernando El Negro Galeano y a Gerardo Kiko Moncada por las gruesas sumas de dinero que ambos extendían a Pablo Escobar, y que no hacía otra cosa que decir:

—A Pablo Escobar hay que mantenerlo pobre, para que no joda.

En realidad, tal y como lo veía William Moncada, a más dinero, mayores eran las posibilidades de que Escobar y sus agentes propiciaran nuevos atentados criminales.

El Latino apareció finalmente en la puerta del edificio. Mario Galeano, segundo en el clan de los Galeano, marchaba con visible ira tras él. Lo escoltaban Pomas y Arroyave.

—Coronamos —dijo Chopo dirigiéndose a Cuchilla o Pasarela. Luego guardó el Smith & Wesson y puso en marcha el motor del Trooper. Los tres automóviles partieron veloces hacia una residencia en un barrio de clase media de Medellín que, hasta el día de la ejecución, habría de ser la cárcel de Mario Galeano.

En otros sectores de Medellín, el grupo de Leonardo Rivera, Leo, y Francisco Javier, Conavi, "cazaba" a los contadores y escoltas más próximos a los Galeano. Seguían instrucciones de Muelón que, a la sazón, acompañado por otros agentes del cartel, cumplía con su propia y despiadada misión. Pablo Escobar le había asignado el exterminio de Gerardo Kiko Moncada y la desaparición del cadáver de Fernando El Negro Galeano. Todo, sin que quedase ningún rastro.

Muelón y los demás, entre ellos Tití y Dayro Cardoso Metaute, Comanche, habían elegido un despoblado en el municipio antioqueño de La Ceja.

Cómplice del caso Galán

Chapulín también había estado entre los primeros en enterarse, en 1989, sobre los planes del cartel contra el líder del Nuevo Liberalismo y candidato a la Presidencia, Luis Carlos Galán Sarmiento.

Sin embargo, a diferencia de lo que había ocurrido en 1987 respecto del ex ministro de Justicia y embajador de Colombia en Hungría, Enrique Parejo González, en el caso Galán, Pablo Escobar había pretendido vincular directamente a Chapulín.

Un día cualquiera de comienzos de 1989, en frente de Fernando El Negro Galeano y Gerardo Kiko Moncada, el Doctor Echavarría abordó el asunto y fue directo al grano:

—¿Por qué no te bajás a Bogotá y me ayudás a conseguir algunas casas para "caletear" carros y "trabajadores" para lo de Galán?

Al escucharlo, Chapulín sintió un calor profuso subiéndole de pies a cabeza y no pudo disimular la honda perturbación de que era presa. Con todo, Escobar prosiguió:

—El hombre en la Presidencia es un problema. Puede ser el peor enemigo. Él te puede entregar hasta a vos a los norteamericanos...

En realidad, Chapulín entendió aquello como la decisión irreversible del jefe del cartel de ponerlo a prueba. Aunque había regresado de Miami, amparado en su proximidad con los Moncada y los Galeano, enviado más de un "apuntado" y asistido con frecuencia a las reuniones sociales del cónclave del cartel de Medellín, nunca había terminado por granjearse la confianza de Pablo Escobar.

Todo lo contrario. Sus discrepancias con el Doctor Echavarría se habían ampliado y si el jefe del cartel se había abstenido de ordenar a sus agentes que se encargasen de Chapulín, había sido sólo para evitar enfrentamientos con sus socios en el tráfico de narcóticos.

A ese respecto, el propio Chapulín habría de sostener ante la Fiscalía General de la Nación: "Yo les decía, no estoy de acuerdo con que se planifique o se cometa este atentado o se haga esto o lo otro porque yo no creo que eso vaya a dar ningún beneficio. Entonces él veía que yo no era de las ideas de él y que no teniendo velas en el entierro, opinaba como con mucha propiedad (...) porque yo me sentía tan apoyado, tan íntimo de Kiko y Fernando...".

—No. Estás equivocado. Yo no. Yo puedo ser lo que sea, pero yo no hago eso. No me comprometás —respondió Chapulín el día en que Escobar le pidió intervenir directamente en los planes de la mafia para asesinar a Luis Carlos Galán. Titubeaba ante las miradas en su alrededor.

—Claro que vos no vas a estar en el asesinato —replicó en forma sarcástica Pablo Escobar. Solamente estoy pidiendo que nos ayudés a conseguir algunos apartamentos y lugares para "caletear" los carros y eso...

—No, no hermano. A mí no me pongás en esa tareíta —insistió Chapulín mientras intentaba reponerse de su aturdimiento. Más bien decime que te ayude a despachar un avión con coca.

Chapulín había cambiado el tono de voz y sin poderlo evitar, producto de los nervios, volvió a reiterar:

—Más bien yo te lo despacho, yo te despacho un avión con coca.

"Yo en muchas oportunidades traté de buscar por qué medio llegaba al señor Galán —sostendría Chapulín ante la justicia colombiana, el 22 de julio de 1992. Él sabía que le iban a hacer un atentado, pero yo no obtuve como acceso a él o a las personas que eran de confianza y a las que les pudiera tocar el tema y me daba miedo que algo se filtrara y ahí mismo sabía que me eliminaban inmediatamen-te... Él tenía varios contactos para esperarlo en Bogotá o en la costa. Lo iba a hacer en cualquier parte, menos en Antioquia. Eso sí estaba muy seguro de eso. 'No lo hago en Antioquia —decía— porque me cae casi que directo a mí'. Pero él y El Mexicano sí lo querían hacer y tenían la gente en varios lugares...".

"Cuídese mucho... lanza"

El soldado Carlos Enrique Martínez Toro no era, sin embargo, el único que había sido alertado por el teniente Ortegón sobre los riesgos de intentar una requisa al furgón Mazda 3.5. También el subteniente Juan Daniel Ortiz, grado número 4 de la Policía Militar había sido recibido con mensajes extraños.

Portador de la cédula 91.442.612, expedida en Armenia (Quindío), a sus 25 años, el subteniente Juan Daniel Ortiz era un soldado curtido en la lucha contrainsurgente que iniciaba su carrera como oficial. La resolución del comandante del ejército en la que se le ordenaba trasladarse a La Catedral lo sorprendió en la Brigada Móvil Número 2, una contraguerrilla que tenía su base de operaciones en el Magdalena Medio. Aquello ocurrió en los últimos días de junio de 1992, pero sólo el 2 del mes siguiente estuvo efectivamente en el presidio. Sus superiores eran el capitán Socorro Vargas Daniel y el teniente Lesmes Parra. Debía compartir además con los sargentos segundos Ramírez Jorge, Joya y Cardona; los cabos primeros Muñoz y Rodrí-guez y los cabos segundos Ruiz y Herrera. El teniente Ortegón, sin embargo, se encargó de transmitirle un mensaje que sintió como una patada en el centro mismo del estómago:

—Haga exactamente lo que hay que hacer. No cabronee. Esa gente es de cuidado.

El impacto de las advertencias del teniente Ortegón, que él enten-dió directamente relacionadas con la inmunidad del furgón Mazda

3.5 frente a las requisas, disuadió al subteniente Juan Daniel Ortiz de participar directamente en el registro a los vehículos y a los visitantes de La Catedral. Prefería observar desde la barrera aquel espectáculo: en una camioneta gris, que era virtualmente un duplicado de aquella que aparecía en la serie estadounidense de televisión Los Magníficos, había visto ingresar varias veces a Herminda de Escobar. La controvertida progenitora del Doctor Echavarría iba siempre acompañada de "los duros", como él prefería llamar a los familiares de Escobar. También había identificado un Trooper en el que sólo viajaban familiares de otros terroristas recluidos para entonces en La Catedral.

Aunque en muchas ocasiones tuvo deseos de requisar personalmente la camioneta y el campero, siempre desistió en el último momento.

Una "vuelta" de 200 millones

Gustavo Adolfo Gutiérrez Arrubla, Maxwell, llegaba ese día de mediados de 1992 al final de un seguimiento cuidadoso y, asistido por otro agente del cartel, esperaba en una calle del norte de Bogotá a que apareciera la magistrada que la mafia había decidido asesinar. Su compromiso era suministrar a Enchufe información absolutamente exacta sobre los horarios y la rutina de la abogada. Por "la vuelta", según había determinado Pablo Escobar, Chopo y Enchufe, iban a recibir cada uno cien millones de pesos para repartir entre los "trabajadores". Las instrucciones que tenía Maxwell eran las de acordar un encuentro con Enchufe en el menor tiempo posible y acelerar "la vuelta".

Blanco y barrigón, de 1.75 de estatura y cabello liso, Maxwell hacía parte del cartel desde mediados de los ochenta y, al igual que Enchufe y Pájaro, era responsable de una "oficina" en Bogotá. Aunque en 1992 había dedicado varias semanas a vigilar a una magistrada del Tribunal Nacional, segunda instancia en la estructura de jueces antimafia de la Nación, su verdadera especialidad era el soborno de funcionarios.

"Sobre los sobornos o dineros pagados a funcionarios, dada la naturaleza de los cargos que ocupaban las personas involucradas y, en razón a que los hechos pueden afectar de alguna manera el libre desarrollo de las instituciones democráticas, considero inoportuno para la seguridad del país y para la mía y la de mi familia referirme a estos puntos y pido que se me entienda. Es un hecho cierto que lo hice. Sí manejé muchos dineros y siempre en efectivo. Esto se hacía así para no dejar huellas porque cualquier soborno se hace así. Además, las personas que los recibían, exigían que se hiciera en efectivo", terminaría por admitir Maxwell en mayo de 1994 a la Fiscalía General de la Nación.

Maxwell servía directamente a la red de Chopo, lo conocía como pocos y hasta había estado a punto de ser detenido con él aquella media noche del 2 de marzo de 1988, cuando Los Magníficos robaron el Turbo Comander 1000 de la Base Militar de Catam. Las bengalas y las ráfagas de los aviones caza de la Fuerza Aérea los sorprendieron a ambos en La Mayoría, de la Hacienda Nápoles. Vio a Chopo alzar como pudo a su pequeña hija y los tres salieron de la casa y abordaron un campero Toyota de color rojo. A pesar de la premura, tuvieron que esperar varios minutos hasta que los "trabajadores" de H.H. montaron en el vehículo varios equipos de radiocomunicación que de ordinario permanecían en la pista de la hacienda.

Esa madrugada se separaron en Doradal después que Chopo tomó la decisión de seguir con su hija hacia Medellín y pidió a Maxwell que se uniera a Rodrigo Acosta Villegas, Rigo, para que ambos fueran hasta un predio cercano a la pista de La Lechería, entre Doradal y Río Claro, y se ocuparan de un camión cargado con varias tulas repletas de cocaína.

Seguros de que en ese sitio no iba a levantar sospecha alguna, Maxwell y Rigo parquearon el camión a unos metros de la Estación de Policía de Doradal y esperaron ahí hasta cuando, a primera hora de la mañana, aparecieron John Jairo Arias Tascón, Pinina, Julio Lagarto y otros ocho que se hicieron cargo de lo demás.

Con el tiempo, sin embargo, ese episodio pasó a ser un hecho aislado en la carrera de Maxwell dentro del cartel. Gracias a la mediación de Chopo ante Pablo Escobar, Maxwell terminó a finales de 1988 en Bogotá. Rentó durante tres meses una habitación en el céntrico Hotel Tequendama y después se instaló en un edificio de apartamentos de la calle 116 con Avenida Suba, en el sector de Puente Largo, norte de Bogotá. Fue su refugio hasta el octavo mes de 1989 cuando el propietario del inmueble decidió dar por terminado el contrato de arrendamiento. Aun cuando Maxwell vio difícil ubicar otro apartamento sin levantar mayores sospechas, pronto se dio cuenta de que no había tal. En Medellín Chopo buscó al ex ciclista Gonzalo Marín, Chalito, y, éste se ocupó con celeridad del asunto de Maxwell. Siguió el mismo procedimiento que utilizó para gestionar la consecución de la bodega de San Antonio en donde Arete y Memín almacenaron los explosivos destinados al atentado contra la sede del DAS.

Guillermo Alfonso Gómez Hincapié y Eduardo Tribín Cárdenas se encargaron de alquilar un apartamento utilizando una identidad ficticia. Estaba ubicado en un conjunto cerrado sobre la Avenida Eldorado, a la altura de la carrera 32. Gómez y Tribín explicaron a la propietaria que en el inmueble iba a operar eventualmente una oficina de comercio exterior y cancelaron por adelantado y en efectivo varios meses de arrendamiento. Más tarde, a través de Chalito, citaron a Maxwell en el Hotel Le Mirage, y le hicieron entrega de un sobre con las llaves y la dirección del apartamento.

Maxwelll se instaló en su nuevo refugio durante la segunda semana de septiembre de 1989. Trajo consigo a Claudia Lesmes y a un hermano de la chica. Al principio no fueron más que una familia común y corriente, pero todo cambió un día en que Maxwelll volvió más temprano que de costumbre a casa y descubrió que su compañera era adicta a derivados menores de la cocaína como el basuco. Deploró el haberla traído consigo. Las disputas crecieron y él decidió notificar de cuanto ocurría a Chopo.

Aunque solicitó a su "patrón" que desistieran de los servicios de los Lesmes, Chopo ordenó que la chica y su hermano permanecieran en el apartamento por algún tiempo, con un sueldo de 200 mil pesos al mes.

—Va a ser sólo hasta que podamos cesarla —explicó Chopo a Maxwell, que optó entonces por realizar toda una comedia. Un día cualquiera esperó a que ella estuviera bajo el efecto de la droga y fingió exasperarse hasta el extremo. Se aseguró de que más de un vecino escuchara el escándalo y luego notificó a Claudia Lesmes que él había decidido marcharse. Él —le dijo— no iba a comunicar semejante asunto a sus patronos en Medellín y lo único que esperaba era que ella continuara en el apartamento. Sólo así tendría asegurado un sueldo mensual. Maxwell terminó rentando un apartamento en el sector de Chapinero Alto en Bogotá.

La magistrada a la que Maxwell seguía para mediados de 1992, cuando casi se cumplía un año desde la presentación de Pablo Escobar Gaviria y su reclusión en La Catedral, era parte de una estructura de jueces secretos que el presidente Virgilio Barco había heredado a la administración de su ex ministro de Gobierno, el economista César Gaviria.

La justicia de orden público constituía el último esfuerzo estatal por organizar un aparato judicial sólido contra los carteles de la cocaína. Vehículos blindados, sistemas de radiocomunicación, instalaciones especiales fuertemente custodiadas y construidas con paredes reforzadas en concreto, constituyeron el primer balbuceo de aquella parafernalia que sólo con el tiempo demostró sus bondades.

En un principio, varias misivas con carácter de "clasificadas" hablaban por sí solas de lo que ocurría:

Señor
Presidente Tribunal Superior de Orden Público
E. S. D.

Me permito darle conocer al Tribunal, por su intermedio, algunas observaciones que personalmente tuve oportunidad de efectuar en la Seccional de Orden Público de Medellín en la semana anterior:

1. La inseguridad en esas instalaciones es alarmante, al punto de que es fácil el ingreso de cualquier persona, sin obstáculo alguno.

Los jueces se ven obligados a compartir los ascensores con detenidos y familiares de estos.

El Jefe de Seguridad es completamente inútil.

Los radios no sirven, como sistema de seguridad puesto que los funcionarios recibieron la instrucción de utilizarlos únicamente para llamar a los conductores a su salida. La torre no funciona sino en horas hábiles.

A lo anterior debe agregarse que los señores Jueces no tienen entrenamiento de las comunicaciones y de las 6:00 p.m. en adelante, dentro de las más absoluta indisciplina, utilizan los radios en asuntos puramente privados como pude constatarlo personalmente al enterarme cómo organizan fiestas, retransmiten los goles de los partidos, piden aguardiente, etc.

2. Los conductores de los vehículos no tienen el respeto y la consideración debida a los funcionarios, les imponen los horarios y sus propias normas.

3. La Sección Jurisdiccional funciona mal, aunque los Jueces reconocen un leve mejoramiento en relación con lo que existía anteriormente. En la actualidad se afronta el problema de haber sido borrados más de siete mil radicados de expedientes de los computadores.

4. Persiste el problema de las indagatorias en la Cárcel de Bellavista, sin ninguna seguridad para el Juez.

5. Se está trabajando con un Secretario plenamente identificado, por cada cierto número de Jueces, lo que parece improcedente frente al Decreto 2790 y está facilitando el conocimiento de la asignación de los expedientes.

Como Medellín es la ciudad que afronta el mayor grado de inseguridad en el país y sus juzgados de Orden Público tramitan los casos más delicados de la Justicia Colombiana, me extraña que su Seccional de Orden Público se halle en tan deplorables condiciones; por ello solicito un pronunciamiento de la Corporación con miras a detectar qué está fallando y corregir los errores en los cuales se haya incurrido, antes de que sea demasiado tarde.

Atentamente,

Flor Palacio Rodríguez

Con todo, aquel aparato judicial, cuya supervivencia dependía más del valor individual y de la mística que de los frágiles esquemas de seguridad de un Estado débil y sin recursos, empezaba a representar en diversidad de casos un freno a los intentos de la mafia por burlar los estrados judiciales y, en consecuencia, sus decisiones habían levantado más de una ampolla dentro del cartel. La orden de seguir y asesinar a la magistrada era simplemente una evidencia de ello.

Maxwell la había seguido durante varias semanas y había verificado que, después de abandonar la sede del Tribunal Nacional, en el centro de Bogotá, se desplazaba hasta su casa. Aunque existía un CAI en el camino, lo único excepcional en aquel recorrido de varios kilómetros era la Avenida 26 que pasaba frente al Cementerio Central de la ciudad.

Por lo demás, según le había dicho Chopo, era cuestión de contratar a dos "muchachos" y de decirles que "la vieja" había "aventado" a varios narcotraficantes. A su juicio, no tenían por qué saber de qué se trataba. Inclusive, argumentaba, hasta podían engañar a los sicarios, decirles que la escolta estaba arreglada y esperar a que los detectives dieran de baja a los bandidos. Con todo, el cruento episodio de los Galeano se cruzó en los planes del cartel.

"Quema sus documentos"

La bodega hervía esa tarde del sábado 4 de julio de 1992 como un verdadero cuartel militar de aquel ejército clandestino de sicarios y jefes terroristas del cartel.

—Soy yo, amor. Estoy bien —fingió el capitán retirado del ejército Walter Estrada, El Capi. Hablaba por teléfono con su esposa.

—Ando en una vuelta con Bocadillo y no sé si tardaré...

A pesar de sus años de experiencia dentro del servicio de seguridad de Fernando El Negro Galeano, El Capi había sido uno de los primeros en caer en poder de los hombres de Pablo Escobar. En su caso, el señuelo había sido Bocadillo:

—Véngase porque El Patrón va a bajar a las tres de La Catedral (...) Lo de la plata está solucionado.

Sin saber que para entonces Bocadillo ya tenía puesto en la sien el cañón de una ametralladora y que simplemente repetía lo que Chopo le dictaba, El Capi atendió la cita y apareció en la bodega. Sólo entonces se percató de que había caído en una trampa. Lo supo en el mismo instante en que vio sobre una mesa el teléfono celular de su patrón, Fernando El Negro Galeano. Era un aparato que él no abandonaba jamás y que, con el tiempo, se había transformado en inconfundible por el notorio desgaste de los primeros números.

Chopo y Cuchilla o Pasarela ordenaron despojar a El Capi de su arma y de su buscapersonas y atarlo de pies y manos. Luego estuvieron atentos a los telegráficos mensajes que entraron a su beeper y definieron qué llamadas debía responder. La última había sido a su esposa, pero las primeras habían tenido por blanco a distintos agentes de los Galeano. El Capi había terminado por citar inclusive, al teniente (r) de la Policía Nacional, Elkin Estrada, su propio hermano.

La bodega era una casa-lote desordenada y lúgubre pero Chopo operaba en ella como si se tratase de la oficina de un próspero ejecutivo. Se accedía a ella por una vía sin pavimentar, unos kilómetros antes del sitio en donde la carretera a La Catedral se bifurcaba en forma de Y. Tenía un portón rojo y blanco y era la última construcción en una cuadra con características de calle fantasma.

Un viejo de apellido Martínez había levantado la bodega hacia 1989 e instalado allí equipos para la construcción de partes eléctricas. Su hijo, César Martínez, había improvisado una carpintería en el predio contiguo.

Después que Pablo Escobar decidió recluirse en La Catedral, sin embargo, la vida de ambos cambió sustancialmente. Chopo apareció en la zona y se granjeó la amistad de César Martínez. Lo convenció de diseñar los cajones secretos que se requerían para ocultar armas en chifonieres, camascuna, estantes y licoreras.

Más tarde, imponiéndose al temor del viejo y obsequiándole eventualmente algunas sumas de dinero, Chopo convirtió la bodega en oficina personal en donde sostuvo prolongadas reuniones con Pasarela, Tití y otros enlaces de la red de terroristas del cartel.

Por todos esos antecedentes, en la tarde del sábado 4 de julio de 1992, Chopo decidió operar desde la bodega. Citó allí a Arete, a Cuchilla o Pasarela, a Edwin y a Leo. También a Boliqueso que, por instrucción expresa de Chopo, se abstuvo de llevar su automóvil y se apareció a pie poco después de las cinco de la tarde.

Boliqueso servía directamente a Chopo desde cuando Gustavo Adolfo Mesa Meneses, El Zarco, había sido detenido por la policía y llevado ante los jueces como autor del asesinato del periodista Jorge Enrique Pulido y como uno de los sospechosos de participar en el secuestro de Álvaro Diego Montoya Vélez, ocurrido en diciembre de 1989.

Boliqueso había empezado como agente de seguridad de los hijos de Chopo y había terminado como guardaespaldas del Rey de los Bandidos. Con todo, lo sorprendió lo que ocurría y deploró la postración de El Capi y Bocadillo.

El celular timbró tenuemente y Chopo se abalanzó sobre él. Actuó como si se hubiese tratado de una sirena de incendios. Era Guillermo Gerardo Sossa Navarro, Memobolis. Su grupo tenía a los hermanos Atila.

—Los otros dos ya están listos para ir por ellos —dijo Chopo dirigiéndose a Cuchilla o Pasarela, pero Arete lo interrumpió.

—Voy por ellos porque estoy seguro que vienen sin ningún problema... —dijo.

Los Atila servían a Fernando El Negro Galeano en una ruta a través de Estados Unidos. Arete y otros agentes del cartel los conocían por su versatilidad en el tráfico de narcóticos.

En cuanto vio partir a Arete, Chopo reunió a Edwin, a Leo y a Boliqueso y virtualmente dictó la sentencia de los cautivos.

—Esto no tiene reversa. Hay que echar para adelante y trabajar rápido a ver si nos podemos gastar la platica tranquilos.

Los ojos de Bocadillo parecieron salírsele del rostro. No sabía qué había ocurrido la noche del viernes en La Catedral, ni cuál había sido la suerte de Fernando El Negro Galeano, su patrón, pero presentía que él tenía las horas contadas.

Chopo no se inmutó. Se dirigió hasta el corpulento escolta de El Negro Galeano, lo esculcó con serenidad, se apoderó de su billetera y sacó los documentos de identidad. Repitió el procedimiento con El Capi, avanzó hacia Boliqueso y ordenó:

—Anda, quema sus cédulas...

Era la misma suerte que les esperaba a El Capi y a Bocadillo. Seis días después, sus familiares sólo podrían identificar los cadáveres en virtud de los pedazos de *jeans* aún pegados a las carnes calcinadas.

Boliqueso salió de la bodega y se dirigió a un potrero vecino. Uno por uno empezó a prender fuego a los documentos de Bocadillo y El Capi, cuidando de que no quedara rastro de ellos. Apenas estaba terminando su trabajo, cuando Arete volvió junto con los dos hermanos Atila y los presentó a Chopo y a Cuchilla o Pasarela.

Los Atila eran narcotraficantes jóvenes pero astutos. Notificados de cuanto ocurría, fueron directo al grano. Revelaron a Chopo y a Cuchilla o Pasarela la identidad de sus contactos en Estados Unidos; los pormenores de la ruta en la que ambos trabajaban y pusieron a disposición de sus interlocutores 80 kilos de cocaína, propiedad de

475

Fernando El Negro Galeano que acababan de "coronar". Por último explicaron a Chopo que igual podían continuar operando la ruta para Pablo Escobar y los suyos o entregarla.

Eran casi las ocho de la noche cuando entró el mensaje en el beeper de Arete. En la estación de servicio Mobil que se erigía frente al Club Campestre de Medellín, otro grupo del cartel había hecho contacto con el teniente (r) de la policía, Elkin Estrada, y con dos hombres que ocasionalmente lo acompañaban: John Henry Vargas y Fernando Garay Polo, ambos por completo ajenos a la mafia. Los tres nuevos secuestrados eran conducidos, según el telegráfico reporte, hacia una residencia en la loma de El Esmeraldar.

Arete partió de la bodega con los Atila y Edwin, Leo y Arroyave cargaron primero a El Capi hacia un Trooper y después a Bocadillo hasta el maletero de un automóvil Mazda rojo. Los trasladaron también hasta la residencia de El Esmeraldar.

La verdad, a esas alturas del sábado 4 de julio de 1992, El Capi, Bocadillo, el teniente Elkin Estrada y sus amigos, no eran los únicos rehenes en poder de los hombres de Pablo Escobar. También los contadores de los Moncada y los Galeano estaban ya, en su mayoría, en poder del cartel y permanecían prisioneros en la residencia del teniente retirado de la policía, Jorge de Jesús Pizano Santamaría, en las afueras de El Poblado. Otros, como J, empezaban a ser citados.

Contador público titulado, a sus 38 años, J era un ejecutivo influyente dentro de las empresas legítimas constituidas por William Moncada. Le servía desde 1985 cuando aún Agroganasur operaba bajo la razón social de Comercializadora La Florida Limitada. En aquellos tiempos su superior inmediato era el economista Delio Cáceres.

Con el tiempo, por determinación de William Moncada, Cáceres había tenido que ocuparse de Asecomfi Limitada e integrar las juntas directivas de Constructora Comercial Mi Rey Limitada y otras compañías. Entonces J había sido designado gerente de Agroganasur. Desde ese cargo gozaba, como pocos, de la irrestricta confianza de William Moncada.

Esa noche del sábado departía en la casa de una pareja amiga cuando recibió la llamada de Rafaelito:

—Mirá, por qué no te bajás para acá que necesito que hablemos personalmente... —le dijo.

Rafaelito había sido durante años asesor de inversiones de William Moncada. Era un veterano de las finanzas en virtud de sus conocimientos en economía y de su experiencia como administrador de una corredora de bienes raíces.

J y Rafaelito se encontraron frente a una construcción demarcada con el número 39-03 de la calle 24 de Medellín, sede de la oficina de William Moncada. Rafaelito detuvo su Mazda blanco y esperó a que J descendiera de su propio automóvil y se acercara. Eran las 10:30 de la noche.

—Caminá, que vamos por allí —sonrió Rafaelito.

—¿Para dónde? ¿Qué pasa? —interrogó J. Estaba extrañado por la actitud de su interlocutor.

—Mirá, te tienen que dar una razoncita personalmente —insistió Rafaelito.

J abordó el Mazda. Sólo en el trayecto recordó que ni siquiera había apagado el radio de su propio automóvil y que lo había dejado sin seguro. Rafaelito avanzó por una vía diagonal, recorrió un kilómetro y se detuvo frente a una taberna. Pitó en dos ocasiones y esperó hasta que un hombre salió del establecimiento y subió al vehículo. J no lo conocía, pero El Canoso era mano derecha de hombres como Arete y Chopo. Era un hombre robusto y tenía la piel rosada. Vestía elegantemente y debía estar próximo a los 45 años. El Mazda enrumbó hacia la transversal inferior de El Poblado y alcanzó la Loma del Club Campestre.

—Mirá J, baja la cabeza, que no te vean... —le pidió Rafaelito, sin atreverse a explicar la razón de su solicitud. El gerente de Agroganasur atendió la petición pero por primera vez se sintió profundamente confundido. Estaba atemorizado.

—¿Para dónde vamos? ¿Qué pasa...? —interrogó J en cuanto cumplieron tres minutos más de recorrido.

—No te preocupés, tranquilizate que en seguida te van a dar la razón... —intentó calmarlo Rafaelito

Cuando el automóvil finalmente se detuvo, J escuchó el sonido de dos rejas al abrirse y sintió que avanzaron un tramo corto. Sólo entonces levantó la cabeza.

La residencia del teniente (r) de la Policía Jorge de Jesús Pizano Santamaría estaba en las afueras de El Poblado y tenía una ubicación estratégica. También una generosa distribución de algo más de media docena de habitaciones. La vivienda, que tenía un valor comercial superior a los 70 millones de pesos, aparecía registrada a nombre de una hermana del ex oficial de policía.

Para el sábado 4 de julio de 1992, no obstante, ninguno de los Pizano Santamaría se encontraba en ella. La propietaria y su madre se habían trasteado a un apartamento en otro sitio de la ciudad y el teniente (r) disfrutaba de unas vacaciones en Cartagena con su hija y dos amigos. En realidad no se lo pasaba tan bien. Por cuenta de una afección física el ex oficial había tenido que ser recluido varios días en una clínica del Distrito Turístico. De hecho, habría estado hospitalizado por más tiempo de saber lo que ocurría en su casa de El Poblado.

El teniente (r) Pizano Santamaría conocía como pocos la extraordinaria sangre fría de quien se autoproclamaba Rey de los Bandidos. Sabía que Chopo era capaz de asesinar a un hombre por los asuntos más triviales y muchas veces le había oído justificar esos crímenes con aquello de que: "¡Quien no está conmigo, está contra mí...!"

"Vivía en una paranoia de guerra y no se le podía contradecir absolutamente en nada, pues si eso ocurría, él lo tomaba como una traición y por derecha la vida de uno peligraba —relataría en 1994 el propio Pizano a la Fiscalía General de la Nación. Con él había que tener mucho cuidado, pues, como decía él, a quien le diera cualquier visaje, lo pelaba. Era una situación muy peligrosa porque había llegado a un extremo que no pasaba una semana sin que hubiera matado a una persona... Y por la seguridad de uno, pues debía guardarse a los caprichos de él".

Lo cierto era que para 1992, al igual que ocurría con respecto a la bodega del viejo Martínez, la vivienda de Pizano era para Chopo simplemente otra "oficina".

En realidad, el ex oficial de policía y el viejo Martínez estaban lejos de ser los únicos. Durante más de cinco años, Chopo había sembrado el terror inclusive entre propietarios de las casas de cambio en Medellín que el cartel utilizaba para lavar sus dólares.

Durante esos días en que los atentados y el asesinato de agentes y oficiales de la policía se habían convertido en un asunto cotidiano, al ver que frente a su establecimiento se agolpaban grupos numerosos de agentes y pistoleros de Chopo, que esperaban cambiar dólares por pesos colombianos, el propietario de una casa de cambio había intentado rebelarse, pero el Rey de los Bandidos se había cruzado en su camino.

—Es usted el que me sirve y, si no me sirve a mí, pues no le va es a servir a nadie.

A la postre, el cambiador de dólares se había tenido que limitar a pedir a Chopo que no enviara a todos sus "trabajadores" al tiempo, sino con intervalos de 30 ó 40 minutos.

La perspectiva de amenazas como esas había llevado al teniente (r) Pizano a permitir que Chopo convirtiese la casa de El Poblado en otra "oficina". Por lo demás, sabía de lo que su compadre —el ex oficial era padrino de uno de sus hijos— era capaz después de consumir licor y alucinarse con grandes dosis de cocaína.

Apenas entró en la casa de los Pizano, J reconoció en la sala de recepción a Reyes, a Nacho y a Alejandro. Como Rafaelito, eran contadores y asesores de los jeques de la cocaína y, como él, ahora estaban custodiados por casi una decena de hombres armados con pistolas y revólveres. Salvo por J, a quien Rafaelito citó y recogió personalmente en su auto, los restantes contadores habían sido ubicados directamente por hombres del cartel. En concepto de Chopo, J era una pieza clave en el rompecabezas que la élite terrorista del cartel tendría que armar para identificar una por una las propiedades de William Moncada.

—Mirá, Rafaelito —le inquirió J, impaciente— decime quién es el que me va a dar la razón o qué es lo que pasa...

—Tranquilizate hombre J. Tomate un traguito. Comé alguna cosa... —fue lo único que Rafaelito atinó a decir.

La impaciencia de J exasperó a sus captores. Uno de ellos lo condujo a la segunda planta de la casa. Sólo entonces le habló:

—Ya viene el que le va a dar la razón... —explicó. En efecto, tres hombres ascendían por las escaleras. J creyó reconocer entre el grupo a Arete. Lo distinguía desde un día en que Arete se había aparecido en una construcción sobre la transversal superior de Medellín para entrevistarse con William Moncada. Otro de los integrantes del grupo que avanzó y tomó asiento en la sala junto a él —lo supo después— era Chopo. De hecho, éste tomó la palabra:

—Acabamos de matar a Kiko y a Galeano...

La noticia sorprendió a tal punto a J que reaccionó de inmediato, sin esperar a que Chopo completase la frase.

—¿Cómo así? —interrogó.

—Esto es un fujimorazo. Un golpe de Estado... Un fujimorazo... —replicó y enfatizó Chopo.

—¿Y a qué viene eso conmigo? —inquirió J, esforzándose por aparecer ajeno en todo a Gerardo Kiko Moncada.

—Necesitamos a William. Lo que pasa es que ellos no hacen sino ganar plata, encaletarla y dejarla podrir y todos nosotros pelados y poniendo el pecho... —le explicó Chopo en un tono conciliador que, de repente, se transformó en enérgico y amenazante:

—¡A partir de hoy, entendelo, y entendelo bien, tu nuevo patrón es Pablo Escobar!

J palideció y se convirtió en un guiñapo de vacilaciones. Los interrogantes sobre el paradero de William Moncada ocuparon a Chopo y a Arete durante casi una hora hasta que ambos decidieron lanzar una oferta que sorprendió y erizó doblemente a J:

—Decinos dónde está, y te damos 50 ó 100 millones de pesos...

—No lo sé. Él andaba borracho y yo no sé nada de él —les juró J.

—Ya vas a ver que me vas a dar al menos el teléfono de William —insistió Chopo. Después se aproximó a J, lo esculcó y le sacó la billetera y la libreta de teléfonos del bolsillo de la chaqueta.

—¡Mirá —le dijo mientras iniciaba una inspección cuidadosa— si tenés aquí el teléfono de tu patrón, te vas a morir...!

"Averíguame por Fernando"

La voz dulce y sugestiva de una adolescente se escuchó otra vez en el altoparlante del hotel. No lo sabía, pero el huésped al que buscaba era en realidad uno de los hombres que administraban para los Galeano las rutas que habían pasado hasta 1991 por Mamarrosa y que para 1992 se erigían en el valle del Sinú, Caucasia y la Guajira. Un veterano en el manejo de los proveedores de la pasta de cocaína en Uchiza y el Alto Huallaga, en Perú, y un hombre respetado entre los distribuidores de cocaína vinculados a esas redes de la mafia que iban desde las Bahamas hasta Nuevo México, la península de Yucatán y la Florida, en Estados Unidos.

—El señor Donaldo Suárez Santagueda tiene una llamada en recepción... —repitió la mujer.

Al escuchar el nuevo llamado, Donaldo Suárez Santagueda, Donald, abandonó su asiento y se dirigió hacia el edificio del hotel.

Había dejado tras de sí un kiosco de enorme carpa azul y blanca y una pista de baile situada frente al mar de Cartagena. Entró en el hotel, avanzó por un pasillo con piso de mármol, pasó frente al restaurante central, sonrió a la coqueta recepcionista de turno, una rubita de piel trigueña, y después tomó el auricular. Lo sorprendió la profunda angustia que develaba el tono de voz de su interlocutor: un narcotraficante al que él había hecho y al que apodaban El Opita.

—¡Patrón! ¿Usted en qué lío me metió? ¡Por Dios, me va a hacer matar! —advirtió El Opita.

Donald sacudió un poco la cabeza, se esforzó hasta abrir bien los ojos y luego observó el reloj. Era más de media noche. Despuntaba el domingo 5 de julio de 1992. No habían transcurrido más de 20 minutos desde cuando, por solicitud expresa de Rafael Galeano, Donald había tenido que telefonear a El Opita a Medellín.

De acuerdo con Rafael Galeano, El Negro y Kiko no aparecían desde la noche del viernes cuando habían sido citados en La Catedral. Aunque Donald le explicó que aquello debía ser sólo un asunto de licor y mujeres, Rafael Galeano insistió en que era necesario ubicar a El Opita y averiguar.

Donald había acatado esas instrucciones al pie de la letra y también El Opita que, sin embargo, se había llevado una sorpresa mayor después de comunicarse con Pepe Arcila, el segundo en un clan de tres que Donald, El Opita y los demás conocían como Los Tomates.

En razón de su llamada a Pepe Arcila, El Opita había resultado comunicado primero con Otoniel González Franco, Otto, y después con el propio Pablo Escobar. El jefe del cartel tenía instrucciones perentorias para él:

—¡Caballero! ¿Cómo está...? Vea, hágame un favor, véngase para acá... Véase con El Limón. Súbase que ya lo recogen. Ya le mando un carro para que se suba para acá...

Aunque El Opita había cancelado desde siempre a los agentes de Pablo Escobar cien millones de pesos por cada envío "coronado" de cocaína, no se sentía para nada un hombre de confianza del jefe del cartel. Precisamente por eso, sorprendido, había decidido telefonear a Donald, a sabiendas de que este no era consciente aún de lo que pasaba.

—Después que llamé a Otto —explicó El Opita a Donald— él me preguntó: "'Llave', a usted ¿quién le dijo que averiguara eso? Y yo le dije que era que usted había mandado averiguar y entonces Otto me dijo: 'En seguida lo llamo' y luego me sonó el móvil y era directamente el de los diez, Pablo, y yo le dije: 'Cómo está, Señor', y él me dijo que era para que le hiciera el favor y subiera allá..."

Sin retirar los ojos del reloj y esforzándose por encontrar una respuesta a lo que en realidad ocurría, Donald pidió primero a El Opita que se tranquilizara y después le ordenó:

—Suba... Si eso es lo que quieren, vaya y suba...

La respuesta de El Opita lo inquietó profundamente. Existía en ella tanto de enorme lealtad como de dramático:

—Yo subo si usted lo ordena patrón. Usted sabe que yo no les debo nada a ellos. Yo lo único que hecho es llevarlos a ellos en mis "vueltas". Usted sabe que yo sólo soy un "traquetero", pero yo voy a dejar unos cheques firmados y una lista de los que deben y sólo le pido, patrón, que usted se encargue de mis hijas y mi mujer...

—Pero, ¿qué es lo que pasa? —interrogó otra vez Donald, exasperado. Ahora tenía la sensación de que algo grave estaba sucediendo y se maldecía por no saber exactamente qué.

—Hay dos "tesos" desaparecidos, patrón, y así, yo no sé qué va a pasar conmigo o si yo vuelvo a bajar o no... Pero si usted dice que yo voy, yo voy... —le respondió El Opita. Patrón —añadió—, sólo le recomiendo a mi esposa y a mis hijas. Usted sabe que lo único que yo he hecho es darles de lo mío a ellos.

El Opita no mentía. Aportaba a Pablo Escobar y a sus hombres 100 millones de pesos por cada embarque "coronado" desde cuando se había conectado con las redes al servicio de Fernando El Negro

Galeano. Le preocupaba pensar en la suerte que habrían podido correr los "tesos". Si el cartel había asesinado a Fernando El Negro Galeano y a Gerardo Kiko Moncada, los más pródigos benefactores de la mafia, nada detendría a Chopo ni al propio Escobar, respecto de El Opita y sus "exiguos" aportes.

Con todo, después de su conversación con Donald esa media noche del sábado 4 de julio de 1992, El Opita entró en el estudio de su apartamento, extrajo dos chequeras y tomó una hoja en blanco. Primero firmó varios cheques y después se esforzó por recordar uno tras otro los nombres de quienes aún le adeudaban kilos de cocaína o dólares. Los consignó en la hoja. Entregó aquel testamento improvisado a su esposa y, aunque quiso fingir una extraordinaria fortaleza, no pudo evitar la sensación amarga que lo invadió cuando ella le imploró que no saliera.

—Volveré —dijo lacónicamente. Se quitó el reloj, la besó suavemente en los labios y la vio correr al cuarto, traer un escapulario y colocárselo en el pecho. Después miró hacia la habitación en que las niñas dormían ajenas a la amenaza que se cernía sobre los hombres de la mafia, tomó el revólver, se ensambló una chaqueta y salió a la avenida a esperar por Álvaro de Jesús Agudelo, El Limón. Lo vio aparecer al timón de un Suzuki, acompañado de un medio hermano de Otto. Sin embargo, subió al jeep sin hacer comentarios y se acomodó en el asiento delantero derecho.

El campero salió de El Poblado, atravesó a Envigado, cruzó frente a El Rosellón y entró en la vía hacia La Catedral. No alcanzaba aún a franquear el estadero La Montaña cuando el radio de El Limón crepitó ante el chillido de un extraño interlocutor. El Opita captó el mensaje de inmediato. Había ley o chifiles en la carretera. Con todo, en cuanto El Limón salió de la vía central y se estacionó junto a una tienda, en una cuadra solitaria y vacía, El Opita sintió que su hora también había llegado. Colocó el índice sobre el gatillo de la pistola que llevaba en el bolsillo izquierdo de la chaqueta, y se juró a sí mismo que, si se iba, no se iría solo.

Desde donde se encontraban, El Opita divisaba las garitas y las luces lejanas en los pasillos de la casa de campo de La Catedral. Al fondo, la oscuridad hacía algo incierto el bosque y la montaña.

"Este gafufo no colabora..."

J no podía creer lo que le ocurría. Temblaba y sentía que las piernas habían dejado de pertenecerle. Sudaba como si estuviese a 45 grados de temperatura y no dejaba de hablar un momento. Entró en *shock* en el mismo instante en que su libreta de teléfonos cayó en manos de Chopo y sólo volvió a la vida cuando, entre asombrados y muertos de la risa por lo que ocurría, sus potenciales asesinos lo obligaron a beber, uno tras otro, varios vasos de agua. La tensión le había impedido recordar qué números de teléfono tenía en la agenda, pero llegó a la conclusión de que no existía en ella ninguno de William Moncada cuando vio la reacción airada de Chopo:

—Este gafufo no quiere es colaborar. ¡Cállenlo ya! —se resignó y exigió Chopo. —Lo que hay es que levantarlo —sentenció antes de retirarse.

—¡Yo, ¿qué puedo saber...? ¿Qué puedo saber?! —suplicó J.

El contador repitió una y otra vez esas frases y sólo se tranquilizó cuando Cuchilla o Pasarela, el tercer hombre del grupo, se levantó de la silla que ocupaba, se dirigió a él y dijo:

—Usted no se va de aquí hasta que su patrón aparezca. Usted está alzado. Lo vamos a dejar. Nosotros nos vamos a ir ya, va a amanecer y quizás mañana usted pensará mejor...

Paradójicamente, la amenaza velada de aquella advertencia hizo respirar a J con alivio. Entre la sentencia de muerte que había proferido Chopo y el plazo de horas que le había otorgado Cuchilla o Pasarela, aún existía una esperanza.

Eran casi las 12 de la noche del sábado 4 de julio de 1992 cuando J los vio abandonar la residencia del teniente (r) Jorge de Jesús

485

Pizano Santamaría y descendió las escaleras hasta volver a encontrarse en la primera planta con Reyes, Alejandro, Nacho y Rafaelito. Se acercó al último y trató de obtener una voz de aliento pero, en cuanto lo escuchó, sintió que un abismo se le abría bajo los pies:

—Ellos ya mataron a Kiko y a Galeano y no hay nada que hacer... Hay que colaborarles —balbuceó Rafaelito.

—¡Qué voy a colaborar, si no sé dónde está William! —fue lo único que alcanzó a decir J antes que otro agente del cartel lo obligara a subir las escaleras, entrar en un cuarto y encerrarse.

"Los bandidos piden 20 millones"

El Suzuki que conducía El Limón y en el que viajaba el medio hermano de Otto, escoltando a El Opita, salió otra vez a la vía central poco antes de la una de la madrugada del domingo 5 de julio de 1992. Superó la vía pavimentada, entró en la carretera de trocha y alcanzó una caseta de latón. Un hombre que surgió de entre la maleza entregó un teléfono inalámbrico a El Limón y este a El Opita.

—Esperate un momentico que ya estamos arreglándolo todo para que subás... —explicó Pablo Escobar a El Opita.

Efectivamente, en cuanto avanzaron, El Opita vio las patrullas de soldados a lado y lado de la vía y otras más apostadas frente a las rejas de acceso principal a La Catedral. Lo sorprendió la facilidad con que El Limón franqueaba cada uno de los puestos de control.

Pablo Escobar lo esperaba en el chalet que había hecho construir y estaba acompañado por otros convictos de La Catedral. Algunos estaban más que alucinados por el alcohol y gritaban:

—¡Que siga la purga hijueputa, que viva la purga...!

Sólo callaron cuando Pablo Escobar se dirigió a El Opita:

—Mirá, caballero, lo que pasa es que El Negro y Kiko se pusieron a "alzar" un poco de gente y a matar a un poco de viejas que eran novias y mamás de los bandidos y vos sabés que son ellos los que me cuidan a mí... Hace un mes, Freddy y Tití encontraron una caleta con 20 millones de dólares y nosotros devolvimos 16 y ellos se quedaron con cuatro. Ahora les volvieron a encontrar otra caleta de 20 y El Negro dijo que esta no se la iban a "calar" y cogió de su propia mano a "alzar" a las mujeres. La muchachita esa que apareció en el Hotel Inter, una mona, la mató Fernando. Ahora los bandidos tienen "alzados" a Fernando y a Kiko. Lo que yo quiero es que usted hable con su patrón y con Rafael y que les diga que vengan a hablar con nosotros para ver cómo resolvemos esto... Dígales —puntualizó Escobar— que yo respondo por la vida de Fernando y Mario, pero que los bandidos piden 20 millones de dólares por cada uno.

—Bueno, Señor, como usted diga —asintió El Opita y luego sólo pidió permiso para volver a su apartamento e intentar los contactos. Respiró con alivio cuando Pablo Escobar insistió:

—Decile a Rafael que los bandidos lo que piden es 20 millones.

El Limón y el medio hermano de Otto cubrieron los mismos puntos en la ruta de retorno y, a las 2:30 en punto, El Opita volvió a comunicarse con Donald en Cartagena y este con Rafael Galeano.

—Señor, Pablo dice que a sus hermanos los tienen es "alzados" y que los bandidos piden 20 millones de dólares... —le explicó Donald a Rafael Galeano. Iba a proseguir, pero se abstuvo se hacerlo en cuanto sintió que el tercero de los Galeano acababa de irrumpir en llanto. Esperó en silencio.

—Hombre, yo ¿qué hago? Dígame ¿qué hago? —interrogó Galeano.

—¡Ábrase, señor! ¡Ábrase ya! —le sugirió Donald sin titubear un instante en su respuesta.

Sirve la comida

El olor a cigarrillo y a marihuana impregnaba cada uno de los corredores de la amplia casa de los Pizano cuando J pidió autorización para salir del cuarto y descendió hasta la sala en donde se encontraban Reyes, Nacho, Alejandro y Rafaelito. Trató de hablar otra vez con Rafaelito pero este respondió en forma evasiva:

—Tengo que ir al aeropuerto. Voy a recoger a un señor... —dijo Rafaelito lacónicamente.

J lo vio salir de la casa y observó cuando el mismo hombre al que habían recogido la noche anterior, El Canoso, apareció a bordo de una motocicleta. Luego, desconcertado, registró desde una ventana la partida de Rafaelito y el extraño. Se sintió aún más inseguro cuando descubrió que él, Reyes, Nacho y Alejandro estaban a merced de un puñado de pistoleros rasos. Nunca se sabía cómo reaccionarían aquellos hombres al sentirse libres de control. Consciente de ello, J se esforzó por cumplir al pie de la letra cuanto le ordenaron. Dedicó toda la mañana a hacer aseo y sólo cesó en esa tarea cuando Chopo apareció hacia el medio día en la residencia de la inferior de El Poblado y envió por almuerzo para todos.

El Rey de los Bandidos estaba exasperado. Tomó el teléfono, marcó a una central y puso un beeper a Arete y otro a Cuchilla o Pasarela. Deseaba saber a qué se debía su demora. J no supo si le respondieron o no, pero lo cierto fue que ese domingo 5 de julio de 1992 tuvo tiempo de repartir una porción de comida a cada uno ("quince personas eran pocas") antes de que finalmente aparecieran Arete y Cuchilla o Pasarela.

El vuelo de Quiño

El hombre al que Rafaelito se había referido en su breve respuesta a J y a quien él y el extraño debían recibir en el Aeropuerto Internacional de Rionegro, era en realidad Orlando Paredes Quiñones, Quiño.

Éste retornaba a Medellín en un vuelo comercial que había decolado de Bogotá y traía consigo algo más de veinte cheques por valor de 1.050.000 dólares, testimonio de la voluntad de los amos mexicanos del tráfico de cocaína de cancelar cuanto adeudaban a sus proveedores colombianos: Gerardo Kiko Moncada, el primero.

Ingeniero y presidente de un enorme consorcio exportador de carbón que las guerrillas asentadas en el Cesar volaron en mil pedazos, Quiño decidió un día de comienzos de los 90 que debía volver a Medellín y buscar entre los amos de la mafia una tabla de salvación. En 1986, junto con su esposa y sus hijos había salido huyendo de esa ciudad, seguro de que era Pablo Escobar —y no el M-19— quien estaba detrás de la ola de secuestros y de asesinatos que había alcanzado a Alonso Cárdenas, cuñado de los Ochoa; a Norberto y a Rodrigo Murillo, accionistas de joyerías Felipe y a Pablo Correa, el traficante de los 600 millones de dólares. Si nunca había dicho nada de ello a William Moncada, había sido sólo por el temor de que algo se filtrara y él corriera la suerte de los asesinados.

En Bogotá, Quiño entró de lleno en el negocio de la exportación de carbón y pronto erigió una compañía pujante. Mediante créditos de la banca colombiana y extranjera y con la maquinaria suficiente, Quiño y sus socios hicieron contratos importantes. Todo marchó bien hasta que la guerrilla quemó la planta. Entonces, los clientes extranjeros empezaron a quejarse por el retraso en los despachos, los bancos les cerraron las puertas y los socios de la compañía estuvieron a punto de perder hasta el último céntimo de la inversión.

Corría para entonces el mes de enero de 1992. Quiño viajó a Medellín, entusiasmó a Gerardo Kiko Moncada respecto de las perspectivas futuras del negocio y pidió que prestara a la firma de exportación carbonífera dos millones de dólares.

Un día de marzo de ese año, sin embargo, en calidad de contraprestación por el préstamo, Gerardo Kiko Moncada solicitó a Quiño viajar a México y hacer contacto con Teo Cárdenas. El mexicano era uno más dentro de la red de enlaces al servicio del cartel de Medellín. Su caso era un asunto especial. Teo adeudaba cinco millones de dólares al cartel y estaba desaparecido. Con todo, según lo concibieron Gerardo Kiko y William Moncada, Quiño podría ubicarlo si se aprovechaba su *good will* de empresario. No se equivocaron y prueba de ello era que Quiño volaba hacia Medellín ese domingo con la noticia de que Teo había decidido cooperar.

Honrarás a tu padre

El contacto con Donald, en el amanecer del sábado 4 de julio de 1992, era sólo uno de los que había hecho Rafael Galeano después de enterarse de la desaparición de sus hermanos: Mario y Fernando El Negro Galeano. Al anochecer del sábado había buscado a varios guardaespaldas y situado en el edificio en donde vivían sus padres.

No se vio obligado a explicar tales precauciones a su padre porque este agonizaba víctima de un severo derrame cerebral, y en cuanto hacía a la vieja, ni ella se despegaba un instante del lecho del moribundo, ni Rafael pensaba permitir que saliera del apartamento y se diera cuenta de lo que pasaba.

Comprobó su equivocación a primera hora del domingo 5 de julio de 1992 cuando un escolta timbró en la puerta del apartamento y le avisó que cuatro vehículos acababan de apostarse frente al edificio y que varios hombres armados cruzaban la calle.

Después escuchó abajo las ráfagas cruzadas y secas y gritos que llevaban mensajes de retirada. Oyó el chillido de las llantas de los automóviles en fuga y, cuando sus escoltas le pidieron que bajara, vio dos cadáveres en mitad de enormes charcos de sangre... Sin duda, los atacantes se habían llevado una sorpresa.

"Un fujimorazo"

En cuanto el avión aterrizó en el Aeropuerto Internacional de Rionegro, en Medellín, Quiño sacudió la cabeza y trató de reanimarse.

Cumplía una jornada realmente extenuante. Entre la tarde del sábado 4 y el amanecer del domingo 5 de julio de 1992 había cubierto una ruta entre Nuevo México y Bogotá y apenas si había tenido tiempo de salir del terminal aéreo, dejar el equipaje inútil en su apartamento de la capital y retornar al Aeropuerto Internacional Eldorado para abordar el vuelo comercial hacia Medellín.

Ese medio día del domingo 5 de julio de 1992, sin saber lo que ocurría, simplemente agradeció que Rafaelito estuviese esperándolo en el Aeropuerto Internacional de Rionegro y le entregó los cheques. Luego saludó al extraño que lo acompañaba. En realidad, sólo con el tiempo Quiño sabría que aquel hombre, apodado El Canoso, era una especie de segundo de Arete.

Los tres abordaron un Mazda blanco y partieron. Quiño notó tenso a Rafaelito pero no se percató de lo que ocurría hasta el instante en que llegaron a la vivienda de los Pizano en El Poblado y vio a los sicarios armados que salían a recibirlo.

Hacía unos instantes que habían irrumpido Arete y Cuchilla o Pasarela, primero ordenando que se alistara todo para la subida de los contadores a La Catedral y, después, contrariados ante una tajante advertencia de Chopo:

—Falta el más importante... el que viene de Bogotá —dijo Chopo. Se refería a Quiño.

No tuvieron que esperar excesivamente. En cuanto entró en la residencia de los Pizano, Quiño reconoció a los contadores y saludó a J. Se disponía a hacer lo propio con los demás cuando vio a un bandido golpear con fuerza a Reyes.

—¿Estás muy triste porque se te fue el patrón? ¡Ah! ¡Pues si querés te vas a hacerle compañía! —bramó el pistolero.

Quiño se estremeció. No albergaba dudas de que aquel agente del cartel estaba realmente dispuesto a cumplir con la amenaza. Como los demás, era presa de los nervios. El ingeniero se dirigió hacia Cuchilla o Pasarela y le habló casi al oído:

—No lo vas a dejar matar. Éste es un "trabajador" que se gana cien mil pesos pero que puede tener mucha información de Kiko... ¡Pensalo bien!

Quiño se tranquilizó al ver el efecto de sus palabras. A una señal de Cuchilla o Pasarela, el bandido se detuvo y se retiró.

—Vení, vamos donde Chopo —le dijo Cuchilla o Pasarela mientras lo guiaba hacia una especie de terraza que, por su ubicación al aire libre, constituía un oasis dentro del predio de los Pizano.

Chopo estaba desgonzado sobre un sofá, fumaba el primer cigarrillo de marihuana del día y acariciaba con la mano derecha el cañón de una pistola 25 milímetros. Sin embargo, apenas sintió los pasos de los que se aproximaban, levantó la cabeza e inquirió:

—Vos sos Quiño, ¿no?

—Sí, yo soy —respondió el ingeniero, antes de tomar asiento en el sofá y situarse al lado de Chopo. Arete y Cuchilla o Pasarela ocuparon las sillas vecinas, pero guardaron silencio mientras Chopo hizo uso de la palabra:

—Quiño: los bandidos dimos un golpe de Estado. Acabamos con esos h.p. de Kiko y El Negro porque ellos nos querían esclavizar. Nosotros le dijimos a Pablo lo que íbamos a hacer y él nos autorizó porque este par de h.p. nos tenían aguantando hambre... y nosotros y él habíamos hecho un compromiso con ellos; nosotros guerreábamos en contra de la extradición y Pablo se metía a la cárcel, pero ellos nos colaboraban con el negocio... Nosotros nos hemos sacrificado todo el tiempo en esta guerra. Usted sabe que yo maté a Lara Bonilla y que hicimos el secuestro de Carlos Mauro Hoyos con Popeye. Nosotros matamos ministros, gobernadores, alcaldes y policías... Yo maté a Kiko. Usted sabe que nosotros somos más de diez mil bandidos. Nosotros manejamos todos los combos. A nosotros no se nos mete nadie y el que se nos meta, lo barremos. Entonces, yo quiero saber si va a colaborar con nosotros, con esa ruta o no.

Quiño tuvo realmente toda la intención de responder de inmediato pero Cuchilla o Pasarela se le adelantó:

—Quiño es muy camellador. Yo lo conozco y ahora sí va a ganar plata con nosotros. ¿Cierto Quiño?

—Sí. Listo. Yo estoy es para trabajar. En lo que les pueda colaborar con mucho gusto. Si quieren les entrego la ruta, si quieren la manejo. Lo que quieran... —respondió Quiño.

Chopo colocó la pistola sobre una pequeña mesa de centro y extendió la mano a Quiño.

—¡Eso Quiño, te felicito! ¡Ahora sí vas a hacer billete! —enfatizó Chopo.

Quiño respiró con alivio. No sabía lo que Arete, Chopo y los demás conocían de él, ni lo que Rafaelito les había dicho, pero aparentó tener un dominio total sobre la ruta de William Moncada para el envío de cocaína. Ser el contacto con el mexicano Teo Cárdenas era su seguro de vida y acababa de estrenarlo con extraordinaria fortuna. Lo descubrió cuando entró la primera llamada de Pablo Escobar y Chopo se puso al teléfono.

—Quiño va a colaborar... —explicó Chopo a Escobar antes de comunicar a Quiño directamente con el jefe del cartel.

—Me gusta mucho Quiño que nos colaborés y a vos también te va a ir muy bien. Vamos a hablar más tarde. Chopo y Arete se están encargando de ello —le dijo Escobar.

Quiño supo exactamente a qué se refería Pablo Escobar cuando Arete, Chopo y Cuchilla o Pasarela organizaron la salida de los contadores y comprobó que J casi estaba sentenciado a muerte.

—Bueno, vamos para La Catedral a hablar con Pablo pero este se queda porque no ha colaborado —advirtió Chopo dirigiéndose con desprecio a J y sin entrar en detalles.

Arete abordó un automóvil y se hizo al volante. Chopo tomó asiento en el puesto delantero y atrás obligaron a subir a algunos de los contadores secuestrados: Reyes, Alejandro y Nacho. En otro vehículo, tras ellos, se acomodaron El Canoso, Quiño y Rafaelito. J quedó solo en la residencia con Tobi y otros cuatro agentes del cartel.

Los vehículos viajaron hasta la casalote de El Rosellón. La espera se prolongó durante una hora pero Quiño realmente agradeció al destino aquella parada. En ese lapso, Rafaelito no hizo otra cosa que explicarle las minucias de la fabulosa ruta de La Fania, aquella que, sin conocer, Quiño había ofrecido entregar o administrar, según lo decidieran Arete o Chopo. Para cuando los Toyotas cara de vaca aparecieron en El Rosellón, recogieron a los elegidos y enrumbaron hacia el estadero La Montaña, Quiño conocía a la perfección quizás el que era el secreto mejor resguardado del cartel de Medellín: la ruta de La Fania.

Llegaron al estadero a las 3:30 de la tarde. Quiño tuvo tiempo de comer un sandwich mientras otros veían la transmisión de un partido de fútbol. Los contadores estaban exasperados y nerviosos. Quiño pidió un juego de Rummis y persuadió a Reyes de que intentaran jugar y tranquilizarse.

—Ya viste lo que pasó abajo —le dijo Quiño a Reyes.

Estaban jugando cuando alcanzaron a escuchar el último segmento de una conversación entre Chopo y Cuchilla o Pasarela. Quiño se estremeció.

—Mirá, como Juan Carlos Granados es el que sabe cuáles son las propiedades de Kiko en Bogotá, me lo dejás a él —insistió Chopo ante Cuchilla o Pasarela. Yo le saco todo y después me lo lambo.

Quiño hubiese querido continuar escuchando, pero entonces apareció Arete y lo condujo a un kiosco que estaba a unos metros del restaurante del estadero. Arete le lanzó un mensaje que Quiño asimiló a una orden cifrada:

—Decile a Pablo que vos no querés trabajar con José Fernando. Que nos deje esa ruta que nosotros la administramos con vos...

Quiño le respondió con el tono solemne de un seminarista que está a punto de hacer sus votos y ordenarse:

—Bueno, yo le diré eso a Pablo...

494

Aún se encontraba en el kiosco con Arete cuando Luiscar apareció. Pablo Escobar llamaba por el citófono que intercomunicaba La Catedral con el estadero La Montaña y deseaba hablar con Quiño.

—Qué pena, Quiño, que te haya hecho esperar tanto, pero tranquilo que ya te van a subir para acá —le explicó Escobar.

Nunca hasta ese instante Quiño había sentido tanto miedo. Apenas dejó el citófono y salió de la cocina intentó volver a concentrarse en el Rummis pero no pudo. El camión Mazda 3.5 de cabina azul, conducido por El Limón, apareció en el estadero quince minutos después de la conversación entre Quiño y Escobar. Chopo, Arete, Cuchilla o Pasarela, El Canoso, Reyes, Nacho, Alejandro, Rafaelito y Quiño subieron atrás. Luiscar bajó una carpa falsa que dividía en dos la carrocería del camión y El Limón se puso en marcha. El camión avanzó hasta el primer puesto de control del ejército, en el sitio la Y; franqueó un segundo retén instalado en una curva de la carretera destapada y ascendió bordeando La Catedral hasta llegar frente a los campamentos de la guardia del penal.

Chopo y Cuchilla o Pasarela saltaron de la carrocería y luego exigieron a los contadores hacer lo propio. Los condujeron hacia una habitación de paredes pintadas de verde. Todos se impresionaron. Había allí una impresora, un computador, varios teléfonos y un *modem*. Era la pieza de Carlos Aguilar Gallego, El Mugre, y estaba lejos de constituir una celda.

Pablo Escobar hizo llamar a Quiño afuera y empezó a caminar con él hacia uno de los chalets que había hecho construir.

—Yo te voy a contar qué es lo que pasa para que entendás. La gente tiene que entender que me tocó autorizar lo de Kiko y lo de El Negro porque si no se me hacía una rebelión de los bandidos y vos sabés que yo estoy peleando la extradición y la guerra con los caleños y que los únicos que nos garantizan a nosotros la seguridad aquí son los bandidos y los bandidos son los que están poniendo los muertos y poniéndole el pecho a la brisa. Son ellos los que están peleando con la ley —dijo Escobar a Quiño.

—Nosotros vinimos a encerrarnos aquí porque era el compromiso. El Negro y Kiko tenían que traquetear para sostener La Catedral y ellos nos tenían casi que aguantando hambre y vos sabés que esto cuesta mucho aquí porque hay que transar el ejército, la policía, los guardianes y gente de Envigado... y eso cuesta mucho.

—Por lo demás —prosiguió Escobar— vos sabés que yo tengo que sostener las familias de todos porque todos estamos aquí guardados, y El Negro y Kiko sacando el culo y yéndose para Bogotá a comprar propiedades y a esconderse...

El tono en la voz de Pablo Escobar se tornó airado:

—Ya mandan carta regañándolo a uno y tratando mal a los bandidos y le tiran a uno cien millones de pesos como si fuera una limosna. ¡Yo no estoy pidiendo limosna! Además vos sabés que esa ruta de La Fania es mía, yo se la di a Gustavo mi primo y él la administró un tiempo. Yo enriquecí a Teo con esa ruta. Después la manejó José Fernando, luego la manejó Camilo Rister y después la cogió Kiko. De todas maneras la ruta era mía. José Fernando puede manejar esa ruta porque él ya la manejó —puntualizó Escobar.

Quiño observó a Arete, recordó la breve conversación que ambos habían tenido en el estadero La Montaña y luego dijo a Pablo Escobar:

—Yo creo que José Fernando no puede ser porque los mexicanos me han dicho que no van a volver a trabajar con José Fernando, porque los ha amenazado y los ha puesto a correr.

Quiño notó que Pablo Escobar no se inmutó y luego pensó en que debía salvar la vida de Juan Carlos Granados. Era evidente que el jefe del cartel lo responsabilizaba de la decisión de Gerardo Kiko y William Moncada de instalarse en Bogotá.

—Nosotros podemos manejar esa ruta con Arete —se apresuró a añadir Quiño.

—¿Cómo que nosotros? —interrogó Pablo Escobar.

—Es que tengo tres socios más que son los que trabajan conmigo: Juan Carlos Granados, Morcillo y Tiberio —respondió Quiño.

496

Pablo Escobar hizo un gesto de evidente contrariedad, pero Quiño supo de inmediato que acababa de rescatar de una sentencia de muerte a Juan Carlos Granados e inclusive a Tiberio y a Morcillo que, como él, eran amigos de los Moncada antes que "trabajadores" suyos.

—Bueno, entonces tenés que entenderte con Arete, Pasarela y Chopo, porque yo les voy a dejar esa vuelta a ellos —resolvió Pablo Escobar, después de reflexionar un instante. Cuando no te podás entender con ellos, hablas con El Canoso. Ahora, al principio, de todas maneras, mientras cuadro las cosas, seguís hablando conmigo pero después te tenés que perder. Te tenés que asegurar afuera de aquí porque esto va a estar muy caliente... Necesito que me hagás una entrevista por teléfono con Teo.

Eran casi las 6:30 de la tarde del domingo 5 de julio de 1992 cuando el propio Pablo Escobar entró en la habitación donde Chopo había reunido a Rafaelito y a los contadores.

—La muerte de Kiko y Fernando fue una cosa fortuita —dijo Escobar tras escuchar a cada contador en una breve presentación. Todo empezó por una caleta. Fernando asesinó a familiares y amigos de unos bandidos por esa caleta y se negó a dar siquiera tres millones de dólares. ¡Esa plata se estaba pudriendo! Nunca les han preocupado los "trabajadores". Cualquiera de estos "trabajadores" —dijo Escobar señalando a Chopo y a Cuchilla o Pasarela— tiene dos mil o tres mil millones de pesos. Eso sí es compartir... Quiero hablar con cada uno y darles sus instrucciones. Todo está confiscado para la guerra. El miércoles decidiremos...

Pablo Escobar salió de la habitación y se dirigió a Quiño:

—Yo te aviso mañana a ver si subís con Juan Carlos. Andate ya que los va a coger la tarde o ustedes verán si se quedan a amanecer.

Quiño declinó la oferta. Argumentó que debía darse de inmediato a la tarea de buscar a Teo.

Lo asombró el dominio absoluto que Pablo Escobar tenía de La Catedral. Lo vio llamar a un capitán del ejército y escuchó cuando el propio jefe del cartel lo instruyó:

—Capitán, organicen ya la salida.

Todos volvieron a subir al camión y a acomodarse en la parte de atrás, ocultos tras la carpa negra que dividía la carrocería. El Limón condujo el furgón hasta el estadero La Montaña y Quiño, Rafaelito y los demás abordaron los jeeps que los esperaban para llevarlos hasta la casalote de El Rosellón.

Chopo y Cuchilla o Pasarela regresaron a la casa de los Pizano en la inferior de El Poblado y el primero volvió a inquirir a J.

—Ya soltamos a los otros. Si usted colabora, se va mañana.

Chopo explicó después a J que habían decidido llevarlo a otro lugar porque —a pesar de que ahora conocían las direcciones y la identidad de los familiares de cada uno de los contadores— alguno de los que acababan de poner en libertad podía "torcerse".

Escoltado por dos bandidos, J subió a un jeep. El campero cubrió una ruta de aproximadamente treinta minutos pero J no supo por dónde iban porque no levantó la cabeza ni un solo segundo durante el trayecto. Sólo pudo hacerlo cuando el jeep entró en el garaje de una casa de dos plantas. Estaba amoblada pero, salvo por otro pistolero, J descubrió que no vivía allí familia alguna. Pensó en los suyos y volvió a entrar en un estado profundo de nostalgia. En la mañana de ese domingo, después de asear la casa de los Pizano, uno de los agentes del cartel le había permitido una única llamada telefónica. J intentó primero al número de su progenitora pero no había nadie en casa y tuvo que resignarse con llamar a un tío suyo. Él tampoco se encontraba, pero estaba su esposa.

—Siquiera que llamás porque tú mamá anda muy preocupada —le dijo ella.

—Dígale que no se preocupe que estoy en una diligencia con Rafaelito y quizá me tarde otro poco...

J confiaba en que podría intentar volver a comunicarse con su madre, pero Chopo había dado instrucciones tajantes a ese respecto. Aunque suplicó, ninguno de quienes lo cuidaban se conmovió un ápice. Realmente lo asombraba la forma de actuar de aquellos bastardos. Durante las 24 horas que cumplía secuestrado no los había visto cruzarse una sola palabra. Apenas si se entendían con la mirada.

"Pues se desapareció El Negro"

—¡Hombre, no sabés lo que pasó! —se apresuró a decir el caballista Fernando Ayala en cuanto Rodolfo Ospina Baraya, Chapulín, se puso al teléfono. Eran las nueve de la mañana del lunes 6 de julio de 1992.

—¿Qué fue lo que pasó? —preguntó Chapulín adoptando el mismo tono de preocupación que notó en la voz de su interlocutor.

—Pues que se desapareció El Negro —le contestó Ayala haciendo aún más grave el tono de voz. Se desapareció desde el viernes y todo el mundo anda muy confundido porque lo mismo pasó el sábado con Mario y parece que con sus administradores y sus contadores...

—¿Y qué crees que pueda ser esto? ¿Los cogió la policía o qué se sabe? —interrogó otra vez Chapulín. Estaba desconcertado.

—Es lo más confuso pero —intentó explicar el caballista— creemos que se les volteó su íntimo amigo.

—¿Se les volteó quién? —inquirió Chapulín.

—¿Vos sabés —contrapreguntó a su vez el caballista a Chapulín— quién es "el señor de arriba"?

El interrogante de Ayala inquietó profundamente a Chapulín:

—No puede ser: ¿el que está allá en La Catedral?

—Sí, ése... —enfatizó Ayala.

—Hombre —lo interrumpió Chapulín— me dejás de una sola palabra con esta versión que me contás. Y vos ¿por qué sabes eso o qué te da a pensar eso?

El caballista se colocó instintivamente a la defensiva y luego dijo a Chapulín:

—Mirá, no quiero hablar más por teléfono con vos. Y ya me voy a ir porque estoy muy preocupado, me están buscando...

—Pero no me dejés así —le pidió Chapulín en tono de súplica. Dame algunas pistas de las cosas. Yo también estoy que corro. Esto está muy miedoso si es así como vos decís.

—Si quieres —accedió el caballista— veámonos ya en el restaurante Sorba. Yo estoy por acá cerquita, pero eso si, no te demorés más de diez minutos.

—No, tranquilo —respondió Chapulín. Salgo ya para allá.

Chapulín estuvo en el restaurante Sorba en el lapso que había acordado. Vio a Ayala a bordo de un jeep y dejó rodar despacio su vehículo hacia el campero. Bajó un vidrio e invitó al caballista a descender del jeep y a subir al automóvil.

—Mirá —le dijo Ayala sin perder un instante— lo más curioso es que Pablo tenía citados el viernes a Fernando y a Kiko Moncada arriba a la cárcel, como lo hace frecuentemente. Entonces ellos subieron normalmente a las reuniones que hacen cada ocho o quince días o, como vos sabés, cada vez que se presenta una acción o necesidad. Pero subieron el viernes y no han regresado.

—¿Y cómo así que no han regresado? —inquirió Chapulín.

—No han regresado —insistió Ayala. Lo sabemos porque ellos tenían otras citas con nosotros: un partido de fútbol y El Negro nunca llegó y vos sabés que él, si no va a aparecer, por lo menos cancela y no deja a todo el mundo esperando. Estamos muy preocupados porque ya es lunes y no aparece. La versión es que también los administradores y los contadores están desaparecidos.

—Resulta —prosiguió Ayala— que a Mario le hicieron una llamada, una llamada curiosa, y mirá que también se desapareció. Lo tercero es que al otro hermano, a Rafael, le hicieron un atentado del cual salió ileso. A los guardaespaldas de él parece que los mataron ahí en el edificio donde vive. Y entonces todo esto es lo que conduce a pensar que se les volteó el amigo...

Chapulín realmente no podía creerlo aún y pensando en voz alta interrumpió a Ayala...

—No puede ser. Yo no creo eso. ¿El amigo, el socio? Eso no se concibe. ¿Vos estás seguro de esto?

—Tan seguro —replicó el caballista— que yo me voy ya y yo me pierdo de Medellín ya.

—Entonces, esto está preocupante —reflexionó Chapulín resignadamente.

—Lo malo de la cuestión —le advirtió el caballista— es que Kiko está también en las mismas condiciones.

—Ah, pues de eso, sí voy a entrar a averiguar yo, porque estoy ciego de todo —dijo Chapulín mientras volvía a encender el auto.

—¡Cuidate y perdete de la ciudad, que te cogen! —se despidió Ayala.

En la oficina de J, en Agroganasur, hasta donde Chapulín se desplazó después de su contacto inicial con el caballista Fernando Ayala, nadie tenía noticia exacta de lo que estaba ocurriendo.

Desconcertado, Chapulín tomó el teléfono y marcó otra vez el número de la residencia de William Moncada. Le respondió Marcela, su esposa.

—Contame, Marcela, ¿vos viste si William salió con alguien o si alguien pasó a recogerlo? —le preguntó directamente y sin saludar.

—Sí, él salió temprano —respondió ella sin inmutarse. Salió como a las siete y media de la mañana...

—¿Y en el carro en que salió no llevaba teléfono? —preguntó Chapulín con angustia.

—¿Por qué? ¿Qué pasa? —preguntó la esposa de William Moncada. Ahora, preocupada.

—No, nada. Pero mirá, según cosas que me han comentado, hay una situación preocupante —trató de explicarle Chapulín.

—¿Qué pasa? ¿Por qué no me decís? —insistió nerviosa.

—No sé nada ni te quiero alarmar, pero él puede estar en peligro y necesito que lo localicés como sea. Dile que se quede quieto donde esté. Que no se movilice y que no le acepte citas a nadie ni nada. Yo voy a esperar un rato aquí... —puntualizó Chapulín.

La trampa

Chopo estuvo a primera hora del lunes 6 de julio de 1992 en la residencia hasta donde sus hombres habían trasladado a J.

—Mire —advirtió al contador— hoy se le define su situación. Espero que colabore. Chopo no cruzó más palabras con él hasta cuando apareció Arete. J lo vio descender de un Renault 9 rojo y entrar en la casa. Eran casi las nueve de la mañana.

—¿Usted ha llamado a su oficina o no? —interrogó Arete a J.

Cuando el contador le explicó a Arete que no se había comunicado con nadie, este le ordenó telefonear a la oficina.

—Llame de inmediato y pregunte por su patrón. Repórtese. Nosotros ya tenemos gente en todas las partes donde ustedes trabajan —advirtió.

Desde una extensión Chopo escuchó a Manuela, la secretaria de J en Agroganasur. Tenía, en ese preciso instante, por la otra línea, a William Moncada. Estaba en las instalaciones de la Constructora y preguntaba por su contador. J marcó el número 277 72 34 y reconoció al instante la voz de Carolina.

—Dígale que voy para allá —le dijo antes de colgar.

J vio a Chopo tomar el teléfono y, aunque no supo con quién se comunicó, se dio cuenta que William Moncada corría ahora un peligro enorme.

—Mirá, hombre, el tipo está allá. Ya vamos para allá nosotros también —dijo Chopo a su interlocutor.

Camuflados como agentes de la Sijín de Medellín, los hombres de Pablo Escobar irrumpieron en las instalaciones de Constructora Comercial, en Itagüí. Aparecieron a bordo de un Trooper y de un Mazda azul 626 de placas KFC863. Obligaron por la fuerza al celador a abrir las rejas y luego lo condujeron hacia el edificio.

William Moncada estaba acompañado de Omar Caro, gerente de la compañía, y dialogaba telefónicamente cuando divisó el grupo.

—Hay problemas —notificó lacónicamente a su interlocutor. El F-2 está entrando por mí. Luego palideció. Acababa de identificar entre el grupo a Chopo.

—Vengo para que vayás a hablar con Pablo —dijo Chopo a William Moncada en cuanto estuvo frente a él.

—Voy a hacer unas vueltas y luego subo —intentó, infructuosamente, persuadir William Moncada a Chopo. Era tarde. Dos hombres lo tomaban por los brazos y, a puntapiés, lo empujaban con fuerza hacia afuera.

No era, de hecho, el único secuestrado. También llevaban consigo a Omar Caro. Los bandidos condujeron a William Moncada hasta el maletero del Mazda y a Omar Caro hasta el Trooper. Después los vehículos tomaron rumbo hacia la misma residencia de El Esmeraldar en donde Mario Galeano permanecía desde su secuestro en la mañana del sábado 4 de julio.

"Escóndanse, pero ya"

Después de su charla telefónica con Marcela de Moncada, Chapulín había esperado en las oficinas de Agroganasur durante más de una hora, sin que nadie tuviese noticia de William Moncada. Estaba a punto de irse cuando confirmó lo que Fernando Ayala le había dicho.

—Imagínate que acaban de secuestrar a El Patrón —le dijo un trabajador que telefoneaba a Agroganasur desde Comercializadora La Florida. Parece —añadió— que fue la gente de Pablo porque dizque reconocieron a uno al que le dicen El Chopo.

Sin perder un instante, Chapulín telefoneó primero al economista Delio Cáceres, presidente de Asecomfi Ltda. e integrante de las juntas directivas de Constructora Comercial Mi Rey Ltda. y de otras compañías de los Moncada. Lo puso al tanto de cuanto sabía hasta ese momento. Luego hizo lo mismo con José Carrillo. Sólo a éste último le habló sobre la posibilidad de huir de inmediato hacia Bogotá.

—Mirá, yo estoy muy confundido y muy preocupado. Sinceramente estoy desconcertado, sorprendido y hasta asustado porque para mí el estar tranquilo en Medellín era el apoyo de esta gente. Vos sabés que ellos daban la protección de que este tipo no fuera a tocar con uno o con alguien o sus secuaces o nada. Yo estoy muy preocupado. Si no aparece de aquí a mediodía o no se sabe nada, yo me voy de Medellín, le cuento. Me voy, y saco la señora y todo eso.

En realidad no mentía. En cuanto colgó, Chapulín salió de la sede de Agroganasur, volvió a su apartamento, ordenó a su mujer improvisar una maleta y, junto con los niños, la envió adelante hacia el aeropuerto con la misión de conseguir los tiquetes del primer vuelo a Bogotá. Chapulín los alcanzó después de recoger algún dinero. Le exasperó descubrir que el vuelo estaba retrasado por lo menos una hora pero no tenía opción. Intentó tranquilizarse y se dirigió hacia los teléfonos públicos.

Marcó a las oficinas de Agroganasur y se enteró por un dependiente de que William Moncada había aparecido. Por un instante tuvo la percepción de que quizás no tendría que viajar y de que todo aquello era sólo un absurdo. Telefoneó de inmediato a José Carrillo.

—¿Qui hubo? ¿Me cuentan que apareció El Mono? —le dijo.

504

—Sí, efectivamente me llamó y hablé con él. Me dijo estas palabras: "Negrito, me tienen amarrado. Yo les dije que tengo alrededor de 12 ó 20 millones de dólares y que se los voy a entregar. Así, si nos toca hipotecar cosas, por favor: ¡actuemos!, ¡actuemos rápido!" Fue todo. Luego dijeron que mañana vuelven a llamar a las 2 de la tarde... Yo me sentí preocupado porque vos sabés que él es un tipo muy bromista y sí estaba muy preocupado. La orden es esa, hermano, y yo tengo ya a Delio Cáceres gestionando eso...

Chapulín reaccionó al instante, entre furibundo y atemorizado:

—Hombre, ni por el verraco, no les vaya a dar un peso porque de igual manera lo van a matar. Si está en manos de esta gente que creemos, los van a matar y es por eso que no aparecen Kiko y Fernando y vos sabés que son las personas que más influyen en Pablo. ¡Olvídese, los van a matar! Hermano, no les dé ni un peso.

—Yo no soy bobo tampoco —replicó molesto José Carrillo. Les voy a colocar las mismas condiciones. Eso es dando y dando.

Chapulín se exasperó:

—Esa gente no se va a dejar poner condiciones. Lo van a dejar a usted con el billete. Escóndase y hágase que no sabe del tema.

—¡No podemos abandonar esto así, así no más! —le increpó Carrillo. Yo creo que nos vamos a reunir a ver qué se puede hacer o qué medidas podemos tomar.

—Mirá, yo no me voy a reunir. Yo me voy a ir ya, estoy prácticamente en el aeropuerto. El único consejo que les doy es que no vayan a soltar ni un peso porque igual lo van a matar. Les van a quitar la plata y van a seguir con ustedes porque esa gente no quiere testigos. Entonces oigan este consejo y no se expongan. Te llamo después...

Los sentenciados

Sólo al medio día del lunes 6, Chopo y Arete aparecieron en la sede de Autocamiones. Quiño, Rafaelito y David, éste último hermano del para entonces extinto Albeiro Areiza, El Campeón, y quien más sabía sobre los contactos de Gerardo Kiko Moncada en la red de compradores estadounidenses de narcóticos, los habían esperado desde las nueve de la mañana.

—Acabamos de "coronar" a William —dijo Chopo en cuanto vio a Quiño. Luego entró de lleno en un mar de exigencias. Deseaba saber quiénes eran exactamente los "trabajadores" de Gerardo Kiko Moncada en Bogotá y cuántos de ellos podrían eventualmente estar dispuestos a pelear.

Quiño le hizo una relación escueta:

—Están Alfonso y Trosky, que son contadores y ellos no van a pelear. No andan armados ni nada de eso...

La respuesta de Quiño no satisfizo del todo a Chopo, pero aun así decidió ocuparse de Rafaelito:

—Quiero que me consigas a Mortis, que es el encargado de los aviones de William; a El Capi, el lavador de dólares; a El Sacristán que es "trabajador" de El Capi; a Polo que es primo de Kiko y que es encargado de los aviones y hay que salir de él porque es el primo, y a Batiney, porque ese es uno de los guardaespaldas de Kiko.

Arete intervino entonces. Deseaba el inventario de las propiedades de Gerardo Kiko Moncada. Rafaelito tomó su maletín ejecutivo, lo abrió, sacó un listado de computador y lo entregó a Arete.

Quiño notó la satisfacción de Chopo y Arete por la actitud de Rafaelito y se decidió a hablar en defensa de los nuevos sentenciados a muerte mientras ambos inspeccionaban el listado.

—Nosotros vamos a necesitar a Polo porque es el que administra los aviones. Sólo es asunto de que yo hable con él y lo convenza de que esto fue un accidente. Y Batiney no va a pelear solo y yo también puedo hablar con él y hacer que hable con ustedes y que él mismo les diga que no va a guerriar... —medió Quiño. Obtuvo autorización para enviar un mensaje por beeper a Batiney y logró que Rafaelito hiciera lo propio respecto de El Sacristán.

El Sacristán apareció hacia la una de la tarde, se avino a las condiciones de Chopo y Arete y luego les dijo:

—El Capi es el que sabe de la plata que estamos bajándole a Kiko de un embarque a Estados Unidos.

Batiney y Polo aparecieron después que El Sacristán abandonó la sede de Autocamiones. Arete les insistió en que todos debían cooperar haciendo el mismo "trabajo" que tenían en la organización de Kiko. Después pretendió entusiasmarlos:

—Pablo va a pagar mejor.

Cuchilla o Pasarela retornó a la casa de dos plantas poco después de las 4 de la tarde del lunes 6 para interrogar a J y anunciarle la libertad.

Cuchilla o Pasarela deseaba saber con exactitud cuáles eran las propiedades de William Moncada y con cuál fachada aparecían inscritas en las notarías y en la Cámara de Comercio de Medellín.

J no tuvo más remedio que hacer una enumeración de las firmas y dejar sus teléfonos, su dirección y hasta el número de cédula.

—Hermano —le advirtió finalmente Cuchilla o Pasarela—, te vas a ir pero debés tener mucha discreción y estar listo porque te vamos a necesitar muy pronto... Esta misma semana subimos a donde Pablo.

Pasarela dejó a J en el parque de El Poblado y desapareció.

Están muertos

Desde el mismo instante en que arribó a Bogotá, Chapulín se dedicó a hacer una llamada tras otra a Medellín. Habló con cuantos contactos tenía. Inclusive con "las oficinas" de los Ochoa —Juan David, Jorge Luis y Fabio Ochoa Vásquez— "pero todo el mundo estaba inocente y todo el mundo preocupado".

En realidad, verificó rápidamente que desconocían por completo cuanto estaba ocurriendo y que se limitaban a lanzar interrogantes e hipótesis: "¿Cómo así? ¿Esto es así? No puede ser por ahí. ¡Eso debió ser otra gente...! Gente del cartel de Cali o gente de la policía... o quien sabe quién". A pesar del escepticismo que denotaban las dudas de aquellos con quienes había hablado, Chapulín se esforzó por persuadirlos de lo contrario:

—No, eso es por ahí. Las cosas son así. Vieron a Chopo y a la gente que él maneja y William ya llamó y comisionó para que le llevaran una plata que les dijo que tenía. Entonces yo creo que esto no hay que dudarlo. El amigo de Fernando, es decir, Ayala, me dijo la misma vaina. Ellos también tenían estas sospechas y estas cosas y entonces no me cabe la menor duda —repitió Chapulín una y otra vez a sus interlocutores.

Sólo en la tarde del martes 7 de julio, sin embargo, Chapulín pudo comunicarse con José Carrillo y saber qué estaba ocurriendo.

José Carrillo no había hecho otra cosa que buscar créditos extraordinarios en diversos bancos a los que ofrecía hipotecar decenas de propiedades. Además, al lado de Delio Cáceres y de varios corredores de acciones, había considerado la posibilidad de poner en venta veinte mil títulos del Banco Ganadero. Seguía así, al pie de la letra, las desesperadas instrucciones que recibió del propio William Moncada, al medio día del lunes 6: "...si nos toca hipotecar cosas, o vender o realizarlas, por favor: ¡actuemos!, ¡actuemos rápido!"

—¿Qui hubo? ¿Llamó aquel? —preguntó sin vacilaciones Chapulín en cuanto obtuvo comunicación directa con José Carrillo.

—No hermano, parece que no llaman más. Parece que eliminaron a los dos hermanos mayores de estos amigos nuestros y parece que va a haber más. Que cada uno de ellos va a correr, según parece, la misma suerte de los mayores —le respondió Carrillo, con el tono de voz de un médico que desahucia a un enfermo.

—¿Cómo así? ¿Y qué vas a hacer? —interrogó Chapulín con la percepción de que la respuesta de Carrillo no habría podido ser peor.

José Carrillo le respondió como si hubiese sido sentenciado a la silla eléctrica:

—Ya tenemos una cita J, Delio, otras personas y yo, para hablar directamente con Pablo.

—¿Quién les llevó esa citación? —reaccionó Chapulín.

—Por intermedio de Mortis —le explicó Carrillo. Nos dijo que, si no íbamos, mataban a William y a todos. Entonces, negrito, no queda más remedio que hablar con él y asistir a la cita que es mañana a las once de la mañana, y ya te comentaré qué viene de eso.

"Qui hubo, la llave"

Donald había regresado de Cartagena en la tarde del lunes 6 y en la noche del martes 7 de julio de 1992 se encontraba en su residencia en Bogotá, cuando lo sorprendió una llamada de Carlos Arcila Henao, Pepe, desde Medellín:

—¿Qui hubo, la llave? ¿Cómo está, la llave? ¿Qui hubo, papito? Vea, aquí le paso a un amiguito.

Donald dudó unos instantes pero después reconoció la voz de Arete.

—¿Qué más, la llave? Ve, llave, es que La Tía necesita hablar con vos...

Donald lo interrumpió al instante. Desde su última comunicación con Rafael Galeano, en la madrugada del domingo, no había podido volver a hablar con él. Tampoco tenía idea alguna sobre la suerte que podían haber corrido los "alzados". Con todo, un oscuro presentimiento lo asaltó.

—¡Hombre, pero ¿a mí por qué me va a poner a hablar con La Tía?! ¡Hermano!, ¿cómo así? ¡Yo no tengo nada que ver en eso! ¡Llave, no me vaya a hacer eso!

Arete intentó serenarlo y después le repitió la orden:

—Tranquila, la llave, que no hay nada contra vos. No hay nada. Mirá, nosotros sabemos cómo es con vos. Véngase mañana...

—Voy mañana para allá, en el primer vuelo —puntualizó Donald. Había concluido que no podía negarse a las pretensiones de Pablo Escobar, fuesen las que fuesen. Lo contrario, pensó, era firmar su propia sentencia de muerte.

Donald verificó que no se equivocaba cuando se reunió con Pepe, Arete y El Zarco en las oficinas de Miguel Restrepo, propietario de una casa de cambio en Medellín. Era el mediodía del miércoles 8 de julio de 1992.

El Zarco inspeccionó las oficinas contiguas y el baño y después de comprobar que no había nadie más en el lugar, hizo una señal a Arete, que sólo entonces transmitió a Miguel Restrepo y a Donald el mensaje que les había enviado Pablo Escobar.

—Don Miguel, El Patrón me mandó a frentearlos porque aquí hubo un minigolpe de Estado económico y militar contra estos hijueputas que ya no querían colaborarle a El Señor y estaban volteando para el lado de los caleños, y lo que El Señor quiere saber es de qué lado están ustedes. Ese hijueputa del Fernando no quería dar un peso más a El Señor y ustedes saben que fue Pablo el que hizo la guerra, el que le puso el pecho a la extradición y el que ha puesto al gobierno a marchar. Los bandidos fueron a hablar con Fernando de 20 millones de dólares que encontraron. ¡Resulta que todos necesitando y la plata pudriéndose! —vociferó Arete, airado.

Miguel Restrepo lo interrumpió. Habló en tono pausado y casi suplicante:

—Lo que haga El Señor está bien hecho y ustedes dirán.

—Mirá —aprovechó Arete para transmitir la orden final— hay que subir a hablar con Pablo. Pepe va a llevar a Donald.

El automóvil en que viajaban había franqueado ya El Rosellón cuando Pepe Arcila se atrevió a confesar la verdad a Donald:

—Mirá, todos esos hijueputas estaban muy alzados. Hermanito, yo ya sabía que esto iba a pasar desde hace como un mes, pero como

510

vos sos tan sano y tan sapo de Galeano y eres tan yaya con El Negro, yo no te pude contar, pero tranquilo que a vos no te va a pasar nada ni te van a matar, porque lo que queremos es que vos colborés y trabajés duro para Pablo.

Donald descubrió que no era el único invitado a La Catedral apenas llegó al estadero La Montaña. Sin embargo, sólo reconoció a Terry y a Comanche. No había visto antes a J, ni a José Carrillo, ni a Libardo Ramírez, ni a Delio Cáceres, ni a Mortis. Los contadores habían sido citados en las instalaciones de Comercializadora La Florida y, a instancias de Mortis, habían terminado primero en El Rosellón y luego en el estadero.

Ese miércoles 8 de julio de 1992 fueron tantos los que abordaron el camión Mazda 3.5 que Luiscar no pudo hacer uso de la carpa que dividía la carrocería en dos y así tuvo que notificárselo a El Limón, antes que este pusiera en marcha el furgón hacia La Catedral.

"Mujeres, muchas y bonitas"

Desde su posición en el puesto número 6 de control, en la garita de alerta temprana sobre la parte alta de La Catedral, el soldado Eduardo Gutiérrez Ariza vio ingresar el camión Mazda 3.5 y estacionarse arriba junto a los campamentos de la guardia interna del penal. Gracias a un potente juego de binóculos de dotación oficial, reconoció al conductor. El guardia de prisiones al que apodaban El Limón era moreno y corpulento y debía tener algo más de 30 años.

El soldado Gutiérrez Ariza divisó después la trompa del camión y esperó atento, pero no vio aparecer más que guardianes y algunos hombres vestidos de civil. "¡Mala suerte!", se dijo.

Otros días había visto descender del pequeño furgón lo que él simplemente describió como "viejas, muchas y muy bonitas".

Oriundo de una provincia menor de Antioquia y con 21 años de edad, el soldado Gutiérrez Ariza había cursado hasta el quinto año de bachillerato y se había alistado en el ejército por recomendación de su padre. Cumplía con el requisito del servicio militar obligatorio. Se encontraba en la Compañía Bolívar cuando sus superiores decidieron que debía ser trasladado a La Catedral. Aun cuando su primera misión fue patrullar el perímetro, pasó después al puesto número 1 de control, en las puertas mismas de La Catedral y, finalmente, terminó como vigía en las garitas que correspondían al puesto número 6 de control.

Aunque desde siempre había tenido más de una reserva frente al pequeño furgón Mazda 3.5, el soldado Gutiérrez Ariza había desistido de hacer preguntas desde el día en que el teniente Ortegón y el sargento Joya le habían dicho:

—Ese camión no se requisa porque transporta los alimentos y las cosas que se necesitan.

En realidad creía haber entendido el mensaje y se reía a carcajadas cada vez que veía llegar "viejas, muchas y muy bonitas" porque, sin duda, según concluía el soldado Gutiérrez Ariza, las mujeres siempre harían parte de esas necesidades.

Otros militares habían intentado, infructuosamente, mostrarse menos indiferentes. El capitán Rojas, entre ellos.

Oficial de carrera asignado a la Policía Militar, nacido en 1961, en Bogotá, el capitán Rojas había arribado a Medellín el 27 de junio de 1992, muy temprano en la mañana. Sin embargo, sólo el 30 se había presentado en La Catedral para recibir uno por uno los puestos de control del presidio. En el intervalo, se había dado a la tarea de inspeccionar el puesto del ejército basado en la repetidora de comunicaciones Padre Amaya. En realidad se había hecho el firme propósito de satisfacer a cabalidad las expectativas de sus superiores, pero, en su primer día de trabajo, se había topado con la franquicia de que gozaba el camión Mazda 3.5 y se había resignado a asimilar los niveles de corrupción que se ocultaban tras ella.

Aquel día el capitán Rojas se encontraba a 150 metros del puesto de huellas cuando vio que, sin registro alguno, el camión ingresaba en La Catedral. Eran las 5:30 del viernes 3 de julio. Tenía otra prioridad pero decidió dirigirse hacia el puesto de huellas.

—¿Y ese camión? —interrogó.

—Todo en orden, señor —le respondió el teniente Giraldo, comandante a cargo del puesto número 2. Está autorizado y tiene permiso.

—Deseo verlo —replicó, escéptico, el capitán Rojas.

Ante lo imperioso de la orden, el teniente Giraldo no había tenido otra opción que darse a la tarea de escarbar entre los libros de registro. Todo, sin éxito.

—Señor, creo que el permiso lo tenía mi capitán Lizcano —fue lo único que atinó a decir el teniente después de varios minutos de búsqueda. Él aseguró que se le había quedado en el puesto de carpas pero después creo que jamás lo trajo...

El oficial Rojas estaba dispuesto a ir en busca de Lizcano y a llamar su atención, cuando recordó que su homólogo había sido trasladado al Batallón Contraguerrillas Número 2, Guajiros. Decidió hacer varias preguntas a la guardia de prisiones, pero la respuesta de El Limón lo dejó de una pieza:

—¡Vea capitán, si usted quiere vivir, no pregunte tanto y no entorpezca nuestro trabajo!

En aquella oportunidad, el capitán Rojas hubiese deseado hacer bajar a aquel miserable del camión y propinarle personalmente una golpiza, pero se abstuvo de actuar cuando recordó las palabras de su homólogo, el capitán Lizcano:

—Mire, esa gente tiene conocimiento de que usted venía y tiene la dirección de su familia. Lo mejor es callar y prestarle la seguridad al sujeto Pablo... Lo mejor es no hacer preguntas y cumplir la misión.

"Preferimos callar para evitar cualquier represalia de estos contra nuestras familias y nuestra integridad personal", habría de confesar en 1992 el capitán Rojas a la Fiscalía General de la Nación. "Sí, siempre hubiese podido poner todo aquello en conocimiento del alto mando, pero al verme comprometido bajo amenazas de muerte que pesaban en contra mía y de mi familia y contra mucho personal que había pasado por esa unidad —añadiría ante la Fiscalía— tuve que mantener silencio, no hacer preguntas de ninguna clase. Tuve que callar y esperar a que se cumpliera el mes que iba a estar, pues como era sabido se evitaba al máximo que el personal volviera a repetir el comando y responsabilidad y seguridad de la zona..."

Las requisas

Apenas descendió del camión Mazda 3.5, Donald avistó a los guardias de prisiones que se aproximaban hacia él y hacia los contadores y, sin protestar, intentó facilitar la requisa. Utilizaban un detector de metales y otro de micrófonos o cintas magnetofónicas. Luego siguió a Pepe Arcila y entró en el chalet de Pablo Escobar. Era un sitio generosamente amoblado y en todo ajeno a la celda de un convicto. Donald cruzó frente al bar de madera y tomó asiento en la sala.

Pablo Escobar lo esperaba sentado sobre un sofá. Tenía una ametralladora, un radio, varios beeper y una pistola niquelada junto a él. Estaba acompañado por Gustavo González Flórez, Tavo, y Roberto Escobar.

—Yo quiero que me digás qué es lo que vos sabés de los negocios de El Negro y que me digás qué es lo que vos hacías —inquirió serenamente a Donald el jefe del cartel.

—Yo he adquirido la cocaína, se la he cortado y se la he llevado a Estados Unidos... También le traía la plata —respondió Donald. Actuaba por instinto y sin titubear. Según había concluido después de escuchar a Pepe Arcila, sólo podría seguir con vida si Pablo Escobar llegaba a la íntima conclusión de que él podría serle un hombre de extrema utilidad. Por lo demás, no mentía. Desde Mamarrosa, Donald había sido el amo de hombres como el caldense Rodrigo Vanegas. De hecho, a esas alturas, daba por cierto que Escobar conocía su trayectoria en el tráfico de estupefacientes y los nexos que lo habían unido a barones del crimen organizado como Fernando El Negro Galeano.

Pablo Escobar sonrió y luego lanzó la pregunta de cuya respuesta, según había decidido ya, iba a depender realmente la supervivencia de Donald.

—Contame vos cuánto es que le debías a El Negro o si no le debías: ¿qué sabés de los que le debían?

Donald reflexionó un instante y después respondió. Se dio cuenta de que los nervios empezaban a hacer mella en él:

—Yo le debo 1.154.000 dólares a Fernando... Señor, y lo único que sé es que envió un embarque de 350 kilos con Cachucho y que ese embarque era para España.

—¿Y qué opinas —Escobar contrapreguntó de inmediato— de la muerte de Fernando?

—Señor, a mí me duele en el alma que lo hayan matado —respondió Donald intentando contener su propio miedo. El hombre fue siempre el que me prestó la plata para yo trabajar y sobrevivir...

—Pero El Negro prestaba al ocho y al diez por ciento... —lo interrumpió Pablo Escobar dejándole entrever por primera vez que estaba absolutamente enterado de cada una de las actividades y las transacciones de El Negro.

—Señor, ¡a como fuera...! Si yo voy con la lengua y saco prestados dos millones: ¡¡¿quién pierde: el que va a apuntar 2.200 kilos o yo que salgo con la plata en efectivo?!

La respuesta de Donald desternilló de la risa a Tavo y surtió un efecto inesperado en Escobar. El jefe del cartel sacó un papel del bolsillo de la camiseta, lo ojeó y luego se dirigió a Donald:

—Efectivamente, vos sos hombre serio. Son 1.154.000 dólares lo que debés...

—Yo no le miento Señor... —aseveró Donald de inmediato.

El jefe del cartel lo observó nuevamente y prosiguió:

—Los bandidos discutieron con Kiko y El Negro y los mataron, y yo viendo eso pues no podía ponerme a defender, a hacerle el favor a William Moncada, que no es más que un alcohólico; ni a Mario, que hace 2 años está retirado y no ayuda para nada... Yo no pude sino unirme a los bandidos para evitar una rebelión, porque son ellos los que han puesto el pecho y yo no me voy a poner a defender a dos sinvergüenzas como William y Mario. Yo quiero que sepás que todas las propiedades y valores del narcotráfico: la cocaína, los barcos y los dólares quedan confiscadas para la guerra. Lo que quiero es que le digás a Rafael Galeano que entregue aviones, helicópteros y pistas, y las propiedades, y que mande 20 millones de dólares y que puede quedarse a vivir tranquilo en Medellín. Vos —Escobar tuvo especial cuidado en enfatizar lo que esperaba de Donald— te vas a encargar de averiguarme lo de Cachucho y partimos y si querés trabajar con nosotros la ruta la vas a manejar con José Fernando Posada...

—Señor, lo que usted diga —asintió Donald. —Si quiere le manejo la ruta, si quiere se la entrego... Señor.

Donald abandonó entonces el chalet y vio al mayor de los Atila. Estaba aterrorizado.

—No les va a pasar nada —explicó serenamente Arete a Donald. Ellos estudiaron conmigo y yo sé que son unos "sanos" y que van a colaborar...

La reunión con Donald apenas había inaugurado la jornada de Pablo Escobar ese miércoles 8 de julio de 1992.

Estaban en riguroso turno los contadores; David Areiza, el hermano de El Campeón, Orlando Paredes Quiñones, Quiño y Gabriel Jaime Acevedo, Chapeto. Este último, un narcotraficante al que Fernando El Negro Galeano y Gerardo Kiko Moncada habían rescatado cuatro meses antes de las garras de la muerte.

Tras una instrucción de Chopo, Chapeto había sido secuestrado por un "comando" enorme: Asdrúbal, Alex, El Camboyano y Cuchi, del barrio La Toma, y por Memo, Albeiro, Costales; José Saldarriaga

Quiroz, Changón, Iván y Chichi de los barrios Buenos Aires y Campo Amor de Medellín. Sin excepción, una noche de marzo de 1992, se habían dado cita en el sótano de parqueo del centro comercial Monterrey y después habían partido tras su víctima y reducido a sus escoltas. Más tarde, sólo las gestiones de Fernando El Negro Galeano y Gerardo Kiko Moncada habían disuadido a los bandidos de abandonar su millonaria exigencia: cinco millones de dólares y avenirse a devolver a la libertad a Chapeto a cambio de 200 millones de pesos.

Pablo Escobar reunió primero a David Areiza, a Quiño y a Chapeto y sólo añadió un nuevo ingrediente a la versión que originalmente, en la tarde del domingo 5 de julio, había suministrado a Quiño y que hacía unos instantes, ese miércoles 8, había dado a Donald sobre lo ocurrido:

—Tuve que autorizar la muerte de Kiko porque se volteó. Ñeris le descubrió una llamada a Cali.

Después despidió a David Areiza y a Chapeto y les pidió salir de La Catedral en el primer viaje que el camión Mazda 3.5 hiciera de retorno hacia el estadero La Montaña. Hizo la misma observación a Chopo y a Cuchilla o Pasarela y sólo a Quiño y a Rafaelito les pidió que esperasen.

La tercera jornada del atardecer de ese miércoles comprendía a los contadores y representantes legales de los consorcios de los Moncada y los Galeano.

J aún no cesaba de estornudar ni había podido vencer el escozor que sentía en las narices, producto de una alergia congénita al polvo de las carreteras, cuando vio aparecer a Pablo Escobar en el cuarto en que esperaban desde cuando el camión los había introducido a La Catedral.

Hacía unos instantes, no sabía si en burla o en serio, Cuchilla o Pasarela se había acercado a él y le había interrogado:

—¿Ya más relajadito, ya más tranquilo?

517

J descubrió que no estaba ni lo uno ni lo otro, en cuanto Escobar exigió a cada uno de los contadores que se identificara y les confirmó el doble homicidio que había tenido por víctimas a Gerardo Kiko Moncada y Fernando El Negro Galeano.

A decir del jefe del cartel, no obstante, lo ocurrido había sido un asunto fortuito y circunstancial, resultado del hallazgo de una "caleta" por la que Fernando había asesinado a varios parientes y mujeres de los bandidos y se había negado a dar una plata para recuperar 20 millones de dólares.

—Me dicen —afirmó Escobar mientras intentaba cazar el más mínimo gesto de desaprobación o escepticismo en el rostro de los contadores— que le habían pedido tres millones de dólares y que él se negó y dijo que le tenían que devolver la plata porque él no le iba a dar nada a nadie, y luego vino una discusión y los bandidos lo mataron. ¡La plata —enfatizó— estaba podrida y hay mucha gente que la está necesitando!

—La plata que yo he tenido, la he repartido siempre. Cualquiera de estos "trabajadores" —prosiguió el jefe del cartel, señalando a Chopo y El Zarco— puede tener fácilmente más de dos mil o tres mil millones de pesos. Así, pues, la plata es para compartirla. No para atesorarla. Yo tengo que sostener viudas, huérfanos y "trabajadores", y Kiko y William tienen hasta a sus familias mal y pagan mal a sus "trabajadores". A William yo no le debo ni un saludo. Es un borracho y...

Iba a continuar cuando un hombre vestido de civil apareció en la puerta. Pablo Escobar salió al instante. Un oficial del ejército requería hablar con urgencia con el jefe del cartel. En realidad, la conversación no se prolongó más allá de quince minutos y, en cuanto regresó, Pablo Escobar fue directo al grano:

—¿Tienen preguntas?

José Carrillo lanzó la primera:

—¿Qué va a pasar con las empresas y con la señora, con la viuda de don William y la familia?

—¡Hombre, esto es una cuestión de compartir! Aquí nadie se va a ver en grado sumo beneficiado y simplemente van a continuar común y corriente. Yo en próximos días quisiera hablar con cada uno personalmente para saber detalles al interior de nuestras empresas y para conocer qué le tocaba hacer a cada uno en su cargo... —replicó Pablo Escobar, visiblemente contrariado. En realidad, antes de dar una respuesta, el jefe del cartel sólo esperaba a escuchar a Quiño e inclusive a Rafaelito.

—Yo creo que a las viudas hay que dejarles las bodegas y no las fincas, porque las bodegas les producen algo y las fincas no... —dijo Quiño con el tono de quien se ha resignado ante lo inexorable.

Pablo Escobar asintió. Salvo por un asunto pendiente de resolver, la jornada del máximo capo virtualmente había terminado.

—¿Qui hubo de Chapulín? ¿O es que se van a dejar mamar gallo de él? —interrogó a Arete.

—No. Yo ya le mandé decir a Chapulín que si sigue jodiendo, él tiene mucha familia y se la cobramos con la familia —le respondió Arete.

—Yo creo que a Quiño —le instruyó por último Escobar— no hay que volver a citarlo a Medellín y que es hora de que se organice un embarque y él se vuelva para México...

"Nos cogió la tarde y Pablo dijo que nos teníamos que quedar a dormir —habría de relatar Quiño un día ante la Fiscalía. Entonces yo le dije que tenía que comunicarme con el mexicano. Hizo llamar al capitán para decirle que iba a salir un viaje más porque no podían salir los viajes sino hasta las cinco o las seis de la tarde y que le mandaba la 'liguita' con el chofer, o sea que le mandaba plata".

Regreso del infierno

Desde Bogotá, después de un número indeterminado de marcaciones, Chapulín volvió a comunicarse con José Carrillo. Era la noche del miércoles 8 de julio y aquella fue una conversación tensa y prolongada.

—Hombre, todo muy desolado. No hay nada que hacer. Nada de señal... —le explicó Carrillo sin el menor ánimo en la voz.

—¿Qué me quieres decir con eso? —cuestionó Chapulín a su interlocutor.

—El hombre ya nos dijo allá que eliminó a los dos hermanos y que la misma suerte van a correr los otros dos —le reveló Carrillo. Nos puso ya unas pautas de que llamemos esto como queramos: vandalismo o expropiación, pero que las cosas son de él de ahora en adelante. Que ya tiene un control completo sobre dineros y propiedades. Todo, en fin, lo de estos amigos. Que si algún administrador le falta o le oculta lo mínimo, va a correr la misma suerte de estos amigos...

—Pero hombre —lo interrumpió Chapulín— por qué no tratan de ocultar la plata que tienen en dólares. Entreguen lo que tienen acá y váyanse a vivir tranquilos o los van a matar...

—No puedo hacer eso porque tienen a J y a Rafaelito y a nosotros y a los patrones y, si llegamos a fallar la cosa, ya nos dijo que ahí mismo nos mata. ¡A nosotros y a nuestras familias! Entonces, ya como él dijo, esto es una expropiación y él se va a tomar todo.

—Muy preocupante —aceptó Chapulín. —Yo sé las cantidades de esta gente, las que manejan. ¿A vos no te parece eso muy preocupante, José?

—Sí, pero... ¡¿qué querés que hagamos nosotros?! Es más, ni me aconsejés porque yo no acepto si no lo que ya existe y no tengo otra. Vamos a empezar a gestionar y a entregarle todo lo que él dijo y como él lo dijo. Lo que sí voy es a tratar de ubicar una cita mañana con él a ver si, por lo menos, tiene piedad y deja alguna cosita que garantice nuestra supervivencia y la de estos muchachos y las familias. Voy a tratar de ver si el hombre cede —intentó José Carrillo explicar, sin éxito, a Chapulín.

--Hombre, eso es muy triste. Yo creo que a ustedes les está faltando un poco de fuerza porque deberían coger con esa plata que tienen, que sé que son más de 60 ó 70 millones de dólares, e irse todos. Coger señoras e irse del país. Con eso pueden vivir. ¿Cómo le van a entregar eso así? —insistió Chapulín.

—Mirá —José Carrillo estaba ahora francamente exasperado— no te pongás a aconsejar vainas que nos acaban es matando a la familia. Desde tu punto de vista es fácil, pero para nosotros no. ¡¿Vos le vas a hacer la cita a más de 30 personas que él hizo citar y recoger de todas las "oficinas" de todos los amigos?! ¡No...! Vos deberías haber visto esas caras de aburridos, de tristes que tenían, de asustados. Más bien cuidate hermano, que también preguntó por vos. ¡No, no nos vamos a poner a torear esto! Más bien el conducto a seguir es el que él nos exige. Mejor dicho —puntualizó— no hablemos más que no hay nada que hacer...

—Bueno hermano, si ustedes creen que eso es así, listo. Me parece muy triste esa decisión que van a tomar y me parece que es la más equivocada, pero listo. No es mi dinero ni mi problema... —replicó Chapulín a su interlocutor antes de cortar.

Los 20 millones de dólares

Sólo en la noche del miércoles, Donald pudo comunicarse con Rafael Galeano. Sin otra opción, explicó cuanto le había dicho Pablo Escobar Gaviria en La Catedral y le retransmitió la exigencia en torno a los 20 millones de dólares. De fondo, la misma que El Opita les había hecho conocer desde la madrugada del domingo 5. La respuesta de Rafael Galeano lo estremeció.

—Deciles que yo acepto dar los 20 millones de dólares, pero que me tiene que devolver a Mario y que me devuelvan a Fernando, si está vivo o muerto. Deciles que yo quiero el cadáver y que yo plata no necesito. Lo que necesito es a mis hermanos... Decile a Pablo

—continuó Rafael Galeano, sin titubear— que yo nunca he estado en estado de beligerancia. Preguntale ¿cómo nos meten en una guerra si nosotros no le hemos robado un peso a nadie? Decile que yo la plata se la doy, pero que me devuelva a mis hermanos...

En cuanto Rafael Galeano cortó la comunicación, Donald telefoneó en busca de Pepe Arcila.

—Hermano —le explicó—, tengo que hablar con La Tía y debe ser ahora...

Pepe Arcila pidió unos minutos para hacer algunas llamadas y luego le telefoneó. Chopo y Arete, dijo, estarían antes de medianoche en la residencia de Miguel Ángel Builes.

En realidad no eran sólo Chopo y Arete. Donald lo comprobó en cuanto entró en la residencia y vio aparecer además a Terry, a Comanche, a Pepe Arcila y a El Canoso. No era todo, un número incierto de bandidos esperaba afuera, en siete Toyotas.

—¿Entonces qué? ¿Qué es lo que quiere ahora, la llave? —le preguntó Chopo, sin preocuparse por disimular un instante el profundo desprecio que sentía por los hombres que servían a los Galeano.

—Que devuelvan a Mario —le respondió Donald.

—Eso sí va a estar difícil... Eso no lo resuelve sino La Tía y para eso hay que hacer otra cita —le advirtió Chopo mientras con ademanes de los brazos hacía señas a todos para que salieran de la casa. La verdad, según lo notó Donald, Chopo había consumido a esas alturas más de un cigarrillo de marihuana y los demás debían haber bebido varias horas sin parar.

Con todo, tanto Donald como Chopo y Arete y varios de los demás estuvieron al día siguiente otra vez en La Catedral. El agente de las rutas de los Galeano autoalabó el haber evitado un enfrentamiento en la medianoche del miércoles 8.

Señor —explicó Donald dirigiéndose a Pablo Escobar—, Rafael Galeano lo único que quiere es a sus hermanos. Yo puedo hacer que le den hasta 40 millones de dólares si usted logra que devuelvan a Mario vivo... Señor.

—Eso es un imposible... Mario se muere... —le respondió secamente Pablo Escobar.

Donald descubrió entonces que Mario Galeano aún vivía, pero se percató a la vez de que estaba lejos de poder salvarle la vida.

—En cuanto a Fernando —prosiguió Pablo Escobar—, no puedo devolver ni el cadáver, porque a él lo mataron los bandidos el mismo día en que lo secuestraron y porque ellos quemaron los cadáveres de él y de Kiko. Yo tengo a Mario y a William pero no los voy a devolver vivos porque Mario se mete es con la ley...

—Señor —aceptó Donald con una resignación sólo posible en hombres curtidos en los inexorables códigos de la mafia— entonces haga que me devuelvan el cadáver aunque sea sólo por humanidad para que el papá muera en paz. Usted bien sabe que él tiene un derrame cerebral...

—¡Ahhh! ¡Es que se nos volvió misionero este hijueputa...! ¡Pues no! —intervino Chopo. Estaba airado y había dado rienda suelta al odio visceral que sentía por los Galeano. —Decile a Rafael que nos dé 20 millones de dólares por cada cadáver y se los devolvemos...

—Señor —insistió Donald— hágalos devolver...

—Hagan "la vuelta" y le devuelven los cadáveres aquí al señor —sentenció Pablo Escobar mientras observaba a Chopo y a Arete. Luego, dirigiéndose a Donald, añadió:

—Dile a Rafael que no se olvide de los 20 millones. Decile que me los debe es a mí y que yo le doy mi palabra de que puede seguir viviendo tranquilo en Medellín en sus negocios legales. Que nos entregue sólo lo que es del narcotráfico...

—Señor —repuso Donald— yo quería pedirle por último que usted hablara con El Ñato, que es guardaespaldas de Fernando y que cree que los van a matar a todos...

—Deciles —Escobar volteó otra vez para observar a Chopo— que no tengo problemas con ellos. Que lo único que ha ocurrido es que se cambió de general. A los vencidos hay que darles misericordia, pero quiero que se unan a mí y así no hay problema. Deciles que les perdono la vida.

El señor fiscal

Descendiente de un ingeniero de ancestros vikingos que llegó a Colombia a comienzos del siglo para asesorar al gobierno de la época en la explotación minera y que luego de terminar su contrato decidió quedarse en el país, el hombre al que la Corte Suprema de Justicia había elegido para ocupar el cargo de primer fiscal General de la Nación era un jurista veterano y un ciudadano de enorme prestigio.

Gustavo de Greiff Restrepo había sido desde consultor de consorcios prestantes hasta consejero de Estado. Su designación como fiscal General lo había obligado a dejar en marzo de 1992 la rectoría de la Universidad del Colegio Mayor de Nuestra Señora del Rosario y a dedicarse a estructurar un organismo de investigación conformado por cinco millares de fiscales y 15 mil auxiliares.

Para esa tarde del jueves 9 de julio de 1992, cuando Chapulín se presentó en su despacho, De Greiff cumplía ya cien días en el cargo pero la Fiscalía sólo tenía ocho de vida. El organismo, llamado a reemplazar un ineficiente y torpe aparato de justicia con tasas de impunidad de 95 por ciento, había nacido oficialmente en Colombia el primero de julio de 1992, a la par con un nuevo y polémico Código de Procedimiento Penal.

Además de incluir algunas de las recomendaciones que había hecho el abogado Guido Parra al gobierno del presidente César Gaviria, como antesala a la presentación de Pablo Escobar ante los jueces, el código en cuestión había resultado ser tan impreciso que, de no haber sido por la oportuna intervención de Gustavo de Greiff, 5.200 terroristas convictos habrían estado en las calles tres días después del nacimiento de la Fiscalía General de la Nación. Tras la alerta del fiscal, Gaviria había tenido que decretar el Estado de Conmoción Interior y expedir dos decretos de emergencia para explicar los alcances del artículo 415 del código.

Chapulín empezó por el principio y explicó a De Greiff cuanto había sabido desde la mañana del lunes 6 de julio de 1992 sobre el secuestro de Fernando El Negro Galeano y Gerardo Kiko Moncada. Le relató además las conversaciones que había sostenido con sus contactos en las oficinas de los Ochoa y otros narcotraficantes y el último diálogo con José Carrillo.

—Hasta ahí viene el hecho de la situación que se está viviendo en Medellín —dijo Chapulín al fiscal De Greiff después de casi dos horas de relato. —Ellos van a recoger cerca de 200 millones de dólares, más propiedades. Los dólares en efectivo y las propiedades por cerca de 200 ó 300 millones de dólares y yo creo que, para algo bonito, Pablo Escobar no está recogiendo todo este dinero. No para disfrutarlo, sino para generar más maldad. Entonces, esta es, pues, mi declaración.

Ya cumplimos

Apenas salió de La Catedral y estuvo en Medellín, Donald se comunicó con Rafael Galeano. Hubiese deseado no tener que ser el responsable de transmitir tan horrendas noticias, pero no tenía alternativa. Relató exclusivamente lo que escuchó decir a Pablo Escobar: Fernando El Negro Galeano y Gerardo Kiko Moncada habían sido incinerados y Mario Galeano y William Moncada estaban condenados, inexorablemente, a correr la misma suerte. Retornó después a Bogotá y esperó por cualquier señal. En la tarde del viernes 10 de julio de 1992, Donald llegó a la certidumbre de que no se había equivocado. La decisión de Pablo Escobar de asesinar a Mario Galeano y a William Moncada era irrevocable. Fue Arete quien telefoneó:

—¿Qui hubo, la llave? ¿Qui hubo de aquel? ¿Qui hubo de Rafael? ¿Qui hubo del billete? ¿Qui hubo de aquel? Preguntale del billete que nos iba a mandar... —le insistió Arete.

—Hermano, él todavía nada... —intentó justificarse Donald.

—Nosotros ya le cumplimos —repuso Arete al instante. Ahí le dejo el encargo en un Swift azul, al lado de un restaurante a mano izquierda... subiendo. Me avisás qué dice Rafael porque nosotros ya le cumplimos...

Después que comunicó a El Ñato la razón de Arete y de que le asignó la tarea de avisar a las viudas y a Rafael Galeano, Donald tuvo que correr al baño. No se había repuesto del malestar cuando El Ñato lo llamó y le explicó:

—No hemos encontrado nada y lo mejor es que vos volvás a llamar a Arete. —Fue en efecto lo que hizo Donald.

—Deciles que el encargo —explicó Arete a Donald— está metidito en el garaje del restaurante. Al lado izquierdo.

Tras aquella conversación, El Ñato se encontró con una escena macabra. Los cadáveres de Mario Galeano y William Moncada estaban realmente dentro del baúl de un Swift. Incinerados. Eran las 4 de la tarde del viernes 10 de julio de 1992 y la policía acababa de hallar a otros seis muertos. Los cuerpos sin vida de Bocadillo, El Capi y Omar Caro estaban entre un jeep abandonado en una vía del municipio de Sabaneta. Las llamas se habían tragado los orificios de salida de los proyectiles que les habían cegado la vida. A la vez, entre un Mazda abandonado en la vía a Las Palmas, se hallaban los cadáveres de Elkin Estrada, John Jairo Vargas y del estudiante de ingeniería Fernando Garay Polo.

J descubrió pronto que ni el episodio de La Catedral ni el escándalo que había estallado dentro de la mafia tras el exterminio de los Moncada y los Galeano, iban a detener a la élite terrorista del cartel. El viernes 17 de julio de 1992, contra su voluntad, Donald, Delio

Cáceres y José Carrillo tuvieron que entregar 400 mil dólares después de convertirlos a pesos colombianos. No era todo. También habían entregado cuatro vehículos: un Mustang rojo deportivo, un Mercedes Benz 560 con matrícula LI 0218 y dos BMW.

Sin embargo, aquello no bastó. El miércoles de la tercera semana de agosto de 1992, J y Delio Cáceres fueron citados frente al colegio de los benedictinos, en el municipio de Envigado. Atendieron puntuales la cita que telefónicamente les había puesto Cuchilla o Pasarela. Cuando habían transcurrido 30 minutos, J y Delio Cáceres vieron aparecer un automóvil y después dos motocicletas. Ambos reconocieron al segundo ocupante del vehículo. Era Cuchilla o Pasarela. Este los invitó a subir a su automóvil. Ambos atendieron la instrucción y los cuatro, sumado el conductor, atravesaron la ciudad, alcanzaron El Poblado, enrumbaron hacia Zúñiga y viraron a la izquierda en la segunda bifurcación de la vía. Los seguían las motocicletas.

El vehículo se detuvo frente a un edificio en el que se encontraba el apartamento de El Primo. J y Delio Cáceres no pudieron disimular su magnífica sorpresa. En otros tiempos, aquel hombre de 1.75 de estatura, que para 1992 bordeaba los 55 años y era padre de una pareja de adolescentes, aparecía como amo y señor de varias de las lujosas discotecas que habían levantado los hombres de la mafia en Medellín. Era por lo menos insólito verlo arrumado en un apartamento de escasos metros, desaliñado y enfrentado a una lucha frenética contra una ceguera cada vez más aguda. Les sorprendió algo más: a pesar de su corpulencia y su apariencia de ex *cow-boy* americano, tenía un tono de voz profundamente afeminado. El apartamento de El Primo era pequeño y —en palabras de Diego Londoño White— "incómodo y desorganizado". El ex gerente de Metromed era otro más de los asistentes a la reunión. J y Delio Cáceres vieron también a varios bandidos, uno de ellos con 4 beepers ceñidos al cinturón.

Los dos contadores tuvieron que explicar a Diego Londoño White y a Maxwell la forma como estaban constituidas cada una de las empresas de William Moncada y después se vieron forzados a hacer una relación de las escrituras de las propiedades. Luego empezaron a suscribir un poder tras otro.

Diego Londoño y Maxwell señalaban a los potenciales compradores de cada propiedad, fijaban los precios y hasta sugerían los pasos a seguir para que se hiciera efectivo el cambio de dominio de cada bien.

La repartición de los inmuebles era tal que El Canoso pidió hacerse con un local bodega de 1.000 metros en San Diego y un establecimiento en la carrera 15 sur, en Medellín; una cabaña en el municipio de El Retiro y una casa en Bogotá sobre la Avenida Pepe Sierra.

Cuchilla o Pasarela, entre tanto, había puesto sus ojos en Macegal, una finca enorme propiedad de Gerardo Kiko Moncada en el corregimiento de La Rinconada, en Girardota. Reclamaba además las acciones de Fernando El Negro Galeano en el Club Deportivo Independiente Medellín. Estas últimas no eran más que otro trofeo para quien desde la clandestinidad dominaba ya cientos de acciones del Envigado Fútbol Club.

La fuga

Tras la reveladora denuncia de Chapulín y el envío de una comisión de fiscales antimafia, encabezada por Cruz Elena Aguilar, el fiscal Gustavo de Greiff había solicitado en la mañana del martes 21 de julio de 1992, reunirse en forma extraordinaria con el presidente César Gaviria. Después de explicar que tenía razones poderosas para sostener que el jefe del cartel y sus hombres habían convertido el presidio en un centro de pavorosas operaciones criminales, De Greiff simplemente anunció al jefe de Estado su decisión irrevocable de ordenar el traslado y la incomunicación inmediata del jefe del cartel y los terroristas que lo apoyaban en La Catedral.

Sin más opción, a escasas 48 horas de partir hacia la Cumbre Iberoamericana de Jefes de Estado, en Madrid (a la que finalmente nunca podría asistir), Gaviria citó a sus ministros de Gobierno, Justicia y Defensa y les comunicó la decisión irrevocable de la Fiscalía de ordenar el traslado de Escobar y sus hombres. Llegó después un maremágnum de órdenes tan confusas y contradictorias que, cuando el caso fue objeto de análisis en el Congreso, más de un parlamentario decidió describirlo como el mejor capítulo de Los tres chiflados.

En realidad, sin que existiese una explicación coherente de ello, el viceministro de Justicia, Eduardo Mendoza, y el director Nacional de Prisiones, un coronel de apellido Navas —que por negligencia habría de ser condenado a un año de cárcel cuando se supiese la verdad sobre los lujos de La Catedral— terminaron visitando a Pablo Escobar. Por decisión de la Fiscalía, le explicaron, debían trasladarlo de sitio de reclusión. No habían terminado de justificar la medida cuando el jefe del cartel decidió convertirlos en rehenes. Por lo demás, el avión de reacción de la Fuerza Aérea Colombiana (FAC), que debía transportar de Bogotá a Medellín a los comandos de élite de los cuerpos armados especiales, notificados a las carreras de que debían apoyar el traslado de Pablo Escobar y ocupar La Catedral, tardó dos horas en cargar combustible y despegar. Era tarde. En La Catedral, un cabo y varios soldados casi habían accedido a permitir que, a través de un hueco en la cerca, los reos abandonasen la prisión, a cambio, eso sí, de que les entregasen la anunciada ollada de fríjoles y algunos vales de aquellos que Pablo Escobar suscribía personalmente y que militares rasos se habían acostumbrado a cobrar en bombas de gasolina o en casas de cambio de Envigado.

Con todo, lo cierto resultó ser que a la perentoria notificación del fiscal De Greiff al presidente Gaviria, y a las órdenes de traslado de Escobar, sobrevino una dramática hecatombe y una noticia mundial. En Madrid, el escenario de la cumbre de presidentes, diarios como

El Mundo registraron paso a paso la fuga y la convulsión que estremecía a la nación:

ESCOBAR SE ESFUMA

*El jefe del cartel de Medellín burló a cientos de guardianes**

Los escuadrones antiterroristas de élite del Ejército colombiano, desplazados desde Bogotá, irrumpieron sobre las 6:30 de la mañana del miércoles en La Catedral, la prisión de máxima seguridad de Envigado, en las afueras de Medellín.

Tenían instrucciones de tomar el presidio por asalto, someter a los reos amotinados y tratar de preservar la vida de los dos rehenes: el viceministro de Justicia, Eduardo Mendoza, y el director nacional de Prisiones, un coronel del Ejército asignado al cargo por su experiencia en temas de inteligencia.

La otra misión era encontrar, detener e incomunicar en el acto a Pablo Escobar Gaviria. Las patrullas habían sido instaladas en las afueras del penal. Sin embargo, sólo en el amanecer del miércoles habían recibido orden de sus superiores para entrar al recinto.

El narcotraficante se resistía a ser trasladado a una guarnición militar y el propio Pablo Escobar dirigió el amotinamiento que terminó siendo una fuga. Escobar, su hermano Roberto de Jesús y ocho de sus lugartenientes habían logrado evadirse como el propio amanecer.

Dos días después, a través de cintas magnetofónicas enviadas a las emisoras locales por hombres del cartel de Medellín, se supo que Escobar y sus lugartenientes abandonaron el penal por la puerta principal, apoyados por la guardia interna, previo reparto de un millón y medio de dólares entre los celadores.

---

* Escobar se esfuma. *El Mundo,* Madrid, España. Domingo 26 de julio de 1992. Édgar Torres A.

El Gobierno, entre tanto, apenas atinaría a insinuar que Escobar y sus hombres huyeron vestidos como proveedores de alimentos y que lo hicieron por el monte, bordeando los cordones del ejército.

Las fuerzas de asalto se encontraron con una mínima resistencia. En el corredor que conducía a las celdas, sólo un sargento y un guardia, ambos del Cuerpo de Custodia de Prisiones, les hicieron frente. El primero murió en el acto. El segundo, herido, fue trasladado a un centro asistencial de Medellín.

La segunda fase de la operación resultó igualmente sencilla. En la habitación que había servido de dormitorio a Escobar, un puñado de cinco hombres mantenía cautivos al viceministro y al director de Prisiones.

Valentín Taborda, el principal procesado por el secuestro y asesinato del Procurador General de la Nación, Carlos Mauro Hoyos, en 1987, lideraba el grupo. "Nos tenían tirados en el suelo", relató el viceministro de Justicia, Eduardo Mendoza, a la prensa unas horas después de su liberación.

"Sentí un cañón en la frente. Era el del soldado de las Fuerzas Especiales. Me cogió, me tiró contra una esquina, nos cubrieron y encañonaron a todos los bandidos que nos habían secuestrado..."

El operativo continuó. Se prolongó buscando a los fugitivos hasta las siete de la noche del miércoles. A esa hora, cuando ya no había esperanza de encontrar al capo de la cocaína, el presidente Gaviria se dirigió por la televisión al país y tuvo que revelar la verdad de lo ocurrido.

"Indicios de inteligencia y evidencias en poder de la Fiscalía General de la Nación indican que Pablo Escobar ha continuado dirigiendo, directa y personalmente, actividades criminales desde la cárcel".

Escobar y sus hombres se han opuesto a ser trasladados a una guarnición militar y se han amotinado. Se han resistido a la acción legítima del Estado y ante ese desafío inaceptable, el gobierno ha dado orden de ocupar la cárcel. Ha sido un operativo limpio. Más de la mitad de los subordinados se encuentran incomunicados, pero Escobar no ha sido encontrado..." anunció Gaviria al país.

"He decidido posponer mi viaje a Madrid para asistir a la Cumbre Iberoamericana de Jefes de Estado, para hacer frente personalmente a este desafío contra la sociedad y el Estado", añadió.

La orden de trasladar a Escobar a una prisión militar había partido del presidente César Gaviria que, desde las diez de la mañana del martes, sostendría un consejo extraordinario de Seguridad Nacional.

El presidente había citado a sus ministros de Gobierno, Justicia y Defensa, y a los altos mandos militares del ejército y al Estado mayor conjunto. También a los directores de los dos cuerpos de la policía secreta.

La Fiscalía General de la Nación había obtenido evidencias ciertas e incontrovertibles que confirmaban los indicios de inteligencia en poder del gobierno.

Capo y juez

Pablo Escobar había convertido a La Catedral en su centro de operaciones. Coordinaba desde allí las actividades de envío de narcóticos, se entrevistaba con sus lugartenientes no detenidos y hasta había convertido el penal en estrado de juicio y patíbulo.

Todo ello, a pesar de los cordones militares que bordeaban la cárcel y de la guardia interna.

Según las revelaciones del fiscal Gustavo de Greiff, varios de los 42 hombres secuestrados y posteriormente asesinados en Medellín, entre la madrugada del 4 de julio y la noche del 12 siguiente, habían sido llevados hasta La Catedral, sometidos a una especie de juicio sumario y, posteriormente, habían sido sentenciados a muerte por el propio Escobar.

"Él desató la guerra interna porque había crisis económica y mandó a sacar la plata de varias "caletas", porque aquí la plata no se guarda en bancos ni nada, se "encaleta". Esa plata se estaba pudriendo guardada y Fernando Galeano y Kiko Moncada la sacaron para ponerla a trabajar, pero Escobar los hizo ir hasta La Catedral y los asesinó" había revelado a la Fiscalía un narco confeso que huía de la venganza.

El mismo hombre, entregando a otros dos enlaces del cartel de Medellín, había conducido a las autoridades hasta una residencia en Itagüí y mostrado dos camiones con compartimientos secretos. Los mismos en los que él y muchos otros habían ingresado a la cárcel en varias ocasiones.

Ese hecho y los testimonios de los familiares de Fernando El Negro Galeano y Gerardo Kiko Moncada, cuyos cadáveres incinerados fueron hallados ocultos entre un automóvil Mazda, en las cercanías de Envigado, finalmente persuadieron a Gaviria y a su equipo sobre la necesidad de ocupar La Catedral con tropas del ejército enviadas desde Bogotá.

La orden era relevar a los efectivos militares instalados en la zona y a la guardia de prisiones. Desde a entrega de Escobar a la justicia, el 19 de junio de 1991, esta era la primera medida drástica contra el prisionero de lujo.

El gobierno colombiano había evitado las medidas de fuerza inclusive a comienzos de este año, cuando la Procuraduría General de la Nación y el ministro de Justicia descubrieron que Escobar y sus hombres habían alfombrado sus celdas, instalado bañeras de lujo en los baños y, en general, se había rodeado de medios de un confort excepcional. La acción estatal se había limitado a comunicarlo al director de la cárcel y a la orden de retiro de las alfombras y los elementos introducidos.

Antes que alertar a Escobar sobre los hechos de conocimiento del gobierno, el Consejo Nacional de Seguridad votó en favor de disuadirlo con el traslado y una eventual amenaza de un ataque contra la cárcel.

Gaviria y su viceministro Mendoza impulsaron desde marzo de 1992, en La Catedral, un programa de reforma por varios millones de pesetas, que consiste en la instalación de circuitos cerrados de televisión, estructuración de campos minados, mallas electrificadas y sistemas de esclusas, controladas eléctricamente desde puestos externos e inexpugnables a la prisión que albergaba a Pablo Escobar.

Así, aludiendo el riesgo implícito por el ingreso de obreros y materiales, Gaviria intentó justificar el traslado y, con esa tarea envió desde Bogotá, el martes en la tarde, al viceministro de Justicia y al Director Nacional de Prisiones a la cárcel, para notificar la decisión.

Fue en el curso de esa misión, poco antes de la media noche, cuando Escobar convirtió en rehenes a los funcionarios: los dejó a órdenes de cinco de sus hombres e inició la fuga amparado en que suponían que simplemente estaba amotinado.

En un comunicado, difundido la noche del jueves, Escobar asegura que "sabíamos desde el lunes que algo raro estaba ocurriendo y que iban a ordenar trasladarnos. Se han incumplido los acuerdos a que llegamos con el gobierno. Como consecuencia de nuestra presentación a la justicia, el gobierno se comprometió a proteger nuestra integridad física y a no sacarnos por ningún motivo y bajo ninguna circunstancia de la cárcel de Envigado".

"Nosotros nos habíamos opuesto a varias de esas reformas porque reducían el terreno de la cárcel a menos de la tercera parte del espacio al que teníamos derecho, según convenios anteriores y porque lo que pretendían era construir una jaula...".

Tropas del ejército colombiano y medio millar de efectivos de la fuerza élite de la División Antinarcóticos de la Policía Nacional han seguido desde el martes el rastro de Escobar, en una cacería hasta ahora estéril.

En terrenos de la cárcel y en sus afueras, las autoridades han hallado casi una decena de escondrijos con joyas de alto valor, aparentemente propiedad de la esposa de Pablo Escobar, armas, fajos de dólares y varios millones de pesos.

La Fiscalía General de la Nación interrogó a 36 guardias de prisiones, arrestados en el desarrollo de la operación y ha trasladado a los cinco testaferros de Escobar capturados durante el operativo de Itagüí, el segundo centro de máxima seguridad y el mismo en el que se encuentran recluidos los hermanos Jorge Luis, Fabio y Juan David Ochoa Vásquez.

Temor a atentados

A su vez, el gobierno ha tenido que poner en marcha un vasto plan de seguridad en edificios oficiales, embajadas, colegios y centros comerciales. Con todo, los portavoces del propio partido de gobierno y las fuerzas de la oposición, reclamaban un juicio público al gobierno. A estas alturas, lo único cierto es que nadie sabe en el Ejecutivo qué ocurrió. Cómo consiguió escapar el jefe del cartel de Medellín.

"Quisiera tener una explicación, pero no la tengo", admitió desde un comienzo el propio Gaviria. Escobar ha burlado tres cercos del ejército, una red de medio millar de hombres, que tenían la misión de bordear la cárcel, ha salido con el apoyo de la guardia y ahora está libre.

Carlos Lemos, ex ministro de gobierno liberal del presidente Barco, aseguró escuetamente: "Escobar ha salido por la puerta grande, y el gobierno lo hará por su propio túnel".

Por su parte, Enrique Parejo González, ex ministro de Justicia, prefirió advertir que "lo ocurrido es la consecuencia lógica de un vergonzoso proceso de concesiones a la mafia".

Mientras Gaviria y sus ministros buscan una explicación a lo ocurrido, los sectores de la oposición advierten que el presidente ha perdido autoridad moral para permanecer en el gobierno.

Y Escobar habla desde su escondite: "Estamos dispuestos a continuar en el proceso de paz si se nos garantiza una custodia a cargo de las Fuerzas Especiales de la ONU" afirma Escobar en su comunicado.

"Como respuesta al atentado cometido contra nosotros, no ejerceremos por ahora acciones violentas de ninguna naturaleza". El capo de la cocaína firmó su comunicado en una zona selvática de Colombia, el jueves 24 de julio de 1992.

En mitad del mar

El vuelo que trajo a Quiño de regreso a Colombia aterrizó en el Aeropuerto Internacional Eldorado una tarde de la última semana de julio de 1992. Había tenido franco éxito con el mexicano Teo después de transmitirle la versión que Pablo Escobar había ideado: "Que Fernando y Kiko se habían torcido, que se habían quedado con un dinero, que el jefe del cartel volvía a reasumir la ruta y que Teo debía mantenerse 'firme' con Pablo Escobar". De esta manera, la ruta seguía intacta.

En cuanto pudo, una vez en Bogotá, Quiño comunicó a Arete el resultado de sus gestiones con Teo y le explicó que estaba listo para enviar el primer embarque. La verdad lo hacía más por temor que por convencimiento. Durante las charlas que había sostenido con Chopo, El Canoso y Arete, Quiño recibió un mensaje que sólo pudo asimilar a una pavorosa amenaza:

—Vos sí tenés unas hijitas muy preciosas, Quiño —le habían dicho, si agregar nada más. Pero era suficiente.

Por lo demás, Quiño sabía que Pablo Escobar estaba presionando para que se hiciese el primer envío de cocaína. Sin embargo, tuvo que dedicarse antes a solucionar otro problema. El barco que Pablo

Escobar había confiscado a Fernando El Negro Galeano y a Gerardo Kiko Moncada, tenía un desperfecto en el motor. En realidad, era un barco de segunda del que Kiko apenas si había alcanzado a cancelar 10 por ciento al propietario y al que tampoco había sido posible adecuar con ayudas de navegación, radios y cuanto requería una operación de envío de narcóticos.

Aunque Quiño soportó durante septiembre una enorme presión, sólo en la primera semana de octubre el barco estuvo listo para hacerse a alta mar o por lo menos fue lo que él creyó.

Otro buque, enviado por Ñeris y Comander, había partido desde Bahía Cupica, en el Chocó. Transportaba 2.990 kilos de cocaína. La droga debía ser transbordada al barco que había pertenecido a Kiko Moncada. La misión de Quiño era coordinar el encuentro entre los dos barcos y entregar las tres toneladas de alcaloide a Teo. De hecho, por órdenes expresas de Arete, Quiño viajó de inmediato a México pero las cosas no resultaron del todo bien.

Aunque el transbordo de la cocaína en altamar marchó sin contratiempos, el buque reparado estaba a la deriva y Arete frenético y desesperado. Quiño lo supo en cuanto buscó un teléfono ocasional y respondió el beeper que Morcillo le había puesto a una central en México:

—¡¿Cómo se le ocurrió a usted comprar ese barco tan malo?! —inquirió Arete a Quiño. Si la mercancía se pierde, usted me tiene que responder por eso...

—Primero que todo —le replicó Quiño, entre espantado y furibundo— yo no compré ese barco. Ese barco se lo heredaron ustedes a Kiko y a Fernando. En segundo lugar, ahí está Comander con el radio. Hablen con el capitán del barco y sigan ustedes con eso, que yo no voy a responder por eso... Luego tiró la bocina del teléfono. No cesaba aún su indisposición cuando, al día siguiente, recibió otro beeper de Morcillo. Esta vez su interlocutor fue El Canoso.

—Mirá, calmate con todo esto... es que Arete estaba ofuscado. Lo que tenés que hacer es seguir trompa adelante. Eso es lo que te manda a decir El Señor, don Pablo.

Las transferencias

J, Delio Cáceres y otros dos contadores se sintieron secuestrados el día entero en el apartamento de El Primo. La Monja Voladora entraba y salía una y otra vez, atendiendo las recomendaciones de Diego Londoño y Maxwell. Caía el atardecer cuando La Monja Voladora y Pasarela volvieron cargados de documentos notariales y poderes en blanco, estos últimos elaborados en computador.

Sin otra alternativa, J y Delio Cáceres empezaron a estampar en cada uno su firma y la huella dactilar del índice. Transferían así todos los bienes de William Moncada: las sociedades Asecomfi y Agroganasur; el establecimiento Los Acuarios y las haciendas Yuruparí, La Colombiana, Farallones, Arremangos y Tequendama, en La Pintada; Bellavilla y La Granja, en Girardota; Veracruz, en Planeta Rica; Los Cedros y Europa, en las afueras de Cartagena; Monte, en Nechí; Lote Las Vegas, en Medellín; una vivienda en la transversal inferior y otra en la transversal superior de Medellín; las oficinas 257 y 258 y el local 10107 del centro comercial Monterrey y un apartamento y un lote en el sector de Bocagrande en Cartagena.

Ni J ni Delio Cáceres creyeron que volverían a citarlos tras aquella jornada, pero ambos terminaron un día de agosto en el restaurante Piamonte. Cuchilla o Pasarela obligó a Delio Cáceres a telefonear a José Carrillo y a citarlo en el restaurante.

—Decile a Carrillo que llame a este beeper —le explicó Cuchilla o Pasarela mientras le extendía un papel en el que había consignado el número indicado. —Decile que no le va a pasar nada. Que pregunte por Rubén y que le explique que desea hablar con él. Que dé un número y que esté tranquilo que no le va a pasar nada...

Delio Cáceres atendió la orden y luego volvió a tomar su puesto en una de las mesas del restaurante Piamonte.

—Mirá, voy a ser claro —lo interpeló Cuchilla o Pasarela. —Nosotros sabemos todo. Sabemos que vos tenés conocimiento del lugar donde se encuentran los Moncada Álvarez. Vamos a dar 250 millones de pesos por esa información: cien por el paradero de Dolly Álvarez, 100 por el de Bibiana y 50 por cada miembro de la familia...

Delio Cáceres se estremeció. Cuchilla o Pasarela se refería a la viuda y a los hijos de William Moncada. Sin duda, el cartel había decidido asesinar inclusive a las esposas y a los herederos de los barones de la cocaína que habían sido exterminados. Aunque tuvo que tragarse la muerte, negó conocer el paradero de los Moncada pero no pudo hacer lo propio respecto de José Carrillo.

Después, sin protestar, estampó su firma en cada hoja de papel blanco tamaño carta que le extendió Cuchilla o Pasarela. Casi había terminado cuando vio a Diego Londoño White entrar en el restaurante Piamonte y dirigirse hacia ellos.

—Quiero que usted me hable de las características de la familia y que me describa La Pintada —le dijo Diego Londoño en tono casi colérico. —Descríbala...

Fue exactamente lo que Delio Cáceres hizo por lo menos en el caso de La Pintada. De hecho, para ese mes de agosto de 1992, Londoño negociaba diez millones de acciones del Banco Ganadero que habían pertenecido a los Moncada y, a instancias de Luis Miguel Londoño, el cartel comercializaba tres millares de cabezas de ganado que, en su mayoría, partían hacia enormes haciendas del Valle. La actividad era tal que un día, en La Pintada, la policía se había aparecido para pedir que las licencias de movilización de ganado fuesen solicitadas en grupo porque los camiones estaban obstruyendo a diario las vías.

Sólo con el tiempo, Delio Cáceres supo que José Carrillo terminó secuestrado durante cinco días y que fue sometido inclusive a descargas eléctricas en los testículos y a otras torturas hasta que accedió a transferir, en una notaría, los bienes de William Moncada.

—Me golpearon y me torturaron hasta dejarme la mano derecha paralizada —relató José Carrillo a Delio Cáceres en la primera oportunidad en que ambos volvieron a encontrarse. —Me interrogaron todo el tiempo sobre la fortuna y el paradero de Dolly Álvarez y me obligaron a entregar toda la documentación de Asecomfi que yo había escondido en un edificio en construcción en la calle 70. Es hora de irse y de irse con toda la familia, porque nos van a matar, nos van a matar —le advirtió.

Delio Cáceres sólo atendió la recomendación de José Carrillo en la segunda semana de octubre. Por orden de Pasarela, el economista debía entrevistarse de nuevo con El Canoso. Sin embargo, el día anterior a la cita recibió una llamada extraña y definitiva.

—No voy a decirle quién soy pero voy a advertirle una cosa: Pablo Escobar ha dado la orden de asesinarlos a todos. A usted y a sus padres, a sus hermanos y a sus hijos. Si quieren vivir, salgan de Medellín esta noche y no regresen nunca más.

Delio Cáceres y los suyos salieron entonces huyendo de Medellín. Más tarde, no obstante, al igual que otros, él terminó siendo citado ante la Fiscalía General de la Nación. Reconoció uno tras otro los documentos que tuvo que firmar en blanco e inclusive varios con la rúbrica de William Moncada. La Fiscalía los había obtenido directamente del agente del cartel al que le había sido confiado custodiar los documentos. Realmente eran varios y diversos y una evidencia contundente de cuanto había ocurrido y así lo consignaron los expedientes respectivos:

1. Dos hojas de papel de formas continuas en original y copia, en las que aparece una firma que según el testigo corresponde a la de Libardo Ramírez, representante legal de Comercializadora La Florida.

2. Dos hojas en blanco con la rúbrica de Delio Cáceres, representante legal de Asecomfi Ltda.

539

3. Tres hojas en blanco de las mismas características de las citadas en los literales anteriores, suscritas por J, representante de Agroganasur.

4. También cuatro hojas en papel de notaría, firmadas y con la huella en tinta.

5. Igualmente tres hojas de las mismas características suscritas y con la huella de Libardo Ramírez.

6. Original y copia, escrita en impresora, del Acta No. 11 de la Reunión Extraordinaria de la Junta de Socios de Asecomfi Ltda. En tres folios en original y tres copias.

7. Original y copia de un documento suscrito por Doralba Pérez Pérez dirigido a la Cámara de Comercio, Referencia: Nombramiento Asecomfi, autenticado por el Notario Diecisiete del Círculo de Medellín.

8. Original y copia de dos documentos privados, autenticados por la misma notaría, suscritos por la misma dama y con Referencia: Comercializadora La Florida.

9. Similar documento y con las mismas características, en original y copia, con Referencia: Agroganasur.

10. Original y copia en tres folios respectivamente, del Acta No. 10 de la Reunión Extraordinaria de Socios de Agroganasur Ltda., suscritos por Delio Cáceres y J.

11. Seis folios en original y copia respectivamente, identificados como Acta No. 8 de la Reunión Extraordinaria de la Junta de Socios de Comercializadora La Florida Ltda., suscrita por J.

12. Original y copia de documentos forma Minerva, referentes a promesas de compraventa de inmueble, en blanco, identificadas con el número 0009425, suscritas por Delio Cáceres. Otras cuatro hojas de las mismas calidades con las numeraciones 0009435 y 0009430, respectivamente, suscritas por Delio Cáceres.

13. Seis documentos de las mismas formas y en blanco, suscritos posiblemente por Libardo Ramírez.

14. Otros seis documentos de las mismas formas, también en blanco, suscritos por J.

15. Tres hojas en blanco de papel de notaría, con firma y huella al parecer de J.

16. Tres hojas de las mismas características de las anteriores suscritas y con la huella de Delio Cáceres.

17. Tres hojas Minerva totalmente en blanco, suscritas por la parte posterior a J.

18. Otras tres hojas de similares características suscritas por Delio Cáceres.

19. Seis certificados de tradición con el recibo de caja No. 84162 a nombre de Gonzalo Arango, de 25 de agosto de 1992, alusivos a diferentes propiedades. Todos debidamente firmados con tinta de lapicero azul por el Registrador de Instrumentos Públicos de Santa Bárbara (Antioquia).

20. Once certificados de tradición expedidos el 11 de agosto de 1992, con recibo de caja No. 84128 de la misma fecha a nombre de Fernando Londoño White, suscritos por los Registradores de Instrumentos Públicos de Santa Bárbara y Támesis (Antioquia).

21. Otros cinco certificados de tradición, firmados por el Registrador de Instrumentos Públicos de Támesis (Antioquia).

22. Un documento en blanco forma Minerva, suscrito en la parte posterior por William Moncada Cuartas.

23. Poder en blanco hecho en papel de seguridad, suscrito por William Moncada Cuartas, en favor de Delio Cáceres.

24. Certificado de Paz y Salvo No. 016661 a nombre de Comercializadora La Florida.

25. Certificado de Paz y Salvo No. 070598 a nombre de Jaramillo Jaramillo Esneda, expedido el 11 de agosto de 1992.

26. Recibo de caja No. 1133004 del 14 de agosto de 1992, a nombre de Constructora Comercial Mi Rey Ltda.

De seguro, concluyó Delio Cáceres, los documentos que en esa lista contenían la firma de William Moncada daban testimonio de los últimos instantes de vida de uno de los más poderosos barones del tráfico mundial de narcóticos.

Mil quinientos R-15

Tras el incidente con Arete por la avería del barco en alta mar y después de la comunicación en que El Canoso le pidió conservar la serenidad y seguir adelante con la entrega del embarque de 2.990 kilos de cocaína a Teo, Quiño tuvo tres días de tranquilidad en México. No obstante, en el cuarto día Morcillo le pidió telefonear a Rafaelito a Medellín. Quiño sintió que se le helaba la sangre cuando escuchó el mensaje que este tenía para él:

—El Señor manda a decir que hay que comprar 1.500 de una cosa. Es la primera letra de la fábrica que queda en Envigado con la carrera donde tiene el local Capeto. Hay que comprarlos y enviarlos de regreso en el buque tan pronto como llegue —le explicó Rafaelito. Lo que él quiere es que tú organicés eso con Teo: ¿Entendido?

En efecto, Quiño lo había comprendido al instante, pero no podía creer que algo así le estuviese pasando a él. La primera letra de la fábrica era R de la Renault y el local de Capeto estaba justo sobre la carrera 15. Lo que Pablo Escobar le exigía y le había hecho transmitir a través de Rafaelito, era ni más ni menos que la adquisición y envío a Colombia de 1.500 fusiles R-15.

—Deciles que están locos —replicó Quiño enfurecido. Primero, yo no sé dónde venden eso y, segundo, preguntales vos: ¡¿de dónde vamos a sacar la plata o si es que creen que nos los van a fiar?! Además: ¿cómo vamos a mandar eso en ese barco tan malo?

Quiño notó de inmediato que Rafaelito asimiló su respuesta a la peor de cuantas había podido darle.

—Mirá —le dijo— yo no le voy a decir eso a Pablo porque a él no se le puede decir que no y van y nos "cascan" a todos. Yo voy a buscarte a Arete para que hable con vos mañana... ¡Hermano, lo que yo estoy es dando una razón!

La llamada de Arete entró efectivamente en la mañana del día siguiente al número de teléfono del establecimiento en que Quiño había anunciado que se encontraría.

—Vea hermano —explicó Arete a Quiño, esforzándose por parecer conciliador—, tranquilo que lo del barco ya se organizó y va bien. Yo me responsabilizo de eso y de que el barco vuelva con lo que le pidió Rafaelito. Pedile a Teo de la plata que nos debe: los tres millones de dólares. Con eso los comprás o si no decile a Teo que las compre él con esos tres millones y acordate que a Pablo no le podés decir que no... Yo me voy a "encaletar", pero vos ponete a organizar eso y entendete con El Canoso, que él queda encargado de toda la organización... Yo me voy a "encaletar". Chopo está "encaletado" y Pasarela también está "encaletado", pero vamos a estar pendientes de lo tuyo —le advirtió Arete antes de colgar.

La reacción de Teo no fue en nada diferente a la que tuvo Quiño desde el comienzo.

—Están locos. ¡¿En qué chicharrón nos metieron?! —interrogó el mexicano a Quiño antes de ponerse en contacto con Gambuza, un narcotraficante que era su mano derecha, y de proponer a Quiño que diseñaran un plan. Acordaron decirle a El Canoso que las autorida- des no habían permitido el paso de las armas por la frontera y que, ante ello, no había sido posible cargar el barco.

Aunque tuvo un temor profundo de que todo se descubriera y de que, si ello sucedía, Teo lo responsabilizara ante Pablo Escobar de no embarcar las armas, Quiño se dio cuenta de que no tenía otro camino. Decidió confiar en el narcotraficante mexicano y regresó a Colombia. Lo hizo en la primera semana de noviembre de 1992, pero esperó cuatro días antes de telefonear a El Canoso. Le explicó que Teo no había podido enviar las armas porque existía el riesgo de que terminasen siendo confiscadas por la policía, y le dijo que el barco había tenido que regresarse sin lo solicitado. Quiño confió en que el cartel iba a sentirse satisfecho al saber que la cocaína había llegado sin contratiempos, pero se equivocó.

—Y usted ¿por qué se esperó cuatro días para avisar que no habían mandado las armas? —interrogó El Canoso a Quiño, sin disimular un instante la ira que sentía.

—El embarque —repuso Quiño— lo recibieron en el desierto y lo recibieron al amanecer. Ellos se acostaron a dormir y de ese sitio a otro donde pudieran llamar hay 18 horas en carro. Por eso ellos se demoraron cuatro días en avisarme y ahí mismo le estoy avisando a usted.

—Yo voy a dar la razón pero no creo que esto le vaya a gustar nada a Arete... —puntualizó El Canoso, que sólo apareció diez días después:

—Mirá, por qué no le preguntás a Teo si le podemos enviar un avión para que nos mande un poco de lo que sabemos. Lo que quepa: así sean las de los "trabajadores" de él —dijo El Canoso a Quiño y después le transmitió la nueva orden de Pablo Escobar. —Vete tú mismo para México y organizás lo del avión y lo de la traída de lo que sabés...

Efectivamente, Quiño estuvo el 6 de diciembre de 1992 otra vez en Nuevo México, pero cuando marcó el beeper de Gambuza sólo encontró a un "trabajador" menor. Teo había salido de vacaciones y no iba a volver hasta el 10 de enero. Quiño transmitió entonces ese mensaje a Medellín y después envió dinero y tiquetes a su esposa y a sus hijas para que viajaran a encontrarlo en México.

Durante varias semanas se abstuvo de contestar primero los beeper de El Canoso y después los de Arete, pero el 28 de diciembre, cuando aún se encontraba en Cancún, un contacto de Teo le avisó que, por orden de Pablo Escobar, los "trabajadores" de un narcotraficante colombiano conocido como José Orejas, lo estaban buscando en México. No era todo. Por solicitud de la Fiscalía General de la Nación en Colombia, según había sabido Teo, la policía mexicana también estaba tras el rastro de Quiño.

Alertado, Quiño embarcó a su mujer y a sus hijas de inmediato para Miami y desapareció hasta el 6 de enero. Telefoneó ese día a Morcillo y le pidió que buscara a Óscar Alzate para que él entrara en contacto con autoridades en Bogotá. Debía decirles que un narcotraficante del cartel de Medellín estaba dispuesto a entregarse y develarles el secreto mejor guardado del cartel: la espectacular ruta de La Fania. Sólo exigía protección estatal para su familia.

En efecto, la entrega se cumplió después que su esposa y Óscar Alzate hicieron el primer contacto con un coronel de la Policía Antinarcóticos. Quiño supo más tarde que no había sido el único. También Donald, que había tenido que despachar varios vuelos de narcóticos para Pablo Escobar, se había convertido en testigo de cargo contra el cartel. Lo propio había ocurrido con los contadores.

No era todo. Otoniel González Franco, Otto, se había presentado ante la justicia el 7 de octubre de 1992 y lo habían seguido Popeye, Arete, Comanche y el propio Roberto Escobar Gaviria, Osito. Por lo demás, la policía había capturado el 6 de noviembre de 1992 a Boliqueso y más tarde a La Monja Voladora, a Memobolis y a otros. Enchufe había sido cazado en una residencia de los alrededores de Medellín y había muerto durante el enfrentamiento con la policía, y la misma suerte había corrido Chopo. Cuchilla había desaparecido y otros agentes del cartel huían o simplemente delataban ante la Fiscalía General de la Nación cuanto sabían de la mafia.

Por si aquello fuese poco, Rambo y los hombres que habían sobrevivido al exterminio de los Moncada y de los Galeano, habían puesto en marcha su propio plan de ejecución del jefe del cartel, amparados en Perseguidos por Pablo Escobar, Pepes, un aparato terrorista tan o más fantasma que aquel que el cartel había acuñado bajo el rótulo de Los Extraditables.

La organización había destruido dos residencias, una galería de arte, una colección de 11 autos Rolls Royce, Mercedes Benz y Porsche; la discoteca Cama Suelta y el edificio Dallas, en el área metropolitana de Medellín.

En el oriente, sur y suroeste antioqueño había dinamitado e incendiado ocho fincas campestres. Según voceros oficiales, los daños superaban los veinte mil millones de pesos.

A lo anterior se sumaban los crímenes de varios agentes terroristas cercanos a Escobar y de sus cuatro abogados, entre ellos, Guido Parra Montoya. También había sido asesinado el arquitecto Luis

Guillermo Londoño White. Éste último, fue hallado con un letrero en el pecho que decía: "Iniciador de secuestros para Pablo Escobar".

El abogado Parra y su hijo Guido Andrés, de 18 años, habían sido secuestrados una mañana en su apartamento y unas horas más tarde sus cuerpos baleados e inertes habían aparecido cerca de una alcantarilla.

Los sobrinos de Escobar y sus familias habían intentado huir a Chile, pero habían sido rechazados y habían terminado yendo de un lugar a otro como parias internacionales. La propia esposa de Escobar y sus hijos habían tenido que enfrentar la deportación desde Alemania, el 28 de noviembre de 1993. De hecho, la reacción ante aquello no se había hecho esperar. El propio Pablo Escobar había telefoneado, amenazante, a la Presidencia de la República.

Funcionario: Aló, ¿con quién hablo?

Pablo Escobar: Con Pablo, ¿cómo está?

Funcionario: Bien. ¿Cómo está usted?

Pablo Escobar: No, pues más o menos.

Funcionario: Dígame, ¿en qué puedo servirle?

Pablo Escobar: Le habla Pablo Emilio Escobar, de Medellín, para manifestarle que si el gobierno de Alemania maltrata, humilla o rechaza a mi familia inocente, yo tomaré represalias contra los ciudadanos, los turistas, las empresas y los intereses de Alemania en Colombia. Mi familia está compuesta por dos mujeres y dos menores inocentes.

A los alemanes cuando tuvieron la guerra se les dio por parte de América Latina y por parte de Colombia, se les dio refugio y se les dio asilo en nuestros países.

En ese sentido seré absolutamente radical porque no puedo permitir que mi familia inocente sea atropellada, sea humillada o sea rechazada.

Funcionario: Bueno, yo quería decirle una cosita. Mire, yo le tengo que grabar porque usted puede ser una persona haciéndose pasar por el señor Escobar.

Pablo Escobar: Claro, si yo entiendo eso.

Funcionario: Yo necesito confirmar que esta sea la voz suya.

Pablo Escobar: Sí, claro, claro, sí señor.

Funcionario: Yo haré lo posible por confirmar lo más pronto eso.

Pablo Escobar: Sí, sí.

Funcionario: Por favor, entiéndame.

Pablo Escobar: No, yo lo entiendo perfectamente. Si de pronto hay contacto con alguna persona yo te quiero confirmar esto, yo esta llamada no la he hecho a ninguna parte, no la he hecho yo, no he llamado a la embajada de Alemania, para que les informe sobre esta situación, no he llamado a la embajada, no he llamado a medios de comunicación, únicamente hice una llamada a la Presidencia para que la Presidencia le dé un manejo a esta situación, porque yo sé que hay países que por razones humanitarias habían aceptado recibir a mi familia.

Pero el señor fiscal, pues utilizó la herramienta de que si no me presentaba, la utilizó como un chantaje. Entonces, él estaba manejando a mi familia, diciendo que le retiraba la protección si yo no me presentaba.

Yo no me puedo presentar en un momento en que han secuestrado y torturado hasta a las muchachas del servicio doméstico para que digan en donde estoy yo; donde han masacrado una cantidad de personas, donde hay un irrespeto total por los Derechos Humanos y donde hay atropellos de toda clase.

No me puedo entregar porque no me dan garantías. Entonces no es justo que estén humillando a mi familia inocente, dos niños y dos mujeres inocentes, y que estén utilizando eso como un chantaje porque yo sé que unos países habían dicho que por razones humanitarias le habían concedido asilo a mi familia.

Entonces, yo quiero que me haga el favor y le comente a ellos allá en la Presidencia sobre esta situación.

Funcionario: Yo quiero hacerle una pregunta.

Pablo Escobar: Sí señor.

Funcionario: ¿Cómo sé que usted es Pablo Escobar?

Pablo Escobar: Yo soy Pablo Escobar y mi cédula es ocho millones, trescientos cuarenta y cinco... ¿Aló?

Funcionario: Sí, lo escucho.

Pablo Escobar: Ocho millones, trescientos cuarenta y cinco mil setecientos sesenta y seis, de Envigado. Creo que todo el mundo no va a saber el número de mi cédula tampoco.

Funcionario: Bueno, muchas gracias.

Pablo Escobar: Bueno, señor. Muy amable, y me disculpa.
Funcionario: Bueno.

Al final, el 2 de diciembre de 1993, sobrevino el desenlace. Una interceptación de la Unidad de Inteligencia, apoyada en equipos de radionometría, puso al descubierto al jefe del cartel. Indicaba a su hijo la forma en que debía responder el cuestionario enviado por una revista. En cinco minutos, patrullas del Bloque de Búsqueda estuvieron en la casa de la calle 79 número 45D-94 del Barrio Las Américas, en Medellín. El Limón intentó enfrentarlos en la primera planta. Pablo Escobar, cuando huía por el tejado. Tres ráfagas pusieron fin a 17 años de pavorosa actividad criminal. Pablo Escobar había muerto.

FUENTES

CAPÍTULO 1. NI EL PROCURADOR DEBE SALIR CON VIDA

El Tiempo. Incierta suerte de Andrés Pastrana. Enero 19 de 1988.

El Tiempo. Pastrana pensó que era una broma. Enero 19 de 1988.

Edición extra de *El Tiempo*. Asesinado el procurador; liberado Andrés Pastrana. Enero 25 de 1988.

El Tiempo. Asesinado el procurador Hoyos Jiménez. Enero 26 de 1988.

El Tiempo. Comunicado de la mafia. Enero 26 de 1988.

Revista *Semana*. El reto de la mafia. Enero 26 de 1988.

El Tiempo. Así fue la liberación de Pastrana. Enero 26 de 1988.

El Tiempo. Así fue mi secuestro. Enero 28 de 1988.

El Tiempo. Deshacerse del procurador Hoyos ordenó Pablo Escobar. Abril 28 de 1988.

El Tiempo. $80 millones costó la operación a Los Extraditables. Noviembre 30 de 1988.

CAPÍTULO 2. "OSO 1 REPORTANDO A MAMÁ"

El Tiempo. Espectacular cacería a un avión robado en la base aérea de Catam. Marzo 3 de 1988.

El Tiempo. Itinerario de un robo fantástico. Marzo 4 de 1988.

El Tiempo. Comunicado firmado por Pablo Escobar Gaviria. Marzo 4 de 1988.

El Tiempo. El miedo espera a las puertas de Nápoles. Marzo 5 de 1988.

El Espectador. Inseguridad, complicidad e indolencia. Marzo 6 de 1988.

CAPÍTULO 3. COCAÍNA MADE IN COLOMBIA

El Tiempo. El MAS desafía al M-19 para que libere joven. Febrero 7 de 1982.

Revista *Semana*. Terrorismo a la carta. Mayo 12-18 de 1982.

El Tiempo. Sólo quedaron los "lavaperros". Marzo 14 de 1984.

El Tiempo. Un satélite descubrió a "Tranquilandia". Marzo 17 de 1984.

El Espectador. Asesinado presidente del DIM. Febrero 19 de 1986.

El Tiempo. Mercenarios tras Escobar. Agosto 15 de 1989.

CAPÍTULO 4. LA GÉNESIS DEL CARTEL

El Espectador. Hallan asesinado a dueño de Joyerías Felipe. Febrero 28 de 1986.

El Tiempo. Asesinado Pardo Leal. Octubre 12 de 1987.

El Tiempo. "Lo felicito y lo espero pa'que celebremos". Diciembre 28 de 1987.

Revista *Semana*. La Viuda Negra en Capilla. Noviembre 1 de 1994.

CAPÍTULO 5. HAY QUE SECUESTRAR 50 GRINGOS

La República. Qué dice la nota verbal sobre el "narco" Pablo Escobar Gaviria. Septiembre 9 de 1984.

El Tiempo. Atentado dinamitero contra Pablo Escobar. Enero 14 de 1988.

CAPÍTULO 10. MERCADERES DE LA MUERTE

El Tiempo. Relato de una "resucitada". Marzo 17 de 1990.
El Tiempo. Incierta la suerte del senador Estrada. Abril 4 de 1990.
El Espectador. Liberado Estrada Vélez. Abril 6 de 1990.
El Tiempo. Barrio bogotano a punto de desaparecer. Abril 6 de 1990.
El Tiempo. Bomba en Itagüí. Abril 12 de 1990.
El Tiempo. Carros-bomba en centros comerciales. Mayo 13 de 1990.
El Tiempo. Indignación por muerte de Estrada. Mayo 22 de 1990.
El Tiempo. Carro-bomba en El Poblado: 97 heridos. Junio 15 de 1990.
El Tiempo. Abatido jefe terrorista. Junio 15 de 1990.
El Tiempo. Fue un triste adiós. Julio 18 de 1990.

CAPÍTULO 11. APOCALIPSIS II

El Tiempo. Cayó el estado mayor de Pablo Escobar G. Julio 11 de 1990.
El Tiempo. Escobar busca rutas de escape. Julio 12 de 1990.
El Tiempo. Escobar no nos ha burlado todavía, dice Cuerpo Élite. Julio 13 de 1990.

CAPÍTULO 12. EL REINO DE LOS SECUESTROS

El Tiempo. Muerto subjefe del cartel del Medellín. Agosto 12 de 1990.
El Tiempo. Secuestrado ayer Francisco Santos. Septiembre 20 de 1990.
El Tiempo. Secuestrada Maruja Pachón de Villamizar. Noviembre 8 de 1990.

CAPÍTULO 13. ASESINEN A LOS REHENES

El Tiempo. Frustrado atentado contra parlamentario galanista. Octubre 23 de 1986.
El Tiempo. Atentado dinamitero contra Pablo Escobar. Enero 14 de 1988.
El Tiempo. Las negociaciones con Los Extraditables. Comunicado de Guido Parra. Marzo 31 de 1990.
El Tiempo. Por decreto debe establecerse garantía de la no extradición. Parra. Diciembre 7 de 1990.
El Tiempo. Hallan cadáver de Marina Montoya. Febrero 1 de 1991.
El Tiempo. Medellín: 20 muertos por carro-bomba. Febrero 17 de 1991.
El Tiempo. Hija de Belisario escapó a un secuestro. Marzo 25 de 1991.
El Tiempo. Asesinado Low Murtra. Mayo 1 de 1991.
El Tiempo. Así viví los 243 días de mi secuestro. Mayo 26 de 1991.

CAPÍTULO 14. EXTERMINIO EN LAS ENTRAÑAS DEL CARTEL

El Tiempo. Ilesa en atentado doña Bertha ayer en Bogotá. Junio 21 de 1987.
El Tiempo. Escobar tras las rejas. Junio 20 de 1991.
El Mundo (España). Se esfuma Escobar. Julio 26 de 1992.
El Tiempo. Cita en el patíbulo. Julio 18 de 1993.
El Tiempo. Todo esto es un golpe de Estado, un fujimorazo. Julio 19 de 1993.
El Tiempo. Esos cadáveres valen US$10 millones... Julio 20 de 1993.
El Tiempo. Edición extra. Al fin cayó. Diciembre 2 de 1993.